문학을 잡는 자가 수능까지 잡는다

문학 공부도 똑똑하게!
문학 DNA를 깨우자

문학을 공부하는 학생들의 흔한 고민

고민 1

Q 문학은 작품 수도 많고 공부할 범위도 너무 넓어요.

A 교과서에서 다루고 있는 작품과 학습 요소를 중심으로 문학 공부를 시작해 보세요.

교과서는 각 학년의 학습 목표와 중학생의 수준 등을 고려하여 다양한 작품을 수록하고 있어요. 문학 공부를 어떻게 해야 할지 막막하다면 교과서 또는 교과서 내용을 다룬 문제집을 활용하는 것도 좋은 방법이에요.

고민 2

Q 낯선 작품을 만나면 갑자기 머리가 하얘져요.

A 낯선 작품이 나오더라도 작품을 감상할 수 있는 능력을 길러야 해요.

시, 소설, 수필, 극 갈래별로 작품 감상에 꼭 필요한 개념과 감상 원리가 있어요. 이러한 이론을 익히고 작품에 적용해 보는 연습을 해 보세요. 그러면 생소한 작품이 나와도 작품의 주제, 내용, 특징을 잘 파악할 수 있답니다.

고민 3

Q 작품을 읽고도 막상 문제를 풀려고 하면 너무 어려워요.

A 작품을 분석하여 핵심 내용을 파악해 보는 습관을 길러 보세요. 또 시, 소설, 수필, 극 갈래별로 시험에 자주 나오는 문제 유형과 해결 방법을 익혀 보세요. 그런 다음에 실제로 작품을 읽고 문제를 많이 풀어 보는 연습을 하는 것도 중요해요.

문학 공부가 고민일 때, <문학 DNA 깨우기>가 그 해결책을 제시합니다!

이 책을 검토해 주신 분들

학부모 검토단

강미화(경기) 김아리(광주) 노연숙(인천) 오선옥(서울) 이미연(경기) 정재희(서울)

강민숙(서울) 김연정(광주) 박소연(서울) 윤미숙(서울) 이미화(경기) 정지연(서울)

구선영(경기) 김은연(경남) 백재은(서울) 윤선미(대구) 이성희(충남) 정현진(서울)

권지현(부산) 김은정(광주) 송은선(광주) 윤재나(서울) 이윤희(서울) 천진주(대구)

김경숙(대구) 김정아(경기) 송재은(경기) 윤혜진(서울) 이재환(서울) 최승란(충북)

김문희(경남) 김진희(경북) 신소은(경남) 음정희(경기) 이황희(서울) 허지혜(전북)

김미영(부산) 김현정(서울) 양승아(대전) 이경미(대구) 임순복(경기) 홍지혜(서울)

김민주(부산) 김현주(경기) 오미성(서울) 이경미(경기) 전은정(경기)

교강사 검토단

가유림(경기) 김정욱(경기) 백승재(경남) 윤기한(전남) 이애리(경남) 정승교(경기)

강선옥(서울) 김주현(서울) 성부경(부산) 윤미정(서울) 이용수(경기) 제갈민(대구)

강주희(대전) 김현수(경남) 손윤정(강원) 윤희정(충북) 이유림(울산) 조경훈(경기)

구민경(대구) 노병곤(서울) 신혜영(부산) 이기연(강원) 이정복(서울) 차성만(경기)

김광철(광주) 박소연(경기) 심은연(서울) 이다래(경기) 이지은(대구) 최진수(경기)

김민성(경기) 박수진(경남) 오지희(제주) 이도식(전남) 임양현(경기) 한지담(경남)

김병수(울산) 박윤선(광주) 오현경(서울) 이동익(전북) 장연희(대구) 홍승억(경기)

김성애(경기) 백수미(경기) 유신영(경기) 이수진(경기) 정경은(경기) 황재준(인천)

기획·편집 고명선, 권소영, 김현아, 박유리, 임명준, 장수원, 조소은

표지 디자인 김희정, 윤순미, 김지현   내지 디자인 박희춘, 한유정, 김지혜

조판 대진문화(구민범, 심미경)

해법 중학 국어

문학DNA
깨우기

1
기본 개념

문학 갈래별 기본 개념을 차근차근 익히고,
교과서 수록 작품에 적용해 보는 연습을 통해
문학 감상 능력과 문제 해결 능력을 향상한다!

1 개념

문학 감상에 꼭 필요한 갈래별 기본 개념을 예시와 함께 제시하였습니다.

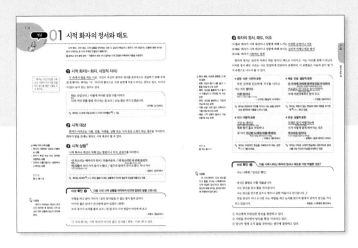

· **개념 학습**

명확한 예시와 빈칸 문제를 통해 기본 개념
을 확실히 이해할 수 있도록 합니다.

· **바로 확인**

학습한 내용을 적용하여 스스로 작품을 해석
하고 확인 문제를 풀어 보도록 합니다.

2 실전

중·고등 교과서에 수록된 문학 작품 가운데 꼭 읽어야 할 작품 23편을 선정하고, 중
요 부분을 발췌하여 수록하였습니다. 기본 개념을 적용하여 작품을 감상하고 실전 문
제까지 풀 수 있도록 구성하였습니다.

· **핵심 짚기** _핵심 개념을 중심으로 작품을
분석하여 중심 내용을 파악할 수 있도록 하였
습니다.

· 문학 갈래별 대표 문제 유형을 익힐 수 있도
록 다양한 문제를 수록하였습니다.

· 주관식 고난도 고1 학력평가 기출 등 다양한
유형의 실전 문제로 학교 시험을 대비할 수
있도록 하였습니다.

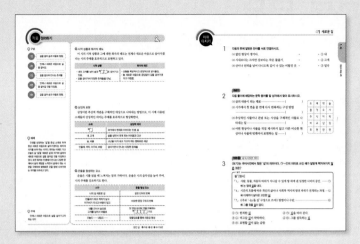

· **작품 정리하기**
작품의 구성, 해제, 주제, 핵심 내용을 간략하게 제시하여 작품을 종합적으로 정리할 수 있도록 구성하였습니다.

· **어휘 다지기**
간단한 문제를 풀면서 작품과 관련된 어휘의 뜻과 쓰임을 다시 한 번 확인해 볼 수 있게 하였습니다.

· **테마 특강**
앞에서 학습한 작품과 함께 읽으면 좋은 작품들을 소개하여 작품 감상의 폭을 넓힐 수 있도록 하였습니다.

· **생각할 거리**
작품 내용과 관련하여 생각할 거리를 제시하여 사고력을 기를 수 있게 하였습니다.

정답과 해설

본문에 수록된 지문에 대한 자세한 해설을 제시하고, 문제에 대한 정답과 오답의 이유를 상세하게 제시하였습니다.

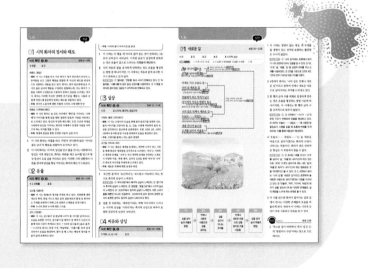

이 책의 차례 – 학습 점검

1 이 책은 문학 갈래로 단원을 구성하고, 각 단원은 개념과 실전으로 구성하였습니다.

2 실전의 각 지문은 중·고등학교 국어 교과서에 많이 수록된 작품으로 선정하였습니다.

3 1일 개념 2개 또는 실전 1개 학습, 전체 30일 학습을 권장합니다.

문학?! 기본 개념을 정확히 알면 실전은 문제 없지!

1 시

2 소설

3 수필/극

작품 찾아보기

개념 학습과 실전 연습으로 실력 쌓기!

1 시

개념 01 시적 화자의 정서와 태도

시적 화자, 시적 대상, 시적 상황을 파악하는 것은 시 감상의 핵심이다. 화자가 시적 대상이나 상황에 대해 보이는 정서나 태도는 곧 시의 주제와 연결되기 때문이다.

📖 중학교 국어 문학 영역 • 작품에서 보는 이나 말하는 이의 관점에 주목하며 작품을 수용한다.

❶ 시적 화자(= 화자, 서정적 자아)

> 화자는 시인 자신일 수도 있고, 시인이 아닌 다른 인물이나 동식물 혹은 사물일 수도 있어요.

시 속에서 말을 하는 이로, 시인이 자신의 생각과 정서를 효과적으로 전달하기 위해 꾸며 낸 존재이다. 화자는 '나', '우리'의 형식으로 시의 표면에 직접 드러나는 경우도 있고, 드러나지 않고 숨어 있는 경우도 있다.

> <u>나</u>는 산입니다. / 이렇게 커다란 검정 구름 더미가
> 화자
> 나의 머리 위를 펑펑 지나가는 걸 보니 / 오늘 밤은 비가 오겠습니다.
>
> – 유치환, 〈산 3〉에서

✎ 화자는 시 속에 직접 드러난 '나'이자 자연물인 ❶(ㅅ)임.

❷ 시적 대상

화자가 바라보는 사물, 인물, 자연물, 상황 또는 시의 중심 소재가 되는 생각을 가리킨다. 화자가 말을 건네는 청자도 시적 대상이 될 수 있다.

❸ 시적 상황 ⊕

> ⊕ 여러 가지 시적 상황
> • 화자가 사랑하는 대상과 이별하는 상황
> • 화자가 특정 대상 또는 장면을 관찰하는 상황
> • 자연의 아름다움이나 생명력이 느껴지는 상황

시적 화자나 대상이 처해 있는 형편이나 처지, 분위기를 의미한다.

> 내 목소리는 메아리가 되어 / 되돌아온다. / 내 목소리만 내 귀에 들린다.
> 화자: '나'   화자는 홀로 지내고 있음.
> 이 사람이 어디 가서 잠시 누웠나, / 옆구리 담괴가 다시 도졌나, 아니 아니
> 시적 대상(화자의 아내)
>
> – 김춘수, 〈강우〉에서

> 빈칸 답
> ❶ 산 ❷ 이별

✎ 화자는 아내와 ❷(ㅇㅂ)하고 홀로 지내는 상황에서 아내의 일상적 모습을 떠올리고 있음.

바로 확인 ❶ 다음 시의 시적 상황을 파악하여 빈칸에 알맞은 말을 고르시오.

> 💡 도움말
> 화자가 바라보는 대상이 무엇인지 파악한 후 화자와 시적 대상이 어떤 상황에 있는지 파악해 본다.

국철을 타고 앉아 가다가 / 문득 알아들을 수 없는 말이 들려 살피니

아시안 젊은 남녀가 건너편에 앉아 있었다 〈중략〉

모자 장사가 모자를 팔러 오자 / 천 원 주고 사서 번갈아 머리에 써 보고

– 하종오, 〈동승〉에서

이 시의 화자는 시적 대상인 아시안 젊은 남녀를 (관찰 / 비판)하고 있음.

❹ 화자의 정서, 태도, 어조

(1) **정서** 화자가 시적 대상이나 상황에 대해 느끼는 다양한 감정이나 기분

(2) **태도** 화자가 시적 대상이나 상황에 대해 보이는 심리적 자세나 대응 방식

(3) **어조** 화자가 사용하는 말투

　화자의 정서는 심리적 자세나 대응 방식인 태도로 이어지고, 이는 어조를 통해 드러난다. 이처럼 정서·태도·어조는 서로 밀접하게 연관되어 표현되며, 이 표현들은 다음과 같이 몇 가지 유형으로 나누어 볼 수 있다.

➕ **정서, 태도, 어조와 관련된 그 밖의 표현**
- **비판** 대상의 좋고 나쁨, 옳고 그름을 따지거나 잘못된 점을 지적할 때 쓰는 표현
- **예찬** 대상을 훌륭하거나 좋거나 아름답다고 찬양할 때 쓰는 표현
- **연민** 대상을 불쌍하고 가엽게 여길 때 쓰는 표현
- **기원·소망** 어떤 일이 이루어지기를 바랄 때 쓰는 표현
- **애상** 시적 상황이 슬프고 가슴 아플 때 쓰는 표현

빈칸 답
❶ 체념 ❷ 의지

● **긍정·낙관·낙천적 표현**

　푸른 산처럼 든든하게 지구를 디디고 사는 것은 얼마나

기쁜 일이냐
　화자가 느끼는 기쁨이 드러남.
　　　　　　　　 – 신석정, 〈들길에 서서〉에서

✎ 화자는 든든하게 지구를 디디고 사는 삶을 긍정적으로 생각하며 기쁨을 느끼고 있음.

● **체념·단념·절망적 표현**

산 구석에 처박혀 발버둥친들 무엇하랴
　　　　　　　 희망 없는 현실에 저항하기를 포기함.
비료값도 안 나오는 농사 따위야
　　　　　 희망이 없는 현실
아예 여편네에게나 맡겨 두고
　　　　　　　　　 – 신경림, 〈농무〉에서

✎ 화자는 희망이 없는 현실에 대해 저항을 포기한 채 ❶(ㅊㄴ)하고 있음.

● **의지·저항적 표현**

지금 눈 내리고
　화자가 처해 있는 부정적인 현실
매화 향기 홀로 아득하니

내 여기 가난한 노래의 씨를 뿌려라.
　　　　　　　　 화자의 현실 극복 의지가 드러남.
　　　　　　　　　 – 이육사, 〈광야〉에서

✎ 화자는 부정적인 현실을 극복하고자 하는 강한 ❷(ㅇㅈ)를 드러냄.

● **반성·성찰적 표현**

인생은 살기 어렵다는데
　　　　　 어두운 시대 현실
시가 이렇게 쉽게 씌어지는 것은

부끄러운 일이다.
　자신의 모습을 성찰하고 반성함.
　　　　　　 – 윤동주, 〈쉽게 씌어진 시〉에서

✎ 화자는 어두운 시대적 현실과는 대조적으로 쉽게 시를 쓰는 자신의 모습을 반성하고 있음.

바로 확인 ❷　다음 시에 나타난 화자의 정서나 태도로 가장 적절한 것은?

 도움말
　이 시의 화자인 '나'는 당신을 안고 물을 건너는 나룻배이며, 시적 대상은 '당신'이다. 화자가 당신에 대해 보이는 정서와 태도에 주목하여 읽어 본다.

나는 나룻배 / 당신은 행인.

당신은 흙발로 나를 짓밟습니다.
나는 당신을 안고 물을 건너갑니다.
나는 당신을 안으면 깊으나 옅으나 급한 여울이나 건너갑니다. //
만일 당신이 아니 오시면 나는 바람을 쐬고 눈비를 맞으며 밤에서 낮까지 당신을 기다리고 있습니다.
　　　　　　　　　　　　　　　　　　 – 한용운, 〈나룻배와 행인〉에서

① 자신에게 무관심한 당신을 원망하고 있다.
② 시련을 견디면서 당신을 항상 기다리고 있다.
③ 당신이 영영 오지 않을 것이라는 생각에 절망하고 있다.

개념

02 운율

시는 운율이 나타난다는 점에서 줄글로 쓰인 산문과 구별된다. 시의 운율은 독자가 언어의 아름다움을 느끼게 하며 시인이 표현하고자 하는 바를 강조하기도 한다.

❶ 운율(= 시의 리듬)

일반적으로 시를 읽으면 산문을 읽을 때와 다르게 리듬감과 가락을 느낄 수 있다. 시에서 느껴지는 이러한 말의 가락을 운율이라 한다.

● 시	● 산문
엄마야ˇ누나야ˇ강변 살자 <small>각 행을 세 마디로 끊어 읽게 됨.</small> 뜰에는ˇ반짝이는ˇ금모래 빛 뒷문ˇ밖에는ˇ갈잎의 노래 엄마야ˇ누나야ˇ강변 살자 반복 – 김소월, 〈엄마야 누나야〉	아버지는 어느 날 점퍼 속에 강아지 한 마리를 넣어 왔다. 난 지 며칠이나 지났을까. 호떡을 싸는 봉지에 들어갈 수 있을 정도로 작았다. – 성석제, 〈선물〉에서
✎ 시는 읽을 때 리듬감과 가락을 느낄 수 있음.	✎ 산문은 말의 ❶(ㄱㄹ)이 뚜렷하게 느껴지지 않음.

❷ 운율의 종류

운율은 크게 외형률과 내재율로 나뉜다. 외형률은 음보나 글자 수를 규칙적으로 반복하여 형성하는 운율로, 규칙성이 시의 표면에 뚜렷이 드러난다. 내재율은 시어의 배치 등을 통해 은근하게 느낄 수 있는 운율로, 규칙성이 시의 표면에 뚜렷이 드러나지 않는다.

➕ **외형률의 종류**
- **음수율** 동일한 글자 수가 반복되며 만들어지는 운율
  예 7·5조, 3·3·2조
- **음보율** 끊어 읽는 단위(음보)가 일정하게 반복되며 만들어지는 운율
  예 3음보, 4음보

● 외형률	● 내재율
산 너머ˇ남촌에는ˇ누가 살길래 <small>7글자 5글자</small> 해마다ˇ봄바람이ˇ남으로 오네 <small>7글자 5글자</small> – 김동환, 〈산 너머 남촌에는〉에서	내 가슴은 너무도 많이 뜨거운 것으로 <small>'으로'라는 말이 반복되며 운율을 형성함.</small> 호젓한 것으로 사랑으로 슬픔으로 가득 찬다 – 백석, 〈흰 바람벽이 있어〉에서
✎ 각 행이 '7글자–5글자'로 반복되고 각 행을 세 마디로 끊어 읽는 ❷(ㄱㅊㅅ)이 겉으로 드러남.	✎ 규칙성이 겉으로 드러나지는 않지만 '으로'가 반복되어 은근하게 운율이 느껴짐.

빈칸 답
❶ 가락 ❷ 규칙성

바로 확인 ❶ 다음 시의 운율을 파악하여 빈칸에 알맞은 말을 쓰시오.

아홉이나 남아 되던 오랩동생을
죽어서도 못 잊어 차마 못 잊어

– 김소월, 〈접동새〉에서

한 행을 ( )개의 마디로 끊어 읽는 규칙성이 반복되는 ( )이다.

💡 **도움말**

시를 소리 내어 읽으며 리듬감이 느껴지는지 확인해 본 후, 어떤 요소가 이러한 리듬감을 형성하고 있는지 파악해 본다.

❸ 운율 형성 방법

음악이 일정한 박자에 일정한 음과 가사를 반복하여 리듬감을 얻는 것처럼 시도 <u>규칙적인 반복을 통해 운율을 형성한다.</u>

> '음운'은 말의 뜻을 구별해 주는, 소리의 가장 작은 단위 예요. 대표적으로 자음과 모음이 있어요. '음절'은 하나의 종합된 음의 느낌을 주는 말소리의 단위예요. 우리말에서는 발음을 기준으로 한 글자가 하나의 음절이에요.

● 글자 수의 반복

술 익는 마을마다 / 타는 저녁놀 //
　　7글자　　　　　　5글자
구름에 달 가듯이 / 가는 나그네
　　7글자　　　　　　5글자

－ 박목월, 〈나그네〉에서

✎ 한 연의 글자 수가 '7글자-5글자'로 반복되며 운율을 형성함.

● 음보의 반복

마을∨사람들아∨옳은 일∨하자꾸나.

사람이∨되어 나서∨옳지 곧∨못하면

－ 정철, 〈훈민가〉에서

✎ 한 행을 네 마디로 끊어 읽는 4음보가 규칙적으로 반복되며 운율을 형성함.

● 음운과 음절의 반복

갈래갈래 갈린 길 / 길이라도

내게 바이 갈 길은 하나 없소.

－ 김소월, 〈길〉에서

✎ 음운인 'ㄱ'과 'ㄹ', 음절인 '갈'과 '길'이 반복되며 운율을 형성함.

● 시어(시구)의 반복

해야 솟아라, 해야 솟아라, 말갛게 씻은

얼굴 고운 해야 솟아라. 산 너머 산 너머서

－ 박두진, 〈해〉에서

✎ '해야 솟아라', '산 너머'와 같은 ❶(시구)가 반복되며 운율을 형성함.

> **➕ 음성 상징어**
> 소리나 모양을 흉내 낸 말로, 의성어와 의태어가 있다. 음성 상징어는 일반적으로 같거나 비슷한 소리를 반복하면서 운율을 만들어 낸다.
> ・**의성어** 소리를 흉내 낸 말
> ⑳ 멍멍, 째깍째깍
> ・**의태어** 모양이나 움직임을 흉내 낸 말
> ⑳ 반짝반짝, 울긋불긋

● 비슷한 문장 구조의 반복

산산이 부서진 이름이여!

허공 중에 헤어진 이름이여!

－ 김소월, 〈초혼〉에서

✎ '~ㄴ 이름이여'와 같은 문장 구조가 반복되며 운율을 형성함.

● 음성 상징어의 사용

싸그락 싸그락 두드려 보았겠지

난분분 난분분 춤추었겠지

－ 고재종, 〈첫사랑〉에서

✎ '싸그락 싸그락', '난분분 난분분'과 같은 ❷(음성 상징어)가 운율을 형성함.

> 빈칸 답
> ❶ 시구　❷ 음성 상징어

바로 확인 ❷　다음 시에 사용된 운율 형성 방법이 <u>아닌</u> 것은?

> 💡 **도움말**
> 이 시는 다양한 방법을 사용하여 운율을 형성하고 있다. 시에서 규칙적으로 반복되는 요소를 파악하여 답을 찾아 보자.

봄바람 하늘하늘 넘노는 길에 / 연분홍 살구꽃이 눈을 틉니다.

연분홍 송이송이 못내 반가워 / 나비는 너훌너훌 춤을 춥니다.

봄바람 하늘하늘 넘노는 길에 / 연분홍 송이송이 반겨듭니다.

연분홍 살구꽃이 바람에 지니 / 나비는 울며 울며 돌아섭니다.

－ 김억, 〈연분홍〉

① 같은 시어를 반복한다.　　　　　② 음성 상징어를 사용한다.

③ 음보 수를 일정하게 반복한다.　④ 시의 처음과 끝에 유사한 시구를 반복한다.

개념 03 심상

시인은 시적 대상이나 상황을 좀 더 구체적으로 그려 내기 위해 독자의 감각을 활용하기도 한다. 이 감각을 심상이라고 하며, 심상을 통해 시인은 자신의 의도를 더욱 효과적으로 표현할 수 있다.

❶ 심상(= 이미지)

시를 읽을 때 마음속에 구체적으로 떠오르는 감각적인 모습이나 느낌을 심상이라 한다. 심상을 활용하면 시의 내용을 더욱 생생하고 구체적으로 표현할 수 있다.

> 밤하늘은 / 별들의 운동장 / 오늘따라 별들 부산하게 바자닌다.
> _{별들이 반짝이는 모습을 시각적으로 표현함.}
> 운동회를 벌였나 / 아득히 들리는 함성,
> _{활기를 띤 별들의 모습을 청각적으로 표현함.}
> 먼곳에서 아슴푸레 빈 우레 소리 들리더니
>
> – 오세영, 〈유성〉에서
>
> ✎ 밤하늘에 별들이 반짝이는 모습을 ❶(ㅅㄱㅈ), 청각적으로 묘사하고 있음.

❷ 심상의 종류

> 심상에는 감각적 심상뿐만 아니라 상승·하강 이미지, 동적·정적 이미지 등도 있어요.

어떤 표현이 시각, 청각, 촉각, 후각, 미각과 같은 감각을 자극할 때, 이를 감각적 심상이라고 한다. 감각적 심상에는 시각적·청각적·촉각적·후각적·미각적 심상이 있다.

(1) **시각적 심상** 색깔, 모양, 움직임 등 눈으로 느낄 수 있는 심상
(2) **청각적 심상** 말소리 등 귀로 느낄 수 있는 심상
(3) **촉각적 심상** 따뜻함, 차가움, 부드러움 등 피부로 느낄 수 있는 심상
(4) **후각적 심상** 냄새, 향기 등 코로 느낄 수 있는 심상
(5) **미각적 심상** 단맛, 짠맛, 쓴맛 등 혀로 느낄 수 있는 심상

> 오늘도 뫼 끝에 홀로 오르니 / 흰 점 꽃이 인정스레 웃고, //
> _{시각적 심상}
> 어린 시절에 불던 풀피리 소리 아니 나고
> _{청각적 심상}
> 메마른 입술에 쓰디쓰다.
> _{촉각적 심상   미각적 심상}
>
> – 정지용, 〈고향〉에서
>
> ✎ 감각적 심상을 활용해 ❷(ㄱㅎ)의 모습에서 느끼는 상실감을 표현함.

> 개울물 맑게 흐르는 곳에 마을을 이루고
> _{시각적 심상}
> 물바가지에 떠 담던 접동새 소리 별 그림자
> _{청각적 심상}
> 그 물로 쌀을 씻어 밥 짓는 냄새 나면
> _{후각적 심상}
>
> – 도종환, 〈어떤 마을〉에서
>
> ✎ 감각적 심상을 활용해 마을의 ❸(ㅍㅎ)로운 모습을 표현함.

빈칸 답
❶ 시각적 ❷ 고향 ❸ 평화

많은 학생이 공감각적 심상과 복합 감각적 심상을 헷갈려 해요. 공감각적 심상은 한 심상이 다른 심상으로 바뀌어 표현되기 때문에 표현이 논리적으로 어색해요. 반면 복합 감각적 심상은 심상이 옮겨 가는 과정이 없어 표현이 논리적으로 어색하지 않아요.

빈칸 답
❶ 청각 ❷ 나열

한편 어떤 표현이 두 개 이상의 감각적 심상을 불러일으키는 경우가 있다. 이때 한 감각적 심상이 다른 감각적 심상으로 바꾸어 표현되는 것을 **공감각적 심상**이라고 하며, 단순히 서로 다른 두 가지 심상이 나열되는 것을 **복합 감각적 심상**이라고 한다.

● 공감각적 심상	● 복합 감각적 심상
즐거운 지상의 잔치에 **금으로 타는** 태양의 **즐거운 울림** 　시각적 심상 ──────→ 청각적 심상 　　　　　　　　 – 박남수, 〈아침 이미지〉에서	**흐릿한 불빛**에 돌아앉아 **도란도란거리** 　 시각적 심상　　　　　　　 청각적 심상 는 곳, 　　　　　　　　 – 정지용, 〈향수〉에서
✎ 태양이 금빛으로 타는 모습(시각적 심상)을 울림 (❶(ㅊㄱ)적 심상)으로 심상을 바꾸어 표현함.	✎ 단순히 시각적 심상과 청각적 심상이 ❷(ㄴㅇ)됨.

바로 확인 ❶ ㉠~㉢에 나타나는 심상으로 적절하지 <u>않은</u> 것은?

꽃가루와 같이 ㉠<u>부드러운</u> 고양이의 털에 / 고운 ㉡<u>봄의 향기</u>가 어리우도다

㉢<u>금방울과 같이 호동그란</u> 고양이의 눈에 / 미친 봄의 불길이 흐르도다

㉣<u>고요히 다물은</u> 고양이의 입술에 / ㉤<u>포근한 봄 졸음</u>이 떠돌아라

날카롭게 쭉 뻗은 고양이의 수염에 / 푸른 봄의 생기가 뛰놀아라

– 이장희, 〈봄은 고양이로다〉

① ㉠: 촉각적 심상이 나타난다.　　② ㉡: 후각적 심상이 나타난다.

③ ㉢: 시각적 심상이 나타난다.　　④ ㉣: 청각적 심상이 나타난다.

⑤ ㉤: 미각적 심상이 나타난다.

💡 도움말
밑줄 친 부분에서는 두 가지 감각적 심상을 찾아볼 수 있다. 한 표현이 두 가지 이상의 감각적 심상을 불러일으키는 것은 '공감각적 심상' 또는 '복합 감각적 심상'이다. 밑줄 친 부분에 나타나는 두 가지 감각적 심상의 관계를 파악해 보면 둘 중 어떤 심상이 나타나는지 알 수 있다.

바로 확인 ❷ 밑줄 친 부분에 나타나는 심상을 파악하여 빈칸에 알맞은 말을 쓰시오.

3월달 바다가 꽃이 피지 않아서 서글픈
나비 허리에 <u>새파란 초승달이 시리다.</u>

– 김기림, 〈바다와 나비〉에서

밑줄 친 부분에는 (　　　) 심상을 (　　　) 심상으로 바꾸어 표현한 (　　　)
심상이 나타난다.

04 비유와 상징

시어는 함축성이 있다는 점에서 일상 언어와 차이가 있다. 시인은 비유와 상징을 통해 시어에 다양하고 새로운 뜻을 더해 주는데, 이렇게 만들어진 함축적 의미를 통해 시인은 주제를 구체적이고 참신하게 표현할 수 있다.

📖 중학교 국어 문학 영역 •비유와 상징의 표현 효과를 바탕으로 작품을 수용하고 생산한다.

❶ 비유

표현하려는 대상을 그와 유사한 사물이나 현상에 빗대어 표현하는 방법이다. 이때 표현하려는 대상을 원관념⊕이라 하고, 빗대는 대상을 보조 관념⊕이라 한다.

⊕ **원관념과 보조 관념**
'내 마음은 호수요.'는 비유가 사용된 문장이다. '내 마음'은 화자가 표현하려고 하는 중심 대상인 원관념이고, '호수'는 '내 마음'을 구체적으로 표현하기 위해 빗댄 대상인 보조 관념이다.

> **내 마음은 호수요.**
> 　원관념　　보조 관념

❷ 비유의 종류⊕

(1) **직유법** '~처럼', '~같이', '~듯이', '~인 양' 등을 사용하여 원관념을 보조 관념에 직접 빗대는 방법

(2) **은유법** 'A는 B이다.'와 같이 연결어 없이 원관념을 보조 관념에 빗대는 방법

(3) **의인법** 사람이 아닌 대상을 사람인 것처럼 표현하는 방법

(4) **대유법** 대상의 일부 혹은 특징으로 그 대상 전체를 나타내는 방법

⊕ **그 밖의 비유**
• **활유법** 무생물을 생물인 것처럼 표현하는 방법
• **풍유법** 속담, 관용 표현, 격언을 보조 관념으로 사용하는 방법

흔들리는 나뭇가지에 꽃 한번 피우려고
눈은 얼마나 많은 도전을 멈추지 않았
으랴 〈중략〉
　　　　　의인법

바람 한 자락 불면 휙 날아갈 사랑을 위
하여

햇솜 같은 마음을 다 퍼부어 준 다음에야

마침내 피워 낸 저 황홀 보아라
은유법: 원관념은 눈이 피워 낸 눈꽃임.
　　　　　　　　　　　　　– 고재종, 〈첫사랑〉에서

✎ ❶(ㅇㅇㅂ)과 은유법을 활용해 눈꽃을 피우려는 눈의 인내와 헌신을 표현함.

지금은 남의 땅 — **빼앗긴 들**에도 봄은
　　　　　　　　대유법: '우리나라'를 그 일부분인 '들'로 표현함.
오는가?

나는 온몸에 햇살을 받고

푸른 하늘 푸른 들이 맞붙은 곳으로

가르마 같은 논길을 따라 꿈속을 가듯
　　직유법
걸어만 간다.
　　　　　　　– 이상화, 〈빼앗긴 들에도 봄은 오는가〉에서

✎ 대유법과 ❷(ㅈㅇㅂ)을 활용해 아름다운 나라를 빼앗긴 비통한 심정을 표현함.

빈칸 답
❶ 의인법 ❷ 직유법

바로 확인 ❶ ╲ 다음 시에 사용된 비유법을 파악하여 빈칸에 알맞은 말을 쓰시오.

고운 폐혈관이 찢어진 채로
아아, 늬는 산ㅅ새처럼 날아갔구나!　　　　– 정지용, 〈유리창 1〉에서

(　　　　)법을 사용하여 원관념인 (　　　　)을/를 보조 관념인 (　　　　)에 빗
대어 표현하였다.

✛ 비유와 상징의 비교
· **비유** 원관념이 비교적 구체적으로 드러나기 때문에 비유적으로 사용된 시어의 의미가 한 가지로 해석된다.
· **상징** 원관념이 구체적으로 드러나지 않아 상징적으로 사용된 시어의 의미가 다양하게 해석될 수 있다.

✛ 그 밖의 상징
· **원형적 상징** 특정 사회나 집단을 넘어 인류 전체가 사용하는 상징
　예 '불'은 '열정' 또는 '파괴'를 상징함.

빈칸 답
❶ 절개 ❷ 개인

❸ 상징✛

추상적인 경험이나 감정 등을 구체적인 대상으로 나타내는 방법이다. 상징은 비유와 달리 원관념이 숨겨져 있고 보조 관념만 표현되기 때문에 상징적 표현이 의미하는 바가 여러 가지로 해석될 수 있다.

❹ 상징의 종류✛

(1) **관습적 상징** 특정 사회나 집단에서 오랜 세월 사용되어 온 상징

> 눈 맞아 휘어진 <u>대</u>를 누가 굽다 하던가.
> 　　　　지조와 절개를 상징
> 굽힐 절개라면 눈 속에 어찌 푸르겠는가.
>
> 아마도 세한고절은 너뿐인가 하노라.
> 한겨울 매서운 추위도 견디는 높은 절개
>
> 　　　　　　　　　　　　　　　　　　　– 원천석의 시조

✎ 예로부터 우리 민족은 '대'(대나무)를 지조와 ❶(ㅈㄱ)의 상징으로 여겼음. → 집단적으로 통용되는 관습적 상징

(2) **개인적 상징** 개인이 독창적으로 창조해 낸 상징

> <u>풀</u>이 눕는다
> 민중의 강한 생명력을 상징
> <u>바람</u>보다도 더 빨리 눕는다
> 독재 권력과 외세를 상징
> <u>바람</u>보다도 더 빨리 울고
>
> <u>바람</u>보다 먼저 일어난다
>
> 　　　　　　　　　　　　　　　　　– 김수영, 〈풀〉에서

✎ 이 시에서 '풀'은 1960년대 억압받던 민중의 강한 생명력을, '바람'은 민중을 억압하는 독재 권력과 외세를 상징함. → ❷(ㄱㅇ)이 독창적으로 창조해 낸 개인적 상징

바로 확인 ❷　　다음 시의 ㉠~㉢에 대한 설명으로 적절하지 않은 것은?

도움말
　이 작품은 시인이 일찍 세상을 떠난 누이의 죽음을 슬퍼하며 지은 노래이다. 이러한 창작 배경을 생각하면서 시어의 상징적 의미를 파악해 보자.

> 나는 간다는 말도
> 못다 이르고 어찌 갑니까.
> 어느 가을 ㉠이른 바람에
> ㉡이에 저에 떨어질 잎처럼,
> ㉢한 가지에 나고
> 가는 곳 모르온저.
>
> 　　　　　　　　　　　　– 월명사, 〈제망매가〉에서

① ㉠은 시적 대상이 어린 나이에 죽었음을 나타낸다.
② ㉡의 '떨어질 잎'은 죽은 누이를 의미하는 관습적 상징이다.
③ ㉢에서 '한 가지'에 났다는 것은 화자와 시적 대상이 형제 사이임을 의미한다.

개념 05 여러 가지 표현 방법

시에는 비유와 상징 외에도 여러 가지 표현 방법이 사용된다. 시인은 반어, 역설, 대구법, 도치법, 설의법, 영탄법, 점층법 등의 다양한 표현법을 활용하여 의미를 강조하고 시의 주제를 효과적으로 표현한다.

❶ 반어와 역설

(1) **반어** 실제로 전달하고자 하는 내용과 반대로 표현하여 의미를 강조하는 방법

(2) **역설** 겉으로 보기에는 모순된 표현이지만 그 속에 진리를 담는 방법

> 어떤 표현이 반어인지 역설인지 헷갈리나요? 표현은 말이 되지만 뜻이 속마음과 반대라면 반어이고, 표현이 말은 안 되지만 깊은 의미를 담고 있으면 역설이에요.

● 반어	● 역설
나 보기가 역겨워 / 가실 때에는 **죽어도 아니 눈물 흘리우리다.** <small>표현이 속마음과 다름.: 반어적 표현</small> – 김소월, 〈진달래꽃〉에서	아아, **님은 갔지만 나는 님을 보내지 아** <small>말의 앞뒤가 모순됨.: 역설적 표현</small> **니하였습니다.** – 한용운, 〈님의 침묵〉에서
✎ 임이 나를 떠나가는 상황에서 눈물을 흘리지 않겠다는 화자의 다짐은 ❶(ㅅㅁㅇ)과 반대되어 화자의 깊은 슬픔을 드러냄.	✎ 님은 갔지만 나는 님을 보내지 않았다는 말은 겉보기에 ❷(ㅁㅅ)되나, 이러한 표현을 통해 화자는 님을 잊지 않겠다는 다짐을 강조하고 있음.

빈칸 답
❶ 속마음 ❷ 모순

❷ 그 밖의 표현 방법⁺

(1) **대구법** 같거나 비슷한 문장 구조를 짝을 맞추어 나란히 배열하는 표현 방법
> 예 나는 나룻배 / 당신은 행인

(2) **도치법** 말의 차례를 바꾸어 쓰는 표현 방법
> 예 내 보여주리라 / 저 얼은 들판 위에 내리는 달빛을

(3) **설의법** 누구나 아는 사실을 질문의 형태로 말하여 의미를 강조하는 표현 방법
> 예 그곳이 차마 꿈엔들 잊힐리야.

(4) **영탄법** 놀라움, 슬픔, 감탄 등의 정서를 감탄의 형태로 표현하는 방법
> 예 아아, 늬는 산ㅅ새처럼 날아갔구나!

(5) **점층법** 뜻이 점점 강해지거나 커지거나 뚜렷해지게 표현하는 방법 (↔ 점강법)
> 예 눈은 살아 있다. / 떨어진 눈은 살아 있다. / 마당 위에 떨어진 눈은 살아 있다.

+ 더 많은 표현 방법
- **과장법** 표현하려는 대상을 실제보다 훨씬 크거나 작게 또는 많거나 적게 표현하는 방법
- **반복법** 같거나 비슷한 표현을 되풀이하는 방법
- **열거법** 서로 비슷하거나 관련이 있는 대상을 늘어놓는 방법
- **대조법** 서로 반대되는 대상이나 내용을 맞세우는 방법

바로 확인 ❶ 　다음 시에 사용된 표현 방법을 <u>모두</u> 고르시오.

> 모란이 피기까지는
> 나는 아직 기다리고 있을 테요, 찬란한 슬픔의 봄을.
>
> – 김영랑, 〈모란이 피기까지는〉에서

① 대구법　　② 도치법　　③ 설의법　　④ 역설법　　⑤ 점층법

개념 06 시상 전개 방식

시상 전개 방식은 시인이 선택한 소재, 표현 방법, 주제를 연결하여 구체화하는 방법을 일컫는다. 시상 전개 방식을 파악하면 시의 특징과 주제를 파악하는 데 도움이 된다.

❶ 시상 전개 방식

> '시상'이란 시인이 시를 통해 표현하고자 하는 생각이나 정서를 일컫는 말이에요.

시인은 생각과 정서를 효과적으로 전달하기 위해 다양한 구조로 시를 전개하는데, 이와 같이 시상을 구현해 나가는 구체적인 방식을 시상 전개 방식이라 한다.

❷ 시간과 공간의 변화에 따른 시상 전개 방식

시간과 공간의 변화에 따른 시상 전개 방식에는 다음과 같은 것들이 있다.

> ➕ 공간의 이동에 따른 시상 전개와 시선의 이동에 따른 시상 전개의 비교
> • 공간의 이동 화자가 이동한 장소를 따라 시상이 전개된다.
> • 시선의 이동 화자는 한 장소에 있으며, 화자의 시선을 따르며 시상이 전개된다.

● 시간의 흐름

지는 저녁 해를 바라보며 / 오늘도 그대를 사랑하였습니다.
　저녁 무렵
날 저문 하늘에 별들은 보이지 않고 / 잠든 세상 밖으로 새벽달 빈 길에 뜨면
　해가 진 직후　　　　　　　　　　　　　　　　　　　　　　　　　새벽
　　　　　　　　　　　　　　　　　　　　　　　　－ 정호승, 〈또 기다리는 편지〉에서

✎ '저녁 무렵 – 해가 진 직후 – ❶(ㅅㅂ)'으로 이어지는 시간의 흐름에 따라 시상을 전개함.

> ➕ 시선의 이동에 따른 시상 전개의 유형
> • 근경(가까운 풍경)에서 원경(먼 풍경)으로 또는 원경에서 근경으로 이동
> • 위에서 아래로 또는 아래에서 위로 이동
> • 우측에서 좌측으로 또는 좌측에서 우측으로 이동

● 공간의 이동 ➕

구경꾼이 돌아가고 난 텅 빈 운동장
우리는 분이 얼룩진 얼굴로
학교 앞 소줏집에 몰려 술을 마신다.
답답하고 고달프게 사는 것이 원통하다.
꽹과리를 앞장세워 장거리로 나가면
　　　　　　　　－ 신경림, 〈농무〉에서

✎ '운동장 – 소줏집 – 장거리'로 ❷(ㅈㅅ)를 이동하며 시상을 전개함.

● 시선의 이동 ➕

머언 산 청운사 / 낡은 기와집 //
먼 산의 절과 기와집: 가장 먼 풍경(원경)
산은 자하산 / 봄눈 녹으면 //
느릅나무 / 속잎 피어나는 열두 구비를 //
청노루 / 맑은 눈에 //
도는 / 구름
구름이 비치는 청노루의 눈: 가장 가까운 풍경(근경)
　　　　　　　　－ 박목월, 〈청노루〉

✎ 화자가 시선을 원경(먼 풍경)에서 근경(가까운 풍경)으로 옮기며 시상을 전개함.

> 빈칸 답
> ❶ 새벽 ❷ 장소

바로 확인 ❶ 　다음 시의 전개 방식을 파악하여 빈칸에 알맞은 말을 쓰시오.

산은 / 구강산 / 보랏빛 석산. // 산도화 / 두어 송이 / 송이 버는데, //
봄눈 녹아 흐르는 / 옥 같은 / 물에 // 사슴은 / 암사슴 / 발을 씻는다.

　　　　　　　　　　　　　　　　　　　　　　　－ 박목월, 〈산도화〉

이 시는 '산 → (　　　　) → 물 → 사슴'으로 화자의 (　　　　)이/가 이동하면서 시상이 전개되고 있다.

❸ 그 밖의 시상 전개 방식

(1) **대비에 따른 시상 전개** 둘 이상의 대상이 지닌 차이점을 비교하는 시상 전개 방식

(2) **수미상관⁺** 시의 처음과 끝에 같거나 유사한 시구를 배열하는 시상 전개 방식

(3) **선경후정** 시의 앞부분에서는 경치를 묘사하고 뒷부분에서는 화자의 정서를 드러내는 시상 전개 방식

(4) **기승전결** '시상의 제시(기) → 시상의 발전(승) → 시상의 전환(전) → 시상의 마무리(결)'의 순서로 시상을 전개하는 방식

➕ 수미상관의 효과
① 반복을 통해 운율을 형성한다.
② 반복을 통해 시구의 의미와 주제를 강조한다.
③ 처음 부분이 끝에 반복되면서 구조적 안정감이 나타난다.
④ 시상이 끝나지 않고 이어지는 듯한 여운을 준다.

선경후정과 기승전결은 주로 고전 시가에서 사용되던 시상 전개 방식이에요. 특히 기승전결은 한문으로 쓴 시인 한시에서 많이 볼 수 있어요. 물론 이 둘은 현대 시에도 사용되는 시상 전개 방식이랍니다.

빈칸 답
❶ 봄 ❷ 꾀꼬리

● **대비에 따른 시상 전개**

봄은 / 가까운 땅에서
숨결과 같이 일더니   ┐대비
가을은 / 머나먼 하늘에서 ┘
차가운 물결과 같이 밀려온다.

– 김현승, 〈가을〉에서

✎ 가을의 이미지를 강조하기 위해 가을의 특성을 ❶(ㅂ)의 특성과 대비함.

● **수미상관**

엄마야 누나야 강변 살자 ┐
뜰에는 반짝이는 금모래 빛 │반복
뒷문 밖에는 갈잎의 노래   │
엄마야 누나야 강변 살자   ┘

– 김소월, 〈엄마야 누나야〉

✎ 시의 처음과 끝에 같은 시구를 배열하여 운율을 형성하고 화자의 소망을 강조함.

● **선경후정**

펄펄 나는 저 꾀꼬리   ┐앞부분은 꾀꼬리의
암수 서로 정답구나.   ┘모습을 묘사함.
외로워라 이 내 몸은   ┐뒷부분은 화자의 외로움과
뉘와 함께 돌아갈꼬.   ┘슬픔을 표현함.

– 유리왕, 〈황조가〉

✎ ❷(ㄲㄲㄹ)를 보며 느끼는 외로움과 슬픔을 선경후정의 방식으로 전개함.

● **기승전결**

비 그친 긴 둑에 풀빛 짙으니
└'기': 강가의 모습을 묘사하며 시상을 제시함.
남포에서 임 보내며 슬픈 노래 부르네
└'승': 화자의 상황을 제시하며 시상을 발전시킴.
대동강 물이야 언제야 마르려나
└'전': 강물이 마를 날을 생각하며 시상을 전환함.
이별 눈물 해마다 푸른 물결 보태니
└'결': 여운을 남기며 시상을 마무리함.

– 정지상, 〈송인〉

✎ 사랑하는 이를 떠나보낸 슬프고 안타까운 마음을 기승전결의 방식으로 전개함.

바로 확인 ❷ 다음 시의 시상 전개 방식으로 적절한 것은?

아 아버지가 눈을 헤치고 따오신
그 붉은 산수유 열매 —

나는 한 마리 어린 짐승,
젊은 아버지의 서느런 옷자락에
열로 상기한 볼을 말없이 부비는 것이었다.

– 김종길, 〈성탄제〉에서

① 기승전결   ② 선경후정
③ 수미상관   ④ 대비에 따른 시상 전개

개념 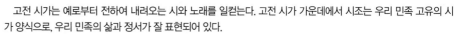 **07 고전 시가**

고전 시가는 예로부터 전하여 내려오는 시와 노래를 일컫는다. 고전 시가 가운데에서 시조는 우리 민족 고유의 시가 양식으로, 우리 민족의 삶과 정서가 잘 표현되어 있다.

📖 **중학교 국어 문학 영역** • 과거의 삶이 반영된 작품을 오늘날의 삶에 비추어 감상한다.

> 개화기는 1876년 강화도 조약 체결 이후의 시기를 말해요.

> '3장 6구 45자'가 무슨 말인지 궁금하죠? 3장은 3행 구성이라는 뜻이에요. 시조의 각 행은 '장'이라고 부르고 각 행을 순서대로 초장-중장-종장이라고 부르죠. 6구는 구가 여섯 개라는 뜻이에요. 하나의 장은 두 개의 구로 구성됩니다. 45자는 45글자라는 뜻이에요.

➕ **시조의 종류**
• **평시조** 3장 6구 45자 내외의 형식을 지키는 시조로, 사대부들이 주로 창작하였다.
• **사설시조** 평시조의 형식에서 한 행이 2구 이상 길어진 시조로, 조선 후기에 평민 계층이 주로 창작하였다.

빈칸 답
❶ 평시조 ❷ 유교

❶ 고전 시가

개화기 이전의 문학을 고전 문학이라 하는데, 그중에서 시 문학을 고전 시가라 한다. 고전 시가는 시대에 따라 다양한 양식으로 창작되었다. 신라 시대의 향가, 고려 시대의 고려 가요, 조선 시대의 시조와 가사 등이 그것이다. 그중에서 시조는 우리나라의 대표적인 시가 문학이다.

❷ 시조

시조는 고려 시대에 생겨나 현재까지도 창작되고 있는 우리 고유의 정형시로, 다음과 같은 특징을 지닌다.

(1) 평시조⁺의 경우 3장 6구 45자 내외의 형식을 지니며 종장의 첫 음보는 3음절로 고정된다.
(2) 평시조는 한 행이 4음보로 되어 있으며, 3·4조 혹은 4·4조의 글자 수가 반복된다.
(3) 사대부들이 쓴 시조는 유교적 덕목, 자연 친화적 태도, 교훈적인 내용을 주로 노래하고, 서민들의 시조는 사랑, 삶의 애환, 현실에 대한 풍자를 주로 노래한다.

> 아버님∨날 낳으시고∨어머님 날∨기르시니 → 한 행이 4음보로 구성됨.
>
> 부모님 아니시면 내 몸이 없으렸다. → 3·4조의 글자 수가 반복됨.
>
> 이 덕을 갚으려 하니 하늘 끝이 없으샷다. → 부모님의 덕을 갚는다는 유교적 덕목을 노래함.
> 종장의 첫 음보는 3음절로 고정됨.
>
> – 주세붕, 〈오륜가〉 제2수

🖋 3장 6구 45자 내외로 이루어진 ❶(ㅍㅅㅈ)로, 부모님의 덕을 갚는다는 ❷(ㅇㄱ)적 덕목을 노래함.

> 💡 **도움말**
> 이 시의 화자는 어지러운 인간 사회를 떠나 자연 속에서 살며 느끼는 즐거움과 자부심을 노래하고 있다.

바로 확인 ❶ 다음 시에 대한 설명으로 적절하지 않은 것은?

> 보리밥 풋나물을 알맞게 먹은 후에
> 바위 끝 물가에서 실컷 노니노라
> 그 밖의 남은 일이야 부러울 것이 있겠느냐
>
> – 윤선도, 〈만흥〉 제2수

① 규칙성이 겉으로 드러나는 정형시이다.
② 한 행을 네 마디로 끊어 읽는 것이 자연스럽다.
③ 서민 계층의 시인이 창작하여 현실에 대한 풍자를 담고 있다.

실전 01 새로운 길 | 윤동주

이 작품은 '길'을 소재로 하여 언제나 새로운 마음으로 살아가고자 하는 의지를 노래한 시이다. 시의 형식적 특징과 시어의 상징적 의미를 살펴보며 작품을 감상해 보자.

✎ 핵심 짚기

● 화자와 시적 상황
• 화자 '❶ㄴ'
• 시적 상황 화자가 '민들레', '까치', '아가씨', '바람'을 만나며 '숲'과 '마을'로 향하는 '길'을 걸어감.

● 표현상 특징
• 3연을 기준으로 앞뒤의 내용이 대칭을 이룸.
• 유사한 문장 구조의 반복, 'ㄱ'과 'ㄹ'의 반복, 시행의 마지막에 같은 소리 반복, 수미상관 구조 등을 통해 ❷○○을 형성함.

● 상징적 표현

시어	상징적 의미
길	인생, 삶
내, 고개	삶에서 겪는 ❸○ㄹ○과 고난
숲, 마을	화자가 지향하는 평화로운 세상

빈칸 답
❶ 나 ❷ 운율 ❸ 어려움

● 내 | 시내보다는 크지만 강보다는 작은 물줄기.

내를 건너서 숲으로
고개를 넘어서 마을로

어제도 가고 오늘도 갈
나의 길 새로운 길

민들레가 피고 까치가 날고
아가씨가 지나고 바람이 일고

나의 길은 언제나 새로운 길
오늘도…… 내일도……

내를 건너서 숲으로
고개를 넘어서 마을로

시의 특징 파악하기

1 이 시에 대한 설명으로 적절하지 <u>않은</u> 것은?

① 화자가 시의 표면에 드러난다.
② '길'을 중심으로 시상이 전개된다.
③ 상징적 의미를 지닌 소재를 사용하였다.
④ 생명이 없는 대상을 생명이 있는 것처럼 표현하고 있다.
⑤ 3연을 기준으로 앞뒤의 내용이 의미상 대칭 구조를 이룬다.

화자의 태도 파악하기

2

이 시에 나타난 화자의 태도로 적절한 것은?

➕ **냉소**
쌀쌀한 태도로 대상을 비판하고 비웃음.

① 과거의 삶에 집착하는 체념적 태도
② 힘겨운 현실 상황을 비판하는 냉소적 태도
③ 늘 새로운 마음으로 살아가고자 하는 의지적 태도
④ 자신의 나약함을 극복하고자 하는 자기 고백적 태도
⑤ 자연 속에서 사는 삶에 자부심을 느끼는 자연 친화적 태도

시의 운율 파악하기

3

이 시에서 운율을 형성하는 요소로 적절하지 않은 것은?

➕ **수미상관**
시의 처음과 끝을 같거나 유사한 시구로 구성하는 방법으로, 작품에 구조적으로 안정감을 주고 여운이 느껴지게 한다.

① 유사한 문장 구조를 반복한다.
② 한 행의 글자 수가 대체로 일정하다.
③ 같은 위치에 비슷한 소리를 반복한다.
④ 첫 연과 마지막 연이 수미상관을 이룬다.
⑤ 말줄임표와 같은 문장 부호를 적절히 사용한다.

외부 자료를 통해 해석하기

4

고난도

〈보기〉를 참고하여 이 시를 감상한 내용으로 적절하지 않은 것은?

⎯● 보기 ●⎯

　이 시에서 '길'은 과거에서 미래로 이어지는 길이자 인생을 상징한다. 화자는 어제도 가고 오늘도 갈 이 길을 '새로운 길'이라고 여기며 항상 새로운 마음으로 길을 걸어가겠다고 다짐하고 있다. 또한 화자는 길을 걸으며 만나는 다양한 존재들에게서 삶의 희망을 느끼고, 살아가면서 겪는 시련을 극복하며 평화로운 곳으로 나아가고자 하는 의지를 드러내고 있다.

① 윤진: '내'와 '고개'는 화자가 살아가며 겪는 시련을 의미하지.
② 혜성: '숲'과 '마을'은 화자가 나아가고자 하는 평화로운 곳을 의미해.
③ 진희: '나의 길'을 '새로운 길'로 표현한 것에서 화자의 다짐이 엿보여.
④ 은형: '오늘도…… 내일도……'에서 화자가 겪은 안타까운 현실이 드러나.
⑤ 동현: '민들레', '까치', '아가씨', '바람'은 화자가 삶의 희망을 느끼도록 하는 존재들이야.

감각적 심상 파악하기

5

주관식

이 시에 주로 나타난 심상을 〈보기〉에서 찾아 쓰시오.

⎯● 보기 ●⎯

시각적 심상　　청각적 심상　　후각적 심상　　미각적 심상　　공감각적 심상

(　　　　　　　　)

구성

1연 | 길을 걸어 숲과 마을로 향함.

2연 | 언제나 새로운 마음으로 길을 걸어감.

3연 | 길을 걸으며 만나는 존재들

4연 | 언제나 새로운 마음으로 길을 걸어갈 것을 다짐함.

5연 | 길을 걸어 숲과 마을로 향함.

해제

인생을 상징하는 '길'을 중심 소재로 하여 항상 새로운 마음으로 살아가겠다는 화자의 의지를 보여 주는 시이다. 화자는 어제도 가고 오늘도 갈 '길'을 '새로운 길'로 여기며 날마다 새로운 마음으로 길을 걸어갈 것을 다짐하고 있다. 또한 화자는 인생에서 만나는 다양한 존재에서 삶의 희망을 느끼면서 삶에서 겪는 시련을 극복하며 평화로운 곳을 향해 나아가려는 의지를 드러내고 있다.

주제

언제나 새로운 마음으로 삶을 살아가고자 하는 의지

시적 상황과 화자의 태도

이 시의 시적 상황과 그에 대한 화자의 태도는 언제나 새로운 마음으로 살아가겠다는 화자의 의지를 효과적으로 표현하고 있다.

시적 상황	화자의 태도
• 내와 고개를 넘어 숲과 ❶☐☐로 걸어가고 있음. • 길을 걸어가며 다양한 존재들을 만남.	• 상황을 희망적이고 긍정적으로 받아들임. • 늘 새로운 마음으로 끊임없이 길을 걸어가겠다고 다짐함.

상징적 표현

상징이란 추상적 개념을 구체적인 대상으로 나타내는 방법으로, 이 시에 사용된 소재들의 상징적인 의미는 주제를 효과적으로 형상화한다.

소재	상징적 의미
❷☐	과거에서 현재로 이어지는 인생, 삶
내, 고개	삶을 살면서 겪게 되는 어려움과 고난
숲, 마을	고난을 이겨 내고 가고자 하는 평화로운 세상
민들레, 까치, 아가씨, 바람	살아가면서 만나는 다양한 존재들

운율을 형성하는 요소

운율은 시를 읽을 때 느껴지는 말의 가락이다. 운율은 시의 음악성을 높여 주며, 시의 주제를 강조하기도 한다.

시구	운율 형성 요소
나의 길 새로운 길	같은 단어의 반복
민들레가 피고 까치가 날고 아가씨가 지나고 바람이 일고	비슷한 문장 구조의 반복
내를 건너서 숲으로 고개를 넘어서 마을로	첫 연과 마지막 연을 반복하는 ❸☐☐☐☐ 구조
오늘도…… 내일도……	말줄임표를 통해 리듬감 형성

빈칸 답 ❶ 마을 ❷ 길 ❸ 수미상관

정답과 해설 4쪽

1 다음의 뜻에 알맞은 단어를 서로 연결하시오.

(1) 없던 현상이 생기다. •   • ① 내

(2) 시내보다는 크지만 강보다는 작은 물줄기. •   • ② 고개

(3) 산이나 언덕을 넘어 다니도록 길이 나 있는 비탈진 곳. • • ③ 일다

개념어

2 다음 풀이에 해당하는 문학 용어를 말 상자에서 찾아 표시하시오.

(1) 글의 내용이 되는 재료 ·························· (   )

(2) 시가에서 첫 연을 끝 연에 다시 반복하는 구성 방법
·························· (   )

(3) 추상적인 사물이나 관념 또는 사상을 구체적인 사물로 나
타내는 일 ·························· (   )

(4) 어떤 현상이나 사물을 직접 제시하지 않고 다른 비슷한 현
상이나 사물에 빗대어서 표현하는 일 ········ (   )

소	재	역	술
품	격	수	사
주	식	미	학
비	교	상	징
유	현	관	련

어휘 ➕ '길'의 다양한 의미

3 〈보기〉는 국어사전에서 찾은 '길'의 의미이다. ㉠～㉢의 의미로 쓰인 예가 알맞게 짝지어지지 **않은** 것은?

> ● 보기 ●
>
> **길¹** [명사]
>
> 「1」 사람, 동물, 자동차 따위가 지나갈 수 있게 땅 위에 낸 일정한 너비의 공간. ······· ㉠
> 예 논 옆에 길을 내다.
>
> 「4」 시간의 흐름에 따라 개인의 삶이나 사회적·역사적 발전 따위가 전개되는 과정. ··· ㉡
> 예 이제까지 살아온 고단한 길.
>
> 「7」 ((주로 '-는/을 길' 구성으로 쓰여)) 방법이나 수단. ····························· ㉢
> 예 그를 찾을 길이 없다.

① ㉠: 한적한 길   ② ㉠: 길을 따라 걷다.
③ ㉡: 먹고살 길이 막막하다.   ④ ㉢: 그를 설득하는 길
⑤ ㉢: 표현할 길이 없는 감동

실전 **02** 먼 후일 | 김소월

이 작품은 떠나간 임을 잊을 수 없는 애절한 심정을 표현한 시이다. 화자가 자신의 마음을 어떤 방법으로 표현하고 있는지 살펴보며 작품을 감상해 보자.

✎ 핵심 짚기

● **화자와 시적 상황**
- 화자 '나'
- 시적 대상 당신
- 시적 상황 '나'가 '당신'과 ❶ㅇㅂ 한 상황에 놓여 있음.

● **표현상 특징**
- 같은 시어와 유사한 문장 구조의 반복, 3음보의 규칙적인 율격 등을 통해 ❷ㅇㅇ을 형성함.
- 실제로 표현하고자 하는 속마음을 그와 반대되는 말로 나타내는 ❸ㅂㅇ적 표현이 쓰임.

'잊었노라'
화자의 속마음(진심)
잊을 수 없다.

┌ **빈칸 답**
❶ 이별 ❷ 운율 ❸ 반어

먼 훗날 당신이 찾으시면
그때에 내 말이 ㉠'잊었노라'

당신이 속으로 나무라면
'무척 그리다가 잊었노라'

그래도 당신이 나무라면
'믿기지 않아서 잊었노라'

오늘도 어제도 아니 잊고
먼 훗날 그때에 '잊었노라'

시의 특징 파악하기 **1** 이 시에 대한 설명으로 적절한 것은?

① 자기희생적 헌신과 사랑을 주제로 삼고 있다.

② 미래의 상황을 가정하여 시상을 전개하고 있다.

③ 대상의 모습을 시각적으로 상세히 묘사하고 있다.

④ 계절적 배경의 변화에 따라 시상을 전개하고 있다.

⑤ 이별로 인한 슬픔과 한을 직설적으로 표출하고 있다.

화자의 태도 파악하기

2 이 시의 각 연에 드러난 화자의 태도로 적절하지 <u>않은</u> 것은?

💡 도움말

각 연에서 화자가 시적 대상 또는 시적 상황에 어떻게 대응하고 있는지에 주목해 본다.

① 1연: 당신과 만나기를 바라고 있다.

② 2연: 당신을 잊지 못하고 무척 그리워하고 있다.

③ 3연: 당신이 떠났다는 사실을 믿지 못하고 있다.

④ 4연: 당신과 이별한 후 지금까지도 당신을 잊지 못하고 있다.

⑤ 4연: 먼 훗날에는 당신을 잊겠다는 단호한 의지를 보여 주고 있다.

시의 운율 파악하기

3 이 시에서 운율을 형성하는 요소로 적절하지 <u>않은</u> 것은?

① '당신이', '잊었노라'와 같은 시어의 반복

② 의성어나 의태어와 같은 음성 상징어의 사용

③ '…면 / …잊었노라'와 같은 문장 구조의 반복

④ 대체로 3·3·4개의 일정한 글자 수로 이루어진 행의 반복

⑤ '먼 훗날∨당신이∨찾으시면'과 같은 3음보의 규칙적 율격

화자의 어조 파악하기

4 이 시를 낭송할 때 어울리는 화자의 어조⊕로 가장 적절한 것은?

⊕ 어조

화자가 사용하는 말투로, 시에 나타난 목소리의 특징을 말한다. 어조에는 시적 상황, 대상에 대한 화자의 태도와 정서가 반영되어 있다.

① 슬프고 안타까운 어조

② 차갑고 냉정한 어조

③ 친근하고 편안한 어조

④ 역동적이고 쾌활한 어조

⑤ 기대감에 차서 기쁜 어조

표현상의 특징 파악하기

5 주관식

〈보기〉에서 ㉠에 사용된 표현 방법이 나타난 부분을 찾아 빈칸에 알맞게 쓰시오.

┌─ 보기 ┐

내 그대를 생각함은 항상 그대가 앉아 있는 배경에서 해가 지고 바람이 부는 일처럼 사소한 일일 것이나 언젠가 그대가 한없이 괴로움 속에 헤매일 때에 오랫동안 전해 오던 그 사소함으로 그대를 불러 보리라.

– 황동규, 〈즐거운 편지〉에서

→ 그대에 대한 화자의 사랑을 '(   )'이라고 표현하고 있다.

구성

1연 먼 훗날 임을 만나게 될 때 화자의 반응

2연 임이 나무랄 때 화자의 반응

3연 임이 계속 나무랄 때 화자의 반응

4연 임을 잊지 못하는 화자의 애절한 마음

해제

이 작품은 사랑하는 사람을 잊지 못하는 안타까운 마음과 그리움을 간결한 형식으로 표현한 시이다. 화자는 먼 훗날 '당신'과 만나면 '잊었노라'라고 말하겠다고 다짐한다. 하지만 시 전체에서 반복되는 이 표현은 오히려 '잊을 수 없다.'라는 반어적 의미로 해석되어 임에 대한 화자의 간절한 그리움을 효과적으로 드러낸다.

주제

헤어진 임에 대한 간절한 그리움

시적 상황과 화자의 정서

이 시는 당신이 화자를 찾을 미래의 상황을 가정하여 화자가 당신에게 말하는 형식으로 구성되어 있다. 이때 화자의 말에는 시인의 의도가 함축되어 있으므로 화자가 처한 상황과 정서를 주의 깊게 살펴보아야 한다.

화자	사랑하는 사람인 당신과 헤어진 '나'
시적 상황	당신과 ❶[ ][ ]한 상황
화자의 정서	당신과 헤어졌으나 '당신'을 잊지 못하고 몹시 그리워하고 있음.

운율을 형성하는 요소

시구나 문장 구조를 반복함으로써 형성된 운율은 시의 리듬감을 살리고 시의 주제를 강조한다.

- '먼 훗날', '당신이', '나무라면', '잊었노라'와 같은 시어를 반복함.
- '…면 / …잊었노라'라는 ❷[ ][ ][ ][ ]를 반복함.
- 대체로 3·3·4개의 일정한 글자 수로 이루어진 행을 반복함.
- '먼 훗날∨당신이∨찾으시면'과 같이 3음보의 규칙적인 율격을 가짐.

▼

효과
• 음악성과 규칙성이 느껴지게 함. • 시에서 표현하려는 의미를 강조함.

반어적 표현

이 시의 화자는 당신에게 반복적으로 '잊었노라'라고 말하고 있지만, 오늘도 어제도 잊지 못했다는 표현으로 보아 화자는 속마음과 반대로 표현하고 있음을 알 수 있다. 이러한 표현을 반어적 표현이라고 한다.

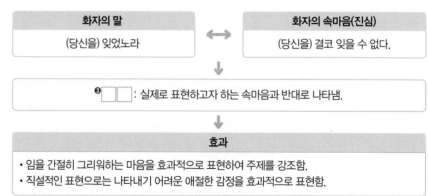

화자의 말		화자의 속마음(진심)
(당신을) 잊었노라	↔	(당신을) 결코 잊을 수 없다.

↓

❸[ ][ ] : 실제로 표현하고자 하는 속마음과 반대로 나타냄.

↓

효과
• 임을 간절히 그리워하는 마음을 효과적으로 표현하여 주제를 강조함. • 직설적인 표현으로는 나타내기 어려운 애절한 감정을 효과적으로 표현함.

빈칸 답 ❶이별 ❷문장 구조 ❸반어

**어휘
다지기**

1 제시된 뜻을 참고하여 다음 초성에 해당하는 단어를 쓰시오.

(1) ㅎ ㅇ : 시간이 지나 뒤에 올 날. ……………………………………………… (   )

(2) ㅇ ㅂ : 서로 갈리어 떨어짐. ……………………………………………… (   )

2 사다리타기에 따라, 빈칸에 들어갈 단어의 뜻을 〈보기〉에서 찾아 그 번호를 쓰시오.

＊ 보기 ＊
① 사랑하는 마음으로 간절히 생각하다.
② 상대방의 잘못이나 부족한 점을 꼬집어 말하다.
③ 사실이 아니거나 또는 사실인지 아닌지 분명하지 않은 것을 임시로 인정하다.
④ 일하거나 살아가는 데 장애가 되는 어려움이나 고통, 또는 좋지 않은 지난 일을 마음
속에 두지 않거나 신경을 쓰지 않다.

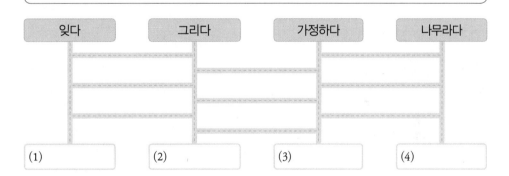

| 잊다 | 그리다 | 가정하다 | 나무라다 |

(1) [   ]　　(2) [   ]　　(3) [   ]　　(4) [   ]

어휘 ➕ '사랑'과 관련된 한자 성어

3 〈보기〉는 '사랑'과 관련된 한자 성어이다. 다음 뜻풀이에 해당하는 한자 성어를 〈보기〉에서 찾아
쓰시오.

＊ 보기 ＊
연모지정　　　오매불망　　　이심전심　　　천생연분

(1) 하늘이 정하여 준 연분. ……………………………………………… (   )

(2) 마음과 마음으로 서로 뜻이 통함. ……………………………………………… (   )

(3) 자나 깨나 잊지 못함. 늘 잊지 못함. ……………………………………………… (   )

(4) 이성을 사랑하여 간절히 그리워하는 마음. ……………………………………………… (   )

실전 03 동해 바다-후포에서 | 신경림

∞ 교과서 **중1** _ 천재(박)

이 작품은 바다를 보며 남에게는 엄격하고 자신에게는 너그러웠던 삶을 성찰하는 내용을 담은 시이다. 화자가 지향하는 삶의 자세와 표현상의 특징에 주목하여 감상해 보자.

✎ 핵심 짚기

● **화자와 시적 상황**
• 화자 '❶ㄴ'
• 시적 상황 동해가 내려다보이는 후포 어딘가에서 바다를 바라보고 있음.

● **화자의 태도**
• 성찰과 자기반성 남에게는 엄격하고 자신에게는 너그러운 삶의 태도를 반성하고 있음.

● **시적 대상**
• 돌 잘고 굳음. → 남에게는 ❷ㅇㄱ하고 자신에게는 너그러움.
• 동해 바다 넓고 깊고 짙푸르며, 억센 파도가 침. → 남에게는 너그럽고 자신에게는 엄격함.

● **표현 방법**
• 점층법 '티끌만 한 잘못이 맷방석만 하게 / 동산만 하게 커 보이는 때가 많다'
• ❸ㅈㅇㅂ '돌처럼', '널따란 바다처럼', '깊고 짙푸른 바다처럼'

| 빈칸 답
❶ 나 ❷ 엄격 ❸ 직유법

● **맷방석** | 맷돌을 쓸 때 밑에 까는, 짚으로 만든 방석.
● **잘다** | 알곡이나 과일, 모래 따위의 둥근 물건이나 글씨 따위의 크기가 작다.

친구가 원수보다 더 미워지는 ㉠날이 많다

[A]
┌ ㉡티끌만 한 잘못이 맷방석만 하게
└ 동산만 하게 커 보이는 때가 많다

그래서 세상이 어지러울수록
남에게는 엄격해지고 내게는 너그러워지나 보다
㉢돌처럼 잘아지고 굳어지나 보다

멀리 ㉣동해 바다를 내려다보며 생각한다

[B]
┌ 널따란 바다처럼 너그러워질 수는 없을까
│ 깊고 짙푸른 바다처럼
└ 감싸고 끌어안고 받아들일 수는 없을까

스스로는 억센 파도로 다스리면서
제 몸은 맵고 모진 매로 ㉤채찍질하면서

시의 특징 파악하기

1

❂ 색채 대비
서로 다른 두 색채를 비교하여 시각적 인상을 뚜렷하게 하고 대조의 효과를 높이는 표현 방법

이 시에 대한 설명으로 적절한 것은?

① 색채 대비를 통해 주제를 효과적으로 드러내고 있다.
② 비유적 표현을 통해 당대의 사회 현실을 비판하고 있다.
③ 화자의 시선 이동에 따라 공간적 배경이 변화하고 있다.
④ 각 행의 음보 수를 일정하게 맞추어 운율을 형성하고 있다.
⑤ 자연물을 통해 화자가 지향하는 삶의 자세를 드러내고 있다.

세부 내용 파악하기

2

고1 학력평가 기출

㉠~㉤에 대한 설명으로 적절하지 않은 것은?

① ㉠은 화자가 부끄러워하는 자신의 모습이 드러나는 때를 의미한다.

② ㉡은 화자가 숨기고 싶어 하는 자신의 모습을 의미한다.

③ ㉢은 생각이 좁고 마음이 너그럽지 못한 화자 자신을 의미한다.

④ ㉣은 화자가 본받고 싶어 하는 대상이다.

⑤ ㉤은 스스로에 대한 엄격한 삶의 태도를 상징한다.

표현 방법 파악하기

3

주관식

다음은 [A]와 [B]에 사용된 표현 방법에 대한 설명이다. ㉮~㉱에 들어갈 알맞은 말을 쓰시오.

> 화자는 [A]에서 '(　㉮　) → 맷방석 → (　㉯　)'(으)로 시적 대상들의 크기를 점차 키우며 나열하고 있다. 이러한 표현 방법을 점층법이라고 한다. 또한 화자는 [B]에서 '~(　㉰　)'(이)라는 연결어를 활용해 너그럽고 관용적인 삶의 태도를 '널따란 바다', '깊고 짙푸른 바다'에 직접 비유하고 있다. 이러한 표현 방법을 직유법이라고 한다.

시적 대상 비교하기

4

다음은 시적 대상인 '돌'과 '동해 바다'를 비교한 것이다. 이에 대한 설명으로 적절하지 않은 것은?

	돌	동해 바다
특성	잘고 굳음.	ⓐ 넓고 깊고 짙푸름. ⓑ 억센 파도가 침.
화자가 부여한 의미	ⓒ	ⓓ

① '돌'과 '동해 바다'는 서로 대조적 의미를 지닌 소재이다.

② 화자는 ⓐ에서 항상 성찰하는 삶의 태도를 발견하고 있다.

③ 화자는 ⓑ에서 자신의 잘못을 엄격하게 다스리는 삶의 태도를 발견하고 있다.

④ ⓒ에 '남에게는 엄격하고 자신에게는 너그러운 존재'라는 말이 들어갈 수 있다.

⑤ ⓓ에 '남에게는 너그럽고 자신에게는 엄격한 존재'라는 말이 들어갈 수 있다.

구성

1연
남에게는 엄격해지고 자신에게는 너그러워지는 태도를 반성함.

2연
동해 바다를 바라보며 남에게는 너그럽고 자신에게는 엄격한 삶의 태도를 갖기를 바람.

해제

이 시는 남에게는 너그럽고 자신에게는 엄격한 삶의 태도를 갖길 바라는 마음을 노래하고 있다. 화자는 널따란 동해 바다를 바라보며 그동안 옹졸했던 자신을 반성하고, 바다처럼 너그러운 사람이 되고 싶다고 말하고 있다. 이러한 성찰을 통해 자기 잘못에는 관대하면서 남의 잘못에는 지나치게 엄격한 기준을 두어 비판하는 태도를 반성하게 한다.

주제

남에게는 너그럽고 자신에게는 엄격한 삶의 태도를 갖기를 바라는 마음

화자의 성찰

화자는 시적 대상인 동해 바다를 바라보며 자신의 삶을 성찰하고 있다. 동해 바다의 모습은 화자가 본받고자 하는 삶의 태도를 보여 주고 있다.

화자의 상황	동해 바다가 내려다보이는 후포 어딘가에서 바다를 바라보고 있음.	
화자가 반성하는 자신의 모습	• 남의 사소한 잘못을 크게 생각하는 모습 • 남에게는 엄격해지고 자신에게는 너그러워지는 모습	
화자가 바라본 바다의 모습과 ❶[ ][ ]한 내용	• 넓음.	너그러워지고 싶음.
	• 깊고 짙푸름.	(남의 잘못을) 감싸고 끌어안고 받아들이고 싶음.
	• 스스로를 억센 파도로 다스림.	자신의 잘못을 엄격하게 다스리고 싶음.

대조적 의미를 지닌 시적 대상

화자는 자신이 성찰한 바를 효과적으로 드러내기 위해 '돌'과 '동해 바다'의 특성을 바탕으로 이 두 대상에 ❷[ ][ ]적 의미를 부여하였다.

돌		동해 바다
잘고 굳음.	⟷ 대조	넓고 깊고 짙푸름. 억센 파도가 침.
남에게는 엄격하고 자신에게는 너그러운 존재		남에게는 너그럽고 자신에게는 엄격한 존재

표현 방법

• 점층법: 뜻이 점점 강해지거나, 커지거나, 높아지거나, 넓어지게 표현하는 방법

　예 티끌만 한 잘못이 맷방석만 하게 / 동산만 하게 커 보이는 때가 많다
　　→ 타인의 잘못을 '티끌', '맷방석', '동산'으로 점점 커지도록 표현함.

• ❸[ ][ ]법: '~처럼, ~같이, ~듯이' 등의 표현을 통해 표현하고자 하는 대상을 다른 대상에 직접 빗대어 표현하는 방법

　예 돌처럼 잘아지고 굳어지나 보다, 널따란 바다처럼 너그러워질 수는 없을까, 깊고 짙푸른 바다처럼 / 감싸고 끌어안고 받아들일 수는 없을까

빈칸 답 　❶ 성찰 　❷ 대조 　❸ 직유

1 제시된 뜻을 참고하여 다음 초성에 해당하는 단어를 쓰시오.

(1) ㅈㄷ : 알곡이나 과일, 모래 따위의 둥근 물건이나 글씨 따위의 크기가 작다. .... (   )

(2) ㅁㅂㅅ : 매통이나 맷돌을 쓸 때 밑에 까는, 짚으로 만든 방석. 멍석보다 작고 둥글다. .... (   )

(3) ㅇㄱㅎㄷ : 말, 태도, 규칙 따위가 매우 엄하고 철저하다. .... (   )

2 개념어

다음 풀이에 해당하는 문학 용어를 말 상자에서 찾아 표시하시오.

(1) 서로 반대되는 대상이나 내용을 내세워 주제를 강조하거나 인상을 선명하게 함. .... (   )

(2) 표현하고자 하는 대상을 다른 대상에 직접 빗대어 표현하는 방법 .... (   )

(3) 뜻이 점점 강해지거나, 커지거나, 높아지거나, 넓어지게 표현하는 방법 .... (   )

대	유	법	대
구	우	체	조
법	양	점	강
은	거	층	찰
직	유	법	위

3 어법 '-다랗-'이 결합된 말의 표기법

〈보기〉에서 알 수 있는 내용이 <u>아닌</u> 것은?

┌─ 보기 ─

　'굵다랗다'와 '널따랗다'는 각각 '굵다', '넓다'에 모두 '-다랗-'을 합친 구조이지만 표기된 모양은 다르다. 그 이유는 '굵-'의 받침인 'ㄺ'은 뒤의 자음인 'ㄱ'이 발음되고, '넓-'의 받침인 'ㄼ'은 앞의 자음인 'ㄹ'이 발음되기 때문이다. '굵다'는 [국따]로 발음되고 '넓다'는 [널따]로 발음되므로, 받침 중 뒤의 자음이 발음되면 원래 모양을 밝혀 적고 앞의 자음이 발음되면 소리 나는 대로 적는다는 한글 맞춤법 제21항에 따라 '굵다랗다[국따라타]', '널따랗다[널따라타]'로 적는 것이다.

①　'널따랗다'는 '넓다'에 '-다랗-'을 합친 구조이다.

②　'굵다'의 '굵-'은 받침 중 뒤의 자음인 'ㄱ'이 발음된다.

③　'짧다'에 '-다랗-'을 합친 형태는 '짧다랗다'로 표기한다.

실전 04 엄마 걱정 | 기형도

이 작품은 시장에 간 엄마를 빈방에서 홀로 기다리던 어린 시절의 외로움과 서글픔을 표현한 시이다. 화자가 처한 상황과 화자의 정서를 살펴보며 작품을 감상해 보자.

핵심 짚기

● 화자의 상황과 정서

· 화자 '나'

1연	어린 '나'가 ❶ ㅅㅈ에 간 엄마를 기다림.
	외로움, 두려움, 쓸쓸함을 느낌.
2연	어른이 된 '나'가 어린 시절을 회상함.
	❷ ㅅㅍ과 안타까움을 느낌.

● 표현상 특징

· '안 오시네', '안 들리네'와 같은 유사한 문장 구조의 ❸ ㅂㅂ을 통해 운율을 형성함.
· 직유법(찬밥처럼, 배춧잎 같은)과 은유법(내 유년의 윗목)이 사용됨.
· 다양한 감각적 심상을 활용해 상황과 정서를 생생하게 표현함.

빈칸 답
❶ 시장 ❷ 슬픔 ❸ 반복

● 유년 | 나이가 어린 때.
● 윗목 | 온돌방에서 아궁이로부터 먼 쪽의 방바닥.

열무 삼십 단을 이고
시장에 간 우리 엄마
안 오시네, ㉠해는 시든 지 오래
㉡나는 찬밥처럼 방에 담겨
아무리 천천히 숙제를 해도
엄마 안 오시네, ㉢배춧잎 같은 발소리 타박타박
안 들리네, 어둡고 무서워
금 간 창틈으로 고요히 빗소리
빈방에 혼자 엎드려 훌쩍거리던

아주 먼 옛날
지금도 내 눈시울을 뜨겁게 하는
그 시절, 내 유년의 윗목

시의 특징 파악하기

1 이 시에 대한 설명으로 적절하지 않은 것은?

① 유사한 문장 구조를 반복하여 운율을 형성하고 있다.
② 자연물을 의인화하여 주제를 참신하게 표현하고 있다.
③ 어둡고 무거운 분위기를 자아내는 시어를 사용하고 있다.
④ 비유적 표현을 통해 화자의 정서를 생생하게 표현하고 있다.
⑤ 어른이 된 화자가 어린 시절을 회상하는 방식으로 시상을 전개하고 있다.

시적 상황과 정서 파악 하기

2 이 시의 화자에 대한 설명으로 적절하지 <u>않은</u> 것은?

① 1연에서 화자는 무서움과 외로움을 느끼고 있다.

② 1연에서 화자는 숙제를 다 하고 힘없이 집 앞을 걷고 있다.

③ 1연에서 화자는 열무를 팔러 시장에 간 엄마를 기다리고 있다.

④ 2연에서 화자는 안타까움과 슬픔을 느끼고 있다.

⑤ 2연에서 화자는 어른이 된 '나'이며, 유년 시절을 떠올리고 있다.

시의 심상 파악하기

3 ㉠~㉢에 각각 표현된 감각적 심상을 적절하게 짝지은 것은?

ⓐ: 시각적 심상	ⓑ: 청각적 심상	ⓒ: 촉각적 심상	ⓓ 공감각적 심상

	㉠	㉡	㉢		㉠	㉡	㉢		㉠	㉡	㉢
①	ⓒ	ⓒ	ⓓ	②	ⓒ	ⓐ	ⓐ	③	ⓐ	ⓓ	ⓑ
④	ⓐ	ⓒ	ⓓ	⑤	ⓒ	ⓐ	ⓓ				

설명에 맞는 소재 찾기

4

주관식

다음 설명에 해당하는 시구를 이 시에서 찾아 3어절로 쓰시오.

• 화자가 어른이 되었음을 짐작하게 함.

• 외롭고 힘들었던 유년 시절의 기억을 은유법을 사용하여 표현한 부분임.

표현 효과 파악하기

5

고난도 ㅣ 고1 학력평가 기출

〈보기〉는 시 창작 수업의 일부이다. [A]~[E]에 대한 반응으로 적절하지 <u>않은</u> 것은?

💡 **도움말**

시어는 시의 분위기를 형성하고 주제를 형상화한다. 시의 분위기나 주제에 어울리지 않는 설명을 하고 있는 학생을 찾아본다.

보기

선생님: 시를 창작할 때는 시어를 잘 선택하여 사용하는 것이 중요합니다. 어떤 시어를 사용하느냐에 따라 시의 느낌이 달라지기 때문이죠. 아래의 괄호 안에 있는 두 개의 시어 중, 밑줄 친 시어를 선택함으로써 얻을 수 있는 효과는 무엇일까요?

• 열무 (단 / <u>삼십 단</u>)을 이고 ·· [A]

• 나는 (더운밥 / <u>찬밥</u>)처럼 방에 담겨 ································· [B]

• 아무리 (빨리 / <u>천천히</u>) 숙제를 해도 ····························· [C]

• 배춧잎 같은 발소리 (뚜벅뚜벅 / <u>타박타박</u>) ················· [D]

• 금 간 창틈으로 (아련히 / <u>고요히</u>) 빗소리 ···················· [E]

① 예지: [A]의 '삼십 단'은 어머니의 고단한 삶의 무게가 부각되는 효과를 줍니다.

② 지수: [B]의 '찬밥'은 아무도 돌봐 주지 않는 화자의 서글픈 처지를 잘 표현합니다.

③ 류진: [C]의 '천천히'는 애써 외로움을 의식하지 않으려는 화자의 심리를 나타냅니다.

④ 채령: [D]의 '타박타박'은 힘겨운 삶에 지친 엄마의 고단한 모습을 잘 드러냅니다.

⑤ 유나: [E]의 '고요히'는 '빗소리'로 무서움을 달래는 화자의 상황을 잘 나타냅니다.

작품 정리하기

구성

1연 (과거) 빈방에서 밤늦게까지 돌아오지 않는 엄마를 홀로 기다림.

2연 (현재) 어린 시절을 회상하며 안타까움과 서글픔을 느낌.

해제

이 시는 어른이 된 화자가 어린 시절의 외롭고 고달팠던 기억을 떠올리는 내용을 담고 있다. 화자는 빈방에서 날이 어두워지도록 돌아오지 않는 엄마를 기다리던 어린 시절을 떠올리며 안타까움과 서글픔을 느끼고 있다. '안 오시네', '안 들리네'와 같은 유사한 문장의 반복을 통해 리듬감을 형성하고 의미를 심화하고 있으며, 다양한 심상을 통해 무거운 분위기를 형성하고 말하는 이의 정서를 생생하게 표현하고 있다.

주제

빈방에서 혼자 엄마를 기다리던 어린 시절의 외로움과 서글픔

화자의 상황과 정서

이 시의 화자는 1연과 2연에서 서로 다른 시적 상황에 처해 있으며 각 상황에서 느끼는 정서도 다르다. 각 연에서 화자가 처한 상황과 화자의 정서를 통해 시의 주제를 파악할 수 있다.

	1연	2연
화자	어린 시절의 '나'	어른이 된 '나'
시적 상황	혼자 빈방에서 시장에 간 엄마를 기다림.	어른이 되어 어린 시절을 ❶[ ][ ]함.
화자의 정서	외로움, 두려움, 쓸쓸함	슬픔, 안타까움

▼

시의 주제

빈방에서 혼자 엄마를 기다리던 어린 시절의 외로움과 서글픔

시구의 의미

이 시에 사용된 소재와 시구들은 쓸쓸하고 서글픈 시적 분위기를 형성한다.

해는 시든 지 오래	엄마가 시장에 이고 간 ❷[ ][ ]가 시들었을 만큼 많은 시간이 지났음을 표현함.
나는 찬밥처럼 방에 담겨	보살핌을 받지 못하고 홀로 방에 남겨진 '나'의 처지를 '찬밥'에 빗대어 표현함.
배춧잎 같은 발소리	지친 엄마의 힘없는 발걸음을 '배춧잎'에 빗대어 표현함.
금 간 창틈으로 고요히 빗소리	'금 간 창틈'은 유년 시절에 '나'의 가정 형편이 넉넉하지 못했음을 의미하고, '빗소리'는 '나'의 외로움을 고조함.
내 유년의 윗목	외롭고 춥고 시린 느낌으로 기억되는 유년 시절을, 아랫목보다 차가운 공간인 '윗목'에 빗대어 표현함.

표현상 특징과 효과

운율		'안 오시네', '안 들리네'와 같이 부정적 의미를 가진 유사한 문장 구조를 반복하여 운율을 형성함.
비유적 표현	❸[ ][ ]법	'찬밥처럼', '배춧잎 같은'
	은유법	'내 유년의 윗목'

▼

효과

어둡고 차가운 분위기를 조성하고, 외롭고 쓸쓸한 '나'의 마음을 강조함.

어휘 다지기

1 다음 뜻에 해당하는 단어를 말 상자에서 찾아 표시하시오.

(1) 나이가 어린 때.

　예 아련히 떠오르는 (　　　　　) 시절의 추억

(2) 조용하고 잠잠한 상태.

　예 새벽녘에는 도심에도 (　　　　　)이/가 찾아온다.

(3) 눈언저리의 속눈썹이 난 곳.

　예 (　　　　　)에 눈물이 어리다.

(4) 온돌방에서 아궁이로부터 먼 쪽의 방바닥.

　예 어른이 들어오자 아이들은 (　　　　　)에 앉았다.

주	다	고	요
선	유	독	양
후	년	장	윗
해	살	정	목
눈	시	울	야

개념어

2 다음 빈칸에 들어갈 알맞은 말을 〈보기〉에서 찾아 쓰시오.

　보기
대유	심상	은유	정서	직유	태도

	어휘	뜻
(1)	(　　　)	시를 읽을 때 마음속에 떠오르는 모양이나 느낌
(2)	(　　　)	원관념을 연결어 없이 보조 관념에 은근히 빗대는 방법
(3)	(　　　)	원관념을 '~같이, ~처럼' 등의 연결어를 사용하여 보조 관념에 직접 빗대는 방법

어휘 ➕ 단위를 나타내는 말

3 다음 뜻에 해당하는 단어를 〈보기〉에서 찾아 쓰시오.

　보기
닢	단	섬	손	첩	톳

(1) 김 100장을 묶어 세는 단위.

　예 상점에 가서 김 세 (　　　　　)을 사 오너라.

(2) 짚, 땔나무, 채소 따위의 묶음을 세는 단위.

　예 장에 가서 시금치 두 (　　　　　)만 사 오너라.

(3) 약봉지에 싼 약의 뭉치를 세는 단위.

　예 이 돈으로 약 한 (　　　　　)이라도 지어 먹도록 해라.

(4) 한 손에 잡을 만한 분량을 세는 단위.

　예 내일모레 장날에는 고등어라도 한 (　　　　　) 사야겠다.

실전 **05** 고향 | 백석

이 작품은 타향에서 홀로 앓아누워 외로움을 느끼던 화자가 자신의 아버지와 인연이 있는 의원을 만나 마음의 위로를 얻는 내용을 담고 있다. 화자의 처지와 정서를 생각하며 작품을 감상해 보자.

핵심 짚기

● **화자와 시적 상황**
· **화자** '나'
· **시적 대상** 의원
· **시적 상황** '나'가 타향인 ❶ㅂㄱ에서 혼자 앓다가, '나'의 아버지와 막역한 사이인 의원을 만나 고향에 대한 그리움을 느낌.

● **표현상 특징**
· **비유적 표현** '여래', '관공', '신선'에 비유하며 ❷ㅇㅇ의 인상을 효과적으로 표현함.
· **다양한 매개체 활용**
　– 아무개 씨: 화자의 아버지로, 화자와 의원을 이어 주어 화자가 의원에게 반가움과 ❸ㅊㄱㄱ을 느끼게 함.
　– 손길: 의원의 따뜻하고 부드러운 손길은 화자가 고향과 가족을 떠올리게 함.

| 빈칸 답
❶ 북관 ❷ 의원 ❸ 친근감

나는 북관(北關)에 혼자 앓아누워서
어느 아츰 의원을 뵈이었다
의원은 여래(如來) 같은 상을 하고 관공(關公)의 수염을 드리워서
먼 옛적 어느 나라 신선 같은데
새끼손톱 길게 돋은 손을 내어
묵묵하니 한참 맥을 짚더니
　　　　　맥박
문득 물어 고향이 어데냐 한다
평안도 정주라는 곳이라 한즉
그러면 아무개 씨 고향이란다
그러면 아무개 씰 아느냐 한즉
의원은 빙긋이 웃음을 띠고
막역지간(莫逆之間)이라며 수염을 쓴다
나는 아버지로 섬기는 이라 한즉
의원은 또다시 넌즈시 웃고
말없이 팔을 잡어 맥을 보는데
손길은 따스하고 부드러워
고향도 아버지도 아버지의 친구도 다 있었다

● **북관** '함경도'의 다른 이름.
● **아츰** '아침'의 방언.
● **여래** '부처'를 달리 이르는 말.
● **관공** '관우'를 높여 부르는 말.
● **아무개 씨** 어떤 사람을 구체적인 이름 대신 이르는 인칭 대명사.
● **막역지간** 허물이 없는 친한 사이.

시의 특징 파악하기　**1**

✚ **간접 인용**
　다른 사람의 말이나 글을 자신의 언어로 바꾸어 옮기는 것으로, 다른 사람의 말이나 글을 적절하게 요약하여 정리한 다음 생략 가능한 조사 '고'를 써서 표현한다.

이 시에 대한 설명으로 적절하지 않은 것은?

① 화자가 시의 표면에 드러난다.
② 시간적, 공간적 배경이 제시되어 있다.
③ 공간의 이동에 따라 시상을 전개하고 있다.
④ 비유적 표현을 활용해 인물의 인상을 구체적으로 드러내고 있다.
⑤ 화자와 다른 사람의 대화를 간접 인용의 방식으로 드러내고 있다.

화자의 상황 파악하기 **2**

이 시의 화자에 대한 설명으로 가장 적절한 것은?

① 타인에게서 자신의 처지를 위로받고 있다.

② 현실을 벗어난 이상적인 세계를 꿈꾸고 있다.

③ 다른 사람과의 인간관계에서 갈등을 겪고 있다.

④ 현재의 삶을 힘들었던 과거의 삶과 비교하고 있다.

⑤ 부정적인 현실을 극복하겠다는 적극적인 의지를 드러내고 있다.

화자의 정서 파악하기 **3**

이 시에 나타난 화자의 정서 변화로 가장 적절한 것은?

① 고통 → 친근감 → 상실감   ② 고통 → 친근감 → 안타까움

③ 그리움 → 반가움 → 외로움   ④ 외로움 → 무서움 → 친근감

⑤ 외로움 → 반가움 → 그리움

설명에 맞는 소재 찾기 **4**

⊕ 매개체

두 사물 혹은 두 주체 사이를 연결해 주는 소재이다. 현재와 과거를 이어 과거를 회상하게 해 주거나, 특정 사물이나 지역, 인물 등을 떠올리게 하는 소재 등이 그 예이다.

주관식

다음 설명에 해당하는 시어를 이 시에서 찾아 쓰시오.

> 화자가 의원에게 반가움과 친근감을 느끼게 하며, 화자와 의원을 이어 주는 매개체⊕ 역할을 한다.

다른 작품과 비교하기 **5**

💡 **도움말**

〈보기〉는 고향에 두고 온 가족에 대한 그리움을 표현한 작품이다. 시인인 이용악은 해방 직후 홀로 상경하여 외롭게 생활하였는데, 이 시를 통해 고향인 함경북도 무산에 두고 온 가족들에 대한 그리움을 드러내고 있다.

고난도

이 시와 〈보기〉를 비교한 내용으로 적절하지 않은 것은?

> ● 보기 ●
>
> 눈이 오는가 북쪽엔 / 함박눈 쏟아져 내리는가
>
> 험한 벼랑을 굽이굽이 돌아간 / 백무선 철길 위에
> 느릿느릿 밤새워 달리는 / 화물차의 검은 지붕에
>
> 연달린 산과 산 사이 / 너를 남기고 온 / 작은 마을에도 복된 눈 내리는가
>
> 잉크병 얼어드는 이러한 밤에 / 어쩌자고 잠을 깨어 / 그리운 곳 차마 그리운 곳
>
> – 이용악, 〈그리움〉에서

① 〈보기〉는 이 시와 달리 고향의 모습을 묘사하고 있다.

② 이 시와 〈보기〉 모두 그리움이 주된 정서로 제시되고 있다.

③ 이 시와 〈보기〉의 화자 모두 현재 고향이 아닌 곳에 머물고 있다.

④ 이 시의 '북관'은 〈보기〉의 '북쪽'처럼 화자가 그리워하는 공간이다.

⑤ 이 시의 '손길'은 〈보기〉의 '눈'처럼 화자가 고향을 떠올리게 하는 매개체이다.

구성

 1~2행 타향에서 홀로 앓아누운 '나'가 의원을 만남.

 3~7행 맥을 짚던 의원이 문득 고향이 어딘지 물음.

 8~15행 의원이 고향에 계신 아버지와 막역한 사이임을 알게 됨.

 16~17행 의원의 손길에서 고향과 아버지의 따뜻한 정을 느낌.

해제

이 작품은 시인이 자신의 타향살이 경험을 바탕으로 쓴 시이다. 시적 화자는 홀로 타향살이를 하다가 앓아누워 만나게 된 의원이 아버지의 막역한 친구임을 알게 되면서 그에게 친근감을 느낀다. 그리고 의원의 손길에서 고향과 고향의 아버지를 떠올리고 그에 대한 그리움을 표현하고 있다.

주제

고향과 가족을 향한 그리움

화자와 시적 상황

이 시는 인물, 사건, 배경이 제시되어 짧은 이야기처럼 구성되어 있으므로, 시의 장면을 떠올리며 화자의 상황을 파악하면 화자의 정서와 시의 주제를 잘 이해할 수 있다.

화자	❶ ☐☐ 을 떠나 타향인 북관에서 홀로 생활하는 '나'
시적 상황	어느 날 혼자 앓아누운 화자는 진료를 받기 위해 만난 의원이 고향의 아버지와 막역한 친구 사이임을 알게 됨.

화자의 정서 변화

이 시에서 화자의 정서는 화자가 처한 시적 상황에 따라 변화하며, 화자의 정서는 곧 시의 주제를 형상화한다.

외로움	타향에서 홀로 앓아누움.

▼

반가움	의원이 화자의 아버지와 친구 사이라는 것을 알게 됨.

▼

❷ ☐☐☐	의원의 따스한 손길에서 고향과 가족을 떠올림.

표현상 특징

– 비유적 표현으로 의원의 인상을 구체화함.

보조 관념				원관념
여래	관공	신선	→	의원
자비롭고 인자함.	수염이 길게 자람. → 너그럽고 푸근함.	신비로움.		인자하고 따뜻한 인상을 지님.

– 다양한 시적 대상을 ❸ ☐☐☐ 로 활용함.

아무개 씨	화자의 아버지이자 의원의 친구로, 화자와 의원을 이어 주는 매개체 역할을 함.
손길	화자가 따뜻함을 느끼는 소재로, 화자가 고향과 가족을 떠올리게 함.

– 대화를 간접 인용하여 상황을 생생하게 묘사함.

1 제시된 뜻을 참고하여 다음 초성에 해당하는 동사나 형용사의 기본형을 쓰시오.

(1) ㄷㄷ : 속에 생긴 것이 겉으로 나오거나 나타나다. ·················· (   )

(2) ㅁㅁㅎㄷ : 말없이 잠잠하다. ···························· (   )

개념어

2 빈칸에 들어갈 말을 〈보기〉에서 찾아 쓰시오.

(1) 시의 화자가 현재 상황에서 사과를 보고 사과와 관련된 과거를 회상했을 때, '사과'를 과거 회상의 ■■■ (이)라고 한다.

> 보기
>
> 상징물   매개체   보조물   형상화

(2) '듯이', '처럼', '같이' 등과 같은 연결어를 사용하여 원관념과 보조 관념을 연결하는 비유법을 ■■■ 이라고 한다.

> 보기
>
> 직유법   은유법   의인법   활유법

어휘 ➕ '우정'과 관련된 한자 성어

3 〈보기〉는 '우정'과 관련된 한자 성어이다. 다음 뜻풀이에 해당하는 한자 성어를 〈보기〉에서 찾아 쓰시오.

> 보기
>
> 관포지교   막역지우   죽마고우

(1) 관중과 포숙의 사귐이란 뜻으로, 우정이 아주 돈독한 친구 관계를 이르는 말.

···························· (   )

(2) 대말을 타고 놀던 벗이라는 뜻으로, 어릴 때부터 같이 놀며 자란 벗을 일는 말.

···························· (   )

(3) 서로 거스름이 없는 친구라는 뜻으로, 허물이 없이 아주 친한 친구를 이르는 말.

···························· (   )

실전 06 귀뚜라미

| 나희덕

이 작품은 귀뚜라미를 화자로 하여, 다른 이들에게 감동을 주고 싶다는 소망을 표현한 시이다. 귀뚜라미를 통해 시인이 말하고자 하는 것이 무엇인지 생각하며 작품을 감상해 보자.

✎ 핵심 짚기

● 화자와 시적 상황

· **화자** 귀뚜라미

· **시적 상황** 매미 소리에 묻혀 다른 이들에게 화자의 울음소리가 들리지 않음.

● 표현상 특징

· **❶ ㅇ ㅇ ㅂ** 곤충인 귀뚜라미를 시적 화자로 내세워 사람처럼 표현함.

· **❷ ㄷ ㅈ** 적인 소재와 상황 제시

매미		귀뚜라미
높은 가지에 있음.	⟷	지하도 콘크리트 벽 속에 있음.

❸ ㄴ ㄹ		울음
감동을 주는 소리	⟷	감동을 주지 못하는 소리

┊빈칸 답

❶ 의인법 ❷ 대조 ❸ 노래

높은 가지를 흔드는 ㉠매미 소리에 묻혀
내 울음 아직은 노래 아니다.

ⓐ차가운 바닥 위에 토하는 울음,
ⓑ풀잎 없고 이슬 한 방울 내리지 않는
지하도 콘크리트 벽 좁은 틈에서
숨 막힐 듯, ⓒ그러나 나 여기 살아있다
귀뚜르르 뚜르르 보내는 타전˚ 소리가
누구의 마음 하나 울릴 수 있을까.

지금은 ⓓ매미 떼가 하늘을 찌르는 시절
그 소리 걷히고 맑은 가을이
어린 풀숲 위에 내려와 뒤척이기도 하고
계단을 타고 이 땅 밑까지 내려오는 날
발길에 눌려 우는 내 울음도
ⓔ누군가의 가슴에 실려 가는 노래일 수 있을까.

● 타전 | 전보나 무전을 침.

표현상의 특징 파악하기

1 이 시에 대한 설명으로 적절하지 않은 것은?

① 음성 상징어를 통해 운율을 형성하고 있다.

② 반어적인 표현을 사용하여 주제를 강조하고 있다.

③ 의문형 표현을 사용하여 화자의 소망을 드러내고 있다.

④ 대조적인 의미를 지닌 소재들을 활용해 시상을 전개하고 있다.

⑤ 사람이 아닌 대상을 사람처럼 표현하는 비유법이 사용되고 있다.

화자의 상황 파악하기 **2** 〈보기〉는 이 시의 화자에 대해 학생들이 나눈 대화이다. 올바르게 말한 학생을 모두 고른 것은?

> ● 보기 ●
> 민철: 화자가 처한 계절적 배경은 가을이야.
> 가영: 화자는 현재 힘들고 열악한 상황에 놓여 있어.
> 준호: 화자는 시의 표면에 드러나 있고, 사람이 아니야.
> 선주: 화자는 현재 자신의 처지를 긍정적으로 인식하고 있어.

① 민철, 가영   ② 민철, 준호   ③ 가영, 준호
④ 가영, 선주   ⑤ 준호, 선주

시적 대상 비교하기 **3** 이 시의 화자와 ㉠의 공통점과 차이점을 정리한 내용으로 적절한 것은?

공통점	• 가을에 나무 위에서 욺. ·· ①
	• 고달픈 현실에 처해 있음. ··· ②
	• 사회의 부조리를 고발하고 있음. ··· ③
차이점	• ㉠은 사람들에게 인정받는 존재이지만 화자는 꺼려지는 존재임. ·············· ④
	• ㉠은 현재 높은 가지 근처에 있지만 화자는 현재 지하도 콘크리트 벽 좁은 틈에 있음. ·· ⑤

고난도

상징적 의미 파악하기 **4** ⓐ~ⓔ에 대한 설명으로 적절하지 않은 것은?

① ⓐ는 화자가 자신의 처지에 대한 분노를 드러낸 것이다.
② ⓑ는 화자가 처한 상황이 열악하다는 것을 의미한다.
③ ⓒ는 고통스러운 현실을 참고 이겨내겠다는 화자의 의지를 드러낸다.
④ ⓓ는 화자가 참고 견뎌야 하는 시간을 의미한다.
⑤ ⓔ는 누군가에게 감동을 줄 수 있는 삶을 지향하는 화자의 마음을 드러낸다.

주관식

시의 심상 파악하기 **5** 다음은 이 시에 사용된 심상에 대한 설명이다. A~C에 알맞은 말을 쓰시오.

> 이 시에서는 '소리', '울음'과 같은 시어를 적극적으로 활용하는 등 (A   ) 심상이 주로 나타난다. 또한 '누군가의 가슴에 실려 가는 노래'라는 시구에서는 청각적 심상을 (B   ) 심상으로 전이시켜 표현하는 (C   ) 심상이 드러난다.

작품 정리하기

구성

1연 매미 소리에 묻힌 귀뚜라미 소리

2연 어려운 상황에서도 소망을 잃지 않는 귀뚜라미

3연 누군가에게 감동을 주는 노래를 하고 싶은 귀뚜라미의 소망

해제

이 작품은 귀뚜라미를 시적 화자로 내세워 고달픈 현실을 이겨 내고 누군가에게 감동을 줄 수 있는 노래를 부르고 싶은 소망을 담은 시이다. 화자는 힘든 상황을 견디며 언젠가는 누군가에게 감동을 주는 노래를 들려주기를 소망한다. 대조적 의미를 지닌 시어들을 나란히 배치하고, 의문형 문장을 활용하여 이러한 소망을 담담하게 드러내고 있다.

주제

자신의 노래가 누군가에게 감동을 줄 수 있기를 소망함.

화자의 상황

이 시의 화자는 귀뚜라미이다. 시인은 귀뚜라미를 통해 주제를 형상화하고 있으므로, 화자(귀뚜라미)가 처한 상황과 그에 대한 태도 및 정서를 파악해야 한다.

화자	여름날의 ❶☐☐☐☐
시적 상황	화자는 매미 소리에 묻혀 타인에게 소리가 들리지 않아도, 지하도 콘크리트 벽 좁은 틈에서 쉼 없이 울고 있음.
화자의 태도와 정서	인내심을 가지고 현재의 힘든 상황을 견뎌낸 뒤에 가을이 오면 누군가에게 감동을 주는 노래를 부르기를 소망함.

대조적 소재

이 시는 대조적 시어들을 나란히 배치하는 방식으로 시상을 전개하고 있다. 이를 통해 강조하고자 하는 소재의 특성을 부각하고 있다.

– '매미'와 '귀뚜라미'

매미
높은 ❷☐☐에서 욺.
하늘을 찌를 듯 크게 욺.

귀뚜라미
차가운 바닥에서 욺.
울음소리가 매미 소리에 묻힘.

귀뚜라미의 울음소리가 울리는 것을 방해함.

– '울음'과 '노래'

울음	노래
타인에게 들리지 않음.	타인에게 들림.
자신이 살아있다는 것을 알리는 소리이며 누군가에게 감동을 주지 못함.	누군가에게 ❸☐☐을 주는 소리임.

이러한 시상 전개 방식을 통해 매미의 화려함과 대비되는 귀뚜라미의 초라하지만 간절한 소망을 강조한다. 또한 '노래'를 '울음'과 비교하여, 사람들에게 감동을 주고 싶은 귀뚜라미의 소망을 드러내고 주제를 형상화한다.

1 사다리타기에 따라, 빈칸에 들어갈 단어의 뜻을 〈보기〉에서 찾아 그 번호를 쓰시오.

> ● 보기 ●
> ① 구름이나 안개 따위가 흩어져 없어지다.
> ② 소리가 어떤 것에 막혀 들리지 않게 되다.
> ③ 옮겨지기 위하여 이동 수단 따위에 올려지다.
> ④ 물체의 전체 면이나 부분에 힘이나 무게가 가해지다.

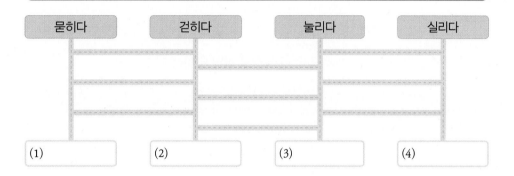

묻히다	걷히다	눌리다	실리다
(1)	(2)	(3)	(4)

개념어

2 다음 시구에서 드러나는 감각적 심상의 종류를 바르게 연결하시오.

- ① 시각적 심상
(1) 귀뚜르르 뚜르르 •
- ② 청각적 심상
(2) 차가운 바닥 •
- ③ 촉각적 심상
(3) 콘크리트 벽 좁은 틈 •
- ④ 후각적 심상
- ⑤ 미각적 심상

어휘 ➕ '감정'과 관련 있는 어휘

3 다음 빈칸에 알맞은 어휘를 〈보기〉에서 찾아 쓰시오.

> ● 보기 ●
> 감동   감상   감정

(1) 그는 자신의 (   )을 좀처럼 드러내지 않았다.
(2) 그 책을 읽은 (   )은 한마디로 '대단하다'였다.
(3) 패럴림픽은 올림픽과는 또 다른 (   )과 흥분을 준다.

실전 07 오우가 | 윤선도

이 작품은 다섯 가지 자연물의 덕을 예찬하며 인간이 지녀야 할 품성을 노래한 시조이다. 화자의 태도와 소재의 상징적 의미를 살펴보며 작품을 감상해 보자.

✎ 핵심 짚기

● 화자의 태도

화자는 본받을 만한 속성을 지닌 자연물을 ❶ ㅇㅊ 하고 있으며, 자연물을 가까이하고 친밀하게 대하는 자연 친화적 태도를 보임.

● 소재의 상징적 의미

제3수
• 꽃, 풀: 쉽게 변하는 존재
• 바위: 변함없는 존재

제4수
• 다른 나무: 상황에 따라 쉽게 변하는 존재
• 솔: 지조, ❷ ㅈㄱ 가 있는 존재
• 눈서리: 솔에게 주어진 시련

● 표현상의 특징

• ❸ ㅇㅇ법 다섯 자연물을 사람처럼 표현해 벗으로 여김.
• 대구법 제3수, 제4수에서 대구법을 사용해 운율을 형성함.
• 대조법 제3수, 제4수에서 바위와 솔의 속성을 부각하기 위해 다른 자연물과 대비함.

┃ 빈칸 답
❶ 예찬 ❷ 절개 ❸ 의인

● **수석** ┃ 물과 돌을 아울러 이르는 말.
● **송죽** ┃ 소나무와 대나무를 아울러 이르는 말.
● **솔** ┃ 소나뭇과의 모든 식물을 통틀어 이르는 말.

㉮

내 벗이 몇이나 하니 ㉠수석(水石)과 송죽(松竹)이라.

동산(東山)에 달 오르니 그 더욱 반갑구나.

두어라 이 ㉡다섯밖에 또 더하여 무엇하리.　　　　　　　　(제1수)

㉯

꽃은 무슨 일로 피면서 쉬이 지고

㉢풀은 어이하여 푸르는 듯 누르나니

아마도 변치 않는 건 ㉣바위뿐인가 하노라.　　　　　　　　(제3수)

㉰

더우면 꽃 피고 추우면 잎 지거늘

㉤솔아 너는 어찌 눈서리를 모르느냐.

구천(九泉)에 뿌리 곧은 줄을 그로 하여 아노라.　　　　　　(제4수)
땅속 깊은 밑바닥.

시의 특징 파악하기

1 이 시에 대한 설명으로 적절하지 <u>않은</u> 것은?

① 4음보의 운율이 나타난다.
② 기승전결의 구조에 따라 시상이 전개된다.
③ 각 수에서 종장의 첫 음보는 3글자로 고정된다.
④ 규칙성이 시의 표면에 드러나 있는 정형시이다.
⑤ 각 수가 '초장-중장-종장'의 3행으로 구성된다.

표현상의 특징 파악하기 **2** **(가)~(다)에 대한 설명으로 가장 적절한 것은?**

① (가)에서는 중심 소재를 동물과 식물로 묶어 제시하고 있다.

② (나)에서는 반어적 표현을 통해 중심 소재를 비판하고 있다.

③ (가)와 (나)에서는 문답법을 활용하여 화자의 심리를 구체화하고 있다.

④ (가)와 (나)에서는 설의적 표현을 활용하여 시의 주제를 강조하고 있다.

⑤ (나)와 (다)에서는 대구의 방법을 활용하여 시적 운율감을 살리고 있다.

외부 자료를 통해 해석하기 **3**

고1 학력평가 기출

〈보기〉를 바탕으로 ㉠~㉢을 이해한 것으로 적절하지 않은 것은?

● 보기 ●

고전 시가 속에서의 자연물은 예찬의 대상으로 표현되는 경우가 있다. 이때 화자는 자연물을 가까이 두고 친밀하게 대하며, 자연물을 의인화해 이상적인 인간상으로 표현하기도 한다. 또한 자연물의 속성에서 자신이 본받고자 하는 삶의 태도를 찾아내기도 한다.

① ㉠은 화자가 가까이 하며 벗으로 여기는 대상이다.

② ㉡은 화자가 친밀하게 대하는 대상이다.

③ ㉢의 속성에서 화자는 본받고자 하는 삶의 태도를 찾아내고 있다.

④ ㉣은 화자가 예찬하는 대상이다.

⑤ ㉤은 의인화되어 이상적인 인간상을 지닌 존재로 표현되었다.

상징적 의미 파악하기 **4** **다음은 (나)와 (다)에 나타난 소재를 정리한 것이다. ⓐ~ⓔ 중 그 내용이 적절하지 않은 것은?**

	(나)	(다)
소재의 특성	• ⓐ꽃: 피고 나면 쉽게 짐. • 풀: 푸르러지면 곧 누렇게 됨. • 바위: 변하지 않음.	• ⓒ다른 나무: 더우면 꽃이 피고 추우면 잎이 짐. • ⓓ솔: 눈서리를 피해 겨울을 견딤.
소재의 상징적 의미	• 꽃, 풀: 쉽게 변하는 존재 • ⓑ바위: 한결같이 변함없는 존재	• ⓔ다른 나무: 상황에 따라 쉽게 변하는 존재 • 솔: 지조와 절개가 있는 존재

① ⓐ   ② ⓑ   ③ ⓒ   ④ ⓓ   ⑤ ⓔ

화자의 태도 파악하기 **5**

주관식

〈보기〉의 빈칸에 들어갈 말을 2어절로 쓰시오.

● 보기 ●

한국 문학에는 이 시와 같이 자연을 좋아하고 자연과 동화되고 싶은 마음을 담은 작품이 많다. 이처럼 (   )적 태도가 두드러지게 드러나는 것은 한국 문학의 특별한 성질이라고 볼 수 있다.

구성

제1수 | 화자가 가까이 여기는 다섯 가지 자연물을 소개함.

제3수 | 꽃이나 풀과는 대조되는 바위의 변치 않는 성질을 예찬함.

제4수 | 다른 나무와는 대조되는 솔의 지조와 절개를 예찬함.

해제

이 작품은 6수의 연시조로, 윤선도가 전라남도 해남에 은거할 무렵에 지은 《고산유고》에 수록되어 있다. 첫 수에서는 '수석'과 '송죽', '달'의 다섯 가지 벗을 소개하고, 이후에 각각의 벗을 다시 한 수씩 소개하며 예찬하였다. 화자는 다섯 자연물을 관찰하며 변하지 않는 자연물의 특성을 바탕으로 화자가 생각하는 바람직한 인간상을 표현하고 있다.

주제

다섯 자연물의 덕 예찬

화자의 태도

시적 대상에 대한 화자의 태도는 작품의 주제를 드러낸다. 이 작품의 시적 대상은 다섯 자연물이므로 화자가 자연물에 대해 어떤 태도를 지니는지 파악하는 것이 중요하다.

| 자연물을 가까이 두고 친밀하게 대함. | ▶ | 자연 ❶ □ □ 적 태도 |
| 바람직한 속성을 지닌 자연물을 찬양하고 그 속성을 본받으려 함. | ▶ | 예찬적 태도 |

소재의 상징적 의미

화자는 자연물의 속성에서 자신이 본받고자 하는 덕목을 찾아, 자연물에 덕목과 관련된 상징적 의미를 부여하고 있다.

제3수	제4수
• 꽃: 피고 나면 쉽게 짐. • 풀: 푸르러지면 곧 누렇게 됨. → 쉽게 변하는 존재를 상징	• 다른 나무: 더우면 꽃이 피고 추우면 잎이 짐. → 상황에 따라 쉽게 변하는 존재를 상징
↕	↕
• 바위: 변치 않음. → 한결같이 변함없는 존재를 상징	• 솔: 뿌리를 깊게 내리고 ❷ □ □ □ 를 견딤. → 지조와 절개가 있는 존재를 상징

표현상의 특징

이 작품은 다양한 표현법을 활용하여 다섯 자연물의 긍정적 면모를 부각하고 시의 주제를 효과적으로 드러내고 있다.

의인법	다섯 자연물을 사람처럼 표현해 벗으로 여기고 친밀하게 대함.
대구법	제3수, 제4수에서 앞뒤의 문장 구조를 유사하게 배치하는 대구적 표현을 사용해 운율을 형성함.
❸ □ □ □	제3수, 제4수에서 '바위'와 '솔'의 변함없는 속성을 부각하기 위해 쉽게 변하는 존재인 '꽃', '풀', 다른 나무와의 차이점을 드러내어 표현함.
설의법	제1수의 종장에서 '다섯밖에 또 더하여 무엇하리.'와 같이 설의법을 사용해 다섯 자연물이 진정한 벗이자 본받을 만한 덕목을 갖춘 존재임을 강조함.

빈칸 답 ❶ 친화 ❷ 눈서리 ❸ 대조법

1 밑줄 친 단어의 뜻을 〈보기〉에서 찾아 그 번호를 쓰시오.

> ● 보기 ●
> ① 물과 돌을 아울러 이르는 말.
> ② 소나무와 대나무를 아울러 이르는 말.
> ③ 소나뭇과의 모든 식물을 통틀어 이르는 말.

(1) 사계절 푸른 솔. ··· (　　)

(2) 그는 송죽같이 굳은 절개를 지녔다. ······························· (　　)

(3) 내가 이번에 묘향산을 구경하고 오는데 산세도 웅장하고 수석도 기특합니다.
　　··· (　　)

개념어

2 사다리타기에 따라, 빈칸에 들어갈 단어의 뜻을 〈보기〉에서 찾아 그 번호를 쓰시오.

> ● 보기 ●
> ① 일정한 형식과 규칙에 맞추어 지은 시.
> ② 시에 있어서 운율을 이루는 기본 단위.
> ③ 세 개의 장으로 나누어진 악곡이나 시조의 마지막 장.
> ④ 쉽게 판단할 수 있는 사실을 의문의 형식으로 표현하여 상대편이 스스로 판단하게 하는 수사법.

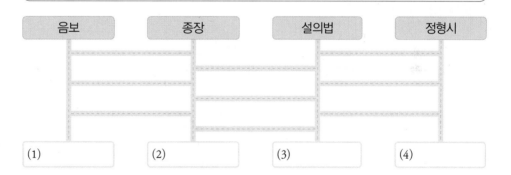

음보	종장	설의법	정형시
(1)	(2)	(3)	(4)

3 어휘➕ 자연 친화와 관련된 한자 성어

〈보기〉는 자연 친화와 관련된 한자 성어이다. (1)~(3)의 뜻풀이에 해당하는 한자 성어를 〈보기〉에서 찾아 쓰시오.

> ● 보기 ●
> 　　　　물아일체　　　안빈낙도　　　유유자적

(1) 속세를 떠나 아무 속박 없이 조용하고 편안하게 삶. ················· (　　)

(2) 가난한 생활을 하면서도 편안한 마음으로 도를 즐겨 지킴. ·········· (　　)

(3) 외부 사물과 자신, 또는 물질세계와 정신세계가 어울려 하나가 됨. ···· (　　)

실전

08 ㉮ **까마귀 싸우는 골에 ~** | 영천 이씨
㉯ **까마귀 검다 하고 ~** | 이직

∞ 교과서 **중1** _ 금성 **중2** _ 동아, 지학사

㉮는 정몽주의 어머니가 고려의 충신인 정몽주를 걱정하며 지은 시조이고, ㉯는 조선의 개국 공신인 이직이 고려를 배반한 자신을 변호하기 위해 지은 시조이다. 시어의 상징적 의미를 파악하며 두 작품을 감상해 보자.

✎ **핵심 짚기**

● **표현상 특징**

• (가)와 (나) 모두 까마귀와 백로에 ❶ ㅅ ㅈ 적 의미를 부여하여 주제를 효과적으로 표현함.
• (가)와 (나) 모두 까마귀와 백로를 ❷ ㄷ ㅈ 하여 화자가 생각하는 바람직한 가치를 강조함.

● **대상에 대한 화자의 관점**

㉮

까마귀	호전적이고 비열한 존재로 묘사됨. → 부정적 관점
백로	깨끗하고 청렴한 존재로 묘사됨. → 긍정적 관점

㉯

까마귀	겉은 검지만 속은 검지 않음. → 긍정적 관점
백로	겉은 희지만 속은 검음. → ❸ ㅂ ㅈ 적 관점

빈칸 답
❶ 상징 ❷ 대조 ❸ 부정

● **골** | 산과 산 사이에 움푹 패어 들어간 곳. 골짜기.
● **시샘할세라** | 혹시 자기보다 나은 대상을 공연히 미워하고 싫어할까 염려된다는 뜻.
● **청강** | 맑은 물이 흐르는 강.

㉮

㉠까마귀 싸우는 골에 백로야 가지 마라.
㉡성난 까마귀 흰빛을 시샘할세라.
㉢청강(淸江)에 기껏 씻은 몸을 더럽힐까 하노라.

㉯

까마귀 검다 하고 백로야 웃지 마라.
㉣겉이 검은들 속조차 검을쏘냐.
㉤겉 희고 속 검은 것은 너뿐인가 하노라.

표현상의 특징 파악하기

1 **(가)와 (나)의 공통점으로 적절한 것은?**

① 화자가 청자에게 질문하는 형식을 취하고 있다.
② 시적 대상의 말과 행동을 과장하여 표현하고 있다.
③ 독자가 이해하기 쉽게 다양한 예시를 나열하고 있다.
④ 시적 대상을 의인화하여 주제를 효과적으로 드러내고 있다.
⑤ 연결어를 활용하여 한 대상을 다른 대상에 직접 빗대고 있다.

세부 내용 파악하기 **2**

●호전적 | 싸우기를 좋아하는.

㉠~㉤에 대한 설명으로 적절하지 <u>않은</u> 것은?

① ㉠은 까마귀의 호전적인 모습을 연상시킨다.

② ㉡에서 화자는 색채 대비를 통해 까마귀에 대한 부정적 시각을 드러내고 있다.

③ ㉢은 백로의 깨끗한 이미지를 부각해 백로를 긍정적인 대상으로 형상화한다.

④ ㉣은 '겉이 검다고 하여 속까지 검지는 않다.'라는 의미이다.

⑤ ㉤에서 흰색은 부정적 이미지로, 검은색은 긍정적 이미지로 활용되고 있다.

상징적 의미 파악하기 **3**

주관식

〈보기〉는 (가)가 창작된 배경에 대한 설명이다. 〈보기〉를 참고하여 ⓐ, ⓑ에 들어갈 말을 쓰시오.

보기

고려 말, 고려 왕조를 무너뜨리고 새로운 왕조를 세우려 한 이성계 일파는 고려의 충신인 정몽주를 자신의 편으로 끌어들이려고 하였다. 이때 정몽주의 어머니 영천 이씨는 아들에게 이성계 일파와 어울리면 안 된다고 경고하기 위해 (가)를 지었다고 전해진다.

(가)의 화자는 까마귀를 부정적으로 바라보고 있다. 따라서 (가)에서 까마귀는 (　ⓐ　)을/를, 백로는 (　ⓑ　)을/를 상징한다고 볼 수 있다.

다른 작품과 비교하기 **4**

💡 **도움말**

이 시조는 세조가 어린 조카인 단종의 왕위를 빼앗고 왕이 된 역사적 사건을 배경으로 한다. 이때 까마귀는 세조 편에 선 간신을, 야광명월은 단종을 끝까지 섬긴 충신을 의미한다.

●야광명월 | 밤에 밝게 빛나는 달.
●일편단심 | 진심에서 우러나오는 변치 아니하는 마음.

고난도

〈나〉와 〈보기〉에 대한 설명으로 적절한 것은?

보기

까마귀 눈비 맞아 희는 듯 검노매라
야광명월이 밤인들 어두우랴
임 향한 일편단심이야 고칠 줄이 있으랴

– 박팽년

① 〈나〉와 〈보기〉의 까마귀는 모두 화자 자신을 의미한다.

② 〈나〉와 〈보기〉의 화자는 모두 까마귀를 통해 깨달음을 얻고 있다.

③ 〈나〉와 〈보기〉의 화자는 모두 까마귀를 부정적으로 인식하고 있다.

④ 〈나〉와 〈보기〉의 화자는 모두 까마귀에 상징적 의미를 부여하고 있다.

⑤ 〈나〉와 〈보기〉의 화자는 모두 까마귀의 외면보다 내면이 훌륭하다고 보고 있다.

구성

가

초장 백로에게 까마귀 무리에 가까이 가지 말 것을 권고함.

중장 까마귀가 백로의 청렴함을 시기할 수 있음을 경계함.

종장 백로의 깨끗함과 청렴함이 더럽혀질 것을 경계함.

나

초장 까마귀를 탓하는 백로에게 따져 물음.

중장 겉은 검지만 속은 검지 않은 까마귀

종장 겉은 희지만 속은 검은 백로

해제

가 시적 대상인 까마귀와 백로의 색채를 대비하여 '까마귀'는 부정적인 대상으로, '백로'는 긍정적인 대상으로 그려 내고 있다. 이를 통해 지조를 지키는 선비에게 나쁜 무리와 어울리지 말 것을 당부하고 있다.

나 겉으로 드러나는 색깔과 내면이 다를 수 있음을 말하며 '까마귀'를 긍정적인 대상으로, '백로'를 부정적인 대상으로 그려 내고 있다. 이를 통해 겉과 속이 다른 사람의 이중적인 태도를 비판하고 있다.

주제

가 간신배들에 대한 경계와 올바른 처신 권고

나 겉과 속이 다름(표리부동)에 대한 경계

감각적 심상

가와 나에서는 ❶[　][　][　] 심상이 주로 사용되었는데, 이는 시적 대상의 상징적 의미와 소재들 사이의 대조적 특징을 부각한다.

백로	몸통이 흰색 → 흰색은 일반적으로 긍정적 이미지를 지님.
까마귀	몸통이 검은색 → 검은색은 일반적으로 부정적 이미지를 지님.

화자가 대상을 바라보는 시각의 차이

가와 나는 같은 소재를 각각 다르게 평가하고 있다. 이는 작품이 창작된 맥락과 화자가 대상을 바라보는 관점에 따라 소재가 다양한 의미로 해석될 수 있음을 보여 준다.

	(가)	(나)
까마귀	호전적인 이미지를 부각함. → 부정적 평가	겉은 검지만 속은 검지 않음. → 긍정적 평가
백로	깨끗한 이미지를 부각함. → ❷[　][　][　] 평가	겉은 희지만 속은 검음. → 부정적 평가

작품이 창작된 맥락과 대상에 대한 화자의 관점이 달라 동일한 소재가 다르게 평가되고 있음.

소재의 상징적 의미

가와 나는 모두 고려 왕조가 무너지고 조선이 건국되던 시기에 지어진 시조이다. 이러한 시대적 배경을 고려할 때, 가와 나에 사용된 소재들(까마귀, 백로)은 서로 ❸[　][　]되는 상징적 의미를 지녀 시인의 의도를 드러내고 있음을 알 수 있다.

	(가)	(나)
까마귀	간신배, 이성계 일파를 상징	새 왕조(조선) 건국에 참여한 신하, 지은이 자신을 상징
백로	충신, 정몽주 등을 상징	고려의 충신을 자처하면서 겉과 속이 다른 사람을 상징

빈칸 답 ❶ 시각적 ❷ 긍정적 ❸ 대조(대비)

어휘 다지기

1 사다리타기에 따라, 빈칸에 들어갈 단어의 뜻을 〈보기〉에서 찾아 그 번호를 쓰시오.

┌─● 보기 ●─
① 맑은 물이 흐르는 강.

② 밤에 밝게 빛나는 달.

③ 진심에서 우러나오는 변치 아니하는 마음을 이르는 말.

④ 자기보다 잘되거나 나은 사람을 공연히 미워하고 싫어함. 또는 그런 마음.
└─

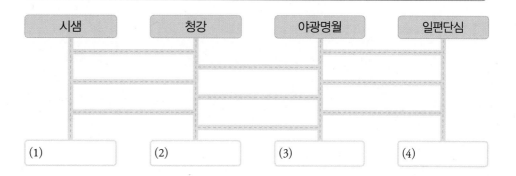

| 시샘 | 청강 | 야광명월 | 일편단심 |

(1)　　　　(2)　　　　(3)　　　　(4)

개념어

2 제시된 뜻을 참고하여 다음 초성에 해당하는 단어를 쓰시오.

(1) ㅂㅇ : 대상 간의 유사성을 통해 표현하고자 하는 대상을 다른 대상에 빗대어 표하는 방법 ·· (　　　　)

(2) ㅅㅈ : 대상 간의 유사성과 관련 없이 표현하고자 하는 대상을 다른 대상에 빗대어 표현하는 방법 ·· (　　　　)

어휘 ➕ 작품과 관련된 한자 성어

3 다음 뜻풀이에 해당하는 한자 성어를 〈보기〉에서 찾아 쓰시오.

┌─● 보기 ●─
　근묵자흑　　　오매불망　　　표리부동　　　형설지공
└─

(1) 겉으로 드러나는 언행과 속으로 가지는 생각이 다름. ····················· (　　　　)

(2) 먹을 가까이하는 사람은 검어진다는 뜻으로, 나쁜 사람과 가까이 지내면 나쁜 버릇에 물들기 쉬움을 비유적으로 이르는 말. ····························· (　　　　)

자연물을 중심 소재로 한 시 읽기

테마특강

∞ **28쪽** 〈동해 바다 – 후포에서〉, **40쪽** 〈귀뚜라미〉, **44쪽** 〈오우가〉 관련

나는 문학 천재라서 문천재

시에서 자연물은 자주 등장하는 소재야. 시인은 자연물을 다양한 방법으로 활용하는데, 자연물을 예찬의 대상으로 바라보는 경우가 있지. 예를 들어 〈오우가〉의 화자는 다섯 자연물의 특성을 다른 대상과 대조하며, 가까이 두고 본받을 만한 속성을 지닌 대상으로 삼았었지?

자연물을 본받을 만한 대상으로 바라보는 화자의 태도는 대중가요의 가사에서도 찾아볼 수 있어. 다음 가사를 노래와 함께 감상해 보자.

📋 **참고 자료**

예로부터 우리는 고래를 '바다의 왕'이라고 칭하면서, 드넓은 바다를 자유롭게 헤엄치며 인간이 가보지 못한 세계를 넘나드는 신비로운 존재로 인식하였다.

> 고래야 적어도 바다는 네가 가졌으면 좋겠어
> 고래야 헤엄하던 대로 계속 헤엄했으면 좋겠어
> 부러워 난 고래야 네가
> 아마도 다들 그럴 거야
> 아마도 다들 그래서 바다를 **빼**앗으려는지 몰라
> 오 거대한 너의 그림자를 동경해
> 이 넓은 바다를 누비는 너의 여유
> 고래야 적어도 바다는 네가 가졌으면 좋겠어
> 고래야 마른하늘 위로 물을 뿌려 줬으면 좋겠어
> 두려워 마 굉음 소리가 아무리 크다 한들 해도
> <small>몹시 요란하게 울리는 소리.</small>
> 천둥에 미치지는 못하니까

– 이찬혁 작사, AKMU(악뮤) – '고래'에서

생각할 거리 ❶

≫ **(1)** 이 가사의 화자가 고래를 바라보는 태도를 말해 보자.

(2) 이 가사에서 고래의 특성이 어떻게 강조되고 있는지 〈오우가〉와 연관 지어 생각해 보자.

● 천재의 힌트

이 가사에는 화자가 예찬하는 시적 대상인 고래 외에도 다른 대상이 등장해. 그것은 바로 '바다를 빼앗으려' 하고 '굉음 소리'를 퍼뜨리는 존재들이지. 이 가사에서는 고래를 여유롭고 고결한 이미지로 표현하고 있어. 그런데 바다를 빼앗으려 하거나 고래를 위협하려 굉음 소리를 내는 존재들은 조급하고, 욕심이 많고 요란해 보여. 고래는 이들과 대조되어 더욱 고결해 보이는 것이 아닐까? 다른 자연물과 대조해 다섯 자연물의 특성을 찬양했던 〈오우가〉처럼 말이야.

나는 문학 천재라서 문천재

한편 시적 대상인 자연물이 화자와 독자에게 성찰의 기회를 주는 경우도 있어. 앞에서 배운 〈동해 바다-후포에서〉의 동해 바다가 화자에게 깨달음을 주는 대상이었던 것처럼 말이지. 다음 시를 읽어 보자.

📋 〈홍시를 보며〉

이 시의 화자는 푸른 열매가 붉은 홍시가 되는 과정을 관찰하며 자신의 삶을 성찰하고 있다. 열매를 맺는 풍요의 계절이면서 낙엽이 지는 쇠락의 계절인 가을에 화자는 홍시의 성실한 삶과 인간의 허무한 삶을 비교하고 있다.

● **선연하다** | 산뜻하고 아름답다.
● **심연** | 좀처럼 빠져나오기 힘든 구렁을 비유적으로 이르는 말.

감나무에 감꽃이 지고 나더니
아프게도 그 자리에 열매가 맺네,
열매는 한창 쑥쑥 자라고
그것이 처음에는 눈이 부신
반짝이는 광택 속
선연한˙ 푸른 빛에서
조금씩 변하더니 어느새
붉은 홍시로까지 오게 되었더니라.

가만히 보면
한자리에 매달린 채
자기 모습만을
불과 일년이지만 하늘 속에
열심히 비추는 것을 보고, 글쎄,
말 못하는 식물이 저런데
똑똑한 체 잘도 떠들면서
도대체 우리는 어디다가
자기 모습을 남기는가 생각해 보니
허무라는 심연˙밖에 없더니라.
아, 가을!

– 박재삼, 〈홍시를 보며〉

생각할 거리 ❷

》 (1) 이 시의 시적 대상인 '홍시'는 어떤 특성을 지니고 있을까?

(2) 이 시의 화자와 〈동해 바다-후포에서〉의 화자가 자연물을 대하는 방식을 비교해 보자.

천재의 힌트

'홍시'는 감꽃이 진 자리에 열려 성실하게 성장하는 존재야. 그리고 2연에서 홍시는 한자리에 매달려 하늘 속에 자신의 모습을 열심히 비춘다고 했어. 이게 무슨 의미일까? 화자는 홍시와 대조되는 '우리'는 똑똑한 체 잘도 떠들면서도 결국 자기 모습을 남기는 곳은 없다고 말하고 있어. 자기 모습을 남긴다는 것은 자신의 삶을 되돌아보고 반성한다는 뜻으로 이해할 수도 있을 거야. 즉 화자는 하늘에 자신을 열심히 비추며 성찰하는 홍시의 모습을 통해 반성하지 않는 우리의 모습을 반성하고 있는 셈이지. 자연물의 특성에서 깨달음을 얻는다는 점에서 이 시는 〈동해 바다-후포에서〉와 비슷하지?

 나는 문학 천재라서
문천재

앞에서 읽은 시들은 모두 자연물이 시적 대상이었는데, 이와 다르게 자연물이 화자인 시들도 꽤 많아. 우리가 배운 〈귀뚜라미〉도 자연물인 귀뚜라미가 화자였지? 화자가 자연물인 시는 어떤 특징이 있을지 생각하며 다음 시를 읽어 보자.

📄 〈비린내라뇨!〉

이 시는 물고기의 목소리를 빌려 자신과 달라 보이는 것을 혐오하고 무시하는 태도를 비판하고 있다. 이 시의 화자는 '비린내'를 '향기'라고 칭하며, '향기가 다양'하다고 말하고 있다. 이를 통해 모든 존재는 가치가 있으며, 존재의 다양성을 존중해야 한다는 생각을 표현하고 있다.

우리들한테 / 비린내 난다고 하지 마세요

코 막지 마세요

우리도 피부를 보호하기 위해
미끄러운 피부, 거친 피부
다 특성에 따라 / 정성 들여 화장한 거예요

이렇게 / 향기가 다양한 걸
무조건 다 비린내라뇨!

이건, 정말
언어폭력이에요

– 물고기 일동

– 함민복, 〈비린내라뇨!〉

 생각할 거리 ❸

≫ (1) 이 시의 화자는 누구이며, 어떤 특성을 지니고 있을까?

(2) 화자를 자연물로 설정했을 때의 효과를 〈귀뚜라미〉와 연관 지어 생각해 보자.

천재의 힌트

시인이 화자를 자연물로 설정하는 이유는, 화자를 사람으로 설정하는 것보다 의도를 효과적으로 표현할 수 있기 때문일 거야. 그리고 그것은 자연물의 특성과 밀접하게 연관되어 있지. 〈귀뚜라미〉의 화자인 귀뚜라미는 아름다운 울음소리를 가지고 있고, 가을에 나타난다는 특성을 가지고 있어. 이 점에 주목하여 시인은 귀뚜라미를 화자로 설정해서 훗날 사람들을 감동하게 할 수 있는 존재가 되겠다는 의지를 드러냈지. 자, 그럼 〈비린내라뇨!〉에서 자연물이 지닌 특성을 파악해 보고, 화자의 의도와 연관 지어 보자.

나는 문학 천재라서
문천재

지금까지 자연물을 중심 소재로 한 작품들을 감상해 보았어. 자연물은 인간과 다른 성질을 지니기에 사람들에게 많은 교훈을 주고 예찬의 대상이 되는 것 같아. 이런 점 때문에 많은 시인이 자연물을 소재로 택하는 것이 아닐까? 심지어 자연 친화적 태도가 우리 문학의 특질로 꼽힐 정도니 말이야.

개념 학습과 실전 연습으로 실력 쌓기!

2 소설

개념 01 서술자와 시점

소설에서 서술자와 서술 시점은 서술 내용부터 작품의 주제에까지 폭넓게 영향을 미친다. 따라서 소설을 올바르게 읽기 위해서는 서술자의 특징과 서술 시점의 개념을 이해하고 있어야 한다.

📖 **중학교 국어 문학 영역** • 작품에서 보는 이나 말하는 이의 관점에 주목하며 작품을 수용한다.

❶ 서술자

소설에서 사건의 전개 양상과 인물의 말, 행동, 심리 등을 독자에게 전달해 주는 인물이다. 서술자는 대체로 작가가 꾸며 낸 인물이며, 이야기 속의 등장인물인 경우도 있지만 그렇지 않은 경우도 있다.

> 서술자가 이야기 속의 등장인물이 아닌 경우에는 이야기 바깥에서 사건을 서술하는데, 이를 3인칭 시점이라고 해요. 3인칭 시점은 이야기에 '나'라고 부를 만한 인물이 등장하지 않아요.

❷ 시점

서술자가 소설 속 인물이나 사건을 바라보는 위치와 태도를 의미한다. 시점은 서술자가 이야기 속에 있는지 혹은 밖에 있는지, 또 인물의 말과 행동만 묘사하는지 혹은 심리까지 서술하는지에 따라 다음과 같이 크게 4가지로 나뉜다.

➕ 1인칭 주인공 시점

(1) **1인칭 주인공 시점**➕ 이야기 속의 주인공인 '나'가 자기 이야기를 직접 전달하는 시점으로, 주인공이 자신의 심리를 직접 드러낸다. 따라서 독자는 주인공에게 친근감을 느끼게 된다.

> 삼촌도 어색하게 웃으며 방으로 들어왔다. 그리고 아버지 옆에 앉았다. <mark>나</mark>는 그분 옆에
> *서술자가 이야기의 주인공인 '나'임.*
> 앉아야 하나. 어색함이 좁은 방을 더 좁게 만들었다. 나는 문 바로 앞에 앉았다. 앉을 자
> 리 때문에 머리를 써야 하다니. <mark>이런 건 딱 질색이다.</mark>   – 김려령, 〈완득이〉에서
> *서술자인 주인공 '나'가 자신의 심리를 직접 드러냄.*
>
> ✎ 서술자이면서 이야기의 ❶(ㅈㅇㄱ)인 '나'가 자신의 심리를 직접 드러내고 있음.

➕ 1인칭 관찰자 시점

(2) **1인칭 관찰자 시점**➕ 이야기 속의 주변 인물인 '나'가 주인공에 대한 이야기를 전달하는 시점으로, 관찰자인 '나'는 주인공을 비롯한 다른 인물의 심리를 서술하기 어렵다. 따라서 독자는 다른 인물의 심리를 추측하며 작품을 읽게 된다.

> 아범은 금년 구월에 그 아내와 어린 계집애 둘을 데리고 <mark>우리집</mark> 행랑방에 들었다. 〈중략〉
> *서술자가 이야기 속 동장인물인 '나'임.*
> 「어멈은 밤낮 작은것을 업고 큰것과 싸움을 하면서 얻어먹지도 못하고, 물 긷고 걸레질
> *「 」: 주변 인물인 '나'가 주인공인 어멈과 아범의 행동을 관찰하여 서술함.*
> 치고 빨래하고 서서 돌아간다. 작은것에게는 젖을 먹이고, 큰것의 욕을 먹고 성화받고,
> 사나이에게 '옹얼옹얼' 하는 잔말을 듣는다. 밥 지을 쌀도 없는데, 밥 안 짓는다고 욕을
> 한다. 그리고 아범은 밝기도 전에 지게를 지고 나갔다가 밤이 어두워서 들어오지만, 하
> *이야기의 주인공*
> 루에 두 끼를 못 끓여 먹고, 대개는 벌이가 없어서 새벽에 나갔다가도 오정 때나 되면 일
> 찍 들어온다. 들어와서는 흔히 잔다.」   – 전영택, 〈화수분〉에서
>
> ✎ 서술자이면서 이야기 속의 주변 인물인 '나'가 주인공인 아범 가족의 행동을 ❷(ㄱㅊ)하여 서술하고 있음.

빈칸 답
❶ 주인공 ❷ 관찰

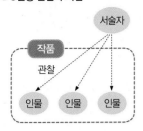

+ 3인칭 관찰자 시점

(3) 3인칭 관찰자 시점 + 이야기 밖의 서술자가 인물의 말과 행동, 상황을 관찰하여 전달하는 시점으로, 서술자는 인물의 말과 행동을 객관적으로 묘사할 뿐 인물의 심리를 서술하지 않는다. 따라서 독자는 사건의 의미와 인물의 심리를 상상하며 읽어야 한다.

이윽고 『학들은 긴 목을 쑥 빼고 뾰족한 주둥이를 하늘로 곧추 올렸다. 맨 큰 학이 두 날
『 』: 이야기 밖의 서술자가 학들이 날아가는 모습을 관찰하여 객관적으로 서술함.
개를 기지개를 켜듯 위로 들어올리며 슬쩍 다리를 구부렸다 하자 삐르 긴 소리를 지르며
흠씰 가지에서 푸른 하늘로 솟아올랐다. 그러자 다음 다음 다음 다음 차례로 뒤를 따랐
다. 그들은 멋지게 동그라미를 그으며 마을을 돌았다. 한 바퀴 또 한 바퀴. 점점 높이 올
랐다. 이젠 까마득히 하늘에 떴다. 마을 사람들은 꺾어져라 목을 뒤로 젖혔다. 두 손을 펴
서 이마에 가져다 햇볕을 가리고 한없이 높고 푸른 가을 하늘을 쳐다보고 있었다.
이야기 밖의 서술자가 학을 바라보는 마을 사람들의 모습을 관찰하여 객관적으로 서술함.

– 이범선, 〈학마을 사람들〉에서

- -

✎ 서술자가 이야기 속에 등장하지 않으며, 하늘을 날기 시작한 학의 모습과 이를 지켜보는 마을 사람들의 모습을 **❶**(ㄱㅊ)하여 객관적으로 서술하고 있음.

+ 3인칭 전지적 시점

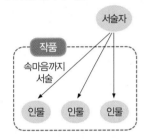

(4) 3인칭 전지적 시점 + 이야기 밖의 서술자가 인물들의 심리와 함께 사건의 처음과 끝을 모두 전달하는 시점으로, 인물과 사건의 다양한 모습을 다루는 데 효과적이다. 한편 서술자의 개입으로 독자의 상상력이 제한되기도 한다.

선형도 아까 영채가 "제가 물을 끓여 올게요." 하고 자기의 손목을 잡아 앉힐 때부터
차차 『영채가 정다운 생각이 나고, 또 영채가 지은 노래를 셋이서 합창할 때에는 영채의
『 』: 이야기 밖의 서술자가 선형의 심리를 전달함.
손을 잡아 주도록 정다운 생각이 나고, 또 지금 세 사람이 일제히 "우리지요" 할 때에 더
욱 영채가 정답게 되었다.』

– 이광수, 〈무정〉에서

✎ 서술자가 이야기 속에 등장하지 않으며, 영채에게 정다움을 느끼는 선형의 **❷**(ㅅㄹ)를 서술하고 있음.

빈칸 답
❶ 관찰 **❷** 심리

바로 확인 ❶ 다음 글의 서술자에 대한 설명으로 적절한 것은?

드디어 미옥이에게서 답장을 받은 것이다. 학교에 갔는데 내 책상 서랍 속에 하얀 봉투
가 들어 있어서 설마 하고 보니, 분명 '옥'이라고 쓰여 있었던 것이다. 나는 누가 볼세라
얼른 편지를 가방 안에 감추었다. 나는 편지를 뜯어보고 싶었지만 꾹 참았다. 설레는 기
분을 좀 더 오래 누리고 싶어서이기도 했지만, 밤에 조용히 이불 속에서 뜯어보고 싶은
마음이 더 컸기 때문이다.

– 공선옥, 〈일가〉에서

도움말
서술자가 이야기 속에 있는지 아니면 바깥에 있는지, 인물의 말과 행동만 객관적으로 묘사하는지 아니면 심리까지 드러내는지에 따라 서술 시점이 달라진다.

① 이야기 밖에 위치해 있다.
② 자신의 심리를 직접 드러내고 있다.
③ 인물의 행동만을 객관적으로 서술하고 있다.

개념 02 인물

소설에서 인물은 말과 행동을 통해 사건을 이끌어 이야기를 진행시키는 핵심 주체이므로, 소설을 읽을 때 인물의 특성과 성격을 파악하면 소설의 흐름을 쉽게 이해할 수 있다.

📖 중학교 국어 문학 영역 · 작품에서 보는 이나 말하는 이의 관점에 주목하며 작품을 수용한다.

❶ 인물

작가가 자신의 생각을 드러내고 이야기를 전개하기 위해 창조한 존재이다. 소설 속의 인물은 모두 고유한 성격과 특성을 지니며, 말과 행동을 통해 사건을 전개시키고 갈등을 일으킨다.

> 한 인물은 하나의 유형으로만 규정되지는 않아요. 같은 인물이 기준에 따라 여러 가지 유형에 속할 수 있죠. 예를 들어 어떤 인물이 주동 인물이면서 주요 인물이고 입체적 인물이자 개성적 인물일 수 있어요.

❷ 인물의 유형

(1) 역할에 따라 소설의 주인공으로 사건을 이끌어 가는 역할을 하는 **주동 인물**과, 주동 인물과 맞서며 갈등을 일으키는 **반동 인물**이 있다.

> <u>자점</u>이 하릴없이 도망치지 못하고 들어와 상께 아뢰기를,
> 경업을 모함하는 반동 인물   임금
> "경업이 역신이옵기로 잡아 가두고 품달하고자 하였나이다."
> 임금을 반역한 신하.   웃어른이나 상사에게 여쭘.
> 하거늘, **경업**이 큰 소리로 대척하여 이르기를,
> 작품의 주인공이자 영웅적 인물: 주동 인물
> "이 몹쓸 역적 놈아, 네 벼슬이 높고 국록이 족하거늘 무엇이 더 부족하여 <u>찬역할</u> 마음
> 나라에서 주는 녹봉   임금의 자리를 빼앗으려고 반역함.
> 을 두어 나를 죽이려 하느뇨?"
>
> – 작자 미상, 〈임경업전〉에서
>
> ✎ 경업은 이야기를 이끌어 가는 주동 인물이며, 간신인 ❶(ㅈㅈ)은 경업을 모함하여 갈등을 일으키는 반동 인물임.

(2) 중요도에 따라 소설 내용 전개에 중심이 되는 주인공이나 그에 버금가는 인물인 **주요(중심) 인물**과, 주인공을 돕거나 주인공을 돋보이게 하는 덜 중요한 인물인 **주변 인물**이 있다.

> 한참 뒤 돌아온 <u>엄마</u>는 혼자가 아니었다. 지하철역에 가서 <u>외할머니</u>를 모셔 온 것이다.
> '나'와 갈등하는 주요 인물   '나'와 '나'의 엄마 사이의 갈등을 완화하는 주변 인물
> 엄마는 내게 눈을 흘기며 말했다.
> "할머니한테 인사도 안 해?"
> 할머니를 보자 조금 기분이 풀어진 <u>나</u>도 함께 눈을 흘겨 주고는 할머니에게 매달렸다.
> '엄마'와 갈등하는 주요 인물
> "할머니. 히잉."
> 짧은 은발에 잘 익은 사과처럼 발갛게 그을린 할머니는 날 보고 활짝 웃으셨다.
>
> – 김옥, 〈야, 춘기야〉에서
>
> ✎ '나'와 '나'의 엄마는 서로 갈등하며 이야기를 이끌어 가는 주요 인물이며, ❷(ㅇㅎㅁㄴ)는 갈등을 완화하는 주변 인물임.

빈칸 답
❶ 자점 ❷ 외할머니

(3) 성격 변화 여부에 따라 이야기의 처음부터 끝까지 성격이 변하지 않는 **평면적 인물**과, 환경이나 상황에 따라 성격이 변하는 **입체적 인물**이 있다.

> <u>흥부</u>는 마음씨 착하고 효행이 지극하며 <u>동기간</u>의 우애가 극진한데, <u>놀부</u>는 부모에게
>   선한 성격을 지닌 인물   형제자매 사이.   악한 성격을 지닌 인물
> 는 불효이고 동기간에 우애가 조금도 없으니, 그 마음 쓰는 것이 괴상하였다. 〈중략〉
>   이야기가 진행되며 전날의 잘못을 뉘우침. – 입체적 인물
>   비록 <u>놀부</u> 같은 몹쓸 놈일망정 <u>흥부</u>의 어진 덕에 감동하여 전날의 잘못을 뉘우치고 형
>   이야기가 마무리될 때까지도 선한 성격이 바뀌지 않음. – 평면적 인물
> 제가 서로 화목하게 지내게 되었다.   – 작자 미상, 〈흥부전〉에서
>
> ✑ 흥부는 이야기의 처음부터 끝까지 선한 성격을 유지하는 평면적 인물이며, 놀부는 악한 성격을 지녔지만 잘못을 뉘우치며 흥부와 화목하게 지내게 되는 ❶(ㅇㅊㅈ) 인물임.

(4) 특성에 따라 특정 사회 계층이나 직업, 세대 등을 대표하는 **전형적 인물**과, 자기만의 뚜렷하고 독특한 성격을 지닌 **개성적 인물**이 있다.

> "<u>당신은 밤낮 글만 읽더니, 겨우 '어떻게 한단 말이오.' 소리만 배웠나 보구려. 공장이</u>
>   선비인 허생은 공업, 상업 등의 경제 활동을 하지 못하고 책만 읽음. – 당대의 가난한 사대부의 전형
> <u>노릇도 못 한다, 장사치 노릇도 못 한다, 그럼 하다못해 도둑질이라도 해야 할 것 아니</u>
> <u>오?</u>" / <u>허생</u>이 이 말을 듣고 책장을 덮어 치우고 벌떡 일어났다. 〈중략〉
>   경제적 어려움을 해결하지 못하는 무능한 사대부를 상징하는 전형적 인물
> 허생은 이렇게 탄식하고는 또 칼, 호미, 실이며 베, 솜 따위를 모조리 사들여 제주도로
>   말의 갈기나 꼬리의 털
> 건너갔다. 그리고 그것을 팔아 말총이란 말총은 모두 거두어들였다. 말총은 갓과 망건을
>   상투를 틀 때 머리카락을 걷어 올려 가지런히 하기 위하여 머리에 두르는 그물 모양의 물건.
> 만드는 재료였다. / "몇 해 못 가서 이 나라 사람들은 모두 머리를 싸매지 못할 게야."
>   과연 얼마 가지 않아 나라의 갓값과 망건값이 열 배로 훌쩍 뛰었다. 그렇게 해서 <u>허생</u>
>   물건을 사재기하여 큰 이익을 거둔 허생: 비범한 능력을 지닌 개성적 인물
> 은 엄청난 돈을 긁어모으게 되었다.   – 박지원, 〈허생전〉에서
>
> ✑ 허생은 가장임에도 생계 문제는 해결하지 못하고 글 읽기에만 관심이 있는 당대의 무능한 사대부를 상징하는 전형적 인물이면서도 ❷(ㅂㅂ)한 능력을 지닌 개성적 인물의 모습을 보이기도 함.

허생의 예에서도 볼 수 있듯이 한 인물이 전형적 인물인 동시에 개성적 인물일 수도 있어요. 인물의 어떤 점에 초점을 맞추느냐에 따라 인물의 유형을 다르게 볼 수 있는 거죠.

빈칸 답
❶ 입체적 ❷ 비범

바로 확인 ❶ 〉 다음 글의 인물에 대한 설명으로 적절하지 <u>않은</u> 것은?

 도움말
  이 소설에서 서술자인 '나'는 할머니와 엄마의 다툼을 관찰자 시점에서 서술하고 있다. 할머니가 아파트에서 메주를 띄우기 위해 벽에 못을 박자, 엄마가 그것에 항의하면서 할머니와 엄마 사이의 갈등이 시작되었다.

>   "아유, 그만두세요. 어머닌 옛날 방식만 고집하시니." / 엄마는 돌아서서 안방 쪽으로 갔다. 할머니는 속이 상한지 한참이나 그대로 서 있었다. 나는 조심스럽게 할머니를 불러 보았다. / "……할머니이." / 할머니는 그제서야 내 얼굴을 보더니 혼잣말같이 중얼거렸다.
>   "시상이 아무리 달라졌다 혀도 달라지지 않는 것도 있는 법이여. 그렇재, 암."
>   그러고는 박아 놓은 못에 메주를 걸었다. 메주는 창고 문 앞에 주렁주렁 매달렸다. 못에 다 걸 수가 없어서 빨래 건조대에도 매달았다.   – 오승희, 〈할머니를 따라간 메주〉에서

① 엄마는 주동 인물인 '나'와 맞서는 반동 인물이다.
② 할머니는 전통적 가치를 중시하는 전형적 인물이다.
③ 할머니와 엄마는 중심이 되는 갈등을 일으키는 주요 인물이다.

◆ 직접 제시와 간접 제시의 특징
• 직접 제시
 – 독자에게 인물의 성격이나 심리를 정확히 전달할 수 있다.
 – 독자의 상상력을 제한할 수 있다.
• 간접 제시
 – 직접 제시에 비해 생생한 느낌을 주고, 독자가 자유롭게 상상할 수 있는 여지를 주어 극적 효과를 낼 수 있다.
 – 독자가 인물의 성격이나 심리를 오해할 수 있다.

❸ 인물 제시 방법◆

(1) 직접 제시 말하기(telling)라고도 한다. <u>서술자가 인물의 성격, 특성, 심리 등을 직접 설명하는 방식이다.</u>

> 　그는 애초에 심성이 밝고 깔끔하였다. 매사에 생각이 깊고 침착하였으며, 성품이 곧고 굳은 위에 몸소 겪음한 바와 힘써 널리 보고 애써 널리 들은 것을 더하여, 스스로 갖추어진 줏대와 나름껏 이루어진 주견으로 갈피 있는 태도를 흩트리지 아니하였다.
> _{자기의 처지나 생각을 꿋꿋이 지키고 내세우는 기질이나 기풍.}
> 　　　　　　　　　　　　　　　　　　　　　　　　　　　　　　　 – 이문구, 〈유자소전〉에서

✎ 서술자가 '그'의 성격을 직접 ❶(ㅅㅁ)함.

(2) 간접 제시 보여주기(showing)라고도 한다. <u>서술자가 인물의 말과 행동을 묘사하여 독자가 인물의 성격, 특성, 심리를 추측하도록 하는 방식이다.</u>

> 　나는 조금 망설이다 용기를 내어 수택이 보리밥 위에 내 깍두기를 얹어 주었어. 젓가락으로 들어서 얼른 옮겨 놓고 고개를 푹 수그렸지. 수택이는 밥을 우물거리다 말고 멍하니 있었고,
> _{수택이의 행동을 묘사하여 '나'의 갑작스런 행동에 놀란 수택이의 심리를 간접적으로 표현함.}
> 한참 그렇게 보고만 있던 수택이가 젓가락으로 깍두기를 푹 찍었어. 그러고는 깍두기 하나를 조금씩 다섯 번으로 나눠서 먹는 거야. 도시락 밑으로 흘러내린 국
> _{수택이의 행동을 묘사하여 '나'에게 고마움을 느끼는 수택이의 심리를 간접적으로 표현함.}
> 물까지 밥으로 싹싹 닦아 먹었지.
> 　　　　　　　　　　　　　　　　　　　　　　　　　　　　　　 – 유은실, 〈보리 방구 조수택〉에서

✎ 서술자인 '나'가 수택이의 행동을 ❷(ㅁㅅ)하여 독자가 수택이의 심리를 추측하게 함.

바로 확인 ❷　다음 글에서 ⊙의 성격을 제시한 방법으로 가장 적절한 것은?

　우리 ⊙장인님 딸이 셋이 있는데 맏딸은 재작년 가을에 시집을 갔다. 정말은 시집을 간 것이 아니라 그 딸도 데릴사위를 해가지고 있다가 내보냈다. 그런데 딸이 열 살 때부터 열아홉 즉 십 년 동안에 데릴사위를 갈아들이기를, 동리에선 사위 부자라고 이름이 났지마는 열네 놈이란 참 너무 많다.

　장인님이 아들은 없고 딸만 있는 고로 그담 딸을 데릴사위를 해 올 때까지는 부려먹지 않으면 안 된다. 물론 머슴을 두면 좋지만 그건 돈이 드니까, 일 잘하는 놈을 고르느라고 연방 바꿔 들였다.

　　　　　　　　　　　　　　　　　　　　　　　　　　　　　　 – 김유정, 〈봄·봄〉에서

① 대화를 통한 직접 제시　　　　　② 대화를 통한 간접 제시
③ 서술자의 설명을 통한 직접 제시　④ 서술자의 설명을 통한 간접 제시

개념 03 사건과 갈등

소설은 인물들이 얽혀 만들어지는 구체적인 사건을 토대로 구성되며, 사건은 인물들이 일으키는 갈등을 중심으로 형성된다. 따라서 소설을 읽을 때는 사건과 갈등 양상을 파악해야 내용을 효과적으로 이해할 수 있다.

📖 **중학교 국어 문학 영역** • 갈등의 진행과 해결 과정에 유의하며 작품을 감상한다.

❶ 사건

소설에서 인물들이 얽혀 만들어지는 구체적인 이야기이다. 사건은 인물들이 일으키는 갈등을 중심으로 형성된다.

❷ 갈등

> 갈등을 한자의 의미 그대로 풀이하면 '칡과 등나무'예요. 칡과 등나무는 모두 줄기가 엉키면서 자라는 식물이죠? 이처럼 갈등은 인물의 심리나 인물 간의 관계가 복잡하게 얽혀 있는 상태를 말해요.

소설에서 한 개인이 내적으로 겪는 혼란함이나, 인물과 외적 요소 사이에 일어나는 대립과 충돌을 의미한다. 갈등은 크게 내적 갈등과 외적 갈등으로 나뉜다.

(1) 내적 갈등 한 인물의 내면에서 두 가지 이상의 상반된 심리가 충돌하면서 일어나는 갈등으로, 개인의 심리적인 모순이나 혼란 때문에 발생한다.

> 자가용까지 있는 주제에 나 같은 아이에게 오천 원을 우려내려고 그렇게 간악하게 굴
> '나'는 '나'에게 간악하게 굴던 신사를 골려 준 '나'의 행동이 정당하다고 생각하고 있음.
> 던 신사를 그 정도 골려 준 것이 뭐가 나쁜가? 그런데도 왜 무섭고 떨렸던가. 그때의 내
> 꼴이 어땠으면, 주인 영감님까지 "네놈 꼴이 꼭 도둑놈 꼴이다."라고 하였을까.
>
> 그럼 내가 한 짓은 도둑질이었단 말인가. 그럼 나는 도둑질을 하면서 그렇게 기쁨을
> '나'는 도둑질을 했다는 사실에 죄책감을 느끼고 있음.
> 느꼈더란 말인가.
> – 박완서, 〈자전거 도둑〉에서

✎ '나'는 '나'에게 간악하게 굴던 신사를 골려 준 것을 정당하다고 생각하는 감정과, ❶(ㄷㄷㅈ)을 했다는 죄책감 사이에서 내적 갈등을 겪고 있음.

> ⊕ **그 밖의 외적 갈등**
> 인물과 자연 사이의 갈등: 인물이 자연 현상과 대립함으로써 생기는 갈등으로, 자연의 힘과 맞서 싸우는 인물이 제시된다.

(2) 외적 갈등 인물과 그를 둘러싼 외적 요소가 충돌을 일으키며 생기는 갈등이다. 인물에게 영향을 미치는 외적 요소에 따라 '인물과 인물 사이의 갈등', '인물과 사회 사이의 갈등', '인물과 운명 사이의 갈등' 등으로 구분한다.⊕

> ⊕ **인물과 인물 사이의 갈등**
>
> 가치관, 성격, 태도의 차이

> ● **인물과 인물 사이의 갈등**⊕
> 한 번은 장인님이 헐레벌떡 기어서 올라오더니 내 바짓가랑이를 요렇게 노리고서 단
> 박 움켜잡고 매달렸다. 악, 소리를 치고 나는 그만 세상이 다 팽그르 도는 것이,
> 장인과 '나'가 외적 충돌을 일으킴.
> "빙장님! 빙장님! 빙장님!"
> "이 자식! 잡아먹어라, 잡아먹어!"
> "아! 아! 할아버지! 살려줍쇼, 할아버지!"
> – 김유정, 〈봄·봄〉에서

✎ 장인과 '나'가 신체적인 ❷(ㅊㄷ)을 일으키며 외적 갈등을 겪고 있음.

빈칸 답
❶ 도둑질 ❷ 충돌

● 인물과 사회 사이의 갈등

● 인물과 사회 사이의 갈등⁺

'첫째는 예배당이 좁고 후락해서 위험하니 아동을 팔십 명 이외에는 한 사람도 더 받
_{일제가 영신의 계몽 운동에 훼방을 놓으려 함.}
지 말라는 것과, 둘째는 기부금을 내라고 돌아다니며 너무 강제 비슷이 청하면 법률에

저촉이 된다.'는 것을 단단히 주의시키는 것이었다. **영신**은 여러 가지로 변명도 하고, 오
_{일제 강점기에 농촌에서 아이들을 가르치며 계몽 운동을 펼치는 인물}
는 아이들을 아니 받을 수 없다고 사정사정하였으나,

"**상부의 명령**이니까 말을 듣지 아니하면 강습소를 폐쇄시키겠다." / 하고 을러메어서
_{조선에 대한 일제의 탄압}　　　　　　　　　　　　　　　　　　　　_{위협적인 언동으로 을러서 남을 억누르다.}
영신은 하는 수 없이 입술을 깨물고 주재소 문밖을 나왔다.　　　　　－ 심훈, 〈상록수〉에서
　　　　　　　_{일제 강점기에 순사가 머무르면서 사무를 맡아보던 경찰의 말단 기관.}

✎ 농촌에서 아이들을 가르치며 계몽 운동을 하려는 영신과, 계몽 운동을 방해하려는 일제 사이에 ❶(ㅇㅈ) 갈등이
　 발생하고 있음.

● 인물과 운명 사이의 갈등

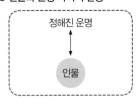

● 인물과 운명 사이의 갈등⁺

이생은 그 이후로 인간의 모든 일을 다 잊어버리고, 심지어는 친척 빈객의 방문과 길
　　　　　　　　　　　　　　　　　　　　　　　_{아름다운 시문을 비유적으로 이르는 말.}
흉대사를 모두 제쳐놓고, 문을 굳게 닫고 최랑과 함께 시구를 창수하며 금수를 누렸다.
　　　　　　　　　　　　　　　　　　　_{시가나 문장을 지어 서로 주고받고 하다.}
"세상일이 하도 덧없어 세 번째 가약도 이제 머지않아 끝나게 되오니, 한없는 이 슬픔

또 어찌하오리까?" / "그게 무슨 말이오?"

"**저승길은 피할 수 없는 길**입니다. 저와 당신은 천연이 정해져 있고 또한 전생에 아무
　　_{인간의 운명}　　　　　　　_{운명을 거스르지 못하는 인간}
런 죄악도 없으므로 이 몸이 잠깐 당신과 만나게 되었사온데, 어찌 인간 세상에 오래

머물러 산 사람을 유혹할 수 있겠습니까?"　　　　　　　　－ 김시습, 〈이생규장전〉에서
_{죽은 사람은 산 사람과 함께 살 수 없다는 인간의 운명 때문에 이생과 최랑이 이별해야 함.}

✎ 이생과 최랑은 ❷(ㅈㅇ)이라는 인간의 운명을 거역하며 함께 살기를 소망하나, 결국 정해진 운명을 거스르지
　 못함.

빈칸 답
❶ 외적 ❷ 죽음

바로 확인 ❶　　다음 글을 읽고 빈칸에 알맞은 말을 써 넣으시오.

하기는 응오의 아내가 지금 기지사경이매 틈은 없었다 하더라도 돈이 놀아서 약을 못
　　　　　　　　　　_{거의 죽을 지경에 이름.}
쓰는 이 판이니 진시 벼라도 털어야 할 것이다. / 그러면 왜 안 털었던가.

그것은 작년 응오와 같이 지주 문전에서 타작을 하던 친구라면 묻지는 않으리라. 한 해
동안 애를 졸이며 홀자식 모양으로 알뜰히 가꾸던 그 벼를 거둬 들임은 기쁨에 틀림없었
다. 꼭두새벽부터 엣, 엣, 하며 괴로움을 모른다. 그러나 캄캄하도록 털고 나서 지주에게
도지를 제하고, 장리쌀을 제하고, 색초를 제하고 보니 남은 것은 등줄기를 흐르는 식은땀
_{남의 논밭을 빌려서 부치고 논밭을 빌린 대가로 해마다 내는 벼.}
이 있을 따름. 그것은 슬프다 하기보다 끝없이 부끄러웠다. 같이 털어 주던 동무들이 뻔
히 보고 섰는데 빈 지게로 덜렁거리며 집으로 돌아오는 건 진정 열적기 짝이 없는 노릇이
　　　　　　　　　　　　　　　　　　　　　　_{열없다. 좀 겸연쩍고 부끄럽다.}
었다.　　　　　　　　　　　　　　　　　　　　　　　　　－ 김유정, 〈만무방〉에서

응오는 열심히 농사를 지어도 높은 소작료, 비싼 이자, 각종 세금으로 빚만 남게 되
는 사회 현실 때문에 (　　　　)이/가 죽을 지경이어도 벼를 털지 않고 있다. 이로 보
아 응오는 (　　　　)와/과의 외적 갈등을 겪고 있음을 알 수 있다.

 도움말

　이 소설은 일제 강점기 농촌
사회의 현실을 고발하고 있다.
성실한 농사꾼인 응오는 농사를
지어도 빚만 늘어나는 현실에 추
수를 하지 않고 밤에 몰래 자신
의 벼를 도둑질한다. 이러한 비
극적 상황은 당대 소작농의 아픔
과 농촌 사회의 문제점을 드러
낸다.

개념 04 배경

. 소설에서 배경은 인물이 활동하고 사건이 전개되는 시간적·공간적 환경을 의미한다. 배경은 사건 전개, 인물의 심리, 작품의 분위기, 주제와 밀접하게 연관된다.

📖 **중학교 국어 문학 영역** • 작품이 창작된 사회, 문화적 배경을 바탕으로 작품을 이해한다.

❶ 배경

> 지금까지 공부한 인물, 사건에 오늘 배울 배경을 합쳐 '소설 구성의 3요소'라고 합니다.

소설 속의 인물들이 행동을 하고 다양한 사건이 발생하는 구체적인 시간이나 공간, 또는 사회적 상황을 말한다.

❷ 배경의 종류

배경은 크게 자연적 배경과 사회·문화적 배경으로 나뉘며, 자연적 배경은 다시 시간적 배경과 공간적 배경으로 나뉜다.

(1) **시간적 배경** 인물이 행동하고 사건이 일어나는 시간이나 계절 등을 의미한다.

> 그 뒤로는 원구도 생활에 위협을 느끼기 시작했다. 한 달 가까이나 <u>장마</u>로 놀고 보니 *시간적 배경이 드러남.* 자연 시원치 않은 장사 밑천을 그럭저럭 축나게 된 것이다. <u>원구가 얻어 있는 방도 지리한 비에 습기로 눅눅해졌다. 벗어놓은 옷가지며 이부자리에까지도 곰팡이가 끼었다. 그의 마음 속까지 곰팡이가 스는 것 같았다.</u> *시간적 배경을 드러내는 장마는 인물의 상황에 영향을 끼치고 소설의 분위기를 우울하게 만듦.* 이런 날, 이런 음산한 방에 처박혀 있자니, 동욱과 동옥의 일이 자연 무겁고 우울하게 떠오르는 것이었다. 점심 때가 되어서 원구는 퍼붓는 비를 무릅쓰고 집을 나섰다.
> – 손창섭, 〈비 오는 날〉에서

✎ 이 이야기의 시간적 배경을 드러내는 ❶(ㅈㅁ)는 원구가 경제적으로 어려움을 겪게 되는 원인이며 소설의 분위기를 우울하게 만듦.

⊕ 여러 가지 공간적 배경
• **향토적 배경** 도시와 대비되는 공간으로, 대체로 고향이나 시골을 의미한다. 풍경을 묘사하거나 시골에서 볼 수 있는 토속적 소재를 제시한다.
• **도시적 배경** 도시임을 알 수 있는 근대화된 소재가 등장한다. 고향이나 시골과 대비하여 근대적이고 물질주의적인 공간으로 설정되는 경우가 많다.

(2) **공간적 배경** 인물이 행동하고 사건이 일어나는 공간을 의미한다.

> 역장은 먼지 낀 유리를 통해 <u>대합실</u> 안을 대충 휘둘러본다. 대합실이라고 해야 고작 *공간적 배경* 국민학교 교실 하나 정도의 크기이다. 일제 때 처음 지어졌다는 그 작은 역사 건물은 두 칸으로 나뉘어져서 각각 사무실과 대합실로 쓰이고 있는 터였다. 대개의 간이역이 그렇듯이 대합실 내부엔 눈에 뜰 만한 시설물이라곤 거의 없다. 「유난히 높은 천장과 하얗게 회칠한 사방 벽 때문에 열 평도 채 못 되는 공간이 턱없이 넓어 보여서 더욱 을씨년스런 느낌을 준다. *「」: 공간적 배경이 을씨년스럽게 묘사됨.* 천장까지 올라가 매미마냥 납작하니 붙어 있는 형광등의 불빛이 실내 풍경을 어슴푸레하게 드러내 주고 있다.」
> – 임철우, 〈사평역〉에서

✎ 이 이야기의 공간적 배경인 ❷(ㄷㅎㅅ)은 을씨년스럽게 묘사되어 있는데, 이는 작품에 쓸쓸한 분위기를 조성함.

빈칸 답
❶ 장마 ❷ 대합실

(3) **사회·문화적 배경** 인물이 행동하고 사건이 일어나는 역사적 상황이나 사회·문화적 분위기를 의미한다.

시간적 배경과 사회·문화적 배경이 헷갈리나요? 시간적 배경은 자연적인 시간을 의미하고, 사회·문화적 배경은 특정 시기의 사회적, 역사적 상황과 분위기를 의미해요. 예를 들어 '1950년 여름'을 배경으로 삼으면 그것은 시간적 배경이지만, '1950년에 발발한 6·25 전쟁 당시의 사회적 분위기'를 배경으로 삼으면 그것은 사회·문화적 배경이 되는 거예요.

서울 아이들은 싸움도 가시내처럼 간사스럽게 하는 모양이었다. 상대방이 딴죽을 걸러 넘어뜨리고 위에서 덮쳐누르고 한창 열세에 몰려 맥을 못 추던 명선이가 별안간 날라리 소리 비슷한 괴상한 비명과 함께 엄청난 기운으로 상대방의 몸뚱이를 벌렁 떠둥그뜨려버렸다.(명선이의 특이한 행동: 다른 사람의 몸에 깔리는 것을 싫어함.) 첫 번째 싸움에서 명선이는 승리자가 되었다. 그리고 그 후로 계속된 두 번째, 세 번째 싸움에서도 으레 상대방의 밑에 깔렸다가 무서운 힘으로 떨치고 일어나서는 승리를 했다. 〈중략〉

어느 날 명선이는 부모가 죽던 순간을 나에게 이야기했다. 피난길에서 공습을 만나(사회·문화적 배경: 6·25 전쟁 상황) 가까운 곳에 폭탄이 떨어졌는데 한참 정신을 잃었다가 깨어나 보니 어머니의 커다란 몸뚱이가 숨도 못 쉴 정도로 전신을 무겁게 덮어 누르고 있더라는 것이었다.(명선이가 특이한 행동을 한 원인)

– 윤흥길, 〈기억 속의 들꽃〉에서

✎ ❶(ㅍㄴㄱ)', '공습'이라는 말을 통해 이 소설의 사회·문화적 배경이 전쟁 상황임을 알 수 있음. → 아이들과의 싸움에서 보여준 명선이의 특이한 행동은 명선이 전쟁 상황에서 어머니를 잃은 기억과 관계가 있듯, 사회·문화적 배경은 인물의 ❷(ㅎㄷ)과 사건 전개에 큰 영향을 미침.

빈칸 답
❶ 피난길 ❷ 행동

❸ 배경의 기능

(1) 전체적인 분위기를 조성한다.
(2) 주제를 구체적으로 드러낸다.
(3) 인물과 사건에 사실감을 부여한다.
(4) 인물의 심리나 사건의 전개를 암시해 준다.

바로 확인 ❶ 다음 글의 배경에 대한 설명으로 적절하지 않은 것은?

1945년 봄에도 행촌리에 살구꽃 피고, 꽈리꽃, 오랑캐꽃, 자운영이 피었을까. 그럴 리 없건만 괜히 안 피고 말았을 것 같다. 그 꽃들이 피어나기 전에 만득이와 곱단이의 연애도 끝나고 말았을까. 만학(나이가 들어 뒤늦게 공부하는 학생.)이었던 만득이는 읍내의 사년제 중학교를 졸업하자마자 징병으로 끌려나갔다. 며칠간의 여유는 있었고 양가에서는 그 사이에 혼사를 치르려고 했다. 〈중략〉

만득이네 대문에 일본 깃대와 출정 군인의 집이라는 깃발이 만장(죽은 이를 슬퍼하여 지은 글을 기처럼 만든 것.)처럼 처량히 휘날리고, 그 집 사랑에서 며칠씩 술판이 벌어져도 밀주 단속에도 안 걸리고……. 그렇게 그까짓 열흘 눈 깜박할 새 지나가 만득이는 마침내 입영(군대에 들어가 군인이 됨.)을 하게 됐다. 만득이가 꼭 살아 돌아올 테니 기다리라고 곱단이를 설득하기는 어렵지 않았을 것이다. – 박완서, 〈그 여자네 집〉에서

도움말
이 소설은 일제 강점기부터 6·25 전쟁, 분단 이후를 배경으로 한 만득이와 곱단이의 사랑과 이별 이야기를 담고 있다. 일제의 폭력과 분단 상황이 개인에게 끼쳤던 부정적 영향을 사실적으로 그려 내고 있다.

① 이 글의 공간적 배경은 '행촌리'이며 시간적 배경은 '1945년 봄'이다.
② 이 글의 공간적 배경은 작품 전체에 활기찬 분위기를 조성하고 있다.
③ '징병', '일본 깃대' 등의 표현은 이 글의 사회·문화적 배경을 짐작하게 한다.

개념 05 구성

소설 속 인물의 행동과 사건은 아무렇게나 나열되지 않는다. 작가는 사건의 인과성, 표현 효과, 독자의 흥미도를 고려해 인물, 사건, 배경을 치밀하게 계산하여 배열하는데, 이를 '구성'이라고 한다.

❶ 구성

소설의 사건은 질서 없이 아무렇게나 나열되는 것이 아니라 작가가 계획한 질서에 맞게 배열되는데, 이러한 질서를 '구성'이라고 한다.

❷ 소설의 구성 단계

소설은 갈등의 전개 양상에 따라 단계적으로 구성된다. 가장 일반적으로 사용되는 소설의 구성 단계는 '발단 – 전개 – 위기 – 절정 – 결말'의 5단계 구성⁺이다.

➕ 소설 구성의 5단계

발단	배경과 인물이 소개됨.
전개	갈등이 표면에 드러나기 시작함.
위기	갈등이 점점 고조됨.
절정	갈등이 최고조에 이름.
결말	갈등이 해결됨.

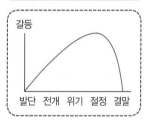

● 양귀자, 〈일용할 양식〉의 5단계 구성

단계	줄거리
발단	쌀과 연탄만 팔던 김포 쌀 상회가 '김포 슈퍼'로 확장되면서 같은 동네의 형제 슈퍼가 팔던 과일, 채소 등을 팔기 시작함.
전개	형제 슈퍼 역시 김포 슈퍼가 팔던 쌀과 연탄을 팔기 시작하면서 김포 슈퍼와 경쟁하기 시작함.
위기	김포 슈퍼, 형제 슈퍼와 같은 물건을 판매하는 '싱싱 청과물'이 개업하며 경쟁에 뛰어듦.
절정	김포 슈퍼와 형제 슈퍼는 싱싱 청과물을 몰아내기 위해 동맹 관계를 맺고, 결국 싱싱 청과물은 폐업함.
결말	싱싱 청과물이 떠난 자리에 '써니 전자'와 업종이 같은 전파상이 들어옴.

✎ 작은 동네에 세 가게가 규모를 확장하고 서로 경쟁하며 ❶(ㄱㄷ)하는 양상이 절정에 이르렀다가 결국 한 가게가 밀려나는 모습을 소설의 5단계 구성으로 정리할 수 있음.

❸ 소설 구성의 유형

(1) 평면적(순행적) 구성 시간 순서에 따라 사건이 전개되는 구성

● 이오덕, 〈꿩〉의 구성

① 학교에 가기 싫은 용이는 아버지가 올해까지만 머슴살이를 한다는 말을 듣고 집을 나섬.
② 용이는 머슴의 자식이라는 이유로 다른 아이들의 책 보퉁이를 대신 메고 고갯길을 올라감.
③ 용이는 꿩을 보고 용기를 얻어, 다른 아이들의 책 보퉁이를 골짜기 아래로 던져 버림.
④ 용이는 책 보퉁이를 찾아오라는 아이들과 당당하게 맞섬.
⑤ 용이는 꿩과 같이 당당하고 자신감 넘치는 모습으로 학교로 향함.

빈칸 답
❶ 갈등 ❷ 시간

✎ 머슴의 아들이라는 이유로 부당한 일을 당하던 용이가 꿩의 모습을 보고 용기를 얻어 부당한 차별에 당당하게 맞서 자유를 얻는 모습을 ❷(ㅅㄱ) 순서대로 제시함.

(2) 입체적(역순행적) 구성 시간의 흐름에 따라 사건이 전개되지 않고 시간의 역전이 일어나는 구성

현재에서 과거로 거슬러 올라가는 것만 입체적 구성이라고 생각하기 쉬워요. 하지만 현재에서 과거로 갔다가 다시 현재로 오는 등 시간의 흐름이 뒤죽박죽인 것도 입체적 구성이라고 해요. 즉 이야기가 시간의 흐름에 따라 전개되지 않는 경우를 모두 입체적 구성이라고 하는 거죠.

> 그러다 얼굴을 드니(눈에 참 아무것도 보이지 않았다.) 사지가 부르르 떨리면서 나도 엉금엉금 기어서 장인님의 바지가랭이를 꽉 움키고 잡아나꿨다.
>
> <mark>내가 머리가 터지도록 매를 얻어맞은 것이 이 때문이다. 그러나 여기가 또한 우리 장인님이 유달리 착한 곳이다.</mark> 여느 사람이면 사경을 주어서라도 당장 내쫓았지, 터진 머리를 불솜으로 손수 지져 주고, 호주머니에 희연 한 봉을 넣어 주고, 〈중략〉
> _{새경. 머슴이 주인에게서 한 해 동안 일한 대가로 받는 물건.}
> _{희연. 일제 강점기 때의 담배 이름.}
> 그러나 이때는 이걸 모르고 장인님을 원수로만 여겨서 잔뜩 잡아다렸다.
> 시간의 흐름을 역전시켜 과거의 사건을 제시함.
> "아! 아! 이놈아! 놔라, 놔, 놔⋯⋯."
>
> – 김유정, 〈봄·봄〉에서

✎ 시간의 흐름대로라면 '나'가 장인님을 잔뜩 잡아당긴 후, 머리가 터지도록 매를 얻어맞고 장인님이 '나'를 달래는 순서로 이야기가 전개돼야 함. → 독자의 흥미를 높이기 위해 장인님이 '나'를 달래는 부분과 '나'가 장인님을 잔뜩 잡아당기는 사건의 ❶(ㅅㅅ)를 바꾸어 제시하였음.

➕ 그 밖의 소설 구성 유형
• **병렬적 구성** 동시에 발생한 두 개 이상의 사건이나 장면을 나란히 배열하여 전개하는 구성
• **옴니버스식 구성** 하나의 주제를 바탕으로 여러 편의 독립된 이야기가 나열되는 구성으로, 각각의 이야기마다 다른 주인공들이 등장하여 사건이 전개된다.
• **여로형 구성** 여행의 일정과 여행 경로를 따라 진행되는 구성

빈칸 답
❶ 순서 ❷ 외부

(3) 액자식 구성 하나의 이야기 속에 내부 이야기가 담겨 있는 구성

● 김만중, 〈구운몽〉의 구성

외부 이야기	내부 이야기	외부 이야기
육관대사의 제자 성진은 팔선녀와 만난 후 속세의 부귀영화를 원하다가 인간 세계로 추방되는 벌을 받음.	성진은 인간 세상에서 양소유로 태어나 온갖 부귀영화를 누리지만, 문득 인생의 허망함을 느껴 불교에 귀의하기 위해 출가를 결심하자 꿈에서 깸.	꿈에서 깨어난 성진은 불교적 깨달음을 얻고 대중을 교화하는 데 힘쓰다 극락왕생함.

✎ 성진이 벌을 받고 깨달음을 얻는 ❷(ㅇㅂ) 이야기와 꿈에서 성진이 양소유로 환생해 부귀영화를 누리는 내부 이야기로 구성됨.

바로 확인 ❶ 다음 글을 읽고 빈칸에 알맞은 말을 써 넣으시오.

💡 **도움말**
〈꺼삐딴 리〉는 일제 강점기부터 6·25 전쟁 이후까지 기회주의적 태도로 변절을 일삼아 이익을 취한 이인국의 삶을 담고 있다. 이 부분은 6·25 전쟁 이후 이인국이 미국으로 건너가기 위해 미국 대사관의 브라운 씨에게 고려청자를 선물해 주러 가는 장면이다.

아내가 꼼꼼히 싸놓은 포장물을 들고 이인국 박사는 천천히 현관을 나섰다. 벌써 석간 신문이 배달되었다. 아무리 생각해도 그것은 분명 기적임에 틀림없는 일이었다. 간헐적으로
_{얼마 동안의 시간 간격을 두고 되풀이하여 일어나는.}
반복되어 공포와 감격을 함께 휘몰아치는 착잡한 추억. 늘 어제 일마냥 생생하기만 하다.

1945년 8월 하순. / 아직 해방의 감격이 온 누리를 뒤덮어 소용돌이칠 때였다. 말복도 지난 날씨언만 여전히 무더웠다. 이인국 박사는 이 며칠 동안 불안과 초조에 휘둘려 잠도 제대로 자지 못했다. 무엇인가 닥쳐올 사태를 오들오들 떨면서 대기하는 상태였다.

– 전광용, 〈꺼삐딴 리〉에서

이 글에서 이인국은 현관을 나서며 과거(1945년 8월 하순)의 일을 (   )하고 있다. 이로 보아 이 글이 (   ) 구성을 취하고 있음을 알 수 있다.

❹ 소설의 복선

앞으로 다가올 상황을 독자들에게 넌지시 알려 주는 장치를 말한다. 복선은 주로 인물들의 대화나 배경, 특정 소재 등을 통해 나타나며, 사건 전개에 필연성❂을 부여한다.

> 다시 이쪽으로 건너오려는데 이때 바람이 획 불어 명선의 치맛자락이 홀렁 들리면서
> 『머리에서 꽃이 떨어졌다. 나는 해바라기 모양의 그 작고 노란 쥐바라숭꽃 한 송이가 바
> _{쥐바라숭꽃: 명선과 동일시되는 소재}
> 람에 날려 싯누런 흙탕물이 도도히 흐르는 강심을 향해 바람개비처럼 맴돌며 떨어져 내
> 리는 모양을 아찔한 현기증으로 지켜보고 있었다.』 〈중략〉
> _{『 』: 명선의 죽음을 암시함.}
>
> 다른 것은 도무지 무서워할 줄 모르면서도 유독 비행기만은 병적으로 겁을 내는 서울
> _{전쟁 중에 어머니가 죽은 기억 때문}
> 아이한테 얼핏 생각이 미쳐 눈길을 하늘에서 허리가 동강이 난 다리로 끌어냈을 때 내가
> _{명선}
> 본 것은 강심을 겨냥하고 빠른 속도로 멀어져가는 한 송이 쥐바라숭꽃이었다.
> _{명선의 죽음} _{명선을 상징함.}
> — 윤흥길, 〈기억 속의 들꽃〉에서

✎ 명선이와 동일시되는 소재인 ❶(ㅈㅂㄹㅅㄲ)이 강물로 떨어지는 내용은 명선이가 강물로 떨어져 죽을 것을 암시하는 ❷(ㅂㅅ)임.

바로 확인 ❷　다음 글을 읽고 빈칸에 알맞은 말을 써 넣으시오.

새침하게 흐린 품이 눈이 올 듯하더니, 눈은 아니 오고, 얼다가 만 비가 추적추적 내리었다. / 이날이야말로 동소문 안에서 인력거꾼 노릇을 하는 김 첨지에게는 오래간만에도 닥친 운수 좋은 날이었다. 〈중략〉

그리고 집을 나올 제 아내의 부탁이 마음이 켕기었다 — 앞집 마마님한테서 부르러 왔을 제 병인은 뼈만 남은 얼굴에 유일의 샘물 같은 유달리 크고 움푹한 눈에 애걸하는 빛을 띄우며,

"오늘은 나가지 말아요. 제발 덕분에 집에 붙어 있어요. 내가 이렇게 아픈데……."라고, 모기 소리같이 중얼거리고 숨을 걸그렁걸그렁하였다. 〈중략〉

"이 눈깔! 이 눈깔! 왜 나를 바라보지 못하고 천장만 보느냐, 응."

하는 말 끝엔 목이 메었다. 그러자 산 사람의 눈에서 떨어진 닭의 똥 같은 눈물이 죽은 이의 뻣뻣한 얼굴을 어룽어룽 적시었다. 문득 김 첨지는 미친 듯이 제 얼굴을 죽은 이의 얼굴에 한데 비비대며 중얼거렸다.

"설렁탕을 사다 놓았는데 왜 먹지를 못하니, 왜 먹지를 못하니……. 괴상하게도 오늘은! 운수가, 좋더니만……."

— 현진건, 〈운수 좋은 날〉에서

이 글에서 (　　　)이/가 내리는 날씨와, 오늘은 나가지 말고 집에 있으라는 아내의 부탁은 아내의 죽음이라는 비극적 결말을 (　　　)하는 (　　　)(이)다.

개념 06 소재

소재는 문학 작품을 창작하는 데 사용되는 모든 재료를 일컫는다. 소재는 소설을 구성하는 데 밑바탕이 되는 요소이며 작품 안에서 다양한 기능을 한다.

❶ 소재

소설에서 작품을 만드는 데 쓰는 모든 재료를 일컫는다. 소재는 작가의 의도를 형상화하기 위해 사용되며 작품 속에서 다양하게 기능한다.

> 소설에 쓰인 모든 재료가 '소재'가 됩니다. 그중에서 주제와 밀접한 관계가 있는 핵심 소재를 특별히 '제재'라고 하기도 해요. 하지만 일반적으로 소재와 제재는 잘 구별하지 않습니다. 소설의 거의 모든 소재는 주제를 형상화하는 데 중요한 역할을 하기 때문이에요.

❷ 소재의 기능

(1) 주제를 상징적으로 보여 준다.

> 선물도 무기가 되는 법. 발소리를 죽이는 **푹신한 슬리퍼**를 선물함으로써 소리를 죽이
> <small>소음을 줄여 달라는 메시지를 간접적으로 전달하며 '나'의 교양과 품위를 은근히 뽐내려는 의도가 담긴 소재</small>
> 라는 메시지와 함께 소리 때문에 고통받는 내 심정을 간접적으로 나타낼 수 있으리라.
> 사려 깊고 양식 있는 이웃으로서 공동생활의 규범에 대해 조곤조곤 타이르리라. 〈중략〉
> 여자의 텅 빈, 허전한 하반신을 덮은 화사한 빛깔의 담요와 휠체어에서 황급히 시선을
> <small>윗층 여자가 소리를 냈던 이유는 휠체어를 타고 생활하기 때문이었음</small>
> 떼며 나는 할 말을 잃은 채 부끄러움으로 얼굴만 붉히며 **슬리퍼** 든 손을 등 뒤로 감추었다.
> <small>이웃에 대한 무관심을 상징하는 소재</small>
> – 오정희, 〈소음 공해〉에서
>
> ✎ '슬리퍼'는 '나'의 교양과 품위를 은근히 과시하려는 의도와 이웃에게 무관심했던 태도를 드러내는 소재로, 체면만 차리며 이웃에게 무관심한 현대인의 삶을 ❶(ㅂㅍ)한다는 작품의 주제를 상징적으로 보여 줌.

(2) 인물의 처지나 특성을 드러낸다.

> 수택이는 고개를 숙이고 **차갑게 식은 양은 도시락**을 열었어. 그러고는 **풀풀 날리는 보**
> <small>: 수택이의 가난한 처지를 드러내는 소재</small>
> **리밥**을 꺼내 먹었지. 반찬도 **고춧가루가 군데군데 묻어 있는 허연 깍두기** 한 가지뿐이
> 었어. – 유은실, 〈보리 방구 조수택〉에서
>
> ✎ '차갑게 식은 양은 도시락', '풀풀 날리는 보리밥', '고춧가루가 군데군데 묻어 있는 허연 깍두기'는 수택이의 ❷(ㄱㄴ)한 처지를 드러내는 소재임.

(3) 인물의 심리를 드러낸다.

> 나는 수건이가 포도원에서 **포도**를 훔쳐 온 것을 직각하였다. 쫓아나가 매를 말리고 포돗
> <small>수건이 '나'의 호의에 보답하기 위해 훔쳐 온 것으로, '나'에게 고마워하는 수건의 심리가 드러나는 소재</small>
> 값을 물어 주었다. 포돗값을 물어 주고 보니 수건이는 어느 틈에 사라지고 보이지 않았다.
> 나는 그 **다섯 송이의 포도**를 탁자 위에 얹어 놓고 오래 바라보며 아껴 먹었다. 그의 은
> <small>수건의 순수함에 인간적 호감을 느끼는 '나'의 심리가 드러나는 소재</small>
> 근한 순정의 열매를 먹듯 한 알을 오래 입 안에 굴려 보며 먹었다. – 이태준, 〈달밤〉에서
>
> ✎ '포도'는 수건이 '나'에게 고마움을 전하기 위해 훔쳐 온 것이며, '나'가 그 포도를 아껴 먹는 것에서 '나'가 수건의 ❸(ㅅㅅㅎ)에 호감을 느끼고 있음을 드러냄.

빈칸 답
❶ 비판 ❷ 가난 ❸ 순수함

(4) 장면의 연결 고리 역할을 한다.

> 산허리는 온통 **메밀밭**이어서 피기 시작한 꽃이 소금을 뿌린 듯이 흐뭇한 **달빛**에 숨이
> _{과거를 회상하게 된 계기 1}   _{과거를 회상하게 된 계기 2}
> 막힐 지경이었다. 〈중략〉
>
> "장 선 꼭 이런 날 밤이었네. 〈중략〉 보이는 곳마다 **메밀밭**이어서 개울가가 어디 없이
> _{과거 회상}
> 하얀 꽃이야. 돌밭에 벗어도 좋을 것을, **달**이 너무 밝은 까닭에······."
>
> – 이효석, 〈메밀꽃 필 무렵〉에서
> ---
> ✎ 소설 속 인물은 달이 밝은 밤에 메밀밭을 걸으면서, 역시 달이 밝은 밤에 메밀밭에서 있었던 과거의 일을
>   ❶(ㅎㅅ)함. → 메밀밭과 달빛은 '과거 회상의 매개체'임.

◆ **과거 회상의 매개체**
  인물이 과거를 떠올리도록 하는 소재를 의미한다. 어떤 소재가 과거 회상의 매개체가 되기 위해서는 그것이 과거와 현재에 동시에 존재하거나, 현재의 소재가 과거의 소재를 연상시킬 수 있도록 유사한 특성을 가진 것이어야 한다.

(5) 배경을 제시한다.

> 어떤 창구에는 **철모를 쓴 국군 아저씨**가 담배 연기를 푸우 내뿜고 있는 것이 보인다.
> _{전쟁 중임을 알 수 있음.}
> 동길이는 저도 모르게 두 손을 번쩍 쳐들었다. / "만세이!"   – 하근찬, 〈흰 종이수염〉에서
> ---
> ✎ '철모를 쓴 국군 아저씨'는 이 소설이 전쟁 상황을 배경으로 하고 있음을 보여 줌.

(6) 갈등을 유발하거나 해소한다.

> **위층의 소리**는 멈추지 않았다. 드르륵거리는 소리에 머리털이 진저리를 치며 곤두서
> _{'나'와 위층 주민의 갈등을 유발하는 소재}
> 는 것 같았다. 〈중략〉 "위층이 또 시끄럽습니까? 조용히 해 달라고 말씀드릴까요?"
>
> 잠시 후 인터폰이 울렸다. / "충분히 주의하고 있으니 염려 마시랍니다."
>
> 경비원의 전갈이었다. 염려 마시라고? 다분히 도전적인 저의가 느껴지는 전언이었다.
>
> – 오정희, 〈소음 공해〉에서
> ---
> ✎ '위층의 소리'는 '나'와 위층 주민의 갈등을 ❷(ㅇㅂ)하는 소재임.

빈칸 답
❶ 회상 ❷ 유발

바로 확인 ❶ 다음 글에서 ㉠의 역할로 가장 적절한 것은?

💡 **도움말**
  이 소설에서 '비읍'은 고집이 세고 인색하면서도 체면을 중시하는 인물로 그려진다. 이 소설은 비읍과 같은 인간상을 풍자하면서도 그에 대한 애정 어린 시선을 보내고 있다.

> 결혼한 지 한 달도 되지 않았는데 비읍은 십 년 넘게 마누라를 호령하며 살아온 사람처럼 굴었다. 그렇게 하지 않으면 체면이 깎이기라도 하는 것처럼. 〈중략〉 그리고 ㉠그 부인이 내온 음료수가 비읍에게 새로운 별명을 선사했다.
>
> "내가 산 건 백 퍼센트 무가당 오렌지 주스였단 말야. 그런데 그게 언제 오렌지 맛 음료로 바뀌었는지 모르겠어. 정말 환상적인 부부야."
>
> 일동은 그의 집을 빠져 나오는 순간부터 그를 당분간 '오렌지 맛'이라고 부르기로 만장일치로 합의했다. 백 퍼센트 오렌지 주스를 혼자 마시고 있을 그의 부인은 '오렌지 부인'으로 부르기로 했고.
>
> – 성석제, 〈오렌지 맛 오렌지〉에서

① 과거 회상의 매개체이다.   ② 인물의 특성을 드러낸다.
③ 인물 간의 갈등을 해소한다.   ④ 장면의 연결 고리로 기능한다.

개념 07 고전 소설

고전 소설은 개화기 이전에 창작된 소설을 일컫는 말이다. 고전 소설에는 우리 민족의 역사와 삶의 애환이 담겨 있으며, 그 가운데에 독특한 형식과 표현으로 높은 문학적 경지를 뽐내는 작품이 많다.

🎞 중학교 국어 문학 영역 • 과거의 삶이 반영된 작품을 오늘날의 삶에 비추어 감상한다.

❶ 고전 소설

개화기 이전에 창작된 소설을 일컫는 말이다. 한문으로 쓰인 한문 소설부터 임진왜란 이후에 활발히 창작된 한글 소설을 모두 포함한다.

❷ 고전 소설의 일반적인 특징

(1) **구성** 주로 평면적 구성, 일대기적 구성을 취한다.

(2) **내용과 결말** 주로 권선징악, 인과응보를 핵심 가치로 하며 주인공이 행복한 결말을 맞는다.

> ✚ **고전 소설의 내용**
> • **권선징악** 착한 일을 권장하고 악한 일을 징계한다는 뜻으로, 선한 인물은 행복을 얻으며 악한 인물은 처벌을 받는 전개가 이에 해당한다.
> • **인과응보** 행한 대로 그 대가를 받는다는 뜻으로, 선한 일에는 좋은 결과가, 악한 일에는 나쁜 결과가 따른다는 의미

> 유 상서는 만고의 간부 교녀를 죽이고 상쾌하게 여겼으나 사씨 부인은 시녀 설매가 억울하게 참사된 것을 가엾이 여겨서 뼈를 찾아서 잘 묻어 주었다. 〈중략〉
> 사씨를 괴롭히는 악인 / 작품의 주인공 / 사씨의 선한 마음이 드러남.
> 유 승상 부부는 팔십여 세를 안양(安養)하고, 그 후대의 공자는 병부상서에 이르고 유웅은 이부상서를 하고 유준은 호부시랑을 하고 유란은 태상경을 하여 조정에 참열하였으니, 그 모친 임씨도 복록을 누려서 자부와 제손을 거느리고, 사씨 부인을 모시며 안락한 세월을 보냈다.
> 사씨의 남편 / 주인공인 사씨가 행복한 결말을 맞음.
> – 김만중, 〈사씨남정기〉에서

> ✎ 이 소설은 악인인 교녀가 죽고 선한 사씨가 복을 받는다는 권선징악의 내용이며, 주인공인 사씨는 남편인 유 승상과 함께 부와 명예를 얻는 ❶(ㅎㅂ)한 결말을 맞음.

(3) **인물** 주로 전형적이고 평면적인 인물이 등장하며, 주인공은 영웅적 인물이 많다.

(4) **사건** 비현실적(전기적)이며 우연적인 사건이 자주 일어난다.

> '전기적'이라는 말은 실제로 일어나기 어려워 신기하고 비현실적이라는 뜻이에요. 고전 소설은 주인공의 비범함을 강조하기 위해 도술 등을 쓰는 능력을 부여하는데, 이러한 요소가 고전 소설의 전기성을 높이죠.

> "너의 액운이 다 끝났으니 누추한 허물을 벗어라."
> 비현실적(전기적) 요소
> 허물을 벗고 변화하는 술법을 딸에게 가르친 뒤 말하였다. 〈중략〉 그날 밤, 박씨는 몸을 깨끗이 씻은 뒤 둔갑술을 부려 허물을 벗었다.
> 비현실적(전기적) 요소
> 날이 밝은 후, 박씨는 계화를 불렀다. 계화가 들어가 보니 전에 없던 절세가인이 방 안에 앉아 있었다. 여인의 얼굴은 아름답기 그지없었으며, 그 태도는 너무나도 기이했다.
> – 작자 미상, 〈박씨전〉에서

> ✎ 박씨가 둔갑술로 추한 허물을 벗고 아름다워진다는 ❷(ㅂㅎㅅㅈ) 사건 전개가 나타남.

빈칸 답
❶ 행복 ❷ 비현실적

정답과 해설 13쪽

❸ 고전 소설의 유형

✚ 판소리계 소설의 특징
· 평민 언어와 양반 언어가 함께 사용된다.
· 부정적 상황에서 웃음을 유발해 부조리를 비판(풍자)하거나 슬픔을 웃음으로 승화(해학)시킨다.
· 말을 재미있고 익살스럽게 꾸며 독자의 웃음을 유발한다.
· 흥미로운 장면에서 대상이나 상황을 나열하고 반복하여 의미를 강조하고 생동감을 높인다.
· 산문으로 서술되는 가운데 시를 삽입하거나, 대구법과 반복법을 사용해 운율을 형성한다.

✚ 영웅 소설의 구조
영웅 소설은 대체로 다음의 '영웅의 일대기 구조'를 따른다.
① 왕족, 귀족과 같은 고귀한 혈통을 타고남.
② 보통 사람과는 다르게 태어남.
③ 비범한 능력을 타고남.
④ 고난을 겪음.
⑤ 조력자의 도움으로 위기를 극복함.
⑥ 또 다른 고난을 겪음.
⑦ 위기를 극복하고 위대한 업적을 달성함.

빈칸 답
❶ 운율 ❷ 도술

(1) 판소리계 소설✚ 고전 소설의 형식 중 하나로, 판소리의 사설을 바탕으로 만들어진 소설이다.

> "콩 먹고 다 죽을까? 고서(古書)를 볼작시면 콩 **태**(太) 자 든 이마다 오래 살고 귀히 되니라. **태**고적 천황씨는 일만 팔천 세를 살아 있고, **태**호 복희씨는 풍성이 상승하여 십오 대를 전해 있고, 한 **태**조, 당 **태**종은 풍진 세계 창업지주 되었으니, 오곡 백곡 잡곡 중에 콩 **태** 자가 제일이라. 궁팔십 강태공은 달팔십 살아 있고, 시중천자 이**태**백은 기경 상천하여 있고, 북방의 **태**을성은 별 중의 으뜸이라."
> — 작자 미상, 〈장끼전〉에서
>
> ✎ 3·4조, 4·4조의 음수율, 동일한 글자(태)와 동일한 어미(~고, ~라)의 반복을 통해 ❶(○○)을 형성하고 있음.

(2) 영웅 소설✚ 뛰어난 능력을 지닌 주인공이 위기를 극복하고 위업을 달성한다는 내용을 담은 소설이다.

> **박 씨** 계화로 시켜 외치기를, / "무지한 오랑캐야. 너희 왕 놈이 무식하여 은혜지국을 침범하였거니와, 우리 왕대비는 데려가지 못하리라. 만일 그런 뜻을 두면 너희들은 본국에 돌아가지 못하리라." 하니, 호장들이 가소롭게 여겨 / "우리 이미 화친 언약을 받고, 또한 인물이 나의 장중에 매였으니, 그런 말은 생심도 말라." 하니, 〈중략〉
> "너희 일양 그러하려거든 내 재주를 구경하라." 하더니, 이윽고 공중으로 두 줄기 무지개 일어나며, 모진 비 천지 뒤덮게 오며, 음풍이 일어나며, 백설이 날리며, 얼음이 얼어 호군 중 말 발이 땅에 붙어 촌보를 옮기지 못하는지라.
> — 작자 미상, 〈박씨전〉에서
>
> ✎ 영웅인 주인공 박 씨가 왕대비를 데려가려는 호장을 막고, ❷(ㄷ ㅅ)로 호장을 꼼짝 못하게 함.

바로 확인 ❶ 다음 글을 읽고 빈칸에 알맞은 말을 써 넣으시오.

💡 도움말
이 작품은 늙은 어머니께 불효하고 중을 학대하는 옹고집을 응징하기 위해 학대사가 허수아비를 가짜 옹고집으로 만들어 옹고집의 집에 보내는 이야기를 담고 있다. 진짜 옹고집과 가짜 옹고집이 진짜를 두고 다투다가 결국 진짜 옹고집이 송사에서 패소하여 집안에서 쫓겨나고, 진짜 옹고집은 자신의 잘못을 뉘우치게 된다.

술법 높은 학대사는 괴이한 꾀 나는지라, 동자 시켜 짚 한 단을 끌어내어 허수아비 만들어 놓고 보니 영락없는 옹고집의 불측한 상이렷다. / 부적을 써 붙이니 이 놈의 화상, 말대가리 주걱턱에 어디로 보나 영락없는 옹가였다. / 허수아비 거드럭거드럭 옹가집을 찾아가서 사랑문 드르륵 열며 분부할 제, "늙은 종 돌쇠야, 젊은 종 몽치, 깡쇠야, 어찌 그리 게으르고 방자하냐? 말 콩 주고 여물 썰어라! 춘단이는 바삐 나와 발 쓸어라." 하며 태연히 앉았으니, 이리 보나 저리 보나 분명한 옹좌수였다. — 작자 미상, 〈옹고집전〉에서

이 작품은 학대사가 도술을 사용해 옹고집과 똑같이 생기고 똑같이 행동하는 허수아비를 만든다는 점에서 (   ) 요소를 지닌다. 또한 악행을 일삼던 옹고집이 학대사에게 처벌받는 점에서 이 작품이 (   )을/를 주제로 함을 알 수 있다.

실전 01 하늘은 맑건만 | 현덕

교과서 **중1** _ 천재(박), 천재(노), 미래엔 외 2

이 작품은 잘못 받은 거스름돈을 친구와 함께 사용했다가 곤란한 상황에 놓이는 한 소년의 이야기를 담은 소설이다. 작품에 드러나는 갈등 양상에 주목하여 감상해 보자.

핵심 짚기

발단 **전개** 위기 절정 결말

● 인물

- **문기** 소심하고 순진한 소년으로, 잘못 받은 **❶ ㄱ ㅅ ㄹ ㄷ**을 친구 수만과 함께 쓰고 난 후 죄책감을 느낌.
- **수만** 문기를 꼬드겨 잘못 받은 거스름돈을 쓰게 함. 약고 계산적임.
- **삼촌** 문기의 아버지 대신 문기를 어릴 때부터 보살핌. 엄격하고 책임감이 있음.

● 배경

1930년대 어느 도시

● 사건

잘못 받은 거스름돈으로 수만과 함께 공과 쌍안경을 산 문기는 삼촌에게 훈계를 듣고, **❷ ㅈ ㅊ ㄱ**에 시달리다가 공과 쌍안경을 버리고 남은 돈을 고깃간 집 안마당에 던짐.

● 서술 시점

- 3인칭 **❸ ㅈ ㅈ ㅈ** 시점 이야기 밖의 서술자가 인물의 말과 행동, 심리까지 모두 서술함.

빈칸 답

❶ 거스름돈 ❷ 죄책감
❸ 전지적

● **천냥만냥** '노름'을 달리 일컫는 말. 돈이나 재물 따위를 걸고 서로 내기를 하는 일.
● **허하다** 튼튼하지 못하고 빈틈이 있다.
● **남루하다** 옷 따위가 낡아 해지고 차림새가 너저분하다.
● **행길** '한길'의 방언. 사람이나 차가 많이 다니는 넓은 길.
● **성화** 몹시 귀찮게 구는 일.
● **동이 뜨다** 사이가 조금 생기다.

앞부분의 줄거리 문기는 숨겨둔 공과 쌍안경이 없어진 것을 발견하고 숙모나 삼촌에게 자신의 잘못이 발각되었을까 봐 불안해한다. 며칠 전 문기는 숙모의 심부름으로 고깃간에 갔다가 고깃간 주인의 실수로 원래 받아야 하는 것보다 더 많은 거스름돈을 받았다. 문기는 친구인 수만의 꼬드김에 넘어가 거스름돈으로 공과 쌍안경을 사고 군것질을 한다. 방에서 공과 쌍안경을 본 삼촌에게 문기는 수만이 준 것이라고 거짓말하고, 삼촌은 문기에게 나쁜 마음을 먹지 말라고 충고한다.

㉠문기는 아랫방에 내려와 혼자 되자 삼촌 앞에서보다 갑절 얼굴이 달아올랐다. ⓐ지금까지 될 수 있는 대로 생각지 않으려고 힘을 써 오던 그편에 정면으로 제 몸을 세워 놓고 보지 않을 수 없었다. 그러자 자기라는 몸은 벌써 삼촌의 이른바 나쁜 데 빠지고 만 것이었다. 그야 ㉡자기는 수만이가 시켜서 한 일이니까 잘못이 없다는 것이지만 당초에 그것은 제 허물을 남에게 밀려는 얄미운 구실이 아니고 뭐냐. 그리고 문기는 이미 삼촌을 속였다. 또 써서는 아니 될 돈을 쓰고 말았다. 아아, 일찍이 어머니를 여의고, ㉢아버지란 사람은 일상 천냥만냥 하고 허한 소리만 하면서 남루한 주제에 거처가 없이 시골, 서울로 돌아다니는 사람이고, 어려서부터 문기를 길러 낸 사람이 삼촌이었다. 그리고 조카의 장래를 자기의 그것보다 더 중히 알고 염려하며 잘되어 주기를 바라는 삼촌이었다. 그 삼촌의 기대에 어그러지지 않는 인물이 되어 보이겠다고 엊그제도 주먹을 쥐고 결심하던 문기가 아니냐. 생각할수록 낯이 뜨거워지는 일이다.

마침내 문기는 공과 쌍안경을 집어 들고 문밖으로 나갔다. 어둑어둑 저물어가는 행길이다. 문기는 골목으로 들어섰다. 대낮에 많은 사람 가운데에서 거리낌 없이 가지고 놀던 그 공이 지금은 사람이 드문 골목 안에서도 남이 볼까 두려워졌다. ㉣컴컴해질수록 더 허옇게 드러나 보이는 커다란 공을 처치하기에 곤란해 문기는 옆으로 꼈다 뒤로 돌렸다 하며 사람의 눈을 피한다. 쌍안경이 든 불룩한 주머니가 또 성화다. 골목 하나를 돌아서 나올 즈음, 문기는 모르고 흘리는 것인 양 슬며시 쌍안경을 꺼내 길바닥에 떨어뜨렸다. 그리고 걸음을 빨리 건너편 골목으로 들어간다.

개천가 앞에 이르렀다. 거기서 문기는 커다란 공을 바지 앞에 품고 앉아서 길 가는 사람이 없기를 기다린다. 자전거가 가고 노인이 오고 동이 뜬 그 중간을 타서 문기는 허옇게 흐르는 물 위로 공을 던져 버렸다. 이어 양복 안주머니에 간직해 두었던 나머지 돈을 꺼내 들었다. 그것도 마저 던져 버리려다가 문득 들었던 손을 멈춘다. 그리고 잠시 ㉤둥실둥실 물을 따라 떠나가는 공을 통쾌한 듯 바라보다가는 돌아서 걸음을 옮긴다.

문기는 삼거리 고깃간을 향해 갔다. 그리고 골목으로 돌아가 나머지 돈을 종이에 싸서 담 너머로 그 집 안마당을 향해 던졌다.

그제야 문기는 무거운 짐을 풀어 놓은 듯 어깨가 거뜬했다. 아까 물 위로 둥실둥실 떠가던 그 공, 지금은 벌써 십 리고 이십 리고 멀리 떠갔을 듯싶은 그 공과 함께 문기는 자기의 허물도 멀리 사라져 깨끗이 벗어난 듯 속이 후련했다.

(잘못 저지른 실수)

갈래상의 특징 파악하기

1

이와 같은 글에 대한 설명으로 적절하지 <u>않은</u> 것은?

➕ **개연성**
　우연적이거나 허황된 것이 아니라 충분히 일어날 수 있다고 여겨지는 성질

① 갈등을 중심으로 사건이 전개된다.
② 현실을 반영한 개연성➕ 있는 이야기이다.
③ 작가가 설정한 서술자가 이야기를 전달한다.
④ 작가의 상상력을 바탕으로 꾸며 낸 이야기이다.
⑤ 시간적·공간적 배경과 등장인물의 수에 제약이 있다.

세부 내용 파악하기

2

㉠~㉤에 대한 설명으로 적절하지 <u>않은</u> 것은?

① ㉠: 문기가 양심의 가책을 느끼고 있음을 보여 준다.
② ㉡: 문기가 아직까지도 자신의 잘못을 합리화하고 있음을 알 수 있다.
③ ㉢: 문기의 아버지가 문기를 돌봐 줄 수 없는 처지에 있음을 드러낸다.
④ ㉣: 반성하고 나자 저지른 잘못이 더욱 크게 느껴지는 상황을 표현하고 있다.
⑤ ㉤: 문기의 내적 갈등이 일시적으로 해소되었음을 보여 준다.

인물의 특성 파악하기

3

다음 중 이 글의 인물에 대해 바르게 이야기한 사람을 있는 대로 고른 것은?

> 가온: 자기 자신에게 부끄러움을 느끼는 걸 보니 문기는 양심이 있네.
> 나진: 자신의 잘못을 수만이에게 모두 뒤집어씌우려는 것을 보니 문기는 뻔뻔하고 대담한 성격인 것 같아.
> 다정: 수만이는 거스름돈을 사용하도록 문기를 꼬드긴 것을 보니 영악하고 약삭빠르군.
> 라준: 삼촌은 문기의 장래를 걱정하며 문기를 훈계하는 것을 보니 책임감이 강하고 엄격해.

① 가온, 나진　　　　② 가온, 다정　　　　③ 나진, 라준
④ 가온, 다정, 라준　　⑤ 나진, 다정, 라준

구절의 의미 파악하기

4

ⓐ가 의미하는 것으로 가장 적절한 것은?

① 삶의 즐거움을 좇는 관점
② 양심을 지키며 살아가는 관점
③ 금전적인 이익을 추구하는 관점
④ 공동체의 가치를 강조하는 관점
⑤ 법을 반드시 지켜야 한다는 관점

🖉 핵심 짚기

발단	전개	**위기**	절정	결말

● 갈등 전개

문기의 ❶ ㄴ ㅈ 갈등

잘못 받은 거스름돈을 쓰고 삼촌에게 거짓말을 한 것에 죄책감을 느낌.

⋮

문기와 수만의 ❷ ㅇ ㅈ 갈등

돈이 없다는 문기의 말을 수만이 믿지 않음.
· 문기: 양심에 어긋나는 일을 하고 싶지 않음.
· 수만: 돈을 주지 않으면 모든 사실을 밝힐 것임.

⋮

문기의 내적 갈등

숙모의 돈을 훔쳐 수만에게 준 일 때문에 점순이 누명을 쓰고 쫓겨나 미안함과 죄책감을 느낌.

● 문기의 허물

· **첫 번째 허물** 잘못 받은 거스름 돈을 사용하고 삼촌에게 거짓말을 한 것
· **두 번째 허물** ❸ ㅅ ㅁ 의 돈을 훔쳐 수만에게 준 것

빈칸 답
❶ 내적 ❷ 외적 ❸ 숙모

● **붙장** | 부엌 벽의 안쪽이나 바깥쪽에 붙여 만든 장. 간단한 그릇 따위를 간직하는 데 쓴다.
● **축내다** | 일정한 수나 양에서 모자람이 생기게 하다.
● **뱃심** | 염치나 두려움이 없이 제 고집대로 버티는 힘.
● **들창** | 벽의 위쪽에 자그맣게 만든 창.

생략된 부분의 줄거리 문기가 집 근처에 이르렀을 때, 같이 환등 틀을 사러 가기로 약속한 수만이 기다리고 있다. 문기가 고깃간 집 안마당에 돈을 던졌다고 말하며 자신은 더 이상 양심에 어긋난 일은 안 하겠다고 하자, 수만은 믿지 않고 문기를 협박한다.

문기 집 가까이 이르렀다. 수만이는 문기 앞으로 다가서며 작은 음성으로 조졌다.

㉠"너, 지금으로 가지고 나오지 않으면 낼은 가만 안 둔다. 도적질했다 하구 똑바루 써 놀 테야."

문기는 여전히 못 들은 척 걸음만 옮긴다. 자기 집 마당엘 들어섰다. 숙모는 뒤꼍에서 화초 모종을 하는지 여기 심어라, 저기 심어라 하고 아랫집 심부름을 하는 아이와 이야기하는 소리가 날 뿐 집 안엔 아무도 없다.

[A]

그리고 눈앞에 보이는 붙장 안 앞턱에 잔돈 얼마와 지전 몇 장이 놓여 있다.
종이에 인쇄를 하여 만든 화폐.
그리고 문밖엔 지금 수만이가 돈을 가지고 나오기를 기다리고 섰다. 여기서 문기는 ㉡두 번째 허물을 범하고 말았다. / "진작 듣지."

하고 빙그레 웃는 수만이 얼굴에다 뺨을 때리듯 돈을 던져 주고 문기는 달아났다.

급한 걸음으로 문기는 ㉢네거리 하나를 지났다. 또 하나를 지났다. 또 하나를 지났다. 걸음은 차차 풀이 죽는다. 그리고 문기는 이런 생각을 하였다.

㉣'나는 몰래 작은어머니 돈을 축냈다. 그러나 갚으면 고만 아니냐. 그 돈 값어치만큼 밥도 덜 먹고 학용품도 아껴 쓰고 옷도 조심해 입고, 이렇게 갚으면 고만 아니냐.'

몇 번이고 이 소리를 속으로 되뇌며 문기는 떳떳이 얼굴을 들고 집으로 들어갈 수 있을 만한 뱃심을 만들려 한다. 그러나 일없이 공원으로 거리로 돌며 해를 보낸다.
아무런 까닭이나 실속 없이.
날이 저물어서 문기는 풀이 죽어 집 마루에 걸터앉았다. 숙모가 방에서 나오다 보고,

"너, 학교에서 인제 오니?" / 그리고 이어,

"너 혹 붙장 안의 돈 봤니?" / 하다가는 채 문기가 입을 열기 전에 숙모는,

"학교서 지금 오는 애가 알겠니. 참, 점순이 고년 앙큼헌 년이드라. 낮에 내가 뒤꼍에서 화초 모종을 내고 있는데 집을 간다고 나가더니 글쎄, 돈을 집어 갔구나." / 문기는 잠잠히 듣기만 한다. 그러나 속으로는 갚으면 고만이지 소리를 또 한 번 외어 본다.

그날 밤이었다. 아랫방 들창 밑에서 ㉤훌쩍훌쩍 우는 어린아이 울음소리가 났다. 아랫집 심부름하는 아이 점순이 음성이었다. 숙모가 직접 그 집에 가서 무슨 말을 한 것은 아니로되 자연 그 말이 한 입 건너 두 입 건너 그 집에까지 들어갔고, 그리고 그 집 주인 여자는 점순이를 때려 쫓아낸 것이다. 먼저는 동네 아이들이 모여 지껄지껄하더니 차차 하나 가고 둘 가고 훌쩍훌쩍 우는 그 소리만 남는다. ⓐ방 안의 문기는 그 밤을 뜬눈으로 새웠다.

5

이 글의 서술자에 대한 설명으로 적절한 것은?

① 서술자가 자신의 내적 갈등을 서술하고 있다.

② 이야기 속의 서술자가 자신의 이야기를 하고 있다.

③ 이야기 밖의 서술자가 주인공의 내면까지 서술하고 있다.

④ 이야기 속의 서술자가 다른 인물의 이야기를 서술하고 있다.

⑤ 이야기 밖의 서술자가 인물의 말과 행동만을 관찰하여 서술하고 있다.

🔆 **도움말**

소설의 시점은 서술자가 '나'로 작품 속에 등장하는 1인칭 시점과 등장하지 않는 3인칭 시점으로 나눌 수 있으며, 3인칭 시점은 다시 서술자가 인물의 내면까지 서술하는 3인칭 전지적 시점과 인물의 말과 행동만 객관적으로 서술하는 3인칭 관찰자 시점으로 나뉜다.

6

㉠~㉤에 대한 설명으로 적절하지 않은 것은?

① ㉠: 수만의 집요하고 영악한 성격이 드러난다.

② ㉡: 문기가 숙모의 돈을 훔쳐 수만에게 준 것을 의미한다.

③ ㉢: 문기가 잘못을 저지른 숙모네 집에서 멀리 벗어나기 위한 행동이다.

④ ㉣: 문기가 죄책감에서 벗어나기 위해 자신의 행동을 반성하는 말이다.

⑤ ㉤: 문기의 내적 갈등을 심화시키는 역할을 하는 소재이다.

7

[A]에 드러난 갈등 양상을 〈보기〉와 같이 정리하였다. ㄱ~ㅁ에 들어갈 말로 적절하지 않은 것은?

● 보기 ●

주된 갈등 양상: (ㄱ)		
갈등의 원인	**갈등 상황**	**갈등 해소 방법**
(ㄴ)	(ㄷ) ↔ (ㄹ)	(ㅁ)

① ㄱ: 문기와 수만의 외적 갈등

② ㄴ: 죄책감에 시달리던 문기가 남은 거스름돈을 고깃간 집 안마당에 던짐.

③ ㄷ: 문기는 협박하는 수만이 괘씸해 돈을 주려고 하지 않음.

④ ㄹ: 수만은 돈을 내놓지 않으면 도둑질한 것을 알리겠다고 문기를 협박함.

⑤ ㅁ: 문기는 붙장 안에 있던 숙모의 돈을 훔쳐서 수만에게 줌.

8

ⓐ의 이유로 가장 적절한 것은?

① 점순을 쫓겨나게 만든 숙모에 대한 분노 때문에

② 점순이 자신에게 가할 보복에 대해 두려움을 느껴서

③ 숙모의 돈을 찾을 수 있는 방법을 생각해 내기 위해서

④ 자신의 잘못 때문에 점순이 피해를 입은 것에 죄책감을 느껴서

⑤ 수만이 자신을 계속 괴롭히지 않을까 하는 불안한 마음이 들어서

● 소재

　점순의 울음소리, '❶ ㅈ ㅈ '이라는 수신 시간의 수업 내용, 떳떳하게 바라볼 수 없는 맑고 푸른 하늘은 문기의 내적 갈등을 더욱 심화함.

● 제목 '하늘은 맑건만'의 의미

・'맑은 하늘'은 죄책감으로 괴로워하는 문기의 상황과 ❷ ㄷ ㅈ 를 이룸.

・맑은 하늘을 떳떳하게 쳐다볼 수 있는 정직한 사람이 되고 싶은 문기의 바람을 드러낸 말

● 갈등 해소

문기의 내적 갈등
자신의 잘못을 솔직하게 고백해야 함.
⋮
사실대로 고백하는 것이 두려움.

갈등 해소 방법
병원에서 깨어나자마자 삼촌에게 그동안의 잘못을 고백함.
⋮
내적 갈등이 해소됨. ❸ ㅈ ㅊ ㄱ 과 고통에서 해방됨.

빈칸 답
❶ 정직 ❷ 대조 ❸ 죄책감

● **수신 시간** | 일제 강점기의 도덕 시간.
● **자백** | 자기가 저지른 죄나 자기의 허물을 남들 앞에서 스스로 고백함. 또는 그 고백.

학교엘 갔다. 첫 시간은 수신 시간, 그리고 공교로이 제목이 '정직'이다. 선생님은 뒷짐을 지고 교단 위를 왔다 갔다 하며 거짓이라는 것이 얼마나 악한 것이고 정직이 얼마나 귀하고 중한 것인가를 누누이 말씀한다. 그리고 안경 쓴 선생님의 그 눈이 번쩍하고 문기 얼굴에 머물렀다 가고 가고 한다. / 그럴 때마다 문기는 가슴이 뜨끔뜨끔해진다. 문기는 자기 한 사람에게만 들리기 위한 정직이요 수신 시간인 듯싶었다. 그만치 선생님은 제 속을 다 들여다보고 하는 말인 듯싶었다.

　운동장에서도 문기는 풀이 없다. 사람 없는 교실 뒤 버드나무 옆 그런 데만 찾아다니며 고개를 숙이고 깊은 생각에 잠기거나 팔짱을 찌르고 왔다 갔다 하기도 한다. 그러다 누가 등을 치면 소스라쳐 깜짝깜짝 놀란다.

　언제나 다름없이 하늘은 맑고 푸르건만 문기는 어쩐지 그 하늘조차 쳐다보기가 두려워졌다. 자기는 감히 떳떳한 얼굴로 그 하늘을 쳐다볼 만한 사람이 못 된다 싶었다.

　언제나 다름없이 여러 아이들은 넓은 운동장에서 마음대로 뛰고 마음대로 지껄이고 마음대로 즐기건만 문기 한 사람만은 어둠과 같이 컴컴하고 무거운 마음에 잠겨 고개를 들지 못한다. 무엇보다도 문기는 전날처럼 맑은 하늘 아래서 아무 거리낌 없이 즐길 수 있는 마음이 갖고 싶다. 떳떳이 하늘을 쳐다볼 수 있는, 떳떳이 남을 대할 수 있는 마음이 갖고 싶었다. 〈중략〉 / 어느덧 걸음은 삼거리를 건너고 있었다. 문기 등 뒤에서 아주 멀리 뿡뿡하고 자동차 소리와 비켜라 하는 사람의 소리가 나는 듯하더니 갑자기 귀 밑에서 크게 울린다. 언뜻 돌아다보니 바로 눈앞에 자동차 머리가 달려든다. 그리고 문기는 으쓱하고 높은 데서 아래로 떨어지는 듯싶은 감과 함께 정신을 잃고 말았다.

　얼마 동안을 지났는지 모른다. 문기가 어렴풋이 눈을 떴을 때 무섭게 전등불이 밝아 눈이 부셨다. 문기는 다시 눈을 감았다. 두 번째 문기는 눈을 뜨자 희미하게 삼촌의 얼굴이 나타나며 그것이 차차 똑똑해지더니 삼촌은,

　"너, 내가 누군 줄 알겠니?" / 하고 웃지도 않고 내려다본다.

　문기는 이것도 꿈인가 하고 한번 웃어 주려면서 그대로 맑은 정신이 났다. 문기는 병원 침대 위에 누워 있었다. 어디 아픈 데는 없으면서도 몸을 움직일 수는 없다. 삼촌은 근심스러운 얼굴로 내려다본다.

　"작은아버지." / 하고 문기는 입을 열었다. 그리고, / "저는 마땅히 받아야 할 벌을 받은 거예요." / 하고 문기는 눈을 감으며 한 마디 한 마디 그러나 똑똑하게 처음서부터 끝까지 먼저 고깃간 주인이 일 원을 십 원으로 알고 거슬러 준 것, 그 돈을 써 버린 것, 그리고 또 붙장 안의 돈을 자기가 훔쳐낸 것, 이렇게 하나하나 숨김없이 자백을 하자 이때까지 겹겹으로 몸을 싸고 있던 허물이 한 꺼풀 한 꺼풀 벗어지면서 따라 마음속의 어둠도 차차 사라지며 맑아 가는 것을, 문기는 확실히 깨달을 수 있었다. 마음이 맑아지며 따라 몸도 가뜬해진다. / 내일도 해는 뜨고 하늘은 맑아지리라. 그리고 문기는 그 하늘을 떳떳이 마음껏 쳐다볼 수 있을 것이다.

외부 자료를 통해 감상
하기
9

고난도

〈보기〉를 바탕으로 이 글을 이해한 내용으로 적절하지 <u>않은</u> 것은?

━● 보기 ●━

　이 소설은 한 소년이 잘못을 저지른 뒤 내적 갈등과 다른 인물과의 갈등을 겪으며 성장
하는 모습을 그리고 있다. 성장 과정에서 누구나 겪을 수 있는 일을 소재로 하여 주인공
이 양심을 회복해 가는 모습을 통해 독자들은 공감을 느끼고 교훈을 얻을 수 있다.

① 문기가 수신 시간에 가슴이 뜨끔해진 것은 죄책감으로 내적 갈등을 겪고 있음을 보여
　준다.
② 문기가 잘못 받은 거스름돈을 쓴 일은 성장 과정에서 누구나 겪을 법한 일로 독자의
　공감을 자아낸다.
③ 문기가 운동장에서 뛰어노는 아이들과 어울리지 못하는 것은 성장 과정에서 다른 인
　물과 갈등을 겪고 있음을 보여 준다.
④ 문기가 잘못을 숨기려 또 다른 잘못을 저지르고 하늘을 쳐다보기조차 두려워하는 모
　습을 통해 독자는 교훈을 얻을 수 있다.
⑤ 문기가 삼촌에게 모든 잘못을 고백하고 마음속의 어둠이 사라지는 것은 주인공이 양
　심을 회복하고 성장하는 모습을 보여 준다.

설명에 맞는 소재 찾기
10

주관식

다음에서 설명하는 소재를 이 글에서 찾아 2어절로 쓰시오.

- 죄책감으로 괴로워하는 문기의 마음과 대조되는 대상
- 문기가 회복하고 싶은 양심과 정직한 마음을 의미함.

인물의 행동 평가하기
11

다음은 문기의 행동에 대해 학생들이 대화한 내용이다. 적절하지 <u>않은</u> 것은?

① 주현: 문기가 붓장 안의 돈을 훔친 건 정당화될 수 없어. 자신의 잘못을 덮기 위해 더
　큰 잘못을 저지른 셈이야.
② 슬기: 하지만 문기가 자신이 처한 상황을 솔직하게 말하지 못하고 괴로워하는 걸 보니
　안쓰러웠어.
③ 승완: 맞아. 문기는 소심한 성격 탓에 더더욱 자신이 처한 상황을 솔직하게 말하기 어
　려웠을 거야.
④ 수영: 그래도 나중에 문기가 소심한 성격을 고치고 삼촌한테 자신의 잘못을 고백하게
　되어 다행이야.
⑤ 예림: 잘못은 숨기려고 할수록 더 큰 잘못으로 이어지니까 언제든지 솔직하게 고백하
　는 태도가 필요하다는 걸 깨달았어.

전체 구성

발단 초조한 마음으로 숨겨둔 공과 쌍안경을 찾던 문기는 며칠 전 숙모의 심부름으로 고깃간에 갔다가 거스름돈을 더 많이 받은 일을 떠올린다.

전개 문기는 친구인 수만과 잘못 받은 거스름돈을 쓰고 삼촌에게 꾸중을 듣는다. 문기는 죄책감에 시달리다 공과 쌍안경을 버리고 남은 돈을 다시 돌려준다. --- 72쪽 수록

위기 문기는 돈을 내놓으라는 수만의 협박 때문에 숙모의 돈을 훔쳐서 수만에게 준다. 이 일 때문에 점순이 누명을 쓰자 문기는 양심의 가책을 느낀다. --- 74쪽 수록

절정 문기는 담임 선생님께 자신의 잘못을 고백하려다 실패하고, 집으로 돌아오는 길에 교통사고를 당한다. --- 76쪽 수록

결말 병원에서 깨어난 문기는 삼촌에게 모든 잘못을 고백한다. --- 76쪽 수록

해제

이 작품은 삼촌 집에서 사는 문기가 심부름을 갔다가 거스름돈을 더 받은 후에 벌어지는 사건을 다룬 소설이다. 문기는 친구의 꼬드김에 당해 잘못된 행동을 하며 여러 갈등에 휘말리게 된다. 갈등이 연쇄적으로 발생하고 그것의 해결책을 찾는 과정에서 정직하게 사는 삶의 중요성이라는 이 작품의 주제가 드러난다.

주제

정직하게 사는 삶의 중요성

등장인물의 특성

이 작품에 등장하는 주요 인물들은 이야기가 진행되는 내내 성격이 바뀌지 않는 평면적 인물이다.

문기	소신 있게 결정하지 못하고 수만이에게 끌려다니나, 자신의 잘못을 반성하고 양심에 어긋나는 일을 하지 않으려 함. → 소심하고 순진하며 양심이 있음.
❶◻◻	문기를 부추겨 문기가 잘못 받은 거스름돈을 쓰게 만듦. 돈을 돌려 주었다는 문기의 말을 믿지 않고 문기를 협박함. → 계산적임. 집요하고 영악함.
문기의 삼촌	문기 부모님 대신 문기를 어릴 때부터 보살핌. 문기를 아끼지만 문기의 잘못에 대해서는 엄하게 꾸중함. → 책임감이 강함. 이성적이고 침착함.

갈등의 진행과 해결 과정

갈등을 해결하기 위한 문기의 행동은 연쇄적으로 다른 갈등의 원인이 된다. 문기가 잘못을 고백하고 나서야 갈등이 근본적으로 해결된다.

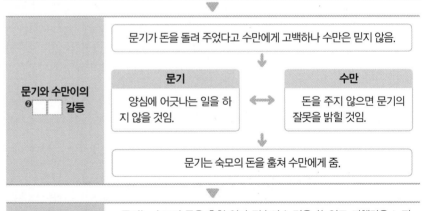

문기의 내적 갈등	잘못 받은 거스름돈을 사용한 것, 삼촌에게 거짓말을 한 것에 부끄러움과 죄책감을 느낌. → 거스름돈으로 산 물건을 버리고 남은 돈은 고깃간 집 안마당으로 던짐.

문기가 돈을 돌려 주었다고 수만에게 고백하나 수만은 믿지 않음.

문기		**수만**
양심에 어긋나는 일을 하지 않을 것임.	⟷	돈을 주지 않으면 문기의 잘못을 밝힐 것임.

문기는 숙모의 돈을 훔쳐 수만에게 줌.

문기와 수만이의 ❷◻◻ 갈등

문기의 내적 갈등	문기는 숙모의 돈을 훔친 일과 점순이 누명을 쓴 일로 죄책감을 느낌. → 교통사고를 당한 뒤 삼촌에게 모든 사실을 고백함. → 죄책감에서 벗어나 마음이 가벼워짐.

제목 '하늘은 맑건만'의 의미

• 맑은 하늘은 양심을 속인 죄책감으로 괴로워하는 문기의 상황과 ❸◻◻를 이룬다.
• 맑은 하늘을 떳떳하게 쳐다볼 수 있는 정직한 사람이 되고 싶은 문기의 바람을 드러낸다.

**어휘
다지기**

1 사다리타기에 따라, 빈칸에 들어갈 어휘의 뜻을 〈보기〉에서 찾아 그 번호를 쓰시오.

┌─● 보기 ●──────────────────────────────┐
│ ① 사이가 조금 생기다.   │
│ ② 튼튼하지 못하고 빈틈이 있다.   │
│ ③ 일정한 수나 양에서 모자람이 생기게 하다.   │
│ ④ 옷 따위가 낡아 해지고 차림새가 너저분하다.   │
└──────────────────────────────────────┘

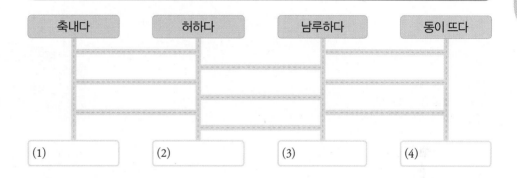

| 축내다 | 허하다 | 남루하다 | 동이 뜨다 |

(1)　　　(2)　　　(3)　　　(4)

2 밑줄 친 단어의 뜻을 〈보기〉에서 찾아 그 번호를 쓰시오.

┌─● 보기 ●──────────────────────────────┐
│ ① 잘못 저지른 실수.   │
│ ② 마음에 거짓이나 꾸밈이 없이 바르고 곧음.   │
│ ③ 염치나 두려움이 없이 제 고집대로 버티는 힘.   │
└──────────────────────────────────────┘

(1) 그것은 제 <u>허물</u>을 남에게 밀려는 얄미운 구실이 아니고 뭐냐. ············· (　　)

(2) 문기는 떳떳이 얼굴을 들고 집으로 들어갈 수 있을 만한 <u>뱃심</u>을 만들려 한다. (　　)

3 제시된 단어의 뜻을 참고하여 다음 초성에 해당하는 단어를 쓰시오.

(1) ㅅ ㅎ : 몹시 귀찮게 구는 일. ··· (　　)

(2) ㄷ ㅊ : 벽의 위쪽에 자그맣게 만든 창. ······························· (　　)

어휘 ➕ 상황에 맞는 한자 성어

4 〈보기〉의 밑줄 친 상황을 한자 성어로 바르게 나타낸 것은?

┌─● 보기 ●──────────────────────────────┐
│ 　먼저는 동네 아이들이 모여 지껄지껄하더니 차차 하나 가고 둘 가고 훌쩍훌쩍 우는 그 │
│ 소리만 남는다. 방 안의 <u>문기는 그 밤을 뜬눈으로 새웠다.</u>   │
└──────────────────────────────────────┘

① 전전반측(輾轉反側)　　② 속수무책(束手無策)　　③ 주마간산(走馬看山)

④ 감탄고토(甘呑苦吐)　　⑤ 문일지십(聞一知十)

(우측 여백) 2. 소설

(우측 여백) 정답과 해설 16쪽

실전 02 고무신 | 오영수

이 작품은 산기슭 마을에 종종 찾아오는 젊은 엿장수와 식모살이를 하는 남이의 애틋한 사랑 이야기를 담은 단편 소설이다. 작품에 사용된 비유와 상징의 표현 효과를 이해하며 작품을 감상해 보자.

✏ 핵심 짚기

| 발단 | 전개 | 위기 | 절정 | 결말 |

● 인물
· 남이 철수네 집 **❶ ㅅ ㅁ**로, 철수가 추석치레로 사 준 **❷ ㄱ ㅁ ㅅ**을 애지중지함.
· 엿장수 엿을 파는 총각으로, 매일 엿판을 메고 마을에 들어와 아이들에게 즐거움을 줌.

● 배경
· 시간적 1940년대 후반, 봄
· 공간적 바다가 보이는 산기슭 마을

● 사건
남이는 식모로 일하는 집의 아이들인 영이와 윤이가 자신이 애지중지하는 고무신을 **❸ ㅇ**으로 바꿔 먹자 엿장수에게 항의함.

● 비유적 표현과 효과
· 남이는 가시처럼 꼭 찌르는 소리로
· 엿장수는 수양버들 봄바람 맞듯 연신 히죽거리며
· → 표현하려는 대상의 모습이나 심리를 더 구체적이고 생생하게 표현함.

빈칸 답
❶ 식모 ❷ 고무신 ❸ 엿

● 연신 잇따라 자꾸.
● 도가 동업자들이 모여서 계나 장사에 관해 의논하는 집. 여기서는 엿장수가 팔 엿을 받아 오는 곳을 뜻함.

앞부분의 줄거리 귀환 동포가 모여 사는 가난한 산기슭 마을 아이들의 유일한 즐거움은 날마다 찾아오는 엿장수를 기다리는 것이다. 어느 날 철수의 아이들인 영이와 윤이가 식모로 일하는 남이의 옥색 고무신을 엿으로 바꾸어 먹는 사건이 발생한다. 철수네 부부에게 선물 받은 후로 아까워 잘 신지도 않던 옥색 고무신을 잃은 남이는 이 일로 몹시 속상해한다.
↳ 전쟁이나 징용으로 외국에 나갔다가 고국으로 돌아온 사람을 부르는 말.
↳ 남의 집에 고용되어 주로 부엌일을 맡아 하는 여자.

[A]

엿장수가 엿판을 길목에 내리자 남이는 가시처럼 꼭 찌르는 소리로, / "보소!"

엿장수는 놀란 듯 힐끗 한 번 돌아보고는 담을 싼 아이들을 헤치고 남이에게로 오는데 남이는 입을 쌜쭉하면서 대뜸, / "내 신 내놓소!"

했다. / 엿장수는 걸음을 멈추고 한참 동안 남이를 바라보다 말고 은근한 말투로,

"신은 웬 신요?"

하고는 상대편의 의심을 받을 만큼 히죽이 웃어 보이자, 남이는 눈이 까칠해 가지고,

"잡아떼면 누가 속을 줄 아는가 베!"

그러나 ㉠ 엿장수는 수양버들 봄바람 맞듯 연신 히죽거리며,

"뭘요? 그믐밤에 홍두깨도 분수가 있지."
↳ 별안간 엉뚱한 말이나 행동을 함을 비유하여 이르는 말.

남이는 발끈하고, / "신 말이오!" / "신을요?"

"어제 우리 집 아이들을 꾀어 간 옥색 고무신 말이오!" 〈중략〉

엿장수는 손짓으로 어르듯 달래듯,

"가만있소. 도가에 가 보고 신이 있으면야 갖다 주고말고. 만일 신이 없으면 새 신이라도 사다 줄게요. 염려 마소!"

하고는 남이의 발을 눈잼하는데, 이때 난데없이 굵다란 벌 한 마리가 날아와 남이의 얼굴
↳ 눈짐작. 눈으로 헤아려 보는 짐작.
주위를 잉잉 날아돈다. 남이는 상을 찌푸리고 한 손을 내저어 벌을 쫓고, 목을 돌리고 하는데, 벌은 갑자기 남이 저고리 앞섶에 붙어 가슴패기로 기어오르고 있다.

이것을 조마조마 보고 있던 엿장수는, / "가, 가만……."

하고는 한걸음에 뛰어들어, "요놈의 벌이." / 하고 손바닥으로 벌을 딱 덮어 눌렀다.

옆에서 보기에도 민망스러운 순간이었다.
↳ 낯을 들고 대하기에 부끄러운 데가 있는.
남이는 당황하면서도 귀 언저리를 붉히고 한 걸음 뒤로 물러서자 함께, 엿장수 손아귀에는 벌이 쥐어졌다. 쥐인 벌은 고스란히 있을 리가 없다. 한 번 잉 소리를 내고는 그만 손바닥을 쏘아 버렸다. 동시에 엿장수는, / "앗!"

하고, 쥐었던 손을 펴 불며 앙감질을 하는 꼴이 남이는 어떻게나 우스웠던지 그만 손등으로 입을 가리고 킥킥 하고 웃어 버렸다. 엿장수는 반은 울상 반은 웃는 상 남이를 바라보는데, 남이의 송곳니가 무척 예뻐 보였다.
↳ 한 발은 들고 한 발로만 뛰는 짓.

1 **이 글의 서술상 특징으로 적절한 것은?**

① 여러 사건을 요약적으로 나열하여 제시하고 있다.

② 인물의 말과 행동을 중심으로 사건을 서술하고 있다.

③ 인물의 성격과 행동을 서술자가 직접 평가하고 있다.

④ 과거의 일을 현재에 일어나는 일처럼 표현하여 현장감을 높이고 있다.

⑤ 이야기 속의 주변 인물인 서술자가 인물의 심리를 직접 제시하고 있다.

갈등 양상 파악하기

2 **[A]에 나타난 갈등의 양상과 유사한 것은?**

① 잘못 받은 거스름돈을 사용하여 죄책감에 시달리는 문기

② 정성스레 키운 해바라기가 태풍에 날아갈까 걱정하는 효주

③ 하나 남은 아이스크림을 먹기 위해 서로 싸우는 현주와 지원

④ 학교의 두발 규제에 불만을 품고 머리카락을 40cm로 길러 묶고 다니는 경구

⑤ 기말고사 하루 전 아이돌 콘서트를 갈지, 시험 대비 공부를 할지 고민하는 정아

표현 방법 파악하기

💡 도움말
　㉠에서는 '−듯'이라는 연결어를 사용하여 엿장수가 히죽거리는 모습을 수양버들이 봄바람 맞는 모습에 빗댄 표현 방법이 사용되었다.

3 **㉠과 같은 표현 방법이 사용된 것은?**

① 나는 아직 기다리고 있을 테요, 찬란한 슬픔의 봄을.

② 크게 버리는 사람만이 크게 얻을 수 있다는 말이 있다.

③ 지는 것도 권태거늘 이기는 것이 어찌 권태 아닐 수 있으랴?

④ 아버님은 풀과 나무와 흙과 바람과 물과 햇빛으로 집을 지으시고

⑤ 불도저가 성난 맹수처럼 거대한 바위를 향하여 서서히 다가가고 있었다.

설명에 맞는 소재 찾기

주관식

4 **사건 전개 과정에서 다음의 역할을 하는 소재를 이 글에서 찾아 한 단어로 쓰시오.**

> • 남이와 엿장수를 연결하는 매개체이다.
> • 남이와 엿장수의 외적 갈등을 해소한다.

● 인물의 성격과 특징

남이	엿장수에게 호감이 있지만 마음을 적극적으로 표현하지 못함.
엿장수	남이를 좋아하는 마음을 ❶ㅈㄱㅈ으로 표현하지 못하고 남이 주변을 맴돎.
철수 내외	식모인 남이를 식구처럼 대하며 아낌.
영이, 윤이	천진난만하고 철이 없음. 남이를 식구로 생각하고 있음.
남이 아버지	가부장적인 사고방식을 가지고 있음. 독단적임.

● 소재의 의미와 기능

옥색 고무신	남이와 엿장수를 이어 주는 ❷ㅁㄱㅊ이자, 남이와 엿장수의 애틋한 사랑을 상징함.
벌	남이와 엿장수를 이어 주며 둘 사이의 갈등을 해소하는 매개체
울음 고개	남이와 엿장수가 ❸ㅇㅂ하는 장소, 남이를 떠나보내는 엿장수의 슬픈 마음을 상징함.

┃빈칸 답
❶ 적극적 ❷ 매개체 ❸ 이별

- **억실억실하다**┃얼굴 모양이나 생김새가 선이 굵고 시원시원하다.
- **모퉁이**┃구부러지거나 꺾어져 돌아간 자리.
- **어이한**┃'어찌한'을 예스럽게 이르는 말. 여기서는 '어디서 생겼는지 알 수 없는'의 뜻으로 쓰임.
- **멀거니**┃정신없이 물끄러미 보고 있는 모양.

생략된 부분의 줄거리 이튿날부터 깨끗한 옷으로 갈아입은 엿장수가 남이를 보기 위해 동네에 자주 나타나 남이 주변을 맴돈다. 봄기운이 완연한 어느 날 남이의 아버지가 찾아와 남이를 시집보내기 위해 데려가겠다고 한다. 남이는 동네를 떠나기 싫어 울고, 철수는 남이를 타이른다. 남이는 어쩔 수 없이 아버지를 따라가기로 한다.

철수 아내는 이모저모 남이 옷맵시를 보아주고, "어서 가거라. 너 잔치할 때는 너 아저씨가 가든지 내가 가든지 꼭 할 테니."

그러나 남이는 한 마디 인사말도 없이 영이와 윤이를 찾는다. 골목에 나가 있던 영이와 윤이는 남이의 달라진 모양을 보고 눈이 똥그레져서, "아지마, 어데 가노?" / 하고 묻는다.

남이는 대답도 않고 두 아이를 데리고 건넌방으로 들어가, 영이와 윤이를 세운 채 두 팔로 가둬 안고, / "윤아, 아지마 가면 니 빠빠 누가 줄꼬?" / 하자, 영이가 또,

"아지마, 어데 가노?" / 하고 묻는다. 남이는 목멘 낮은 소리로, / "우리 집에 간다."

그러나 영이는, / "거짓말이다. 이거 너거 집 앙이고 머고?" / 하고 발까지 구르며 짜증을 낸다. 갑자기 윤이가 그 넓적한 입을 삐죽거리면서 억실억실한 눈에 눈물을 함빡 가둔다. 남이는 지그시 팔에 힘을 준다. 윤이 눈에서 눈물 한 방울이 떨어져 남이의 자줏빛 옷고름에 얼룩이 진다.

바로 이때다. 골목에서 엿장수 가위 소리가 들려왔다. 남이는 재빨리 윤이를 업고, 영이의 손목을 잡은 채 밖으로 나갔다. 남이 아버지는 벌써 저만치 철수와 하직을 하면서 내려가고, 엿장수는 막 철수네 집 앞에서 대문을 나서는 남이와 마주쳤다. 엿장수는 얼빠진 사람처럼 남이를 바라보는데 남이의 눈에는 순간 어두운 그림자가 지나갔다. / 남이는 윤이를 업은 채 허리를 굽히고, 몸을 약간 돌려 치맛자락을 걷고 빨간 콩 주머니에서 십 원짜리 두 장을 꺼내 엿장수를 주었다. 엿장수는 그제서야 눈을 돌려 남이와 돈을 번갈아 보다 말고, 신문지 조각에 ㉠엿을 네댓 가락 싸서 아무 말도 없이 돈과 함께 내민다.

남이는 약간 망설이다가 역시 암말도 없이 한 손으로 받아 가지고는 영이를 앞세우고 안으로 들어왔다. 엿장수는 멍하니 대문만 쳐다보고 있다가 침을 한 번 꿀꺽 삼키고 나서 엿판을 둘러메고는 혼잣말로, "꽃놀이를 가면 자천 골짜기지. 그럼 한 걸음 앞서 울음 고개로 질러감 되겠지." / 이렇게 중얼대면서 엿장수는 빠른 걸음으로 담 모퉁이를 돌아 울음 고개로 향해 갔다. / 남이는 그 엿장수에게서 받은 엿을 영이에게 둘, 윤이에게 둘 각각 손에 쥐여 주고서도 한 동강이 잘라 입에 넣고는 손수건으로 윤이 눈물 자국과 영이 코밑을 닦아 주고서야 보퉁이를 들고 일어섰다. / 영이와 윤이는 엿 먹기에 여념이 없었다.

철수 아내는 보퉁이 한 개를 들고 따라 나오면서 남이에게 귀엣말로 뭣을 일러 주고…… 이래서 남이는 떠나간다. 다만 한 가지 철수 내외에게 수수께끼는 마을 중턱에서 남이를 보내고 서서 그의 뒷모양을 바라보는데, 남이가 어이한 ㉡옥색 고무신을 신고 가는 것이다. 더구나 한 번도 신지 않은 새것을……

철수 내외는 서로 얼굴만 쳐다볼 뿐 도로 물어본달 수도 없고 해서 그만두었다.

보리밭 사이 조그만 언덕길로 옥색 고무신을 신은 남이는 갔다. 자천 골짜기로 꽃놀이를 가는 줄만 알았던 남이가 난데없는 영감 하나를 따라가고 있는 광경을 엿장수는 ㉢울음 고개 위에서 멀거니 바라보고 있는 것을 남이 자신이야 알 리도 없었다.

인물의 특성 파악하기 **5**

이 글의 등장인물에 대한 설명으로 적절하지 않은 것은?

① 엿장수는 자신의 마음을 적극적으로 표현하지 못한다.
② 철수 아내는 자기 집 식모인 남이를 세심하게 배려한다.
③ 영이와 윤이는 자신들을 때리고 꼬집었던 남이를 미워한다.
④ 남이는 아버지의 뜻을 거역하지 못하고 아버지를 따라간다.
⑤ 남이 아버지는 남이의 의사도 묻지 않고 남이를 데리고 갈 정도로 독단적이다.

● **독단적** | 남과 상의하지 않고 혼자서 판단하거나 결정하는 것.

소재의 의미 파악하기 **6**

㉠~㉢에 대한 설명으로 적절하지 않은 것은?

① ㉠: 남이에 대한 엿장수의 마음을 의미한다.
② ㉡: 남이와 엿장수의 애틋한 사랑과 이별을 상징한다.
③ ㉡: 철수 내외가 새로 사 주어 남이가 아끼는 물건이다.
④ ㉢: 엿장수가 남이를 떠나보내는 장소이다.
⑤ ㉢: 남이와 엿장수의 슬픈 이별을 상징한다.

사회·문화적 배경 파악하기 **7**

[고난도]

〈보기〉의 사회·문화적 배경과 관련하여 이 글을 이해한 것으로 적절한 것은?

◈ 보기 ◈

사회·문화적 배경은 문학 작품의 배경이 되는 사회의 정치·사회·문화적 상황이나 문화적 특성, 역사적 사건 등을 의미한다. 문학 작품의 사회·문화적 배경을 파악하기 위해서는 상황과 사건에 대응하는 인물들의 태도를 파악해야 한다.

💡 도움말
작가는 의식적 혹은 무의식적으로 당대의 사회·문화적 배경을 작품에 반영한다. 사회·문화적 배경은 인물의 말과 행동, 나아가 사건 전개에도 영향을 미친다.

● **가부장적** | 가부장이 가족에 대해 절대적인 권력을 행사하는 것.

① 남이가 마을을 떠날 때 새 옥색 고무신을 신는 것으로 보아, 당시에는 고향에 갈 때 새 신발을 신어야 했다.
② 남이가 자신의 혼사를 독단적으로 결정한 아버지를 결국 따른 것으로 보아, 당시 사회에는 가부장적 분위기가 강했다.
③ 철수 내외가 남이의 새 옥색 고무신을 보고 의아해하는 것으로 보아, 당시에 식모는 새 물건을 구매할 권리가 없었다.
④ 남이가 자기 집으로 간다는 말에 영이가 짜증을 낸 것으로 보아, 당시에는 식모가 주인집 아이들의 눈치를 봐야 했다.
⑤ 엿장수가 돈을 받지 않고 남이에게 엿을 준 것으로 보아, 당시에는 남녀가 서로에게 적극적으로 마음을 표현할 수 있었다.

인물의 심리 파악하기 **8**

[주관식]

엿장수가 '울음 고개'에 가 있는 이유를 한 문장으로 쓰시오.

전체 구성

발단 귀환 동포가 모여 사는 산기슭 마을의 아이들에게 유일한 즐거움은 매일 찾아오는 엿장수를 기다리는 일이다.

전개 남이의 옥색 고무신을 영이와 윤이가 엿과 바꿔 먹고, 남이는 고무신을 돌려 달라고 엿장수에게 성화를 부린다. 엿장수가 남이의 저고리에 붙은 벌을 쫓으려다 벌에 쏘인다. ┈ 80쪽 수록

위기 엿장수는 남이를 보려고 동네에 자주 나타난다. 그러던 어느 날, 남이 아버지가 찾아와 남이를 데려가 시집을 보내겠다고 한다.

절정 남이가 떠나기 직전, 때마침 나타난 엿장수에게 엿을 받고 영이와 윤이에게 나누어 준다. ┈ 82쪽 수록

결말 남이는 정든 마을을 떠나고, 엿장수는 옥색 고무신을 신고 떠나는 남이를 울음 고개에서 바라본다. ┈ 82쪽 수록

해제

산기슭 마을에 찾아온 봄을 배경으로 식모살이를 하는 남이와 마을에 드나드는 엿장수 청년의 애틋한 사랑을 다룬 단편 소설로, 남녀의 순수한 사랑을 엿과 고무신을 매개로 하여 서정적으로 그리고 있다. 남이와 엿장수는 갑자기 나타난 남이 아버지 때문에 안타까운 이별을 맞이한다. 엿장수가 사 준 것으로 짐작되는 옥색 고무신을 신고 떠나가는 남이의 뒷모습을 엿장수가 울음 고개에서 지켜보는 마지막 장면은 긴 여운을 남긴다.

주제

남이와 엿장수의 애틋한 사랑과 이별

등장인물의 특성

남이	철수네 집 식모로, 엿장수에게 호감이 있지만 마음을 적극적으로 표현하지 못함. 내키지는 않지만 자신을 시집보내려는 아버지를 따라 마을을 떠남.
엿장수	매일 엿판을 메고 마을에 들어와 산기슭 마을의 아이들에게 즐거움을 줌. 남이를 좋아하는 마음을 적극적으로 표현하지 못하고 남이 주변을 맴도는 순박함을 지님.
철수 내외	가난한 산기슭 마을에 살며 맞벌이를 하는 평범한 부부. 식모인 남이를 식구처럼 대하고 아낌.
영이, 윤이	철수 내외의 여섯 살, 네 살 난 두 아들로 천진난만하고 철이 없음. 남이를 ❶□□로 대하고 친누이처럼 따르며 좋아함.
남이 아버지	일흔의 노인으로, 3년 동안 소식이 없다가 갑자기 철수네 집을 찾아와 남이를 시집보내겠다고 함. 가부장적이며 독단적인 성격을 지님.

소재의 의미와 기능

이 작품에는 상징적 소재가 등장한다. 상징은 추상적인 관념을 구체적인 사물로 대신 나타내는 방법으로, 상징적 소재의 의미는 다양하게 해석될 수 있다.

❷□□□	[전반부] 남이와 엿장수를 이어 주는 매개체 [후반부] 남이와 엿장수의 순수하고 애틋한 사랑을 상징하면서 이별의 슬픔을 심화함.
벌	남이와 엿장수를 이어 주며 둘 사이의 갈등을 해소하는 매개체
울음 고개	남이와 엿장수가 이별하는 장소이자 남이를 떠나보내는 엿장수의 슬픈 마음을 의미함.

작품에 나타난 비유적 표현

비유적 표현을 활용하면 표현하려는 대상의 모습이나 심리를 더욱 구체적이고 실감 나게 표현할 수 있다.

가시처럼 꼭 찌르는 소리로	매우 사나운 소리를 비유적으로 표현함. 자신의 고무신을 가져간 엿장수에 대한 남이의 불만스러운 마음을 드러냄.
수양버들 봄바람 맞듯	남이를 보며 연신 히죽거리는 엿장수의 모습을 비유적으로 표현함. 엿장수가 처음부터 남이에게 ❸□□을 가지고 있었음을 드러냄.

빈칸 답 ❶ 식구 ❷ 고무신 ❸ 호감

1 다음 뜻에 해당하는 단어를 말 상자에서 찾아 표시하시오.

(1) 잇따라 자꾸.

ⓔ 엿장수는 수양버들 봄바람 맞듯 (　　　　) 히죽거리며

(2) 구부러지거나 꺾어져 돌아간 자리.

ⓔ 빠른 걸음으로 담 (　　　　)을/를 돌아

(3) 동업자들이 모여서 계나 장사에 대한 의논을 하는 집.

ⓔ (　　　　)에 가 보고 신이 있으면 갖다 주고말고.

관	연	주	광
상	황	도	필
통	십	가	모
패	한	참	퉁
연	신	맥	이

2 다음의 뜻에 알맞은 단어를 서로 연결하시오.

(1) 지름길로 가다.　·　　　　　·　① 민망스럽다

(2) 낯을 들고 대하기에 부끄러운 데가 있다.　·　　　·　② 질러가다

(3) 얼굴 모양이나 생김새가 선이 굵고 시원시원하다.　·　　·　③ 억실억실하다

3 제시된 뜻에 알맞은 단어를 〈보기〉에서 선택한 글자를 조합하여 만드시오.

● 보기 ●

| 감 | 금 | 채 | 앙 | 위 | 질 | 태 |

한 발은 들고 한 발로만 뛰는 짓.

(　　　　　　　　)

어휘 ➕ 의미가 유사한 속담 찾기

4 다음 밑줄 친 부분의 속담과 의미가 유사한 것을 고르시오.

"뭘요? 그믐밤에 홍두깨도 분수가 있지."

① 빈 수레가 요란하다　　　　② 계란에도 뼈가 있다

③ 같은 값이면 다홍치마　　　　④ 자다가 봉창 두드린다

⑤ 발 없는 말이 천 리 간다

실전 03 수난이대 | 하근찬

이 작품은 일제의 강제 징용과 6·25 전쟁을 겪은 두 세대가 화합과 협동을 통해 민족적 수난을 극복하려는 의지를 담은 소설이다. 작품에 드러난 사회·문화적 배경에 주목하며 감상해 보자.

✎ 핵심 짚기

발단 전개 위기 절정 결말

● **인물**
- **만도** 태평양 전쟁 당시 강제 **❶ㅈ
ㅇ**을 갔다가 왼쪽 팔을 잃음.
- **진수** 만도의 아들. 6·25 전쟁에
참전했다가 한쪽 다리를 잃음.

● **배경**
- **시간적** 6·25 전쟁 직후
- **공간적** 경상도의 한 시골 마을

● **사건**
　만도가 전쟁터에서 돌아오는 아
들 진수를 마중하러 나감.

● **서술 시점**
- **3인칭 전지적 시점** 이야기 **❷ㅂ**
의 서술자가 등장인물의 심리까
지 모두 전달함.

● **구성**
- **입체적(❸ㅇㅅㅎ적) 구성** 과
거와 현재를 교차하여 서술함.

┃ 빈칸 답
❶ 징용 ❷ 밖 ❸ 역순행

● **전사** | 전쟁터에서 적과 싸우
다 죽음.
● **통지** | 기별을 보내어 알게 함.
● **노상** | 언제나 변함없이 한
모양으로 줄곧.
● **징용** | 일제 강점기에, 일본
제국주의자들이 조선 사람을
강제로 동원하여 부리던 일.
● **귓전** | 귓바퀴의 가장자리.
● **공습** | 공중 습격. 공군이 비행
기를 이용하여 총격이나 폭
격으로써 적을 습격하는 일.

㉮ 진수가 돌아온다. 진수가 살아서 돌아온다. 아무개는 전사했다는 통지가 왔고, 아무개는 죽었는지 살았는지 통 소식이 없는데, 우리 진수는 살아서 오늘 돌아오는 것이다. 생각할수록 어깻바람이 날 일이다. 그래 그런지 몰라도 박만도는 여느 때 같으면 아무래도 한두 군데 앉아 쉬어야 넘어설 수 있는 용머리재를 단숨에 올라채고 만 것이다. 가슴이 펄럭거리고 허벅지가 뻐근했다. / 그러나 그는 고갯마루에서도 쉴 생각을 하지 않았다. 들 건너 멀리 바라보이는 정거장에서 연기가 몰씬몰씬 피어 오르며, 삐익 기적 소리가 들려왔기 때문이다. 아들이 타고 내려올 기차는 점심 때가 가까워서야 도착한다는 것을 모르는 바 아니다. 해가 이제 겨우 산등성이 위로 한 뼘가량 떠올랐으니, 정오가 되려면 아직 차례 먼 것이다. 그러나 그는 공연히 마음이 바빴다. 〈중략〉

'삼대독자가 죽다니 말이 되나, 살아서 돌아와야 일이 옳고말고, 그런데 병원에서 나온다 하니 어디를 좀 다치기는 다친 모양이지만, 설마 나같이 이렇게 되진 않았겠지.'

[A] 　만도는 왼쪽 조끼 주머니에 꽂힌 소맷자락을 내려다보았다. 그 소맷자락 속에는 아무 것도 든 것이 없었다. 그저 소맷자락만이 어깨 밑으로 덜렁 처져 있는 것이다. 그래서 노상 그쪽은 조끼 주머니 속에 꽂혀 있는 것이다.

'볼기짝이나 장딴지 같은 데를 총알이 약간 스쳐 갔을 따름이겠지. 나처럼 팔뚝 하나가 몽땅 달아날 지경이었다면, 그 엄살스런 놈이 견뎌 냈을 턱이 없고말고.'

㉯ 징용에 끌려 나가는 사람들이었다. 그러니까, 지금으로부터 십삼사 년 옛날의 이야기인 것이다. 〈중략〉 바위 틈서리에 구멍을 뚫어서 다이너마이트 장치를 하는 것이었다. 장치가 다 되면 모두 바깥으로 나가고, 한 사람만 남아서 불을 댕기는 것이다. 그리고 그것이 터지기 전에 얼른 밖으로 뛰어나와야 한다. / 만도가 불을 댕기는 차례였다. 모두 바깥으로 나가 버린 다음 그는 성냥을 꺼냈다. 그런데 웬 영문인지 기분이 꺼림칙했다. 모기에게 물린 자리가 자꾸 쑥쑥 쑤시는 것이었다. 긁적긁적 긁어 댔으나 도무지 시원한 맛이 없었다. 그는 이맛살을 찌푸리면서 성냥을 득! 그었다. 그래 그런지 몰라도 불은 이내 픽 하고 꺼져 버렸다. 성냥 알맹이 네 개 째에서 겨우 심지에 불이 댕겨졌다. 심지에 불이 붙는 것을 보자, 그는 얼른 몸을 굴 밖으로 날렸다. 바깥으로 막 나서려는 때였다. 산이 무너지는 듯한 소리와 함께 사나운 바람이 귓전을 후려갈기는 것이었다. 만도는 정신이 아찔했다. 공습이었던 것이다. 산등성이를 넘어 달려든 비행기가 머리 위로 아슬아슬하게 지나가는 것이었다. 미처 정신을 차리기도 전에 또 한 대가 뒤따라 날아드는 것이 아닌가. 만도는 그만 넋을 잃고 굴 안으로 도로 달려 들어갔다. 달려 들어 가서 굴 바닥에 아무렇게나 팍 엎드리고 말았다. 그 순간이었다. 쾅! 굴 안이 미어지는 듯하면서 다이너마이트가 터졌다. 만도의 두 눈에서 불이 번쩍했다. / 만도가 어렴풋이 눈을 떠 보니, 바로 거기 눈 앞에 누구의 것인지 모를 팔뚝이 아무렇게나 던져져 있었다.

글의 특징 파악하기 **1** **이 글에 대한 설명으로 적절한 것은?**

① 현실에 저항하는 인물이 등장한다.

② 인물과 자연 간의 갈등이 드러난다.

③ 전쟁 직후라는 시대적 상황이 반영되어 있다.

④ 전쟁이 한창인 때 폐허가 된 도시를 배경으로 한다.

⑤ 인물 간의 대립을 통해 당대 사회를 비판하고 있다.

인물의 심리 파악하기 **2** **(가)에 드러나는 만도의 심리로 가장 적절한 것은?**

① 아들이 다치지 않았을 것이라 확신한다.

② 아들이 엄살을 부릴까 봐 불안하고 답답하다.

③ 한쪽 팔이 없는 모습을 아들에게 보여 주기가 부끄럽다.

④ 아들이 살아 돌아온다는 사실에 기쁘면서도 어딘가 불안하다.

⑤ 아들이 자신처럼 불구가 되었을 것 같다는 불길한 예감에 사로잡혀 있다.

표현상의 특징 파악하기 **3** **(나)의 표현상 특징으로 적절한 것은?**

💡 **도움말**

　이 소설은 현재와 과거가 교차하여 서술되는 입체적(역순행적) 구성을 취하고 있다. (나)는 과거 만도가 강제로 징용되었을 때 사고로 왼쪽 팔을 잃는 장면이다.

① 현재형으로 서술하여 현장감을 더하고 있다.

② 인물 간의 갈등을 직접적으로 보여 주고 있다.

③ 짧은 문장을 사용하여 긴박한 상황을 표현하고 있다.

④ 비극적인 상황을 반어적 표현을 통해 드러내고 있다.

⑤ 서술자가 만도의 말과 행동만을 관찰하여 서술하고 있다.

세부 내용 파악하기 **4** **(나)에서 비극적인 사건의 발생을 암시하는 내용이 아닌 것은?**

① 성냥에 불이 잘 붙지 않았다.

② 만도는 웬 영문인지 기분이 꺼림칙했다.

③ 만도는 모기에게 물린 자리가 자꾸 쑤셨다.

④ 모기 물린 자리를 긁어 댔으나 시원하지 않았다.

⑤ 장치가 다 된 후 만도를 제외하고 모두 바깥으로 나갔다.

문장의 의미 파악하기 **5** 주관식

[A]의 외양 묘사를 통하여 말하고자 하는 바를 10자 내외의 한 문장으로 쓰시오.

✏ 핵심 짚기

발단 전개 **위기** 절정 결말

● **갈등 양상**
· **표면적 갈등** 만도와 진수의 ❶ ㅇ
ㅈ 갈등
· **이면적 갈등** 만도, 진수와 그들
을 둘러싼 시대 상황(일제 강점
기, 6·25 전쟁)과의 갈등 → 인
물과 사회의 외적 갈등

● **사건**
만도는 전쟁터에서 한쪽 다리를
잃고 온 진수를 보고 참담함과 ❷ ㅇ
ㅌ ㄲㅇ 을 느낌.

● **사회·문화적 배경**
· 강제 징용에 끌려가 열악한 상황
에서 일을 하다 몸을 다치고 후
유증을 얻은 사람이 많음.
· ❸ ㅈㅈ 에서 죽거나 다친 사람
이 많았음.

│ 빈칸 답
❶ 외적 ❷ 안타까움 ❸ 전쟁

쨰애액 기차 소리였다. 멀리 산모퉁이를 돌아오는가 보다. 만도는 자리를 털고 벌떡 일어서며, 옆에 놓아둔 고등어를 집어 들었다. ㉠<u>기적 소리가 가까워질수록 그의 가슴이 울렁거렸다.</u> 대합실 밖으로 뛰어나가 플랫폼이 잘 보이는 울타리 쪽으로 가서 발돋움을 했다. 땡땡땡······. 종이 울자, 잠시 후 차는 소리를 지르면서 달려들었다. 기관차의 옆구리에서는 김이 픽픽 풍겨 나왔다. 만도의 얼굴은 바짝 긴장되었다. 시커먼 열차 속에서 꾸역꾸역 사람들이 나왔다. 꽤 많은 손님이 쏟아져 내리는 것이었다. 만도의 두 눈은 곧장 이리저리 굴렀다. 그러나 아들의 모습은 쉽사리 눈에 띄지 않았다. 저쪽 출찰구로 밀려가는 사람의 물결 속에 ㉡<u>두 개의 지팡이를 짚고 절룩거리면서 걸어 나가는 상이군인이 있었으</u>나, 만도는 그 사람에게 주의가 가지는 않았다. 기차에서 내릴 사람은 모두 내렸는가 보다. 이제 미처 차에 오르지 못한 사람들이 플랫폼을 이리저리 서성거리고 있을 뿐인 것이다.

'그놈이 거짓으로 편지를 띄웠을 리는 없을 건데······.'

㉢<u>만도는 자꾸 가슴이 떨렸다.</u> / '이상한 일이다.' / 하고 있을 때였다. 분명히 뒤에서,

"아부지!" / 부르는 소리가 들렸다. 만도는 깜짝 놀라며 얼른 뒤를 돌아보았다. ㉣<u>그 순간 만도의 두 눈은 무섭도록 크게 떠지고, 입은 딱 벌어졌다.</u> 틀림없는 아들이었으나, 옛날과 같은 진수는 아니었다. 양쪽 겨드랑이에 지팡이를 끼고 서 있는데, 스쳐 가는 바람결에 한쪽 바짓가랑이가 펄럭거리는 것이 아닌가. 만도는 눈앞이 노래지는 것을 어쩌지 못했다. 한참 동안 그저 멍멍하기만 하다 코허리가 찡해지면서 두 눈에 뜨거운 것이 핑 도는 것이었다.

[A] ┌ "에라이, 이놈아!" / 만도의 입술에서 모지게 튀어나온 첫마디였다. 떨리는 목소리였다. ㉤<u>고등어를 든 손이 불끈 주먹을 쥐고 있었다.</u>
└ "이기 무슨 꼴이고, 이기?" / "아부지!" / "이놈아, 이놈아······."

만도의 들창코가 크게 벌름거리다가 훌쩍 물코를 들이마셨다. 진수의 두 눈에서는 어느결에 눈물이 꾀죄죄하게 흘러내리고 있었다. 만도는 모든 게 진수의 잘못이기나 한 듯 험한 얼굴로, / "가자, 어서!" / 무뚝뚝한 한마디를 던지고는 성큼성큼 앞장을 서 가는 것이었다.

생략된 부분의 줄거리 화가 난 만도는 성큼성큼 앞장서 가 버리고 진수는 그런 만도를 열심히 따라가 보지만 결국 뒤처진다. 만도는 주막집 앞에 이르러서야 비로소 뒤를 한 번 돌아보고, 힘겹게 오줌을 누는 진수의 모습에 속상한 나머지 주막집에 들어가 여편네에게 술을 달라고 재촉한다.

술기가 얼근하게 돌자, 이제 좀 속이 풀리는 것 같아 방문을 열고 바깥을 내다 보았다. 진수는 이마에 땀을 척척 흘리면서 다 와 가고 있었다.

"진수야!" / 버럭 소리를 질렀다. / "이리 들어와 보래." / "······."

진수는 아무런 대꾸도 없이 어기적어기적 다가왔다. 다가와서 방문턱에 걸터앉으니까, 여편네가 보고, / "방으로 좀 들어오이소." / 한다. / "여기 좋심더."

그는 수세미 같은 손수건으로 이마와 코언저리를 아무렇게나 훔친다.

"마, 아무 데서나 묵어라. 저······ 국수 한 그릇 말아 주소." / "야."

"곱빼기로 잘 좀······. 참지름도 치소, 잉?" / "야아."

● **출찰구** │ 손님이 표를 내고
나가거나 나오는 곳.
● **상이군인** │ 전투나 군사상 공
무 중에 몸을 다친 군인.
● **꾀죄죄하다** │ 옷차림이나 모
양새가 매우 지저분하고 궁
상스럽다.

인물의 심리 파악하기 **6** ㉠~㉤에 대한 설명으로 적절하지 <u>않은</u> 것은?

① ㉠에서 만도의 가슴이 울렁거린 것은 진수를 만난다는 기대감 때문이다.

② ㉡에서 만도가 상이군인에게 주의를 기울이지 않은 것은 진수가 크게 다치지 않았을 것이라는 믿음 때문이다.

③ ㉢에서 만도의 가슴이 떨린 것은 불안감 때문이다.

④ ㉣에서 만도의 눈이 무섭도록 크게 떠지고 입이 딱 벌어진 것은 진수를 만난 반가움 때문이다.

⑤ ㉤에서 고등어를 든 만도의 손이 불끈 주먹을 쥔 것은 진수와 자신이 처한 현실에 대한 분노 때문이다.

인물의 심리 파악하기 **7** [A]에서 만도가 진수에게 모질게 말을 한 까닭으로 보기 <u>어려운</u> 것은?

① 진수의 처지가 안타까워서

② 진수의 모습에 속이 상해서

③ 진수의 태도가 마음에 들지 않아서

④ 불구가 된 진수로 인한 슬픔 때문에

⑤ 자신과 진수에게 닥친 절망적 현실에 대한 분노 때문에

사회·문화적 배경 파악하기 **8** 이 글에 나타난 당시의 시대 상황으로 적절한 것은?

① 항공기로 인한 물자 수송이 더욱 많아졌다.

② 산업화, 도시화로 인해 사람들이 인간성을 잃어 갔다.

③ 일제의 탄압으로 삶에 어려움을 겪는 사람들이 많았다.

④ 의학의 발달 덕분에 각종 부상을 쉽게 치료할 수 있었다.

⑤ 전쟁에 징병으로 끌려가 부상을 당하고 온 사람들이 있었다.

갈등 양상 파악하기 **9**

💡 **도움말**

　이 글에서 겉으로 드러난 주된 갈등은 만도와 진수의 외적 갈등이다. 이 외적 갈등의 양상은 시간적·공간적 배경의 흐름에 따라 변화하고 있다.

[고난도]

다음은 이 글에 나타난 공간적 배경의 흐름이다. A~C에 대한 설명으로 적절한 것은?

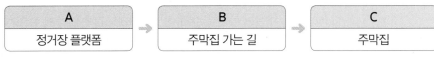

A		B		C
정거장 플랫폼	→	주막집 가는 길	→	주막집

① A에서 진수의 내적 갈등이 드러난다.

② A에서 진수의 눈물은 만도와 진수의 외적 갈등을 심화한다.

③ B에서 만도와 진수의 심리적 거리는 점점 가까워지고 있다.

④ C에서 만도의 태도는 만도와 진수의 갈등 해소를 암시한다.

⑤ C에서 만도와 주막집 여편네 사이에 또 다른 갈등이 발생하고 있다.

✎ 핵심 짚기

| 발단 | 전개 | 위기 | **절정** | **결말** |

● 인물의 성격

| 만도 | 긍정적이고 낙천적임. 생명력이 강함. 순박함. |
| 진수 | 앞으로의 삶에 대한 ❶ ㄱ ㅈ 이 많음. 순박하고 효심이 깊음. |

● 표현상 특징

• 사투리를 사용하여 글의 사실감과 현장감을 높이고 인물들의 순박한 성격을 부각함.
• 만도가 과거를 회상하는 부분은 ❷ ㅇ ㅇ ㅈ 으로 제시하고 현재 진행되는 이야기는 장면을 묘사하듯 제시함.

● 소재

• **외나무다리** 만도와 진수 앞에 놓인 고난을 의미함. 만도와 진수가 외나무다리를 건너는 장면은 현실 ❸ ㄱ ㅂ 의 의지를 상징함.
• **용머리재** 만도와 진수가 아직 넘지 않은 고개로, 그들이 앞으로 함께 넘어야 할 시련과 고난을 의미함. 더불어 화합을 통해 아픔을 극복할 수 있다는 희망을 상징함.

빈칸 답
❶ 걱정 ❷ 요약적 ❸ 극복

"아부지!" / "와?" / ㉠"이래 가지고 나 우째 살까 싶습니더."

㉡"우째 살긴 뭘 우째 살아? 목숨만 붙어 있으면 다 사능 기다. 그런 소리 하지 마라."

"……." / ㉢"나 봐라. 팔뚝이 하나 없어도 잘만 안 사나? 남 보기에 좀 덜 좋아서 그렇지, 살기사 왜 못 살아?"

㉣"차라리 아부지같이 팔이 하나 없는 편이 낫겠어예. 다리가 없어 노니, 첫째 걸어 댕기기에 불편해서 똑 죽겠심더."

"야야, 안 그렇다. 걸어 댕기기만 하면 뭐하노, 손을 지대로 놀려야 일이 뜻대로 되지."

"그럴까예?" / "그렇다니까. ㉤그러니까 집에 앉아서 할 일은 니가 하고, 나댕기메 할 일은 내가 하고, 그라면 안 대겠나, 그제?"

"예." / 진수는 가벼운 한숨을 내쉬며 아버지를 돌아보았다. 만도는 돌아보는 아들의 얼굴을 향해서 지그시 웃어 주었다. 〈중략〉

외나무다리가 놓여 있는 그 시냇물이다. 진수는 슬그머니 걱정이 되었다. 물은 그렇게 깊은 것 같지 않지만, 밑바닥이 모래흙이어서 지팡이를 짚고 건너가기가 만만할 것 같지 않기 때문이다. 외나무다리 위로는 도저히 건너갈 재주가 없고……. 진수는 하는 수 없이 둑에 퍼지르고 앉아서 바짓가랑이를 걷어 올리기 시작했다. 만도는 잠시 멀뚱히 서서 아들의 하는 양을 내려다보고 있다가, "진수야, 그만두고 자아, 업자." / 하는 것이었다.

"업고 건느면 일이 다 되는 거 아니가. 자아, 이거 받아라." / 고등어 묶음을 진수 앞으로 민다. / "……." / 진수는 퍽 난처해하면서, 못 이기는 듯이 그것을 받아 들었다. 만도는 등어리를 아들 앞에 갖다 대고 하나밖에 없는 팔을 뒤로 버쩍 내밀며, / "자아, 어서!"

진수는 지팡이와 고등어를 각각 한 손에 쥐고, 아버지의 등어리로 가서 슬그머니 업혔다. 만도는 팔뚝을 뒤로 돌리면서 아들의 하나뿐인

다리를 꼭 안았다. 그리고, / "팔로 내 목을 감아야 될 끼다." / 했다. 진수는 무척 황송한 듯 한쪽 눈을 찍 감으면서, 고등어와 지팡이를 든 두 팔로 아버지의 굵은 목줄기를 부둥켜안았다. 만도는 아랫배에 힘을 주며, '끙!' 하고 일어났다. 아랫도리가 약간 후들거렸으나, 걸어갈 만은 했다. 외나무다리 위로 조심조심 발을 내디디며 만도는 속으로, / '이제 새파랗게 젊은 놈이 벌써 이게 무슨 꼴고? 세상을 잘못 만나서 진수 니 신세도 참 똥이다, 똥!'

이런 소리를 주워섬겼고, 아버지의 등에 업힌 진수는 곧장 미안스러운 얼굴을 하며, '나꺼정 이렇게 되다니 아부지도 참 복도 더럽게 없지. 차라리 내가 죽어 버렸더라면 나았을 낀데…….' / 하고 중얼거렸다. / 만도는 아직 술기가 약간 있었으나, ⓐ용케 몸을 가누며 아들을 업고 외나무다리를 조심조심 건너가는 것이었다. 눈앞에 우뚝 솟은 용머리재가 이 광경을 가만히 내려다보고 있었다.

세부 내용 파악하기 **10** 이 글에 대한 감상으로 적절하지 <u>않은</u> 것은?

① 지혜: 만도는 진수에게 미안함을 느끼고 있어.

② 수민: 고등어는 만도와 진수의 협력을 잘 보여 주는 소재야.

③ 정태: 만도는 어려운 상황을 낙천적인 태도로 극복하려 하는군.

④ 선아: 결말 부분의 '용머리재'는 만도와 진수가 함께 헤쳐나갈 고난을 의미해.

⑤ 범준: 서로 의지하고 협력하여 현실의 문제를 극복하려는 의지가 작품의 주제인 것 같아.

표현상의 특징 파악하기 **11** 이 글에서 사투리를 사용하여 얻을 수 있는 효과로 적절하지 <u>않은</u> 것은?

① 현장감과 생동감을 높인다.　　　　② 사건을 빠르게 진행시킨다.

③ 공간적 배경을 짐작하게 한다.　　　④ 향토적인 느낌을 더해 준다.

⑤ 인물들의 꾸밈 없는 성격을 강조한다.

외부 자료를 통해 해석 **12** 하기

고난도　고1 학력평가 기출

〈보기〉를 참고하여 ㉠～㉤에 대해 반응한 내용으로 적절하지 <u>않은</u> 것은?

보기

　　중증 질환 등의 위기에 처한 사람은 아래와 같은 단계를 통해 그 상처를 극복한다. 위기에 처한 사람이 각 단계를 통과하기 위해서는 주변 사람의 격려와 지지가 필요하다.

Ⅰ단계	자신의 능력을 의심하고 미래에 대한 불안을 느낀다.
Ⅱ단계	울분, 좌절 등의 감정을 조절하기 시작하며 현실을 받아들인다.
Ⅲ단계	가치와 행동의 변화가 일어나서 심리적 극복이 이루어진다.

① ㉠에서 진수는 Ⅰ단계의 모습을 보여 주고 있어.

② ㉡에서 만도는 진수를 격려하며 진수를 Ⅱ단계로 이끌려 하고 있어.

③ ㉢에서 드러난 만도의 태도로 볼 때, 만도는 Ⅲ단계로 접어들었다고 볼 수 있어.

④ ㉣에서 진수는 만도의 뜻에 따라 Ⅰ단계에서 벗어나려는 의지를 드러내고 있어.

⑤ ㉤에서 만도는 진수가 Ⅰ단계에서 벗어날 방법을 제시하고 있어.

상징적 의미 파악하기 **13**

주관식

〈보기〉를 참고하여 ⓐ의 상징적 의미를 한 문장으로 서술하시오.

➕ 대유
　대상의 일부 혹은 특징으로 그 대상 전체를 나타내는 방법

보기

　　일제 강점기 징용으로 인해 한쪽 팔을 잃은 만도, 6·25 전쟁으로 인해 한쪽 다리를 잃은 진수의 대를 이은 수난은 당대에 우리 민족 전체가 겪은 아픔을 대유적으로 드러낸다. 결국 만도와 진수는 폭력적 사회 현실에 시련을 겪은 우리 민족을 상징하는 것이다.

전체 구성

발단 만도는 6·25 전쟁에 징집된 아들 진수가 돌아온다는 소식을 듣고 이른 아침부터 서둘러 기차역으로 마중 나간다. ··· 86쪽 수록

전개 만도는 기차역으로 가면서 아들이 병원에서 나온다고 했던 말을 떠올리며 아들이 많이 다쳤을까 불안해한다. 장거리에서 고등어를 산 만도는 정거장에 도착하여 아들을 기다리며 징용에 끌려가 폭발 사고로 왼팔을 잃게 된 과거를 회상한다. ··· 86쪽 수록

위기 전쟁터에서 돌아온 진수가 다리 하나를 잃었다는 것을 알게 된 만도는 분노와 절망을 느끼고, 애꿎은 진수에게 화를 내며 집으로 향한다. ··· 88쪽 수록

절정 만도는 주막에 들른 뒤, 논두렁길을 걸으며 진수에게서 한쪽 다리를 잃은 사연을 듣고 진수를 위로한다. ··· 90쪽 수록

결말 만도와 진수는 힘을 합해 외나무다리를 건너며 수난 극복의 의지를 드러낸다. ··· 90쪽 수록

해제

이 작품은 일제의 강제 징용에 의해 팔 한쪽을 잃은 만도와 6·25 전쟁에서 한쪽 다리를 잃은 아들 진수의 이야기를 담은 단편 소설이다. 이 작품은 만도와 진수에 걸친 2대의 불행을 민족 전체의 비극으로 형상화하면서도 만도와 진수가 협력하여 외나무다리를 건너는 장면을 통해 수난을 극복하고 새로운 삶을 이룩하려는 인간의 의지를 보여 주고 있다.

주제

민족의 수난과 이를 극복하려는 의지

등장인물의 처지와 작품의 사회·문화적 배경

이 작품은 일제 강점기부터 6·25 전쟁 이후까지의 민족적 수난을 중심 소재로 한다. 이에 따라 이 작품 속 인물들이 처한 상황과 인물들의 특성은 당대의 사회·문화적 배경과 깊이 연관되어 있다.

	만도	진수
시대적 상황	❶◻◻ 강점기	6·25 전쟁
겪은 수난	징용에 끌려가 강제 노동을 하던 중에 한쪽 팔을 잃음.	전쟁 중 수류탄 쪼가리에 맞아 한쪽 다리를 잃음.
대응 방식	낙천적 태도로 어려움을 극복하고자 함.	자신의 처지를 비관하며 앞날을 걱정함.
당시의 생활상	• 징용과 전쟁 등으로 인해 가족과 이별하거나, 몸을 다치는 일이 많았음. • 강제 징용에 끌려간 경우에 열악한 환경 속에서 힘든 일을 해야 했음.	

소재의 기능과 상징적 의미

작가는 소재들에 다양한 기능과 상징적 의미를 부여하여, 화합과 협력을 통한 민족적 시련의 극복이라는 주제 의식을 형상화하고 있다.

외나무다리	• 만도 부자에게 닥친 시련 • 만도 부자가 서로 도우며 살아갈 수 있을 것이라는 가능성을 보여 줌.
❷◻◻◻	• 아들에 대한 만도의 애정이 드러남. • 부자간의 화합과 협력을 의미함.
국수	아들에 대한 만도의 애정을 드러냄.
용머리재	• 만도와 진수가 앞으로 함께 넘어야 할 시련과 고난을 의미함. • 화합을 통해 아픔을 극복할 수 있다는 희망을 드러냄.

작품의 창작 의도와 주제 의식

• 한 가족의 비극을 통해 우리 민족 전체의 비극을 상징적으로 보여 주고 있음.
• 만도와 진수가 서로 협력하여 ❸◻◻◻◻◻를 건너는 모습을 제시하여 화합과 협력을 통한 시련의 극복 의지를 드러내고 있음.

어휘 다지기

1 사다리타기에 따라, 빈칸에 들어갈 어휘의 뜻을 〈보기〉에서 찾아 그 번호를 쓰시오.

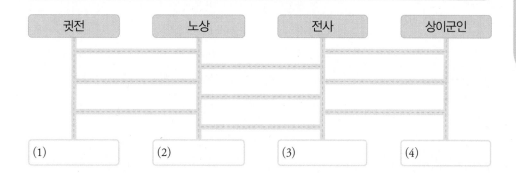

보기

① 귓바퀴의 가장자리.　　　② 전쟁터에서 적과 싸우다 죽음.

③ 언제나 변함없이 한 모양으로 줄곧.　④ 전투나 군사상 공무 중에 몸을 다친 군인.

귓전	노상	전사	상이군인
(1)	(2)	(3)	(4)

2 제시된 뜻에 알맞은 단어를 〈보기〉에서 선택한 글자를 조합하여 만드시오.

보기

| 구 | 계 | 기 | 입 | 장 | 찰 | 출 |

차나 배에서 내린 손님이 표를 내고 나가거나 나오는 곳.

(　　　　　　　　　)

3 다음 빈칸에 공통적으로 들어갈 단어의 기본형으로 알맞은 것을 고르시오.

• 그는 한참을 씻지 않은 사람처럼 (　　　　　).

• 아이들이 개울가에서 (　　　　　) 모습으로 아무렇게나 뒹굴며 놀고 있다.

① 모질다　　② 퍼지르다　　③ 황송하다　　④ 꾀죄죄하다　　⑤ 주워섬기다

어휘➕ 헷갈리기 쉬운 단어

4 다음 단어들의 뜻을 참고하여 괄호 안에 들어갈 알맞은 단어를 고르시오.

지그시 [부사]	지긋이 [부사]
1. 슬며시 힘을 주는 모양.	1. 나이가 비교적 많아 듬직하게.
2. 조용히 참고 견디는 모양.	2. 참을성 있게 끈지게.

● **끈지다** ┃ 오래 버티어 가는 끈기가 있다.

(1) 나는 모자를 (지그시 / 지긋이) 눌러 썼다.

(2) 수영이는 무서움을 떨치기 위해 (지그시 / 지긋이) 입술을 깨물었다.

(3) 아이는 나이답지 않게 어른들 옆에 (지그시 / 지긋이) 앉아서 이야기가 끝나길 기다렸다.

실전 04 연 | 이청준

이 작품은 '연'이라는 소재를 중심으로, 방황하는 아들과 그를 지켜보는 어머니의 이야기를 담은 단편 소설이다. 인물의 심리와 소재의 상징적 의미에 주목하여 작품을 감상해 보자.

✎ 핵심 짚기

발단 전개 위기 절정 결말

● 인물
• **어머니** 가난한 집안 사정 때문에 아들에게 상급 학교 진학을 포기시킨 후 아들이 고향을 떠날까 걱정함.
• **아들** ❶ㄱㄴ한 형편 때문에 상급 학교에 진학하지 못하자 연을 날리며 마음을 달램.

● 배경
• 시간적 어느 봄날
• 공간적 어느 마을

● (작품 전체) 사건
아들은 가정 형편 때문에 상급 학교에 진학하지 못하고 ❷ㅇ을 날리며 마음을 달래다가 연을 버리고 돈을 벌러 도회지로 나감.

┊ 빈칸 답
❶ 가난 ❷ 연

마을 쪽 하늘에선 연이 떠오르지 않는 날이 없었다.

연은 먼 하늘 여행을 꿈꾸는 작은 새처럼 하루 종일 마을 위를 맴돌았다.

들에서나 산에서나 마을 근처에선 언제 어디서나 ㉠새처럼 하늘을 떠도는 연을 볼 수 있었다. / 연이 하늘에 떠올라 있는 동안은 어머니도 마음이 차라리 편했다.

들에서나 산에서나 어머니는 이따금 자신도 모르게 그 연을 찾아 일손을 멈추곤 했다. 그리고 그 적막°스런 봄 하늘을 바라보며 허기진 한숨을 삼키곤 했다.

아비 없이 자란 놈이라 하는 수가 없는가 보았다.

"우리 집 처지에 상급 학교°가 당하기나° 한 소리냐. 이름자나마 쓰고 읽게 된 걸 다행으로 알거라." / 어미 곁에서 함께 땅이나 파고 살자던 소리가 아들놈의 어린 가슴에 못을 박은 모양이었다.

"상급 학교 못 가면 연이나 실컷 띄우고 놀 거야. 상급 학교 안 보내 준 대신 연실이나 많이 만들어 줘."

상급 학교 진학을 단념한 대신 아들놈은 그 철 늦은 연날리기 놀이를 시작했다. 연실 마련이 어려워서 제철에는 남의 집 애들 연 띄우는 거나 곁에서 늘 부러워해 오던 녀석이었다.

어머니는 큰맘 먹고 연실을 마련해 냈고, 아들놈은 그때부터 하고한° 날 연에만 붙어 지냈다.

┌ 봄이 되어 제 또래 아이들이 모두 마을을 떠나 읍내 상급 학교로 가 버린 다음에도 아들놈은 혼자서 그 파란 봄 보리밭 위로 하루같이 연만 띄워 올리고 있었다. 아침나절에 띄워 올린 연이 해 질 녘까지 마을의 하늘을 맴돌았다.

어머니는 언제 어디서나 그 아들의 연을 볼 수 있었다.

연을 보면 아들의 얼굴을 보는 것 같았고, 아들의 마음을 보는 것 같았다.

[A] 연은 언제나 머나먼 하늘 여행을 꿈꾸고 있는 작은 새처럼 보였고, 그래서 언젠가는 실줄을 끊고 마을의 하늘을 떠나가 버릴 것처럼 어머니의 마음을 불안하게 했다.

하지만 연이 그렇게 하늘에 떠올라 있는 동안엔 어머니도 아직은 마음을 놓을 수 있었다. 연이 하늘을 나는 동안은 어느 집 양지바른 담벼락 아래, 마을의 회관 뜰 한구석에, 또는 아지랑이 피어오르는 어느 보리밭 이랑 끝에 ㉡그 봄 하늘처럼 적막스럽고 외
└ 로운 아들의 모습이 선하기 때문이었다.

그래서 어머니는 아들놈의 연날리기를 탓해 본 일이 한 번도 없었다.

철 늦은 연날리기에 넋이 나간 아들놈을 원망해 본 일이 한 번도 없었다.

녀석의 마음이 고이 머물고 있는 연의 위로를 감사할 뿐이었다. / 연에 실린 아들의 마음이 하늘을 내려오는 저녁 연처럼 조용히 다시 마을로 가라앉기를 기다릴 뿐이었다.

● 적막 | 고요하고 쓸쓸함.
● 상급 학교 | 보다 높은 등급의 학교. 이 작품에서는 중학교를 가리킴.
● 당하다 | 사리에 마땅하거나 가능하다.
● 하고하다 | 많고 많다.

세부 내용 파악하기

1 **이 글의 내용으로 적절하지 않은 것은?**

① 아들은 아버지 없이 어머니와 함께 살고 있다.

② 아들은 집안 형편 때문에 상급 학교에 다닐 수 없었다.

③ 아들이 연을 날리자 어머니는 아들이 마음을 다잡았다고 생각했다.

④ 가난한 형편 때문에 아들은 지금까지 제대로 연날리기를 할 수 없었다.

⑤ 어머니는 상급 학교에 진학하지 못해 속상한 아들의 마음을 달래 주려고 연실을 마련했다.

인물의 심리 파악하기

2 **[A]에 드러난 어머니와 아들의 심리로 적절한 것은?**

💡 **도움말**

어머니의 심리는 '어머니의 마음을 불안하게 했다.', '아직은 마음을 놓을 수 있었다.'와 같이 서술자의 서술을 통해 직접 제시되는 데 비해, 아들의 심리는 하루 종일 연만 날리는 행위를 통해 간접 제시되고 있다.

	어머니	아들
①	성가시고 짜증이 남.	외롭고 답답함.
②	안도감이 들면서도 불안함.	외롭고 답답함.
③	안도감이 들면서도 불안함.	어머니에게 감사함을 느낌.
④	즐겁고 편안함.	어머니에게 감사함을 느낌.
⑤	즐겁고 편안함.	심심하고 지루함.

상징적 의미 파악하기

3 주관식

다음 ⓐ, ⓑ에 들어갈 말을 각각 한 단어로 쓰시오.

> 이 글에서 (ⓐ)은/는 아들의 연을 빗대어 표현한 대상이면서 아들의 연과 유사한 상징적 의미를 지닌다. 아들이 처한 상황을 고려할 때 (ⓐ)은/는 연과 같이 자유롭게 날아다닐 수 있다는 점에서 (ⓑ)에 대한 갈망, 미지의 세계에 대한 동경을 상징한다.

표현 방법 파악하기

4 **㉠, ㉡에 공통적으로 사용된 표현 방법이 쓰인 것은?**

① 나는 나룻배 / 당신은 행인

② 내 마음은 호수요, / 그대 노 저어 오오.

③ 나무들은 눈을 감고 있을 것이다. / 너의 예쁜 감은 눈.

④ 해야 솟아라. 해야 솟아라. 말갛게 씻은 얼굴 고운 해야 솟아라.

⑤ 꽃가루와 같이 부드러운 고양이의 털에 / 고운 봄의 향기가 어리우도다.

● **비유적 표현**

· '연은 ~ 작은 새처럼 마을 위를
맴돌았다.'
→ '연'을 '작은 새'에 비유함.

· '봄 하늘처럼 ~ 외로운 아들의
모습'
→ '아들'을 '봄 하늘'에 비유함.

· '빗살처럼 곧게 ~ 오르던 연실'
→ '**❶ ○ ㅅ** '을 '빗살'에 비유함.

● **소재의 상징적 의미**

❷ ○ 은 마을을 떠나고 싶었지만
떠나지 못하다가, 결국 새로운 곳으
로 떠나는 아들을 상징함.

● **어머니의 심리 변화**

연이 하늘에 떠 있음.
불안감과 안도감이 공존함.

연이 하늘 끝까지 닿을 듯함.
불안함.

연실이 끊어져 멀어져 감.
망연자실함.

연이 시야에서 사라짐.
차분한 태도로 아들의
❸ ○ ㄴ 을 기원함.

┃빈칸 답
❶ 연실 **❷** 연 **❸** 안녕

● **무릇** | 백합과의 여러해살이
풀. 파, 마늘과 비슷한데 봄
에 비늘줄기에서 마늘잎 모
양의 잎이 두세 개가 남.

● **얼레** | 연줄, 낚싯줄 따위를
감는 데 쓰는 기구.

● **헛디딤질** | 발을 잘못 디디는
행동.

● **내처** | 어떤 일 끝에 더 나아가.

● **성하다** | 몸에 병이나 탈이
없다.

어머니는 이날도 고개 너머 들밭 언덕에서 봄 무릇을 캐고 있던 참이었다.

ⓐ바람을 태우기가 좋아 그랬던지 아들놈은 이날따라 ⓑ연을 더 하늘 높이 띄워 올리고 있었다. 마을에서 띄워 올린 녀석의 연이 고개 이쪽 어머니의 머리 위까지 까맣게 떠올라 와 있었다. ⓒ얼레의 실이 모조리 풀려 나와 ⓓ하늘 끝까지 닿고 있는 것 같았다.

무릇 싹을 찾아 헤매던 어머니의 발길이 자꾸만 헛디딤질을 되풀이했다. 연이 너무 높은 데다가 전에 없이 드센 바람기 때문에 마음이 놓이지 않는 탓이었다. 팽팽하게 하늘을 가로질러 올라간 ⓔ연실 끝에서 드센 바람을 받고 심하게 오르내리는 연을 따라 어머니의 마음도 불안하게 흔들리고 있었다.

아니나 다를까. / 불안감에 쫓기던 어머니가 어느 순간엔가 다시 그 하늘의 연을 찾았을 때였다. / 연이 있어야 할 곳에 연의 모습이 보이질 않았다.

연은 어느새 실이 끊어져 날아간 것이었다. 빗살처럼 곧게 하늘로 뻗어 오르던 연실이 머리 위를 구불구불 힘없이 흘러 내려오고 있었다.

실이 뻗쳐 올라가 있던 쪽 하늘을 자세히 살펴보니, 아직도 한 점 까만 새처럼 허공 속으로 아득히 멀어져 가고 있는 것이 있었다. / 어머니는 아예 밭 언덕에 주저앉아 연의 흔적이 시야에서 사라질 때까지 그 하염없는 눈길을 하늘에 못 박고 있었다.

그리고 그 연의 모습이 완전히 시야에서 자취를 감추고 난 다음에야 어머니는 비로소 가는 한숨을 삼키면서 천천히 다시 자리를 털고 일어났다.

하지만 이제 반나마 차오른 무릇 바구니를 옆에 끼고 마을 길을 돌아가고 있는 어머니는 방금 전에 무슨 아쉬운 배웅이라도 끝내고 돌아선 사람처럼 거동이 무척 차분했다. 연을 지킬 때처럼 초조한 눈빛도 없었고, 발길을 조급히 서둘러 가려는 기색도 아니었다.

어머니는 이미 모든 것을 알고 있고, 모든 것을 미리 체념해 버린 것 같은 거동이었다. 마을 쪽에서 그 땅으로 내려앉은 연실을 거두어들이는 기미가 보이지 않는 것도 전혀 이상스럽지가 않은 얼굴이었다.

"아지매요. 건이 새끼 좀 빨리 쫓아가 봐야 혀요. 건이 새끼 아까 도회지 돈벌이 간다고 읍내께로 튀었다니께요. 지는 도회지 가서 돈 벌어 온다고 연실 같은 건 내나 실컷 감아 가지라면서요……." / 어머니가 흐느적흐느적 허기진 걸음걸이로 마을을 들어섰을 때였다. 아들놈의 연실을 감아 들이고 있던 이웃집 조무래기 놈이 제풀에 먼저 변명을 하고 나섰으나, 어머니는 이번에도 미리 모든 것을 짐작하고 있었던 것처럼 놀라는 빛이 없었다. 앞뒤 사정을 궁금해하거나 집을 나간 녀석을 원망하는 기색 같은 것도 없었다. 아들의 뒤를 서둘러 쫓아 나서려기는커녕 걸음 한번 멈추지 않고 말없이 그냥 녀석의 곁을 지나쳐 갈 뿐이었다. 그러고는 내처 그 텅 빈 초가의 사립문을 들어서고 나서야 아들의 연이 날아간 하늘을 향해 어머니는 발길을 잠깐 머물러 섰을 뿐이었다.

하지만 이제 연의 흔적은 보이지 않았다. 텅 빈 하늘만 하염없이 멀어져 가고 있었다.

어머니는 다만 그 무심한 하늘을 향해 다시 한번 가는 한숨을 삼키며 허망스럽게 중얼거리고 있었다. / "아가, 어딜 가거나 몸이나 성하거라……."

> **도회지** | 사람이 많이 살고 상공업이 발달한 번화한 지역.

> **허망스럽게** | 어이없고 허무하게

서술상의 특징 파악하기 **5** **이 글의 서술자에 대한 설명으로 적절한 것은?**

① 작품 속의 인물로, 자신의 이야기를 서술하고 있다.

② 작품 속의 인물로, 다른 인물의 모습을 관찰하고 있다.

③ 작품 바깥에서 어머니의 말과 행동만을 서술하고 있다.

④ 작품 바깥에서 어머니의 심리를 모두 드러내어 서술하고 있다.

⑤ 작품 속의 인물로, 자신이 전해 들은 이야기를 객관적으로 전달하고 있다.

인물의 심리 파악하기 **6**

`고난도`

〈보기〉의 (ㄱ)~(ㄷ)에 대한 설명으로 적절하지 <u>않은</u> 것은?

> ● 보기 ●
>
> 　〈연〉에서 어머니는 연이 떠 있는 위치와 상태를 통해 아들의 상태를 추측하고 있다. 따라서 연이 떠 있는 위치와 상태는 어머니의 심리와 밀접하게 연관된다. 다음은 연이 떠 있는 위치와 상태를 시간 순서대로 정리한 것이다.

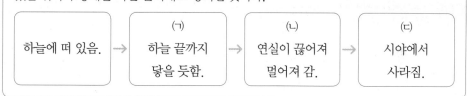

① (ㄱ)에서 헛디딤질을 되풀이하는 등 어머니의 불안한 심리가 나타난다.

② (ㄴ)에서 충격으로 망연자실한 어머니의 심리가 드러난다.

③ (ㄴ)에서 어머니는 떠나는 아들을 말리지 못하여 자책하고 있다.

④ (ㄷ)에서 어머니는 아들이 떠났다는 것을 받아들이고 차분한 태도를 보인다.

⑤ (ㄷ)에서 어머니는 아들에 대한 사랑을 드러내며 아들의 안녕을 기원하고 있다.

설명에 맞는 소재 찾기 **7** **ⓐ~ⓔ 중, 다음에서 설명하는 소재로 적절한 것은?**

> 　마을을 떠나고 싶지만 현실에 얽매여 떠나지 못하다가 결국 새로운 세계로 떠나는 아들을 상징하는 소재이다.

① ⓐ　　　　② ⓑ　　　　③ ⓒ　　　　④ ⓓ　　　　⑤ ⓔ

반응의 적절성 파악하기 **8** **이 글을 감상한 독자의 반응으로 적절하지 <u>않은</u> 것은?**

① 돈을 벌기 위해 홀로 고향을 떠나는 아들이 대단해 보여.

② 아들은 고향과 어머니의 곁을 떠나 성장할 수 있을 거야.

③ 홀어머니를 두고 떠나는 아들의 심정도 매우 착잡했을 거야.

④ 어머니는 아들이 떠날 것을 전혀 예상하지 못했으니 더 고통스러울 거야.

⑤ 자신의 바람을 저버린 아들을 변함없이 사랑하는 어머니의 모습이 감동적이야.

전체 구성

발단 가정 형편 탓에 상급 학교에 진학하지 못한 아들은 어머니에게 연실을 만들어 달라고 말함. ·· 94쪽 수록

전개 연실을 받은 아들은 하루 종일 연을 날리고, 어머니는 그 연을 언제 어디서나 봄. ·· 94쪽 수록

위기 높이 뜬 아들의 연을 보며 불안함을 느끼는 어머니 ·· 96쪽 수록

절정 연실이 끊어진 연을 하염없이 바라본 뒤 차분히 집으로 가는 어머니 ·· 96쪽 수록

결말 떠난 아들이 건강하게 잘 살기를 바라는 어머니 ·· 96쪽 수록

해제

'연'을 중심 소재로 하여 방황하는 아들을 바라보는 어머니의 마음을 그린 소설이다. 상급 학교에 진학하지 못해 상처 입은 마음을 연날리기로 달래는 아들의 모습과 그런 아들이 날리는 연을 바라보며 아들을 걱정하는 어머니의 마음이 나타나 있다. 결국 아들이 도회지로 떠났다는 사실을 알게 된 뒤에도 아들을 원망하기보다 아들의 안녕을 기원하는 어머니의 염려와 한없는 사랑이 감동적으로 그려져 있다.

주제

고향을 떠나는 아들을 바라보는 어머니의 마음

비유적 표현

이 작품은 비유적 표현을 활용하여 연과 아들의 모습을 더욱 구체적이고 생생하게 표현하였다.

비유적 표현이 사용된 문장	표현하려는 대상	빗대어 표현한 대상
연은 먼 하늘 여행을 꿈꾸는 작은 새처럼 하루 종일 마을 위를 맴돌았다.	연	❶ ⬜
	공통점: 마을 위를 맴돎.	
그 봄 하늘처럼 적막스럽고 외로운 아들의 모습	아들의 모습	봄 하늘
	공통점: 적막스럽고 외로움.	
빗살처럼 곧게 하늘로 뻗어 오르던 연실	연실	빗살
	공통점: 곧게 하늘로 뻗어 오름.	

연의 상징적 의미

상징은 표현하려는 대상을 더욱 ❷⬜⬜⬜으로 드러내고, 인물의 심리나 상황을 암시해 준다. 이 작품에서 연은 아들을 상징하는 소재로, 연의 상태가 아들의 심리나 상황을 암시하고 있다.

- "연을 보면 아들의 얼굴을 보는 것 같았고, 아들의 마음을 보는 것 같았다."
- 하늘에 떠 있지만 연실에 묶여 있는 연과, 현실에 얽매여 떠나지 못하는 아들
- 묶여 있던 실이 끊어져 날아가 버린 연과, 성장을 위해 새로운 세계로 떠난 아들

▼

연은 아들을 상징함.

어머니의 심리 변화

이 작품은 아들이 날리는 연을 바라보는 어머니의 심리 변화를 바탕으로 내용이 전개되고 있다. 연이 떠 있는 위치와 상태에 따라 어머니의 심리가 변하고 있으며, 이러한 어머니의 심리를 파악함으로써 주제를 이해할 수 있다.

연이 하늘에 뜸.	연이 하늘 높이 올라감.	연실이 끊어져 멀어져 감.	연이 시야에서 사라짐.
불안함, 안도	불안함.	충격, 망연자실함.	차분하게 ❸⬜⬜의 안녕을 기원함.

**어휘
다지기**

1 사다리타기에 따라, 빈칸에 들어갈 어휘의 뜻을 〈보기〉에서 찾아 그 번호를 쓰시오.

┌─ 보기 ─
① 고요하고 쓸쓸함.
② 어떤 일 끝에 더 나아가.
③ 연줄, 낚싯줄 따위를 감는 데 쓰는 기구.
④ 사람이 많이 살고 상공업이 발달한 번잡한 지역.
└

내처	얼레	적막	도회지

(1) ☐ (2) ☐ (3) ☐ (4) ☐

2 다음의 뜻에 알맞은 단어를 서로 연결하시오.

(1) 많고 많다.　　　　　　　　　　•　　　　　　• ① 당하다

(2) 몸에 병이나 탈이 없다.　　　　•　　　　　　• ② 성하다

(3) 사리에 마땅하거나 가능하다.　•　　　　　　• ③ 하고하다

(4) 어이가 없고 허무한 데가 있다.　•　　　　　• ④ 허망스럽다

어휘 ➕ 상황에 맞는 속담 찾기

3 다음은 소설의 일부분이다. 밑줄 친 인물의 행동과 어울리는 속담을 고르시오.

┌
　"아지매요. 건이 새끼 좀 빨리 쫓아가 봐야 혀요. 건이 새낀 아까 도회지 돈벌이 간다고 읍내께로 뛰었다니께요. 지는 도회지 가서 돈 벌어 온다고 연실 같은 건 내나 실컷 감아 가지라면서요……."
　어머니가 흐느적흐느적 허기진 걸음걸이로 마을을 들어섰을 때였다. 아들놈의 연실을 감아 들이고 있던 이웃집 조무래기 놈이 제풀에 먼저 변명을 하고 나섰으나, 어머니는 이번에도 미리 모든 것을 짐작하고 있었던 것처럼 놀라는 빛이 없었다.
└

① 내 코가 석 자　　　　　　　② 등잔 밑이 어둡다
③ 도둑이 제 발 저리다　　　　④ 백지장도 맞들면 낫다
⑤ 낫 놓고 기역자도 모른다

∞ 교과서 **중1** _ 비상, 동아 **중2** _ 천재(박), 미래엔, 금성 외 1

이 작품은 1930년대 봄, 강원도 산골의 농촌 마을을 배경으로 소년과 소녀의 순박한 사랑 이야기를 담은 단편 소설이다. 점순이와 '나'의 갈등 양상과 서술자의 특징에 주목하여 감상해 보자.

✎ 핵심 짚기

발단 **전개** 위기 절정 결말

● **배경**
- 시간적 1930년대 봄
- 공간적 강원도 산골의 ❶ⁿ ㅊ 마을

● **사건**
  점순이가 준 ❷ㄱ ㅈ를 '나'가 거절함.

● **서술 시점**
- 1인칭 주인공 시점 이야기 안의 주인공인 '나'가 자신의 이야기를 전달함.

● **구성**
- 입체적(❸ ㅇ ㅅ ㅎ 적) 구성 '오늘'에서 '나흘 전'으로 시간을 전환해 이야기를 전개함.

┃ 빈칸 답
❶ 농촌 ❷ 감자 ❸ 역순행

앞부분의 줄거리 오늘도 '나'의 수탉이 쪼이었다. 점순이가 힘센 자기네 닭과 또 싸움을 붙여 놓은 것이다. 소작농의 아들인 '나'는 마름의 딸인 점순이의 수탉을 차마 때리지는 못하고 헛매질로 떼어 놓기만 한다. '나'는 점순이가 왜 자신을 괴롭히는지 도무지 알 수가 없다.

㉠나흘 전 감자 쪼간만 하더라도 나는 저에게 조금도 잘못한 것은 없다.

계집애가 나물을 캐러 가면 갔지 남 울타리 엮는데 쌩이질을 하는 것은 다 뭐냐. 그것도 발소리를 죽여 가지고 등 뒤로 살며시 와서

"얘! 너 혼자만 일하니?" / 하고 긴치 않은 수작을 하는 것이다.

어제까지도 저와 나는 이야기도 잘 않고 서로 만나도 본척만척하고 이렇게 점잖게 지내던 터이련만 오늘로 갑작스레 대견해졌음은 웬일인가. 항차 망아지만 한 계집애가 남 일하는 놈 보고…….

㉡"그럼 혼자 하지 떼루 하디?"

내가 이렇게 내뱉은 소리를 하니까

"너 일하기 좋니?" / 또는

㉢"한여름이나 되거던 하지 벌써 울타리를 하니?"

잔소리를 두루 늘어놓다가 남이 들을까 봐 손으로 입을 틀어막고는 그 속에서 깔깔댄다. 별로 우스울 것도 없는데 날씨가 풀리더니 이놈의 계집애가 미쳤나 하고 의심하였다. 게다가 조금 뒤에는 즈 집께를 할금할금 돌아다보더니 행주치마의 속으로 꼈던 바른손을 뽑아서 나의 턱 밑으로 불쑥 내미는 것이다. ㉣언제 구웠는지 아직도 더운 김이 홱 끼치는 굵은 감자 세 개가 손에 뿌듯이 쥐었다.

"느 집엔 이거 없지?" 하고 생색 있는 큰소리를 하고는 제가 준 것을 남이 알면 큰일 날 테니 여기서 얼른 먹어 버리란다. 그리고 또 하는 소리가

"너 봄 감자가 맛있단다."

"난 감자 안 먹는다. 니나 먹어라."

나는 고개도 돌리려 하지 않고 일하던 손으로 그 감자를 도로 어깨 너머로 쑥 밀어 버렸다.

그랬더니 그래도 가는 기색이 없고, 그뿐만 아니라 쌔근쌔근하고 심상치 않게 숨소리가 점점 거칠어진다. 이건 또 뭐야 싶어서 그때에야 비로소 돌아다보니 나는 참으로 놀랐다. 우리가 이 동리에 들어온 것은 근 삼 년째 되어 오지만 여지껏 가무잡잡한 점순이의 얼굴이 이렇게까지 홍당무처럼 새빨개진 법이 없었다. 게다가 ㉤눈에 독을 올리고 한참 나를 요렇게 쏘아보더니 나중에는 눈물까지 어리는 것이 아니냐. 그리고 바구니를 다시 집어 들더니 이를 꼭 악물고는 엎더질 듯 자빠질 듯 논둑으로 횡하니 달아나는 것이다.

● **소작농** | 일정한 소작료를 지급하며 다른 사람의 농지를 빌려 짓는 농사. 또는 그런 농민.

● **마름** | 지주를 대리하여 소작권을 관리하는 사람.

● **쌩이질** | 한창 바쁜 때에 쓸데없는 일로 남을 귀찮게 하거나 괴롭히는 짓.

글의 특징 파악하기

1 이 글에 대한 설명으로 적절하지 <u>않은</u> 것은?

⊕ 구어체
글에서 쓰는 말투가 아닌, 일상적인 대화에서 주로 쓰는 문체

⊕ 해학
대상을 우스꽝스럽게 만들어 웃음을 유발하고 독자가 대상에게 호감을 느끼게 하는 방법

① 공간적 배경은 어느 농촌 마을이다.
② 토속적인 소재를 사용하여 정감을 준다.
③ 당대 농촌 사회에 대한 비판적 어조가 드러난다.
④ 어수룩한 성격의 인물을 내세워 웃음을 유발한다.
⑤ 구어체⊕ 문장을 사용하여 해학적⊕ 분위기를 형성한다.

서술자의 특징 파악하기

2 이 글의 서술자에 대한 설명으로 적절한 것은?

① 이야기 밖에 위치한 '나'이다.
② 모든 인물의 속마음을 훤히 꿰뚫고 있다.
③ 인물의 말과 행동, 사건 전개를 객관적으로 서술하고 있다.
④ 주요 인물들의 말과 행동을 관찰하여 전달하는 주변 인물이다.
⑤ 다른 인물의 행동을 묘사하여 독자가 그 인물의 심리를 추측하게 하고 있다.

세부 내용 파악하기

3 ㉠~㉤에 대한 설명으로 적절하지 <u>않은</u> 것은?

① ㉠: 입체적 구성으로 사건이 전개됨을 알 수 있다.
② ㉡: '나'의 무뚝뚝하고 퉁명스러운 성격이 드러난다.
③ ㉢: 점순이가 '나'를 진심으로 걱정하여 충고하는 말이다.
④ ㉣: '나'에 대한 점순이의 관심과 애정을 의미한다.
⑤ ㉤: 점순이의 모습을 묘사하여 점순이의 심리가 간접적으로 제시되고 있다.

인물의 행동 원인 파악하기

4 〈보기〉는 이 소설의 일부분이다. 〈보기〉를 참고할 때, '나'가 점순이가 준 감자를 거절한 이유로 가장 적절한 것은?

● 배재 | 마름과 소작인이 주고받는 소작권 위임 문서.

> **보기**
>
> 설혹 주는 감자를 안 받아먹은 것이 실례라 하면, 주면 그냥 주었지 "느 집엔 이거 없지?"는 다 뭐냐. 그렇잖아도 저희는 마름이고 우리는 그 손에서 배재를 얻어 땅을 부치므로 일상 굽신거린다.

① 감자를 좋아하지 않아서
② 점순이의 반응이 궁금해서
③ 점순이의 관심이 부담스러워서
④ 점순이가 한 말에 자존심이 상해서
⑤ 마름 집 딸이 준 선물을 받기 부담스러워서

✏ 핵심 짚기

발단 | 전개 | **위기** | 절정 | 결말

● 인물
· '나' 소작농의 아들. 소극적이고 **ㅅㅂ**하여 점순이의 관심을 눈치채지 못함.
· 점순이 마름의 딸. 성숙하고 집요하며, 활달하고 영악함. '나'에게 ❷**ㅈㄱㅈ**으로 애정과 관심을 표현함.

● 표현상의 특징
· ❸**ㅂㅅㅇ** 사용 독자의 웃음을 유발함. 사건의 사실성과 현장감을 높여 줌. 인물 간의 갈등을 효과적으로 드러냄.
· 사투리, 구어체 사용 토속적인 분위기를 형성함. 사건의 사실성과 현장감을 높여 줌. 해학적 분위기를 형성함.

┌ 빈칸 답
❶ 순박 ❷ 적극적 ❸ 비속어

눈물을 흘리고 간 그담 날 저녁나절이었다. 나무를 한 짐 잔뜩 지고 산을 내려오려니까 어디서 닭이 죽는 소리를 친다. 이거 뉘 집에서 닭을 잡나 하고 점순네 울 뒤로 돌아오다가 나는 고만 두 눈이 뚱그랬다. 점순이가 즈 집 봉당에 홀로 걸터앉았는데, 아, 이게 치마 앞에다 우리 씨암탉을 꼭 붙들어 놓고는

"이놈의 닭! 죽어라. 죽어라."

요렇게 암팡스레 패 주는 것이 아닌가. 그것도 대가리나 치면 모른다마는 아주 알도 못 낳으라고 그 볼기짝께를 주먹으로 콕콕 쥐어박는 것이다.

나는 눈에 쌍심지가 오르고 사지가 부르르 떨렸으나 사방을 한번 휘돌아보고야 그제서 점순이 집에 아무도 없음을 알았다. 잡은 참 지게막대기를 들어 울타리의 중턱을 후려치며

"이놈의 계집애! 남의 닭 알 못 낳으라구 그러니?"

하고 소리를 빽 질렀다.

그러나 ㉠점순이는 조금도 놀라는 기색이 없고 그대로 의젓이 앉아서 제 닭 가지고 하듯이 또 죽어라, 죽어라 하고 패는 것이다. 이걸 보면 내가 산에서 내려올 때를 겨냥해 가지고 미리부터 닭을 잡아 가지고 있다가 네 보란 듯이 내 앞에 쥐어지르고 있음이 확실하다.

그러나 나는 그렇다고 남의 집에 뛰어 들어가 계집애하고 싸울 수도 없는 노릇이고 형편이 썩 불리함을 알았다. ㉡그래 닭이 맞을 적마다 지게막대기로 울타리나 후려칠 수밖에 별도리가 없다. 왜냐하면 울타리를 치면 칠수록 울섶이 물러앉으며 뼈대만 남기 때문이다. 하나 아무리 생각하여도 나만 밑지는 노릇이다.

"아, ⓐ이년아! 남의 닭 아주 죽일 터이냐?"

내가 도끼눈을 뜨고 다시 꽥 호령을 하니까 그제서야 울타리께로 쪼르르 오더니 울 밖에 섰는 나의 머리를 겨누고 닭을 내팽개친다.

"예이, 더럽다! 더럽다!"

"더러운 걸 널더러 입때 끼고 있으랬니? ⓑ망할 계집애 년 같으니."

하고 나도 더럽단 듯이 울타리께를 횡하니 돌아내리며 약이 오를 대로 다 올랐다라고 하는 것은, 암탉이 풍기는 서슬에 나의 이마빼기에다 물찌똥을 찍 깔겼는데, 그걸 본다면 알집만 터졌을 뿐 아니라 골병은 단단히 든 듯싶다.

그리고 나의 등 뒤를 향하여 나에게만 들릴 듯 말 듯 한 음성으로

"이 바보 녀석아!" / "얘! 너 ⓒ배냇병신이지?"

그만도 좋으련만 / "얘! 너 느 아버지가 고자라지?"

"뭐? 울 아버지가 그래 고자야?" 할 양으로 열벙거지가 나서 고개를 홱 돌리어 바라봤더니 그때까지 울타리 위로 나와 있어야 할 점순이의 대가리가 어디 갔는지 보이지를 않는다. 그러다 돌아서서 오자면 아까에 한 욕을 울 밖으로 또 퍼붓는 것이다. ㉢욕을 이토록 먹어 가면서도 대거리 한마디 못하는 걸 생각하니 돌부리에 채어 발톱 밑이 터지는 것도 모를 만치 분하고 급기야는 두 눈에 눈물까지 불끈 내솟는다.

● 봉당 ┃ 안방과 건넌방 사이의 마루를 놓을 자리에 마루를 놓지 않고 흙바닥 그대로 둔 곳.
● 암팡스레 ┃ 몸은 작아도 야무지고 다부진 면이 있게.
● 쥐어지르다 ┃ 주먹으로 힘껏 내지르다.
● 울섶 ┃ 울타리를 만드는 데 쓰는 섶나무.
● 서슬 ┃ 강하고 날카로운 기세.
● 열벙거지 ┃ 매우 급하게 치밀어 오르는 화증인 '열화'를 속되게 이르는 말.
● 대거리 ┃ 상대편에게 맞서서 대듦. 또는 그런 말이나 행동.

인물의 성격 파악하기 **5** **'나'와 점순이의 성격이 바르게 짝지어진 것은?**

	'나'	점순이
①	영악하다	당돌하다
②	순박하다	소극적이다
③	어수룩하다	영악하다
④	무뚝뚝하다	어수룩하다
⑤	눈치가 빠르다	집요하다

세부 내용 파악하기 **6** **이 글의 내용으로 적절하지 않은 것은?**

① '나'는 점순이의 괴롭힘에 분한 감정을 느끼고 있다.
② '나'는 점순이에게 맞은 닭이 병들었다고 생각하고 있다.
③ '나'는 점순이가 괴롭히는 이유를 알면서도 모른 체하고 있다.
④ 점순이는 '나'에게 앙갚음을 하기 위하여 '나'를 괴롭히고 있다.
⑤ 점순이는 '나'가 산에서 내려오기 전부터 닭을 잡아 놓고 있었다.

외부 자료를 통해 해석 하기 **7**

고난도

〈보기〉를 참고할 때, ㉠~㉢에 대한 설명으로 적절하지 않은 것은?

도움말

이 글에서 '나'와 점순이가 마름과 소작인의 관계를 의식하는 정도는 매우 다르다. 상대적으로 약자인 '나'는 그 관계를 깊이 의식하고 조심히 행동하는 반면 점순이는 그 관계를 그다지 의식하지 않고 오히려 개인적인 욕구에 따라 행동한다.

> ● 보기
>
> 　마름은 소작인으로부터 소작료를 거두고 이를 지주(땅의 주인)에게 보내는 일을 하였다. 마름은 소작인과 소작료의 변경 등에 관한 모든 권한을 행사하여 농촌 사회에서 막강한 권력을 가지고 있었다. 이러한 사회적 신분 차이는 〈동백꽃〉에서 소작인의 아들인 '나'와 마름의 딸인 점순이의 행동 방식을 결정하는 사회·문화적 배경으로 작용하고 있다.

① ㉠에서 점순이는 '나'의 성화에도 불구하고 대범하게 행동하고 있다.
② ㉠은 점순이가 '나'에게 사회적 권력을 과시하기 위하여 한 행동이다.
③ ㉡에서 '나'는 점순이의 괴롭힘에 소극적으로 대응하고 있다.
④ ㉢에서 '나'와 점순이 사이에 사회적 신분 차이가 존재한다는 것을 알 수 있다.
⑤ ㉢과 같은 행동은 마름과 소작인의 관계가 '나'의 행동 방식을 결정한 결과이다.

표현상의 특징 파악하기 **8** **ⓐ~ⓒ와 같은 표현이 주는 효과로 적절하지 않은 것은?**

① 독자의 웃음을 유발한다.
② 인물의 심리를 직접적으로 드러낸다.
③ 사건의 사실성과 현장감을 높여 준다.
④ 이야기에 긴장감과 박진감을 부여한다.
⑤ 인물 간의 갈등을 효과적으로 드러낸다.

● **갈등 양상**

  '나'와 점순이의 ❶ ○ ㅈ 갈등이 닭싸움을 통해 드러남.

● **소재**

· 감자 '나'에 대한 점순이의 관심의 표현이자, '나'와 점순이 사이에 갈등의 원인이 됨.
· 닭싸움 '나'와 점순이의 갈등을 ❷ ㅅ ㅎ 하는 동시에 갈등 해소의 실마리가 됨.
· 동백꽃 낭만적 분위기를 형성함. '나'와 점순이 사이에 시작된 사랑을 감각적으로 표현함.

● **서술자의 특징**

| 서술자: '나' (주인공) |

· 순박하고 어수룩함.
· 독자들은 알고 있는 점순이의 속마음을 모름.

· 독자의 웃음을 유발하고 ❸ ㅎ ㅎ ㅈ 분위기를 형성함.
· 농촌 마을 소년과 소녀의 순박한 사랑이라는 주제를 효과적으로 전달함.

└ 빈칸 답
❶ 외적 ❷ 심화 ❸ 해학적

● **호드기** | 버드나무 가지의 껍질이나 짤막한 밀짚 토막으로 만든 피리.
● **빈사지경** | 거의 죽게 된 처지나 형편.
● **걱실걱실히** | 성질이 너그러워 말과 행동을 시원스럽게 하는 모양.
● **홉뜨다** | 눈알을 위로 굴리고 눈시울을 위로 치뜨다.

생략된 부분의 줄거리 점순이는 이후 '나'의 집 수탉과 자기 집 수탉을 싸움 붙이는 등 '나'를 집요하게 괴롭힌다. '나'는 매번 싸움에 지는 수탉에게 고추장을 먹여 보기도 하지만 점순네 수탉을 이기지 못한다. '나'는 나무를 하고 산에서 내려오던 중, 노란 동백꽃이 소보록하니 깔린 바위 틈에 점순이가 앉아 청승맞게 호드기를 불며 자기 집 닭과 '나'의 집 닭을 싸움붙이고 있는 것을 본다.

나는 약이 오를 대로 다 올라서 두 눈에서 불과 함께 눈물이 퍽 쏟아졌다. 나무 지게도 벗어 놓을 새 없이 그대로 내동댕이치고는 지게막대기를 뻗치고 허둥지둥 달려들었다.

가차이 와 보니 과연 나의 짐작대로 우리 수탉이 피를 흘리고 거의 빈사지경에 이르렀다. 닭도 닭이려니와 그러함에도 불구하고 눈 하나 깜짝 없이 고대로 앉아서 호드기만 부는 그 꼴에 더욱 치가 떨린다. 동리에서도 소문이 났거니와 나도 한때는 걱실걱실히 일 잘하고 얼굴 이쁜 계집애인 줄 알았더니 시방 보니까 그 눈깔이 꼭 여우 새끼 같다.

나는 대뜸 달려들어서 나도 모르는 사이에 큰 수탉을 단매로 때려 엎었다. 닭은 푹 엎어진 채 다리 하나 꼼짝 못 하고 그대로 죽어 버렸다. 그리고 나는 멍하니 섰다가 점순이가 매섭게 눈을 홉뜨고 닥치는 바람에 뒤로 벌렁 나자빠졌다.

"이놈아! 너 왜 남의 닭을 때려죽이니?"

"그럼 어때?" 하고 일어나다가

"뭐 이 자식아! 누 집 닭인데?"

하고 복장을 떼미는 바람에 다시 벌렁 자빠졌다. 그리고 나서 가만히 생각을 하니 분하기도 하고 무안도 스럽고, 또 한편 일을 저질렀으니 인젠 땅이 떨어지고 집도 내쫓기고 해야 될는지 모른다.

나는 비슬비슬 일어나며 소맷자락으로 눈을 가리고는 얼김에 엉 하고 울음을 놓았다. 그러다 점순이가 앞으로 다가와서

㉠"그럼 너 이담부턴 안 그럴 터냐?"

하고 물을 때에야 비로소 살길을 찾은 듯싶었다. 나는 눈물을 우선 씻고 뭘 안 그러는지 명색도 모르건만

"그래!" 하고 무턱대고 대답하였다.

"요담부터 또 그래 봐라. 내 자꾸 못살게 굴 터니?"

[A] ┌ "그래그래, 인젠 안 그럴 테야!"
    │ "닭 죽은 건 염려 마라. 내 안 이를 테니."
    └ 그리고 뒤에 떠다밀렸는지 나의 어깨를 짚은 채 그대로 픽 쓰러진다. 그 바람에 나의 몸뚱이도 겹쳐서 쓰러지며 한창 피어 퍼드러진 노란 동백꽃 속으로 폭 파묻혀 버렸다.

알싸한 그리고 향긋한 그 냄새에 나는 땅이 꺼지는 듯이 온 정신이 고만 아찔하였다.

갈등 양상 파악하기 **9** **이 글에 나타난 주된 갈등 양상으로 적절한 것은?**

① 점순이의 내적 갈등 ② '나'의 내적 갈등

③ '나'와 사회의 외적 갈등 ④ '나'와 자연의 외적 갈등

⑤ '나'와 점순이의 외적 갈등

세부 내용 파악하기 **10** **㉠에 담긴 점순이의 속마음으로 가장 적절한 것은?**

① 내 호의를 다시는 거절하지 않을 거지?

② 이제 우리 집 닭을 괴롭히지 않을 거지?

③ 다시는 잘못을 하고도 발뺌하지 않을 거지?

④ 다시는 나에게 장난을 심하게 치지 않을 거지?

⑤ 내가 마름 집 딸이라는 사실을 잊지 않을 거지?

소재의 기능 파악하기 **11**

주관식

〈보기〉는 이 글에 쓰인 소재에 대한 설명이다. ⓐ, ⓑ에 들어갈 알맞은 말을 쓰시오.

보기

　〈동백꽃〉에 사용된 소재들은 작품에서 다양한 기능을 한다. '감자'는 '나'에 대한 점순이의 관심과 호의를 의미하지만, '나'가 그 감자를 거절함으로써 감자는 갈등을 유발하는 소재가 된다. (　ⓐ　)은/는 '나'와 점순이의 감정싸움을 대신 보여 주는 소재이지만, 갈등 해소의 실마리가 되는 소재이기도 하다. 마지막으로 (　ⓑ　)은/는 낭만적인 분위기를 형성하여 '농촌 마을 소년과 소녀의 풋풋한 사랑'이라는 작품의 주제를 형상화하는 소재이다.

서술자의 특징 파악하기 **12**

고난도

[A]를 〈보기〉와 같이 바꿔 썼을 때의 반응으로 적절하지 않은 것은?

💡 도움말

　〈동백꽃〉의 서술자는 작품의 주인공인 '나'이다. '나'는 어수룩하고 순진하여 자신을 괴롭히는 점순이의 마음을 제대로 알지 못한다. 이와 같이 서술자인 '나'가 어수룩한 성격을 지녔다는 점은 독자의 웃음을 유발하는 등 작품에 다양한 영향을 미친다.

보기

　"그래그래, 인젠 안 그럴 테야!"

　갑돌이의 말에 그동안 서운했던 마음이 수그러드는 느낌이 들었다. 나도 참, 내가 얼마나 상처 받았는데 이렇게 쉽게 용서해 주고 싶어지다니…….

　"닭 죽은 건 염려 마라. 내 안 이를 테니." / 집에 가면 수탉 죽은 걸 아버지께 뭐라고 변명해야 할지 머리가 터질 것 같았다. 그래도 갑돌이가 드디어 내 마음을 받아 주었다는 생각에 기뻐 녀석의 어깨를 짚은 채 노란 동백꽃 속으로 쓰러졌다.

① 상황이 점순이의 입장에서 주관적으로 서술되고 있군.

② '나'가 서술자인 [A]보다 해학적 분위기가 더욱 극대화되는군.

③ '나'가 서술자인 [A]보다 '나'의 어수룩함이 뚜렷이 드러나지 않는군.

④ 점순이의 의도가 잘 드러나서 상황을 보다 더 정확하게 파악할 수 있군.

⑤ 서술자가 이야기의 주요 인물인 '나'에서 다른 주요 인물인 점순이로 바뀌었군.

전체 구성

발단 나무를 하러 가려던 '나'는 오늘도 수탉이 점순이네 수탉에게 쪼이는 모습을 보고 헛매질로 수탉들을 떼어 놓는다. 요새 들어 점순이는 계속 닭싸움을 붙여 '나'를 괴롭힌다.

전개 나흘 전 '나'가 울타리를 엮고 있는데 점순이가 다가와 계속해서 말을 붙인다. '나'는 점순이가 건넨 감자를 거절하고, 얼굴이 새빨개진 점순이는 눈물까지 보이며 달아난다. ·· 100쪽 수록

위기 점순이는 '나'의 씨암탉을 괴롭히고 제집 수탉과 '나'의 수탉을 싸움 붙인다. '나'는 닭싸움에 이기기 위해 수탉에게 고추장을 먹이지만, '나'의 수탉은 또다시 지고 만다. ·· 102쪽 수록

절정 산에서 내려오던 '나'는 점순이가 닭싸움을 붙여 놓고 그 앞에 앉아 태연하게 호드기를 불고 있는 모습을 본다. 화가 난 '나'는 대뜸 달려들어 점순이네 수탉을 죽인다. ·· 104쪽 수록

결말 점순이는 울음을 터뜨린 '나'를 달래 준다. 점순이가 '나'의 어깨를 짚은 채 쓰러지는 바람에 '나'와 점순이는 동백꽃 속에 파묻힌다. ·· 104쪽 수록

해제

이 작품은 농촌을 배경으로 사춘기 소년과 소녀의 순박하고 풋풋한 사랑을 그린 소설이다. 점순이의 애정을 눈치채지 못하는 어수룩한 '나'와 적극적인 점순이의 모습이 독자에게 웃음을 주어 작품의 해학성을 높인다. 또한 토속적 소재, 사투리와 비속어를 활용해 공간적 배경을 드러내고 독자의 웃음을 유발하고 있다.

주제

농촌 마을 소년과 소녀의 순박한 사랑

등장인물의 특징

마름의 딸인 점순이는 '나'에게 적극적으로 관심을 보이지만, 소작농의 아들인 '나'는 아직 사랑의 감정에 눈뜨지 못했기 때문에 소극적으로 행동한다. 이러한 대조적 특성 때문에 '나'와 점순이 사이에 외적 갈등이 발생하게 된다.

나		점순이
• 소작인의 아들 • 눈치가 없고 어수룩함. • 점순이의 마음을 눈치채지 못함.	◀ 외적 갈등 ▶	• ❶ ☐☐의 딸 • 당돌하고 적극적임. • '나'에게 호감과 애정을 드러냄.

서술 시점과 서술자의 특징

이야기의 주인공이자 서술자인 '나'는 눈치가 없고 어수룩한 인물인 탓에 점순이의 행동에 담긴 의도를 정확하게 판단하지 못한다. 독자들은 알고 있는 점순이의 마음을 '나'만 모른다는 점은 작품의 해학성을 높인다.

> **1인칭 주인공 시점:** 소설 속 주인공인 '나'가 자신의 이야기를 함.

▼

> '나'가 겉으로 드러난 점순이의 행동만 서술할 뿐,
> 그 행동에 담긴 ❷ ☐☐는 정확하게 파악하지 못함.

▼

> **해학적 효과 극대화**

소재의 의미와 기능

이 작품에 사용된 소재들은 '나'와 점순이 사이의 갈등과 깊게 연관되어 있으며, 작품의 주제를 상징적으로 보여 주기도 한다. 또한 소재들이 대개 토속적이라는 점에서 작품의 공간적 배경을 드러내고 독자에게 정감을 주기도 한다.

감자	• '나'를 향한 점순이의 관심과 애정을 보여 줌. • '나'와 점순이 사이의 갈등이 발생하는 원인이 됨.
❸ ☐☐☐	• '나'와 점순이의 갈등을 상징함. • '나'와 점순이의 갈등 해소의 실마리가 됨.
동백꽃	• 향토적이고 낭만적인 분위기를 형성함. • '나'와 점순이 사이의 갈등 해소와 화해를 의미함. • '나'와 점순이 사이에 생긴 풋풋한 사랑의 감정을 표현함.

빈칸 답 ❶ 마름 ❷ 의도 ❸ 닭싸움

1 다음 뜻에 해당하는 단어를 말 상자에서 찾아 표시하시오.

(1) 봄철에 물오른 버드나무 가지의 껍질로 만든 피리.

　　예 점순이가 청승맞게시리 (　　　　　)을/를 불고 있었다.

(2) 한창 바쁠 때에 쓸데없이 남을 귀찮게 구는 짓.

　　예 점순이는 내가 울타리를 엮는데 (　　　　　)을/를 하였다.

(3) 몸은 작아도 야무지고 다부진 면이 있게.

　　예 점순이가 우리 닭을 (　　　　　) 패 주는 것이 아닌가.

폼	쌩	이	질
암	볼	쥐	실
팡	기	어	호
스	짝	박	드
레	화	다	기

2 밑줄 친 단어의 뜻을 〈보기〉에서 찾아 그 번호를 쓰시오.

> 보기
> ① 어떤 일을 하기 위한 꾀.　　　② 강하고 날카로운 기세.
> ③ 거의 다 죽게 된 처지나 형편.　　④ 상대편에게 맞서서 대듦.

(1) 우리 수탉이 피를 흘리고 거의 빈사지경에 이르렀다. ····················· (　　　)

(2) 암탉이 풍기는 서슬에 내 이마에다 물찌똥을 찍 갈겼다. ················· (　　　)

(3) 욕을 이토록 먹어 가면서 대거리 한마디 못하는 걸 생각하니 ··············· (　　　)

3 제시된 뜻을 참고하여 다음 초성에 해당하는 단어를 쓰시오.

(1) ㅈㅇㅈㄹㄷ : 주먹으로 힘껏 내지르다. ····························· (　　　)

(2) ㅎㄸㄷ : 눈알을 위로 굴리고 눈시울을 위로 치뜨다. ················ (　　　)

　어법　피동사의 쓰임

4 다음 밑줄 친 부분이 어법에 맞지 <u>않는</u> 것은?

① 굵은 감자 세 개가 손에 뿌듯이 <u>쥐였다.</u>

② 그 바람에 나의 몸뚱이도 <u>겹쳐서</u> 쓰러지며

③ 나는 눈에 쌍심지가 <u>오르고</u> 사지가 부르르 <u>떨렸으나</u>

④ 돌부리에 <u>채여</u> 발톱 밑이 터지는 것도 모를 만치 분하고

⑤ 한창 피어 퍼드러진 노란 동백꽃 속으로 폭 <u>파묻혀</u> 버렸다.

실전 06 사랑손님과 어머니 | 주요섭

이 작품은 과부인 어머니와 '나'의 아버지의 친구인 아저씨의 사랑 이야기를 담은 소설이다. 시대적 배경과 서술자의 특징에 주목하여 작품을 감상해 보자.

✎ 핵심 짚기

발단 | **전개** | 위기 | 절정 | 결말

● **인물**
- '나'(옥희) 여섯 살인 여자아이로 천진난만하고 순수함. 이 작품의 서술자임.
- 어머니 전통적인 윤리 의식을 지니고 있음. '나'를 매우 사랑함.
- 아저씨 ❶ ㅈ ㅅ 한 성격으로 '나'를 다정하게 대함. 소극적임.

● **배경**
- 시간적 1930년대
- 공간적 어느 시골 마을

● **사건**
태어나기 전부터 아버지를 잃고 어머니와 외삼촌과 함께 살고 있는 '나'(옥희)의 집 ❷ ㅅ ㄹ ㅂ 에 아버지의 친구인 아저씨가 하숙하러 들어옴.

● **서술 시점**
- 1인칭 관찰자 시점 이야기 속의 ❸ ㅈ ㅂ 인물인 '나'가 어머니와 아저씨의 말과 행동을 자신의 입장에서 관찰하고 서술함.

│ 빈칸 답
❶ 자상 ❷ 사랑방 ❸ 주변

● **하숙** | 일정한 방세와 식비를 내고 남의 집에 머물면서 숙식함. 또는 그런 집.
● **성미** | 성질, 마음씨, 비위, 버릇 따위를 통틀어 이르는 말.

나는 금년 여섯 살 난 처녀 애입니다. 내 이름은 박옥희이구요.

우리 집 식구라고는 세상에서 제일 이쁜 우리 어머니와 단 두 식구뿐이랍니다. 아차 큰일 났군, 외삼촌을 빼놓을 뻔했으니. / ㉠지금 중학교에 다니는 외삼촌은 어디를 그렇게 싸돌아다니는지 집에는 끼니때나 외에는 별로 붙어 있지를 않으니까 어떤 때는 한 주일씩 가도 외삼촌 코빼기도 못 보는 때가 많으니까요, 깜빡 잊어버리기도 예사지요, 무얼.

우리 어머니는, 그야말로 세상에서 둘도 없이 곱게 생긴 우리 어머니는, 금년 나이 스물네 살인데 과부랍니다. 과부가 무엇인지 나는 잘 몰라도 하여튼 동리 사람들은 날더러 '과부 딸'이라고들 부르니까 우리 어머니가 과부인 줄을 알지요. 남들은 다 아버지가 있는데 나만은 아버지가 없지요. 아버지가 없다고 아마 '과부 딸'이라나 봐요. 〈중략〉

나는 그 아저씨가 어떠한 사람인지는 몰랐으나 첫날부터 내게는 퍽 고맙게 굴고 나도 그 아저씨가 꼭 마음에 들었어요. 어른들이 저희끼리 말하는 것을 들으니까 그 아저씨는 돌아가신 우리 아버지와 어렸을 적 친구라고요. 어디 먼 데 가서 공부를 하다가 요새 돌아왔는데, 우리 동리 학교 교사로 오게 되었대요. 또 우리 큰외삼촌과도 동무인데, 이 동리에는 하숙도 별로 깨끗한 곳이 없고 해서 우리 사랑으로 와 계시게 되었다고요. 또 우리도 그 아저씨한테서 밥값을 받으면 살림에 보탬도 좀 되고 한다고요.

그 아저씨는 그림책들이 얼마든지 있어요. 내가 사랑방으로 나가면 그 아저씨는 나를 무릎에 앉히고 그림책들을 보여 줍니다. 또 가끔 과자도 주고요.

어느 날은 점심을 먹고 이내 살그머니 사랑에 나가 보니까 아저씨는 그때에야 점심을 잡수셔요. 그래 가만히 앉아서 점심 잡숫는 걸 구경하고 있노라니까, 아저씨가,

"옥희는 어떤 반찬을 제일 좋아하누?" / 하고 묻겠지요. 그래 삶은 달걀을 좋아한다고 했더니 마침 상에 놓인 삶은 달걀을 한 알 집어 주면서 나더러 먹으라고 합니다. 나는 그 달걀을 벗겨 먹으면서,

"아저씨는 무슨 반찬이 제일 맛나우?" / 하고 물으니까, 그는 한참이나 빙그레 웃고 있더니, / "나두 삶은 달걀." / 하겠지요. 나는 좋아서 손뼉을 짤깍짤깍 치고,

"아, 나와 같네. 그럼, 가서 어머니한테 알려야지."
하면서 일어서니까, 아저씨가 꼭 붙들면서,

"그러지 말어." / 그러시지요. 그래도 ㉡나는 한번 맘을 먹은 다음엔 꼭 그대로 하고야마는 성미지요. 그래 안마당으로 뛰쳐 들어가면서,

"엄마, 엄마, 사랑 아저씨두 나처럼 삶은 달걀을 제일 좋아한대." / 하고 소리를 질렀지요.

"떠들지 말어." / 하고 어머니는 눈을 흘기십니다.

그러나 사랑 아저씨가 달걀을 좋아하는 것이 내게는 썩 좋게 되었어요. 그것은 그다음부터는 어머니가 달걀을 많이씩 사게 되었으니까요.

서술상의 특징 파악하기 **1** **이 글에 대한 설명으로 적절하지 <u>않은</u> 것은?**

① '나'의 심리가 직접 제시되고 있다.

② 이야기 속 인물이 사건을 전달하고 있다.

③ 서술자가 어린 시절의 경험을 회상하고 있다.

④ 구어체로 서술되어 독자에게 친근감을 주고 있다.

⑤ 천진난만한 어린아이의 시선으로 인물의 행동을 관찰하고 있다.

세부 내용 파악하기 **2** **이 글의 내용으로 적절하지 <u>않은</u> 것은?**

① 아저씨는 자상한 성격을 지니고 있다.

② '나'는 어머니, 외삼촌과 함께 살고 있다.

③ '나'는 여섯 살이며 삶은 달걀을 좋아한다.

④ 아저씨는 중학교에 다니는 '나'의 외삼촌과 동무이다.

⑤ 어머니는 하숙비를 살림에 보탤 겸 아저씨를 사랑방에 하숙인으로 들였다.

고난도

인물 제시 방법 파악하기 **3** **㉠, ㉡에 드러난 인물 제시 방법이 사용된 문장을 적절하게 짝지은 것은?**

도움말

인물 제시 방법에는 직접 제시와 간접 제시가 있다. 직접 제시는 서술자가 인물의 성격과 심리를 직접 말해 주는 것이며, 간접 제시는 대화나 행동을 통해 독자가 인물의 성격과 심리를 추측하게 하는 것이다.

	㉠	㉡
①	민주가 영훈이를 바라보자 영훈이는 얼굴이 새빨개졌다.	그녀는 어떤 경우에도 화를 내는 법이 없이 온화하고 침착하다.
②	나는 태희가 약속 시간에 늦는 걸 본 적이 없다.	민주가 영훈이를 바라보자 영훈이는 얼굴이 새빨개졌다.
③	유진은 추위에 떠는 작은 길고양이가 불쌍하게 느껴졌다.	그는 길을 걸으면 항상 눈에 띄는 쓰레기들을 줍곤 한다.
④	나는 태희가 약속 시간에 늦는 걸 본 적이 없다.	그는 길을 걸으면 항상 눈에 띄는 쓰레기들을 줍곤 한다.
⑤	그녀는 어떤 경우에도 화를 내는 법이 없이 온화하고 침착하다.	유진은 추위에 떠는 작은 길고양이가 불쌍하게 느껴졌다.

주관식

설명에 맞는 소재 찾기 **4** **다음에서 설명하는 소재를 이 글에서 찾아 한 단어로 쓰시오.**

> '나'와 아저씨를 가깝게 만들며, 아저씨에 대한 어머니의 관심을 드러내는 소재

● 서술자의 특징

서술자가 **❶ ○ ㄹ ○ ○** 임. → 독자의 웃음을 자아내고, 통속적으로 느껴질 수 있는 어른들의 사랑을 아름답게 전달함.

● 갈등 양상

어머니의 내적 갈등
아저씨를 향한 연정
↕
전통적 윤리관, 옥희의 미래에 대한 걱정

개인과 **❷ ㅅ ㅎ** 의 외적 갈등
아저씨에 대한 어머니의 사랑
↕
여성의 재혼에 부정적인 사회적 편견과 관습

● 사회·문화적 배경

당시(1930년대)에는 여성의 **❸ ㅈ ㅎ** 을 부정적으로 생각하는 사회적 분위기가 있었으며 재혼 여성의 자녀까지도 사회적으로 불이익을 받는 경우가 있었음.

▎빈칸 답
❶ 어린아이 ❷ 사회 ❸ 재혼

● **번히** ┃ 바라보는 눈매가 뚜렷하게.
● **멀거니** ┃ 정신없이 물끄러미 보고 있는 모양.
● **젬병** ┃ 형편없는 것을 속되게 이르는 말.
● **강대** ┃ 책 따위를 올려놓고 강의나 설교를 할 수 있도록 만든 도구.
● **공연히** ┃ 아무 까닭이나 실속이 없게.
● **화냥년** ┃ '자기 남편이 아닌 남자와 정을 통하는 여자'를 속되게 이르는 말.
● **망측** ┃ 정상적인 상태에서 어그러져 어이가 없거나 차마 보기가 어려움.

예배당에 가서 찬미하고 기도하다가 기도하는 중간에 갑자기 나는, '혹시 아저씨두 예배당에 오지 않았나?' 하는 생각이 나서 눈을 뜨고 고개를 들어 남자석을 바라다보았습니다. 그랬더니 하, 바로 거기에 아저씨가 와 앉아 있겠지요. 그런데 아저씨는 어른이면서도 눈감고 기도하지 않고 우리 아이들처럼 눈을 번히˚ 뜨고 여기저기 두리번두리번 바라봅니다. 나는 얼른 아저씨를 알아보았는데 아저씨는 나를 못 알아보았는지 내가 방그레 웃어 보여도 웃지도 않고 멀거니˚ 보고만 있겠지요. 그래 나는 손을 흔들었지요. 그러니까 아저씨는 얼른 고개를 숙이고 말더군요. 그때에 어머니가 내가 팔 흔드는 것을 깨닫고 두 손으로 나를 붙들고 끌어당기더군요. 나는 어머니 귀에다 입을 대고,

"저기 아저씨두 왔어."

하고 속삭이니까 어머니는 흠칫하면서 내 입을 손으로 막고 막 끌어 잡아다가 앞에 앉히고 고개를 누르더군요. 보니까 ㉠어머니가 또 얼굴이 홍당무처럼 빨개졌군요.

그날 예배는 아주 젬병˚이었어요. 웬일인지 예배 다 끝날 때까지 어머니는 성이 나서 강대˚만 향하여 앞으로 바라보고 앉았고, 이전 모양으로 가끔 나를 내려다보고 웃는 일이 없었어요. 그리고 아저씨를 보려고 남자석을 바라다보아도 아저씨도 한 번도 바라다보아 주지 않고 성이 나서 앉아 있고, 어머니는 나를 보지도 않고 공연히˚ 꽉꽉 잡아당기지요. ㉡왜 모두들 그리 성이 났는지! 나는 그만 으아 하고 한번 울고 싶었어요. 그러나 바로 멀지 않은 곳에 우리 유치원 선생님이 앉아 있는 고로 울고 싶은 것을 아주 억지로 참았답니다.

생략된 부분의 줄거리 '나'는 어머니에게 유치원에서 가져온 꽃을 주며 아저씨가 주었다고 말한다. 어머니는 매우 놀라지만 꽃을 소중히 간직하고, 꽃이 시들자 꽃을 찬송가 책 갈피에다 곱게 끼워 둔다. 어머니는 그동안 닫아 두었던, '나'의 아버지가 어머니에게 선물한 풍금을 치며 눈물을 흘린다. 그리고 아저씨가 '나'를 통해 전한 편지를 읽고 크게 당황한다.

어떤 일요일날, 그렇지요, 그것은 유치원 방학하고 난 그 이튿날이었어요. 그날 어머니는 갑자기 머리가 아프시다고 예배당에를 그만두었습니다. 사랑에서는 아저씨도 어디 나가고 외삼촌도 나가고 집에는 어머니와 나와 단둘이 있었는데, 머리가 아프다고 누워 계시던 어머니가 갑자기 나를 부르시더니,

"옥희야, 너 아빠가 보고 싶니?" / 하고 물으십디다. / "응, 우리두 아빠 하나 ⓐ있으믄."

하고 나는 혀를 까불고 어리광을 좀 부려 가면서 대답을 했습니다.

한참 동안을 어머니는 아무 말씀도 아니 하시고 천장만 바라다보시더니,

[A]
"옥희야, 옥희 아버지는 옥희가 세상에 나오기도 전에 돌아가셨단다. 옥희두 아빠가 없는 건 아니지. 그저 일찍 돌아가셨지. 옥희가 이제 아버지를 새로 또 가지면 세상이 욕을 한단다. 옥희는 아직 철이 없어서 모르지만 세상이 욕을 한단다. 사람들이 욕을 해. 옥희 어머니는 화냥년˚이다 이러구 세상이 욕을 해. 옥희 아버지는 죽었는데 옥희는 아버지가 또 하나 생겼대, 참 망측˚두 하지. 이러구 세상이 욕을 한다. 그리되문 옥희는 언제나 손가락질 받구. 옥희는 커두 시집두 훌륭한 데 못 가구. 옥희가 공부를 해서 훌륭하게 돼두 에 그까짓 화냥년의 딸, 이러구 남들이 욕을 한다."

이렇게 어머니는 혼잣말하시듯 드문드문 말씀하셨습니다.

정답과 해설 28쪽

갈등 양상 파악하기　　**5**　**이 글에 나타난 주된 갈등 양상으로 가장 적절한 것은?**

① '나'의 내적 갈등　　　　　　　② 어머니의 내적 갈등

③ '나'와 어머니의 외적 갈등　　　④ 아저씨와 운명의 외적 갈등

⑤ 어머니와 아저씨의 외적 갈등

서술상의 특징 파악하기　　**6**

고난도

〈보기〉를 참고하여 ㉠, ㉡을 이해한 것으로 적절하지 않은 것은?

● **보기** ●
　이 소설의 서술자인 '나'는 관찰자이자 어린아이라는 특성을 지닌다. '나'는 어머니와 아저씨 사이의 미묘한 감정은 알지 못한 채 자기 눈에 비친 대로 이야기하고 상황을 어설프게 해석하기도 한다. 이는 독자의 웃음을 자아내며, 독자가 인물의 심리를 추측하며 읽도록 한다. 또한 자칫 통속적으로 보일 수 있는 두 어른의 사랑을 순수하고 아름답게 느껴지게 한다.

● **통속적** | 전문적이지 않고 대체로 수준이 낮아 일반 대중에게 쉽게 통할 수 있는 것.

① ㉠은 '나'가 어머니의 모습을 눈에 비친 대로 서술한 것이다.

② ㉠에서 독자는 어머니가 아저씨를 의식하고 있다고 추측할 수 있다.

③ ㉡에서 '나'의 어설픈 상황 판단은 독자의 웃음을 자아낸다.

④ ㉡에서 '나'는 어머니와 아저씨의 심리를 의도적으로 잘못 추측하여 서술하고 있다.

⑤ ㉠, ㉡과 같은 서술은 어머니와 아저씨의 사랑 이야기를 순수하고 아름답게 느껴지게 한다.

사회·문화적 배경 파악하기　　**7**　**[A]에서 알 수 있는 사실로 적절하지 않은 것은?**

① 당시 사람들은 과부의 재혼을 부정적으로 보았다.

② 당시에는 성별과 신분에 따라 직업이 결정되었다.

③ 어머니가 갈등하는 이유 중 하나는 '나'의 장래에 대한 걱정 때문이다.

④ 당시 재혼한 과부의 자녀는 사회적으로 불이익을 받는 경우가 있었다.

⑤ 어머니는 자신의 감정과 과부에 대한 사회적 편견 사이에서 고민하고 있다.

어휘의 의미 파악하기　　**8**　**밑줄 친 부분의 의미가 ⓐ와 가장 유사한 것은?**

① 가만히 좀 있어라.　　　　　　② 넥타이를 매고 있다.

③ 나는 신이 있다고 믿는다.　　　④ 내가 갈 테니 너는 학교에 있어라.

⑤ 합격자 명단에는 내 이름도 있었다.

발단　전개　위기　절정　**결말**

● 주요 소재의 의미와 역할
· 삶은 달걀　아저씨에 대한 어머니의 **❶ㄱㅅ**과 정성을 의미함.
· **❷ㄲ**　아저씨에 대한 어머니의 사랑을 드러내며 어머니의 내적 갈등을 심화시킴.
· 풍금　아버지와의 추억과 사랑을 상징함. 어머니의 내적 갈등을 드러냄.

● 갈등의 해소
· 아저씨가 사랑방을 떠남으로써 모든 갈등 양상이 마무리됨.
· 어머니는 풍금 뚜껑을 닫고 꽃송이를 버리며 달걀 장수를 돌려보내는 등의 행동을 통해 아저씨에 대한 마음을 **❸ㅈㄹ**함.

┃빈칸 답
❶ 관심 ❷ 꽃 ❸ 정리

생략된 부분의 줄거리　어머니는 갈등 끝에 아저씨와의 사랑을 포기하고, 아저씨에게 자신의 결심을 전한다.

㉮ "엄마, 이것 봐. 아저씨가 이것 나 줬다우. 아저씨가 오늘 기차 타구 먼 데루 간대."

하고 내가 말했으나, ㉠어머니는 대답이 없으십니다.

"엄마, 아저씨 왜 가우?" / "학교 방학했으니깐 가지."

"어디루 가우?"

"아저씨 집으루 가지, 어디루 가."

"갔다가 또 오우?"

㉡어머니는 대답이 없으십니다.

"난 아저씨 가는 거 나쁘다."

하고 입을 쫑긋했으나, 어머니는 그 말은 대답 않고,

"옥희야, 벽장에 가서 달걀 몇 알 남았나 보아라."

하고 말씀하셨습니다.

나는 깡충깡충 방 안으로 들어갔습니다. 달걀은 여섯 알이 있었습니다.

"여스 알." / 하고 나는 소리쳤습니다. / "응, 다 가지구 이리 나오너라."

어머니는 그 달걀 여섯 알을 다 삶았습니다. ㉢그 삶은 달걀 여섯 알을 손수건에 싸 놓고 또 반지에 소금을 조금 싸서 한 귀퉁이에 넣었습니다.

"옥희야, 너 이것 갖다 아저씨 드리구, 가시다가 찻간에서 잡수시랜다구, 응."

㉯ "기차 떠난다." / 하면서 ㉣나는 손뼉을 쳤습니다. 기차가 저편 산모퉁이 뒤로 사라질 때까지, 그리고 그 굴뚝에서 나는 연기가 하늘 위로 모두 흩어져 없어질 때까지, ㉤어머니는 가만히 서서 그것을 바라다보았습니다.

뒷동산에서 내려오자 어머니는 방으로 들어가시더니 이때까지 뚜껑을 늘 열어 두었던 풍금 뚜껑을 닫으십니다. 그러고는 거기 쇠를 채우고 그 위에다가 이전 모양으로 반짇그릇을 얹어 놓으십니다. 그러고는 그 옆에 있는 찬송가를 맥없이 들고 뒤적뒤적하시더니 빼빼 마른 꽃송이를 그 갈피에서 집어내시더니, / "옥희야, 이것 내다 버려라."

하고 그 마른 꽃을 내게 주었습니다. 그 꽃은 내가 유치원에서 갖다가 어머니께 드렸던 그 꽃입니다. 그러자 옆 대문이 삐걱하더니,

"달걀 사소." / 하고 매일 오는 달걀 장수 노친네가 달걀 광주리를 이고 들어왔습니다.

"인젠 우리 달걀 안 사요. 달걀 먹는 이가 없어요."

하시는 어머니 목소리는 맥이 한 푼어치도 없었습니다. / 나는 어머니의 이 말씀에 놀라서 떼를 좀 써 보려 했으나 석양에 빤히 비치는 어머니 얼굴을 볼 때 그 용기가 없어지고 말았습니다. 그래서 아저씨가 주신 인형 귀에다가 내 입을 갖다 대고 가만히 속삭이었습니다.

"얘, 우리 엄마가 거짓부리 썩 잘하누나. 내가 달걀 좋아하는 줄 잘 알문성 생 먹을 사람이 없대누나. 떼를 좀 쓰구 싶다만 저 우리 엄마 얼굴을 좀 봐라. ⓐ어쩌문 저리두 새파래졌을까? 아마 어디가 아픈가 보다." / 라고요.

● 반지│얇고 흰 일본 종이.
● 거짓부리│'거짓말'을 속되게 이르는 말.

세부 내용 파악하기 **9** ㉠~㉤에 대한 설명으로 적절하지 <u>않은</u> 것은?

① ㉠: 어머니는 아저씨가 떠날 것을 짐작하고 있었음을 의미한다.

② ㉡: 아저씨가 다시 오지 않는다는 것을 드러낸다.

③ ㉢: 아저씨에 대한 어머니의 마지막 정성이 담긴 행동이다.

④ ㉣: '나'가 어머니를 격려하려 일부러 활기차게 행동하고 있다.

⑤ ㉤: 아저씨를 떠나보내는 어머니의 안타까움과 슬픔을 간접적으로 드러낸다.

인물의 의도 파악하기 **10** (나)에 나타난 어머니의 행동 중 그 의미가 나머지 넷과 <u>다른</u> 것은?

 도움말

　(나)에서 어머니는 슬프고 안타까운 마음으로 아저씨를 떠나보낸 뒤, 아저씨에 대한 마음을 정리하고 있다.

① 풍금 뚜껑을 닫음.　　　　　② 떠나는 기차를 가만히 바라봄.

③ 찬송가에 끼워 둔 꽃송이를 버림.　　④ 달걀 장수에게 달걀을 사지 않음.

⑤ 풍금에 쇠를 채우고 그 위에 반짇그릇을 올려놓음.

인물의 심리 파악하기 **11**

`주관식`

ⓐ에 드러난 '나'와 어머니의 심리를 정리할 때, 빈칸에 들어갈 말을 쓰시오.

'나'	아파 보이는 엄마를 걱정하고 있다.
어머니	(　　　　　　　　　　　　　　　　　)

반응의 적절성 평가하기 **12** 다음은 어머니의 행동에 대한 학생들의 평가이다. 적절하지 <u>않은</u> 것은?

① 미연: 어머니는 아직 너무 젊은데, 다른 사람들의 시선 때문에 자신의 행복을 포기하다니 참 안타까워.

② 민니: 아저씨와 사랑을 이루는 게 반드시 행복일까? 딸이 잘 커 나가는 걸 보는 게 어머니에겐 더 큰 행복이니까 사랑을 포기한 것일 수도 있잖아.

③ 소연: 맞아. 새로운 사랑을 선택하는 것이 딸에게 고통을 줄 수도 있다는 생각에 어머니는 망설일 수밖에 없었을 거야. 어머니는 자신과 딸 모두를 위한 선택을 한 거지.

④ 우기: 하지만 어머니는 이미 죽은 남편을 잊은 상태였고, 어머니와 아저씨는 서로 호감이 있었잖아. 어머니가 아저씨의 마음을 받아 주었어도 된다고 생각해.

⑤ 슈화: 그리고 새로운 선택을 하는 사람들이 생겨나야 사회 분위기가 변하는 법이야. 어머니가 사회적 편견에 순응하지 않고 자신이 진정으로 원하는 것을 추구했다면 당장은 힘들었을 수 있지만 결국 자신의 삶에 좋은 변화를 가져올 수 있지 않았을까?

작품 정리하기

전체 구성

발단 '나'는 과부인 어머니와 외삼촌과 함께 살고 있는 여섯 살 여자아이이다. 어느 날 '나'의 집 사랑방에 아버지의 친구인 아저씨가 하숙인으로 들어온다. --〔108쪽 수록〕

전개 '나'와 아저씨가 점차 친해지고 어머니와 아저씨는 서로에게 관심을 보이기 시작한다. --〔108쪽 수록〕

위기 예배당에서 어머니와 아저씨는 서로를 의식하는 모습을 보인다. '나'가 유치원에서 꽃을 가져와 아저씨가 준 것이라고 거짓말을 하자 어머니는 당황하면서도 꽃을 소중히 간직한다. 그리고 어머니는 남편이 죽은 후 열어 본 적이 없던 풍금을 다시 연주한다. --〔110쪽 수록〕

절정 아저씨가 자신의 마음을 담아 어머니에게 편지를 보내지만, 어머니는 고민 끝에 아저씨의 마음을 거절한다. --〔110쪽 수록〕

결말 아저씨가 '나'의 집 사랑방을 떠나고, 어머니는 아저씨를 향한 마음을 정리한다. --〔112쪽 수록〕

해제

이 작품은 어린아이인 '나'의 눈으로 어머니와 사랑손님의 미묘한 애정 심리를 묘사한 소설이다. 이 소설의 서술자인 '나'는 어머니와 사랑손님 사이의 미묘한 감정을 주관적으로 해석해 서술한다. 이는 독자의 웃음을 유발하며, 자칫 통속적으로 보일 수 있는 두 남녀의 사랑을 순수하게 느껴지도록 한다.

주제

사랑의 감정과 봉건적 윤리관 사이에서 갈등하는 어머니와 아저씨의 사랑과 이별

갈등 양상

이 작품의 주된 갈등 양상은 어머니의 내적 갈등과 개인과 사회의 외적 갈등이다.

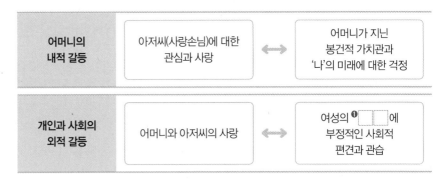

어머니의 내적 갈등	아저씨(사랑손님)에 대한 관심과 사랑 ↔ 어머니가 지닌 봉건적 가치관과 '나'의 미래에 대한 걱정
개인과 사회의 외적 갈등	어머니와 아저씨의 사랑 ↔ 여성의 ❶□□에 부정적인 사회적 편견과 관습

작품에 반영된 당대의 사회·문화적 배경

이 작품에서 당대의 사회·문화적 배경은 이야기 속 인물들이 갈등하는 주된 ❷□□이 된다. 독자는 인물들의 갈등을 지켜보며 당대의 사회·문화적 배경을 이해하고 비판적으로 수용하게 된다.

- 여성의 재혼을 부정적으로 보는 사회적 분위기가 있었음.
- 재혼한 여성의 자녀가 사회적으로 불이익을 받는 경우도 있었음.

→

- 어머니가 내적 갈등을 겪는 원인이 됨.
- 남녀의 사랑이 사회적 차별로 인해 좌절되는 모습을 드러내어 당대의 사회적 편견을 비판함.

서술자와 서술 시점상의 특징

이 작품의 서술자는 어린아이인 '나'이며, 중심인물인 어머니와 아저씨의 말과 행동을 관찰자의 시점으로 서술하고 있다.

서술자	서술 시점
서술자인 '나'는 어리고 미숙하여 상황 판단을 올바르게 하지 못함.	1인칭 관찰자 시점 → 독자가 주인공의 심리를 적극적으로 추측해야 함.

↓ ↓

- 천진난만한 서술자의 말투로 독자의 ❸□□을 자아냄.
- 어린아이의 시선으로 어른들의 사랑을 순수하고 아름답게 전달함.
- 서술자가 말해 주지 못하는 내용을 독자가 상상하며 읽는 즐거움을 줌.

빈칸 답 ❶ 재혼(개가) ❷ 원인 ❸ 웃음

1 다음 뜻에 해당하는 단어를 말 상자에서 찾아 표시하시오.

(1) 바라보는 눈매가 뚜렷하게.

　　예 우리 아이들처럼 눈을 (　　　　) 뜨고

(2) 아무 까닭이나 실속이 없게.

　　예 (　　　　) 고집을 부리다.

(3) 정신없이 물끄러미 보고 있는 모양.

　　예 혼자 (　　　　) 앉아 있다.

물	멀	거	니
끄	다	대	진
라	유	공	강
미	뻔	연	히
양	번	히	희

2 제시된 뜻을 참고하여 다음 초성에 해당하는 단어를 쓰시오.

(1) ㅂ ㅈ : 얇고 흰 일본 종이. ·· (　　　　)

(2) ㄱ ㄷ : 책 따위를 올려놓고 설교를 할 수 있도록 만든 도구. ············· (　　　　)

(3) ㅎ ㅅ : 일정한 방세와 식비를 내고 남의 집에 머물면서 숙식함. ·········· (　　　　)

3 다음 밑줄 친 단어와 바꾸어 쓰기에 알맞은 것을 고르시오.

─ 보기 ─
　　나는 한번 맘을 먹은 다음엔 꼭 그대로 하고야 마는 <u>성미</u>지요.

① 규칙　　　② 습관　　　③ 재주　　　④ 성격　　　⑤ 씀씀이

어법 **본용언과 보조 용언의 띄어쓰기**

4 〈보기〉를 참고하여 밑줄 친 부분의 띄어쓰기가 알맞지 <u>않은</u> 것을 고르시오.

─ 보기 ─
　　'버리다'는 '가지거나 지니고 있을 필요가 없는 물건을 내던지거나 쏟거나 하다.'라는 뜻을 지니고 있다. 한편 '버리다'는 다른 동사나 형용사 뒤에서 앞말이 나타내는 행동이 이미 끝났음을 나타내기도 한다. '버리다'가 첫 번째 의미로 쓰인 경우, 앞말과 반드시 띄어 써야 한다. 두 번째 의미로 쓰인 경우, 앞말과 띄어 쓰는 것이 원칙이지만 붙여서 쓰는 것도 허용된다.

① 동생이 과자를 다 <u>먹어버렸다</u>.
② 친구가 내 곁에서 <u>떠나버렸다</u>.
③ 그 일을 다 <u>해버리고</u> 나니 속이 시원하다.
④ 그의 물건을 모두 집 밖에 <u>내다버리고</u> 불태웠다.
⑤ 약속 시간에 조금 늦게 갔더니 친구들은 모두 <u>가버리고</u> 없었다.

이상한 선생님 | 채만식

이 작품은 해방 전후를 배경으로 기회주의적인 태도를 보이는 인물을 비꼬아 조롱하면서 그 인물의 부정적인 면모를 풍자하고 있다. 인물의 특징, 풍자의 기법과 효과에 주목하여 작품을 감상해 보자.

✎ 핵심 짚기

발단 **전개** 위기 절정 결말

● **인물**
· 박 선생님 키가 작고 사납게 생김. **❶**ㅊㅇㅈ 태도가 드러남.
· 강 선생님 키가 크고 순하게 생김. 마음이 넓고 유순한 성격을 가짐.

● **배경**
· 시간적 **❷**ㅎㅂ 전후
· 공간적 어느 초등학교

● **서술 시점**
· 1인칭 **❸**ㄱㅊㅈ 시점 이야기 속의 주변 인물인 '나'가 주인공인 박 선생님과 강 선생님의 말과 행동을 관찰하여 서술함.

빈칸 답
❶ 친일적 **❷** 해방 **❸** 관찰자

● **혈서** | 제 몸의 피를 내어 자기의 결심, 청원, 맹세 따위를 글로 씀. 또는 그 글.
● **척수** | 치수. 길이에 대한 몇 자 몇 치의 셈.
● **낙방** | 시험, 모집, 선거 따위에 응하였다가 떨어짐.
● **정기** | 생기 있고 빛이 나는 기운.
● **너부룻하다** | '너부죽하다'의 방언. 조금 넓고 평평한 듯하다.
● **경치다** | 혹독하게 벌을 받다.
● **제기다** | 팔꿈치나 발꿈치 따위로 지르다.
● **조행** | 태도와 행실을 아울러 이르는 말.

우리 ㉠박 선생님은 참 이상한 선생님이었다.

박 선생님은 생긴 것부터가 무척 이상하게 생긴 선생님이었다. 키가 한 뼘밖에 안 되어서 뼘생 또는 뼘박이라는 별명이 있는 것처럼, 박 선생님의 키는 키 작은 사람 가운데에서도 유난히 작은 키였다. 일본 정치 때에, 혈서로 지원병을 지원했다 체격 검사에 키가 제 척수에 차지 못해 낙방이 되었다면, 그래서 땅을 치고 울었다면, 얼마나 작은 키인지 알 일이다. / 그런 작은 키에 몸집은 그저 한 줌만 하고. 이 한 줌만 한 몸집, 한 뼘만 한 키 위에 깜짝 놀랄 만큼 큰 머리통이 위태위태하게 올라앉아 있다. 그래서 박 선생님 또 하나의 별명은 대갈장군이라고도 했다.

머리통이 그렇게 큰 박 선생님의 얼굴은 어떻게 생겼느냐 하면, 또한 여느 사람과는 많이 달랐다. / 뒤통수와 앞이마가 툭 내솟고, 내솟은 좁은 이마 밑으로 눈썹이 시꺼멓고, 왕방울 같은 두 눈은 부리부리하니 정기가 있고도 사납고, 코는 매부리코요, 입은 메기입으로 귀밑까지 넓죽 째지고, 목소리는 쇠꼬챙이로 찌르는 것처럼 쨍쨍하고.

이런 대갈장군인 뼘생 박 선생님과 아주 정반대로 생긴 이가 ㉡강 선생님이었다.

강 선생님은 키가 크고, 몸집도 크고, 얼굴이 너부룻하고, 얼굴이 검기는 해도 순하여 사나움이 든 데가 없고, 눈은 더 순하고, 허허 웃기를 잘하고, 별로 성을 내는 일이 없고, 아무하고나 장난을 잘하고…… 강 선생님은 이런 선생님이었다. 〈중략〉

학교에서고 학교 밖에서고 조선말로 말을 하다 선생님한테 들키는 날이면 경치는 판이었다. 선생님들 중에서도 제일 심하게 밝히는 선생님이 뼘박 박 선생님이었다. 교장 선생님이나 다른 일본 선생님은 나무라기만 하고 마는 수가 있어도, 뼘박 박 선생님만은 절대로 용서가 없었다.

나도 여러 번 혼이 나 보았다. / 한번은 상준이 녀석과 어떡하다 쌈이 붙었는데 둘이 서로 부둥켜안고 구르면서 이 자식아, 저 자식아, 죽어 봐, 때려 봐, 하면서 한참 때리고 제기고 하는 참이었다. / 그런데, 느닷없이

"고랏! 조셍고데 겡까 스루야쓰가 이루까(이놈아! 조선말로 쌈하는 녀석이 어딨어)."

하면서 구둣발길로 넓적다리를 걷어차는 건, 정신없는 중에도 뼘박 박 선생님이었다.

우리 둘이는 그 자리에서 뺨이 붓도록 따귀를 맞았고, 공부 시간에 들어가지도 못하고 그 시간 동안 변소 청소를 했고, 그리고 조행 점수를 듬뿍 깎였다.

이렇게 뼘박 박 선생님한테 제일 중한 벌을 받는 때가 언제냐 하면, 조선말로 지껄이다 들키는 때였다. / 강 선생님은 그와 반대로 아무 시비가 없었다.

교실에서 공부를 할 때 빼고는 다른 선생님, 그중에서도 교장 이하 일본 선생님들과 뼘박 박 선생님이 보지 않는 데서는, 강 선생님은 우리한테, 일본 말로 말을 하지 않았다.

글의 특징 파악하기

1

➕ 액자식 구성
　하나의 이야기 속에 내부 이야기가 담겨 있는 구성으로, 이러한 구성은 서술자와 독자가 다양한 관점에서 사건을 바라보고 평가하게 한다.

이 글에 대한 설명으로 적절한 것은?

① 개인과 사회의 갈등이 주로 나타난다.

② 실존 인물과 허구적 인물이 함께 등장한다.

③ 향토적 소재를 활용해 공간적 배경의 특성을 전달하고 있다.

④ 인물을 우스꽝스럽게 표현하여 독자의 웃음을 유발하고 있다.

⑤ 액자식 구성을 활용해 사건을 다양한 관점에서 평가하고 있다.

세부 내용 파악하기

2

이 글의 내용과 일치하지 <u>않는</u> 것은?

① 당시에는 학교에서 일본 말을 사용해야 했다.

② 강 선생님도 수업 시간에는 일본 말을 사용했다.

③ 당시에는 학교에 일본인 교사가 근무하는 경우도 있었다.

④ 박 선생님은 키가 작아 일본의 지원병 모집에 낙방하였다.

⑤ '나'가 박 선생님에게 넓적다리를 걷어차인 이유는 친구와 싸웠기 때문이다.

서술 시점 파악하기

3

이 글에 나타난 서술 시점의 특징으로 적절한 것은?

① 사건의 전후 관계를 상세하게 설명하여 독자의 상상력이 제한된다.

② 주인공의 심리가 잘 드러나기 때문에 독자가 주인공에게 공감하기 쉽다.

③ 관찰하는 서술자의 연령이나 성격 등에 따라 이야기의 분위기가 달라진다.

④ 이야기 밖의 서술자가 인물의 심리를 전부 알려 주어 독자가 이해하기 쉽다.

⑤ 두 명의 서술자가 한 사건을 번갈아 서술하여 사건을 객관적으로 바라볼 수 있다.

인물의 특징 비교하기

4

주관식

다음은 ㉠과 ㉡을 항목에 따라 비교한 표이다. ㄱ~ㄹ 중 알맞은 것의 기호를 <u>모두</u> 고르시오.

	항목	㉠(박 선생님)	㉡(강 선생님)
ㄱ	성격	대범하고 눈치가 빠름.	별로 성을 내는 일이 없음.
ㄴ	외모	키가 몹시 작고 머리가 매우 큼.	키가 크고 얼굴과 눈매가 순함.
ㄷ	조선말을 사용하는 학생에 대한 태도	때리거나 벌을 주는 등 학생들을 심하게 혼냄.	조선말을 쓰는 것을 문제 삼지 않음.
ㄹ	인물에 대한 서술자의 태도	부정적	긍정적

● **인물의 태도 변화**

박 선생님은 시대적 상황에 따라 강한 쪽에 붙어 이익을 얻으려는 **❶ㄱㅎㅈㅇ**적 인물임.

해방 전
일본을 찬양함.

↓

해방 후
일본을 비난하고 미국을 찬양함.

● **서술자의 특징**

서술자: '나'
• 순진하고 어수룩한 어린아이임. • 상황 판단이 미숙함.

↓

독자의 웃음을 유발하고, 비판하려는 대상의 **❷ㅂㅈㅈ** 면모를 부각함.

● **풍자**

사실을 **❸ㄱㅈ**하거나 왜곡하고 비꼬아 표현하여 웃음을 유발해 현실의 부조리를 고발하는 표현 방법. 이 글에서는 박 선생님의 말과 행동을 우스꽝스럽게 표현하여 웃음을 유발하며 박 선생님의 행적을 비판하고 있음.

빈칸 답
❶ 기회주의 ❷ 부정적
❸ 과장

● **불측하다** | 생각이나 행동 따위가 괘씸하고 엉큼하다.
● **시방** | 말하는 바로 이때.
● **소견** | 어떤 일이나 사물을 살펴보고 가지게 되는 생각이나 의견.
● **압제** | 권력이나 폭력으로 남을 꼼짝 못하게 강제로 누름.

생략된 부분의 줄거리 해방 다음 날, 일본이 패망한 후에도 박 선생님은 일본에 대한 미련을 버리지 못한다. 강 선생님은 그런 박 선생님을 큰 소리로 꾸짖으며 박 선생님의 친일 행적을 비판한다. 이후 강 선생님이 박 선생님을 타이르며 함께 독립 만세를 부르자고 하자 결국 박 선생님은 일본이 패망한 현실을 받아들인다.

그 뒤로 강 선생님과 뼘박 박 선생님은 사이가 매우 좋아졌다.

뼘박 박 선생님은 학과 시간마다 우리에게 여러 가지 좋은 이야기를 많이 해 주었다. 일본이 우리 조선을 뺏어 저의 나라에 속국으로 삼던 이야기도 해 주었다.

왜놈들은 천하의 불측한 인종이어서 남의 나라와 전쟁하기를 좋아하는 백성이라고 했다. 그래서 임진왜란 때에도 우리 조선에 쳐들어왔고, 그랬다가 이순신 장군이랑 권율 도원수한테 아주 혼이 나서 쫓겨간 이야기도 해 주었다.

우리 조선은 역사가 사천 년이나 오래되고 그리고 세계의 어떤 나라 못지않게 훌륭한 문화가 발달한 나라라는 이야기도 해 주었다.

뼘박 박 선생님은 한편으로 열심히 미국 말을 공부했다. 그러면서 우리더러 졸업을 하고 중학교에 가거들랑 미국 말을 무엇보다도 많이 공부하라고, 시방은 미국 말을 모르고는 훌륭한 사람이 되지 못한다고 했다. 〈중략〉

뼘박 박 선생님은 미국을 침이 마르도록 칭찬했다. 이 세상에 미국같이 훌륭한 나라가 없고, 미국 사람같이 훌륭한 백성이 없다고 했다. 우리 조선은 미국 덕분에 해방이 되었으니까 미국을 누구보다도 고맙게 여기고, 미국이 시키는 대로 순종해야 하느니라고 했다. 우리가 혹시 말끝에 "미국 놈……."이라고 하면, 뼘박 박 선생님은 단박 붙잡아다 벌을 세우곤 하였다. 전에 "덴노헤이까 바가(천황 폐하 망할 자식)!"라고 한 것만큼이나 엄한 벌을 주었다.

"이놈아 아무리 미련한 소견이기로, 자아 보아라. 우리 조선을 독립을 시켜 주느라구 자기 나라 백성을 많이 죽여 가면서 전쟁을 했지. 그래서 그 덕에 우리 조선이 왜놈의 압제에서 벗어나서 독립이 되질 아니했어? 그뿐인감? 독립을 시켜 주구 나서두 우리 조선 사람들 배 아니 고프구 편안히 잘 살라고 양식이야, 옷감이야, 기계야, 자동차야, 석유야, 설탕이야, 구두야, 무어 죄다 골고루 가져다주지 않어? 그런데 그런 고마운 사람들더러, 미국 놈이 무어야?" / 벌을 세우면서 뼘박 박 선생님은 이렇게 꾸짖곤 하였다.

[A] ⎰ 우리는 뼘박 박 선생님더러 미국에도 덴노헤이까가 있느냐고 물었다. 미국에 덴노헤이까가 있지 않고서야 그렇게 일본의 덴노헤이까처럼 우리 조선 사람을 친아들과 같이 사랑하고, 우리 조선 사람들이 잘 살도록 근심을 하며, 온갖 물건을 가져다주고 할 이치가 없기 때문이었다(해방 전에 뼘박 박 선생님은, 덴노헤이까는 우리 조선 사람들을 일본 사람들과 같이 사랑하고, 우리 조선 사람들이 잘 살기를 근심하신다고 늘 가르쳐 주곤 했다.). / 뼘박 박 선생님은 미국에는 덴노헤이까는 없고, 덴노헤이까보다 훌륭한 '돌멩이'라는 양반이 있다고 대답했다. / 우리는 그럼 이번에는 그 '돌멩이'라는 훌륭한 어른을 위하여 '미국 신민노 세이시(미국 신민 서사)'를 부르고, 기미가요(일본의 국가) 대신 돌멩이 가요를 부르고 해야 하나 보다고 생각했다.

⟁아무튼 뼘박 박 선생님은 참 이상한 선생님이었다.

주제 파악하기　　**5**　이 글의 주제로 가장 적절한 것은?

① 외모보다 내면의 아름다움을 가꾸는 것의 중요성
② 시류에 편승하지 않고 민족을 위해 행동하는 삶의 가치
③ 일본과 미국에 억눌려 핍박받아야 했던 우리 민족의 고달픈 삶
④ 강자의 편에 서서 개인적 이익을 추구하는 기회주의자에 대한 비판
⑤ 혼란한 시대 상황에서도 학생들을 올바르게 가르치기 위해 힘쓴 사람들의 노력

서술상의 특징 파악하기　　**6**　[A]에서 드러나는 이 글의 서술상 특징으로 가장 적절한 것은?

① 박 선생님을 직접적으로 비판하고 있다.
② 어수룩한 서술자가 부정적인 대상을 긍정적으로 평가하고 있다.
③ 대상을 웃기게 표현하여 대상에 대한 동정심을 불러일으키고 있다.
④ 어린아이의 시선으로 서술하여 대상의 부정적 면모를 부각하고 있다.
⑤ 반어적 표현을 사용해 비판하고자 하는 부정적인 대상을 풍자하고 있다.

인물의 의도 파악하기　　**7**　'나'가 ㉠과 같이 말한 이유로 가장 적절한 것은?

① 박 선생님의 외모가 보잘것없었기 때문에
② 박 선생님의 앞뒤가 맞지 않는 태도를 이해하지 못했기 때문에
③ 박 선생님이 학생들에게 돌맹이 가요를 부르도록 강요했기 때문에
④ 박 선생님이 '돌맹이'가 덴노헤이까보다 더 훌륭한 사람이라고 했기 때문에
⑤ 박 선생님이 전쟁이나 국제 정세와 같은 어려운 내용을 화제로 이야기했기 때문에

다른 작품과 비교하기　　**8**

고난도

이 글과 〈보기〉를 비교한 내용으로 적절하지 않은 것은?

💡 **도움말**

　〈보기〉에 제시된 시조는 백성을 괴롭히는 부패한 관리의 이중성을 비판하고 있다. 부패한 관리는 '두꺼비'로, 힘없는 백성은 '파리'로, 부패한 관리보다 더 큰 권력을 가진 고위 관리는 '백송골'에 빗대었다.

> ● 보기 ●
>
> 　두꺼비 파리를 물고 두엄* 위에 뛰어올라 앉아
> 　건넛산 바라보니 백송골이 떠 있거늘 가슴이 끔찍하여 펄쩍 뛰어 내달리다가 두엄 아래 자빠졌구나.
> 　마침 날랜 나였기에 망정이지 하마터면 다쳐 멍들 뻔했구나.　　　– 작자 미상의 시조
>
> ● **두엄** | 풀, 짚 또는 가축의 배설물 따위를 썩힌 거름.

① 이 글은 〈보기〉와 달리 대상을 우스꽝스럽게 만들어 풍자하고 있다.
② 이 글은 〈보기〉와 달리 순진무구한 서술자를 통해 웃음을 유발한다.
③ 이 글은 〈보기〉와 달리 강한 쪽에 붙어 이랬다저랬다 하는 인물을 비판하고 있다.
④ 〈보기〉는 이 글과 달리 대상을 동물에 빗대어 표현하고 있다.
⑤ 〈보기〉는 이 글과 달리 부정적 대상이 스스로를 칭찬하여 웃음을 유발한다.

전체 구성

발단 박 선생님은 키가 작고 날카롭게 생겼으며, 화를 잘 내고 엄하다. 강 선생님은 키가 크고 유순하게 생겼으며, 별로 성을 내는 일이 없고 장난을 잘 친다. 두 선생님은 만날 때마다 사소하게 싸운다.
⎯ 116쪽 수록

전개 박 선생님은 학생들에게 언제나 일본 말을 쓸 것을 강요한다. 강 선생님은 되도록 조선말을 쓰며 학생들이 조선말을 사용하여도 문제 삼지 않는다.
⎯ 116쪽 수록

위기 일본이 패망하고 조선이 해방되자 강 선생님은 일제에 대한 미련을 버리지 못하는 박 선생님의 모습을 보고 박 선생님을 크게 꾸짖는다. 이후 강 선생님이 박 선생님을 타이르며 함께 독립 만세를 부르자고 하자 박 선생님은 일본이 패망한 현실을 받아들인다.

절정 광복 후 일본을 적대시하며 미국에 협력하던 박 선생님은, 교장이 된 강 선생님을 모함하여 파면시킨 후 자신이 교장이 된다.
116쪽 수록

결말 '나'는 얼마 전까지 일본을 찬양하다가 이번에는 또 미국을 찬양하는 박 선생님을 이상하다고 생각한다.
⎯ 118쪽 수록

해제

이 작품은 해방 전후의 혼란한 사회 상황 속에서 기회주의적으로 행동하는 인물을 풍자하는 내용의 소설이다. 서술자인 '나'는 어수룩한 어린아이로서, 박 선생님과 강 선생님의 말과 행동을 관찰하고 대조적으로 묘사하여 박 선생님의 부정적인 면모를 부각하고 있다.

주제

해방 전후 권력에 빌붙어 기회주의적으로 살아가는 인물상 비판

작품의 주요 인물

이 작품의 주요 인물은 박 선생님과 강 선생님이다. 이 두 인물은 성격, 외모, 행동 등 많은 부분에서 대조되며, 이를 통해 박 선생님의 부정적 면모가 더욱 부각된다.

	박 선생님	강 선생님
외모와 성격	• 키가 몹시 작고 머리가 큼. • 옹졸하고 화를 잘 냄.	• 키가 크고 순하게 생김. • 잘 웃고 장난을 잘 침.
조선말을 사용한 학생에 대한 태도	때리고 심한 벌을 주는 등 학생들을 심하게 혼냄.	조선말을 쓰는 것을 문제 삼지 않음.
일제 패망 소식에 대한 반응	기가 죽음.	들이 날뛰면서 기뻐함.
해방 후	❶□□을 비난하며 미국을 찬양함.	교장 선생님이 되었으나 박 선생님에게 모함을 당하여 파면됨.

서술상 특징

이 작품은 박 선생님을 부정적으로 묘사하며 풍자하기 위해 다양한 서술 전략을 활용한다. 이를 통해 작품의 주제를 효과적으로 표현하고 있다.

외양 묘사	– 인물들의 외양을 묘사함으로써 인물에 대한 서술자의 평가를 간접적으로 제시함. – 박 선생님의 외양은 과장되고 왜곡되게 표현함. → 서술자가 박 선생님을 ❷□□□으로 평가하고 있음을 드러냄.
어린 서술자	– 순진무구하고 어수룩한 초등학생인 '나'를 관찰자이자 서술자로 택함. – 읽는 이의 웃음을 유발하며 박 선생님의 부정적인 면모를 부각하여 풍자의 효과를 높임.

풍자의 개념과 효과

• 풍자: 사회나 인물의 결함이나 악덕, 모순, 어리석음 등을 직접 말하지 않고 웃음(주로 조롱, 비꼼, 조소, 냉소 등)을 사용하여 비판하는 방법

→ 이 작품의 서술자는 박 선생님의 모습, 말, 행동을 우스꽝스럽게 표현한다. 이를 통해 나타나는 풍자는 읽는 이의 웃음을 유발하며, 박 선생님의 기회주의적인 모습을 강조하고 박 선생님을 ❸□□□으로 바라볼 수 있게 한다.

1 다음 뜻에 해당하는 단어를 말 상자에서 찾아 표시하시오.

(1) 생기 있고 빛이 나는 기운.

　　예 그의 두 눈에는 (　　　　　)가 있다.

(2) 길이에 대한 몇 자 몇 치의 셈.

　　예 (　　　　　) 보아 옷 짓는다.

(3) 팔꿈치나 발꿈치 따위로 지르다.

　　예 철수의 옆구리를 무릎으로 (　　　　　).

척	수	과	찌
추	대	정	르
수	제	기	다
혈	전	자	제
관	주	음	토

2 다음 밑줄 친 단어와 의미가 유사한 것을 고르시오.

　　● 보기 ●

　　공부 시간에 들어가지도 못하고 그 시간 동안 변소 청소를 했고, 그리고 <u>조행</u> 점수를 듬뿍 깎였다.

① 동행　　　　② 유행　　　　③ 일행　　　　④ 진행　　　　⑤ 품행

3 제시된 뜻을 참고하여 다음 초성에 해당하는 단어를 쓰시오.

(1) ㄴㅂ : 시험, 모집, 선거 따위에 응하였다가 떨어짐. ·························· (　　　　　)

(2) ㅅㄱ : 어떤 일이나 사물을 살펴보고 가지게 되는 생각이나 의견. ······· (　　　　　)

(3) ㄱㅊㄷ : 혹독하게 벌을 받다. ······································· (　　　　　)

(4) ㅂㅊㅎㄷ : 생각이나 행동 따위가 괘씸하고 엉큼하다. ················ (　　　　　)

어휘 ➕ 헷갈리기 쉬운 단어

4 다음 단어들의 뜻을 참고하여 괄호 안에 들어갈 알맞은 단어를 고르시오.

쫓다 [동사]	**좇다** [동사]
1. 어떤 대상을 잡거나 만나기 위하여 급히 따르다.	1. 목표, 이상, 행복 따위를 추구하다.
2. 어떤 자리에서 떠나도록 몰다.	2. 남의 말이나 뜻을 따르다.

(1) 어머니는 아들을 (쫓아 / 좇아) 아들의 방에 들어갔다.

(2) 그는 권력과 명예만을 (쫓아 / 좇아) 살아온 삶을 후회했다.

(3) 정치인은 국민의 뜻을 (쫓아 / 좇아) 바른 정치를 하는 데 힘써야 한다.

실전 08 춘향전 | 작자 미상

이 작품은 우리나라의 대표적인 고전 소설로, 양반인 이몽룡과 기생의 딸 춘향의 신분을 초월한 사랑 이야기를 담고 있다. 다양한 표현 방법과 그 효과를 파악하며 작품을 감상해 보자.

🖊 핵심 짚기

| 발단 | 전개 | 위기 | **절정** | 결말 |

● **인물**

- **성춘향** ❶ㅅㅂ을 뛰어넘는 사랑을 추구하는 진취적인 인물로, 당차고 의지적임.
- **이몽룡** 신분 차이와 관계없이 춘향을 순수하게 사랑하는 인물로, ❷ㅇㅎㅇㅅ가 되어 변학도를 처벌함.
- **변학도** 새로 부임한 남원 부사로, 사리사욕을 채우기 위해 백성을 괴롭히는 부패한 관리의 전형임.

● **배경**

- **시간적** 조선 후기
- **공간적** 전라북도 남원

● **사건**

암행어사가 되어 남원에 돌아온 이몽룡이 초라한 행색으로 변학도의 호화로운 생일잔치에 끼어듦.

─────────

빈칸 답
❶ 신분 ❷ 암행어사

─────────

● **사령** | 조선 시대에, 각 관아에서 심부름하던 사람.
● **걸인** | 남에게 빌어먹고 사는 사람.
● **수령** | 조선 시대에 각 고을을 맡아 다스리던 지방관.
● **거동** | 몸을 움직임. 또는 그런 짓이나 태도.
● **남루하다** | 옷 따위가 낡아 해지고 차림새가 너저분하다.
● **오랏줄** | 도둑이나 죄인을 묶을 때에 쓰던, 붉고 굵은 줄.
● **운자** | 한시의 운으로 다는 글자.

─────────

앞부분의 줄거리 남원 부사의 아들 이몽룡은 단옷날 광한루에 나갔다가 기생 월매의 딸인 성춘향이 그네를 타는 모습을 보고 그녀에게 반한다. 몽룡은 춘향의 집으로 찾아가 춘향과 부부의 연을 맺고 행복한 나날을 보낸다. 그러던 어느 날, 몽룡은 남원 부사 임기가 끝난 아버지를 따라 한양으로 가게 되어 춘향에게 이별을 고한다. 그 후 남원 부사로 새로 부임한 변학도가 춘향에게 수청을 강요하는데, 춘향이 이를 거절하자 춘향을 옥에 가둔다. 한편 한양에서 장원급제한 몽룡은 암행어사의 신분으로 남원에 와서 변학도의 횡포를 모두 듣게 된다. 변학도는 자신의 생일을 맞아 잔치를 벌이고, 이몽룡은 암행어사 신분을 숨기기 위해 초라한 행색으로 잔칫집에 도착한다.

"지화자, 두둥실, 좋다." / 하는 소리에 ㉠어사또 마음이 심란하다. 화를 누르고 한번 놀려 줄 심산으로 어슬렁어슬렁 잔치판으로 걸어 들어갔다.

"여봐라, 사령들아. 너희 사또께 여쭈어라. 먼 데 있는 걸인이 마침 잔치를 만났으니 고기하고 술이나 좀 얻어먹자고 여쭈어라."

사령 하나가 뛰어나와 등을 밀쳐 낸다.

"어느 양반인데 이리 시끄럽소. ㉡사또께서 거지는 들이지도 말라고 했으니 말도 내지 말고 나가시오."

운봉 수령이 그 거동을 지켜보다가 무슨 짐작이 있었는지 변 사또에게 청했다.

"저 걸인이 옷차림은 남루하나 양반의 후예인 듯하니 저 끝자리에 앉히고 술이나 한잔 먹여 보내는 것이 어떻겠소?"

㉢"운봉 생각대로 하지요마는……."

마지못해 입맛을 다시며 허락을 한다. 어사또 속으로,

㉣'오냐, 도적질은 내가 하마. 오랏줄은 네가 쪄라.'

되뇌이며 주먹을 꽉 쥐고 있는데 운봉 수령이 사령을 부른다.

"저 양반 드시라고 해라."

어사또 들어가 단정히 앉아 좌우를 살펴보니 마루 위의 모든 수령이 다과상을 앞에 놓고 진양조 느린 가락을 즐기는데, 어사또 상을 보니 어찌 아니 통분하랴. ㉤귀퉁이가 떨어진 개다리소반에 닥나무 젓가락, 콩나물에 깍두기, 막걸리 한 사발이 놓였구나. 상을 발로 탁 차 던지며 운봉의 갈비를 슬쩍 집어 들고, / "갈비 한 대 먹읍시다."

"다라도 잡수시오." / 하고 운봉이 하는 말이,

"이런 잔치에 풍류로만 놀아서는 맛이 적으니 운자를 따라 시 한 수씩 지어 보면 어떻겠소?"

"그 말이 옳다."

다들 찬성을 했다. 운봉이 먼저 운을 낼 때 '높을 고(高)' 자, '기름 고(膏)' 자 두 자를 내놓고 차례로 운을 달아 시를 지었다. 앞사람이 끝나면 뒷사람이 받아 시를 지을 때 어사또 끼어들어 하는 말이,

"이 걸인도 어려서 글을 좀 읽었는데, ⓐ좋은 잔치를 맞아 술과 안주를 포식하고 그냥 가기가 염치가 아니니 한 수 하겠소이다."

글의 특징 파악하기

1

이 글에 대한 설명으로 적절한 것은?

① 영웅의 일대기 구조를 따른다.

② 등장인물이 모두 입체적 인물이다.

③ 사건이 시간의 흐름을 따라 전개된다.

④ 비현실적이고 전기적인 요소가 존재한다.

⑤ 비극적인 결말을 암시하는 복선이 나타난다.

➕ **입체적 인물**

환경이나 상황에 따라 성격이 변하는 인물형을 일컫는 말로, 이야기의 처음부터 끝까지 성격이 변하지 않는 평면적 인물과 대비되는 개념이다.

세부 내용 파악하기

2

㉠~㉤에 대한 설명으로 적절하지 <u>않은</u> 것은?

① ㉠: 자신의 행색이 잔칫집에 어울리지 않아 아쉬운 이몽룡의 심리가 드러난다.

② ㉡: 사또인 변학도의 인색한 성격이 드러난다.

③ ㉢: 운봉 수령의 의견을 받아들였으나 못마땅해하는 변학도의 심리가 드러난다.

④ ㉣: 생일잔치를 엉망으로 만들고 변학도를 혼내 주겠다는 의미이다.

⑤ ㉤: 형편없는 음식 차림으로 이몽룡을 푸대접하고 있다.

서술 방식 파악하기

3

주관식

〈보기〉의 밑줄 친 서술 방식이 사용된 부분을 이 글에서 찾아 3어절로 쓰시오.

보기

편집자적 논평이란 이야기 밖의 3인칭 서술자가 이야기 속 인물의 행동 혹은 인물이 처한 상황에 대해 자기의 생각과 판단을 직접 드러내는 것으로, 고전 소설에서 자주 볼 수 있는 서술 방식이다.

표현 방식 파악하기

4

ⓐ에 사용된 표현법과 같은 표현법이 사용된 것은?

① 아아 님은 갔지마는 나는 님을 보내지 아니하였습니다.

② 넓은 벌 동쪽 끝으로 / 옛이야기 지줄대는 실개천이 회돌아 나가고,

③ 모란이 피기까지는 / 나는 아직 기다리고 있을 테요 찬란한 슬픔의 봄을

④ 청 무우밭인가 해서 내려갔다가는 / 여린 날개가 물결에 절어서 / 공주처럼 지쳐서 돌아온다.

⑤ 그래도 당신이 나무라면 / '믿기지 않아서 잊었노라.' // 오늘도 어제도 아니 잊고 / 먼 훗날 그때에 '잊었노라.'

● 이몽룡이 지은 한시의 내용과 기능

변학도의 사치스러운 생일잔치와 ❶ㅂㅅ 의 고통을 대비하여 탐관오리의 횡포를 비판함.
⋮
극적 긴장감을 고조시키고 새로운 사건 전개를 암시함.

● 판소리계 소설로서의 특징

판소리계 소설은 판소리가 소설로 정착한 산문 형식으로, 판소리의 특성을 일부 지니고 있음.
– 운문체와 산문체의 혼합
– 현재형 사건 전개
– 장면의 극대화
– ❷ㅍㅁ 언어와 양반 언어의 혼재

● 표현상의 특징

• 편집자적 논평이 사용됨.
• ❸ㅂㅇㅈ 표현과 언어유희 등 풍자의 효과와 해학성을 높이는 표현이 사용됨.

빈칸 답
❶ 백성 ❷ 평민 ❸ 반어적

● 공형 | 삼공형. 조선 시대 지방의 관찰사나 수령 아래 있던 육방 가운데 이방·호방·형방이 중심이 되었는데 그 우두머리를 삼공형이라 한다.
● 병방 | 조선 시대에, 각 지방 관아에 속한 육방 가운데 군사에 관한 일을 맡아 보던 부서.
● 암행어사 | 조선 시대에, 임금의 특명을 받아 지방관의 치적과 비위를 탐문하고 백성의 어려움을 살펴서 개선하는 일을 맡아 하던 벼슬.
● 봉고파직 | 어사나 감사가 못된 짓을 많이 한 고을의 원을 파면하고 관가의 창고를 봉하여 잠금. 또는 그런 일.

운봉이 반갑게 듣고 붓과 벼루를 내주니, 백성들의 사정과 본관 사또의 정체를 생각하여 시 한 편을 써 내려갔다.

[A]
┌ 금준미주(金樽美酒)는 천인혈(千人血)이요 / 옥반가효(玉盤佳肴)는 만성고(萬姓膏)라
└ 촉루낙시(燭淚落時) 민루락(民淚落)이요 / 가성고처(歌聲高處) 원성고(怨聲高)라

이 글의 뜻은

금 술잔의 좋은 술은 수많은 사람의 피요 / 옥쟁반의 좋은 안주는 만백성의 기름이라
촛농이 떨어질 때 백성들 눈물도 떨어지고 / 노랫소리 높은 곳에 원망의 소리도 높구나

이렇게 시를 지어 보이니 술에 취한 변 사또는 무슨 뜻인지도 모르지만, 글을 받아 본 운봉은 속으로, / '아뿔싸! 일 났다.' / 가슴이 철렁 내려앉았다.

이때 어사또 하직하고 간 연후에 운봉이 공형° 불러 분부한다. / "야야, 일 났다!"

공방 불러 자리 단속, 병방° 불러 역마 단속, 관청색 불러 다과상 단속, 옥사정 불러 죄인 단속, 집사 불러 형벌 기구 단속, 형방 불러 서류 단속, 사령 불러 숙직 단속, 한참 이렇게 요란할 때 ㉠눈치 없는 본관 사또, 운봉을 향해 말을 던진다.

"여보 운봉, 어딜 그리 바삐 다니시오." / "소피 보고 들어오오."

그때 술이 거나하게 취한 변 사또가 술주정을 하느라고 느닷없이 명을 내렸다.

㉡"춘향이 빨리 불러올려라."

이때 어사또가 서리에게 눈길을 주어 신호를 하니, 서리·중방이 역졸 불러 단속할 때,
조선 시대 중앙 관리에 속하여 문서의 기록과 관리를 맡아보던 하급의 구실아치
이리 가며 수군수군, 저리 가며 수군수군 신호를 전한다. 서리·역졸의 거동을 보자. 한 가닥 올로 지은 망건에 두터운 비단 갓싸개, 새 패랭이 눌러쓰고, 석 자 길이 발감개에 새 짚신 신고, 속적삼, 속바지 산뜻이 입고, 여섯 모 방망이에 사슴 가죽끈을 매달아 손목에 걸어 쥐고, 여기서 번뜻 저기서 번뜻, 남원읍이 웅성거렸다.

이때 청파역 역졸들이 ㉢달 같은 마패를 햇빛같이 번쩍 들고 우렁차게 소리를 질렀다.

"암행어사° 출두야!"
'출또'의 원말. 암행어사가 지방 관아에 중요한 사건을 처리하기 위하여 일을 벌이는 것.
역졸들이 일시에 외치는 소리에 ㉣강산이 무너지고 천지가 뒤집히는 듯하니 산천초목
산과 내와 풀과 나무라는 뜻으로, 자연을 이르는 말.
인들 금수인들 아니 떨겠는가. 〈중략〉

본관 사또 똥을 싸고, 멍석 구멍에 생쥐 눈 뜨듯 하면서 관아 깊숙한 안채로 들어가며 급히 내뱉는 말이, / ㉤"어, 추워라. 문 들어온다 바람 닫아라. 물 마르다 목 들여라."

관청색은 상을 잃고 문짝을 이고 내달으니 서리, 역졸 달려들어 후다닥 딱 친다.

"애고, 나 죽네." / 이때 암행어사 분부하되,

"이 고을은 대감께서 계시던 곳이다. 소란을 금하고 객사로 옮기라."

관아를 한차례 정리하고 동헌에 올라앉은 후에,

"본관은 봉고파직°하라." / "본관은 봉고파직이오."

삽입시의 특징 파악하기 **5**

[A]에 대한 설명으로 적절하지 <u>않은</u> 것은?

① 극적 긴장감을 고조시키는 역할을 한다.

② 백성을 착취하는 탐관오리에 대한 비판 의식이 드러나 있다.

③ 탐관오리의 횡포에 고통받는 백성들에 대한 안타까움이 담겨 있다.

④ 이몽룡의 신분을 암시해 운봉과 변학도를 두려움에 떨게 하고 있다.

⑤ 변학도의 사치스러운 생일잔치와 백성들의 고통을 대비하여 보여 주고 있다.

인물의 성격 파악하기 **6**

변학도와 운봉의 성격이 바르게 짝지어진 것은?

	변학도	운봉
①	눈치가 빠르다	이기적이다
③	이기적이다	어리석다
⑤	어리석다	눈치가 빠르다

	변학도	운봉
②	선하다	어리석다
④	눈치가 빠르다	선하다

세부 내용 파악하기 **7**

⊕ 언어유희
말과 글을 재미있고 익살스럽게 꾸미는 방법으로, 풍자와 해학의 표현 효과를 높인다.

㉠~㉤에 대한 설명으로 적절하지 <u>않은</u> 것은?

① ㉠: 변학도를 가리키는 말이다.

② ㉡: 극적 긴장감이 최고조에 달하는 부분이다.

③ ㉢: 암행어사의 신분에 맞게 마패가 화려하게 만들어졌음을 나타낸다.

④ ㉣: 역졸들이 외치는 소리를 과장하여 비유하고 있다.

⑤ ㉤: 낱말의 위치를 바꾸는 언어유희로, 변학도가 크게 당황했음을 보여 준다.

외부 자료를 통해 감상하기 **8**

고난도

〈보기〉를 바탕으로 이 글을 감상한 내용으로 적절하지 <u>않은</u> 것은?

보기

　〈춘향전〉은 판소리 〈춘향가〉가 소설로 정착한 작품으로, 사건이 현재형으로 전개되고 운문체와 산문체가 혼합된 모습을 보이며 재미와 생동감을 위해 흥미로운 대목의 내용이 확장되어 표현되는 등 판소리의 특징을 가지고 있다. 또한 비속어나 욕설 등의 평민 언어와 고상한 한자어 등의 양반 언어가 함께 사용되고 있다.

① 운봉이 공형을 불러 분부하는 부분에서 운문체가 나타난다.

② 설의적 표현이 자주 사용되는 것에서 판소리의 특징을 엿볼 수 있다.

③ 사건이 현재형으로 서술되는 것은 이 글이 판소리의 영향을 받았기 때문이다.

④ 서리와 역졸이 출두 준비하는 대목을 확장하여 표현해 생동감을 높이고 있다.

⑤ '본관 사또가 똥을 싸고'와 같은 평민 언어와 한시의 한자와 같은 양반 언어가 공존하고 있다.

작품 정리하기

전체 구성

발단 기생의 딸 춘향과 남원 부사의 아들 몽룡이 서로 사랑에 빠진다.

전개 남원 부사 임기가 끝난 아버지를 따라 몽룡이 한양으로 가면서 춘향과 몽룡이 이별한다.

위기 남원 부사로 새로 부임한 변학도가 춘향에게 수청을 강요하고, 이를 거역한 춘향을 옥에 가둔다.

절정 장원 급제한 몽룡이 암행어사의 신분으로 남원으로 돌아와 변학도를 비롯한 탐관오리를 숙청하고, 춘향을 구한다.
···· 122, 124쪽 수록

결말 춘향과 몽룡이 함께 서울로 올라가 백년해로한다.

해제

이 작품은 우리나라의 대표적인 고전 소설로, 소설로 정착되기 전에는 판소리로 공연되었기 때문에 판소리의 특징을 두루 지니고 있다. 기생의 딸 춘향과 양반의 아들 몽룡의 신분을 초월한 사랑과 권선징악을 다루는 이야기 속에는 부패한 사회 현실에 대한 비판 의식과 평등한 사회에 대한 갈망이 담겨 있다.

주제

지고지순한 남녀 간의 사랑, 탐관오리에 대한 응징, 평등한 사회에 대한 갈망

갈래상의 특징

이 작품은 고전 소설이자 판소리계 소설로 분류된다. 판소리계 소설은 판소리가 소설로 정착된 것으로, 판소리의 특징이 일부 나타난다.

고전 소설로서 〈춘향전〉의 특징	
평면적(순행적) 구성	❶☐☐ 순서에 따라 사건이 진행됨.
재자가인형 주인공	주인공의 외모와 능력이 뛰어남.
행복한 결말	권선징악을 주제로 하며 주인공들이 결말부에 행복을 성취함.

판소리계 소설로서 〈춘향전〉의 특징	
운문체와 산문체의 혼합	산문으로 서술되는 가운데 운문이 삽입되며, 대구법과 반복법을 통해 운율을 형성하는 부분이 있음.
현재형 사건 전개	현재 시제를 사용해 생동감과 현장감을 높임.
장면의 극대화	특정 장면을 확장해 표현하여 의미를 강조하고 생동감을 높여 재미를 줌.
평민 언어와 양반 언어의 혼재	판소리는 평민과 양반이 모두 즐겨 감상하였기 때문에 창작 과정에서 다양한 계층의 언어가 혼재됨.

삽입된 한시의 내용과 기능

내용	변학도의 사치스러운 생일잔치와 백성들의 고통을 대비하여 ❷☐☐☐☐의 횡포를 풍자함.
기능	현실 상황에 대한 비판 의식(주제)을 강조하고 새로운 사건이 전개될 것을 예고하여 극적 긴장감을 높임.

표현상의 특징

이 작품에는 ❸☐☐와 해학의 효과를 높이고 주제를 형상화하는 표현 방법이 다양하게 활용되었다.

편집자적 논평	작품 밖의 서술자가 작품 내에서 일어난 사건, 인물의 행동 등에 대해 자신의 의견을 드러내는 것 예 어사또 상을 보니 어찌 아니 통분하랴.
반어적 표현	원래 뜻하고자 했던 의미와 반대로 표현하는 방법 예 좋은 잔치를 맞아 술과 안주를 포식하고
언어유희	말과 글을 재밌고 익살스럽게 꾸미는 방법으로 풍자적·해학적 표현 효과를 높임. 예 문 들어온다 바람 닫아라. 물 마르다 목 들여라.

빈칸 답 ❶ 시간 ❷ 탐관오리 ❸ 풍자

1 다음 뜻에 해당하는 단어를 말 상자에서 찾아 표시하시오.

(1) 암행어사임을 나타내는 증표.

　　📖 달 같은 (　　　　　)을/를 햇빛같이 번쩍 들고

(2) 조선 시대에 각 고을을 맡아 다스리던 지방관.

　　📖 운봉 (　　　　　)이/가 그 모습을 지켜보다가

(3) 한시의 운으로 다는 글자.

　　📖 (　　　　　)을/를 따라 시 한 수씩 지어 보면 어떻겠소?

좌	수	별	감
암	마	패	운
행	공	형	자
어	수	산	천
사	령	초	목

2 밑줄 친 단어의 뜻을 〈보기〉에서 찾아 그 번호를 쓰시오.

　　● 보기 ●

　　① 남에게 빌어먹고 사는 사람.

　　② 각 관아에서 심부름하던 사람.

　　③ 옷 따위가 낡아 해지고 차림새가 너저분하다.

　　④ 도둑이나 죄인을 묶을 때에 쓰던, 붉고 굵은 줄.

(1) 여봐라, <u>사령</u>들아. 너희 사또께 여쭈어라. ·· (　　　)

(2) 오냐, 도적질은 내가 하마. <u>오랏줄</u>은 네가 져라. ································· (　　　)

(3) 저 <u>걸인</u>이 옷차림은 남루하나 양반의 후예인 듯하다. ······················ (　　　)

3 제시된 뜻에 알맞은 단어를 〈보기〉의 글자를 조합하여 만드시오.

　　● 보기 ●

　　| 고 | 대 | 면 | 봉 | 직 | 창 | 파 |

　　어사나 감사가 못된 짓을 많이 한 고을의 원을 파면하고 관가의 창고를 봉하여 잠금.

　　　　　　　　　　　　　　　　　　　　　　　　(　　　　　　　)

어법 맞춤법에 맞는 단어 찾기

4 다음 문장의 괄호 안에 들어갈 알맞은 단어를 고르시오.

(1) 상을 발로 탁 차 던지며 운봉의 갈비를 (슬쩍 / 슬적) 집어 들고,

(2) 관청색은 상을 잃고 (문작 / 문짝)을 이고 내달으니 서리, 역졸 달려들어 후다닥 딱
　　친다.

(3) 술에 취한 변 사또는 무슨 뜻인지도 모르지만, 글을 받아 본 운봉은 속으로,
　　'(아뿔사 / 아뿔싸)! 일 났다.'

실전 09 홍길동전 | 허균

◑◐ 교과서 중1 _ 천재(박), 비상, 지학사 중2 _ 금성 중3 _ 창비

이 작품은 서자로 태어난 비범한 인물인 길동을 통해 불합리한 사회 제도와 지배층의 횡포를 비판하는 고전 소설이다. 작품에 반영된 사회·문화적 배경과 작품의 주제 의식에 주목하여 감상해 보자.

✎ 핵심 짚기

발단 전개 위기 절정 결말

● 인물
· **길동** 홍 판서의 서자. 비범한 능력을 지님. 부조리한 사회 현실에 ❶ㅈㅎ하고 이상을 성취하는 영웅적 인물
· **홍 판서** 길동의 아버지. 길동을 아끼고 측은하게 여기나 사회적 관념에 따르는 보수적 인물

● 배경
· **시간적** 조선 시대 중기
· **공간적** 조선, 율도국

● 사건
홍 판서의 서자로 태어난 길동은 천비 소생이라는 신분 때문에 천대를 받으며 자라고, 홍 판서의 첩인 곡산댁 ❷ㅊㄹ의 계략으로 죽임을 당할 뻔함.

| 빈칸 답
❶ 저항 ❷ 초란

· **서자** │ 본부인이 아닌 첩에게서 난 아들.
· **상공** │ '재상'을 높여 이르던 말. 여기서는 길동의 아버지인 홍 판서를 이른다.
· **엄령** │ 엄하게 명령하거나 호령함. 또는 그런 명령이나 호령.
· **주역** │ 유교 경전의 하나로 만물이 변화하는 자연 현상의 원리를 설명함.
· **둔갑법** │ 마음대로 자기 몸을 감추거나 다른 것으로 변하게 하는 술법.
· **무도하다** │ 말이나 행동이 인간으로서 지켜야 할 도리에 어긋나서 막되다.
· **후환** │ 어떤 일로 말미암아 뒷날 생기는 걱정과 근심.

앞부분의 줄거리 홍 판서의 서자로 태어난 홍길동은 어린 시절부터 다른 사람들보다 훨씬 총명하였다. 홍 판서는 길동을 아끼면서도 출생이 천하다는 이유로 아버지니 형이니 하고 부르면 꾸짖어 그렇게 부르지 못하게 하였다. 부형을 부르지 못하고 종들에게 천대를 받는 길동은 자신의 처지를 한탄한다. 한편 홍 판서의 첩인 곡산댁 초란은 관상녀, 무녀와 계략을 짜고 길동과 길동의 어머니인 춘섬을 끈질기게 모함한다. 결국 홍 판서는 길동을 산에 있는 정자에 가두어 놓고 길동의 행동 하나하나를 감시한다. 그리고 초란은 특재라는 자객을 보내 길동을 죽이려 한다.

한편, 길동은 ㉠그 원통한 일을 생각하니 잠시를 머물지 못할 바이지만, 상공의 엄령이 지중하므로 어쩔 수가 없어 밤마다 잠을 설치고 있었다. 그런데 그날 밤, 촛불을 밝혀 놓고 『주역』을 골똘히 읽고 있는데 ⓐ까마귀가 세 번 울고 갔다. 길동은 이상한 예감이 들어 혼잣말로,

더할 수 없이 무거우므로

"저 짐승은 본래 밤을 꺼리거늘, 이제 울고 가니 심히 불길하도다."

하면서 잠시 『주역』의 팔괘로 점을 쳐 보고는, 크게 놀라 책상을 밀치고 둔갑법으로 몸을 숨긴 채 동정을 살피고 있었다. 사경쯤 되자 한 사람이 비수를 들고 천천히 방문으로 들어

새벽 1시에서 3시 사이.

오는지라, ⓑ길동이 급히 몸을 감추고 주문을 외니, 홀연 한 줄기의 음산한 바람이 일어나면서 집은 간데없고 첩첩산중에 풍경이 굉장하였다. 크게 놀란 특재는 길동의 조화가

일을 꾸미는 재간.

무궁한 줄 알고 비수를 감추며 피하고자 했으나, 갑자기 길이 끊어지면서 층암절벽이 가로막자, 오도 가도 못하는 처지가 되었다. 사방으로 방황하다가 피리 소리를 듣고서야 정신을 차리고 살펴보니, 한 소년이 나귀를 타고 오며 피리 불기를 그치고 꾸짖었다.

"너는 무엇 때문에 나를 죽이려 하는가? ⓒ무죄한 사람을 해치면 어찌 천벌이 없으랴?"

하고 주문을 외니, 홀연히 검은 구름이 일어나며 큰비가 물을 퍼붓듯이 쏟아지고 모래와 자갈이 날리었다. 특재가 정신을 가다듬고 살펴보니 길동이었다. ⓓ재주가 대단하다고는 여기면서도 '어찌 나를 대적하리오.' 하고 달려들면서 소리쳤다.

"너는 죽어도 나를 원망하지 말라. 초란이 무녀와 관상녀로 하여금 상공과 의논하게 하고 너를 죽이려 한 것이니, 어찌 나를 원망하랴."

칼을 들고 달려드는 특재를 보자, 길동은 분함을 참지 못해 요술로 특재의 칼을 빼앗아 들고 호통을 쳤다.

"네가 재물을 탐내어 사람 죽이기를 좋아하니, 너같이 무도한 놈은 죽여서 후환을 없애 겠다."

하고 칼을 드니, 특재의 머리가 방 가운데 떨어졌다. 길동은 분노를 이기지 못해 그날 밤에 바로 관상녀를 잡아 와 특재가 죽어 있는 방에 들이쳐 박고 꾸짖기를,

"네가 나와 무슨 원수졌다고 초란과 짜고 나를 죽이려 했느냐?"

하고 칼로 치니, ⓔ처참하기 그지없었다.

정답과 해설 34쪽

세부 내용 파악하기 **1** **이 글의 내용과 일치하지 않는 것은?**

① 관상녀는 초란과 계략을 짜 길동을 죽이려 하였다.

② 특재는 재물에 대한 욕심으로 길동을 암살하려 하였다.

③ 특재는 도술을 사용해 길동에게 맞섰으나 결국 죽임을 당했다.

④ 길동은 아버지의 명령 때문에 정자를 떠나지 못하고 밤마다 잠을 설쳤다.

⑤ 길동은 『주역』의 팔괘로 점을 쳐 자신에게 불길한 일이 생길 것을 예지했다.

세부 내용 파악하기 **2**

주관식

문맥상 ㉠이 무엇을 의미하는지 한 문장으로 서술하시오.

_____

표현 방식 파악하기 **3** **ⓐ~ⓔ에 대한 설명으로 적절하지 않은 것은?**

① ⓐ: 길동에게 불행한 일이 닥칠 것을 암시하는 복선이다.

② ⓑ: 비현실적으로 사건을 전개하여 길동의 비범함을 드러내고 있다.

③ ⓒ: 설의적 표현을 통해 특재에게 천벌이 내릴 것이라고 경고하고 있다.

④ ⓓ: 서술자가 특재의 말과 행동만을 객관적으로 전달하고 있다.

⑤ ⓔ: 편집자적 논평에 해당한다.

다른 작품과 비교하기 **4**

고난도 고2 학력평가 기출

이 글의 길동과 〈보기〉의 '주몽'을 비교한 내용으로 적절하지 않은 것은?

보기

　한국 문학에는 영웅을 주인공으로 하는 이야기들이 있다. 주몽 신화나 아기장수 설화, 〈홍길동전〉 등이 그러한 예이다. 다음은 영웅 이야기의 원형이라고 할 수 있는 주몽 신화의 주요 내용이다.

• 주몽은 천제의 아들 해모수와 하백의 딸 유화 사이에서 태어났다.

• 주몽은 알 상태로 태어났기 때문에 버려졌으나 짐승들의 보살핌으로 무사히 사내아이로 자라났다.

• 주몽은 태어난 지 한 달 만에 말을 했고 활을 쏘면 빗나가는 일이 없었다.

• 주몽은 형제들의 핍박으로 죽을 고비를 겪지만 하늘의 도움으로 고구려를 건국한다.

● **천제** | 우주를 창조하고 주재한다고 믿어지는 초자연적인 절대자. 여기서는 '하늘의 신'을 이름.

✚ **조력자**
　주인공을 도와주는 인물 유형으로, 영웅 설화나 영웅 소설에 자주 등장한다. 주인공이 위기를 겪을 때 주인공을 구출하기도 하고 적대자와 대결할 때 힘을 보태거나 적대자를 퇴치할 무기 등을 주인공에게 제공하기도 한다.

① 이 글의 길동과 주몽 모두 고난을 겪는다.

② 이 글의 길동은 주몽과 달리 버림을 받지 않았다.

③ 이 글의 길동과 주몽 모두 뛰어난 능력을 갖추고 있다.

④ 이 글의 길동은 주몽과 달리 하늘의 자손으로 태어나지 않았다.

⑤ 이 글의 길동과 주몽 모두 조력자의 도움을 받아 고난을 극복한다.

● **당대의 사회·문화적 배경**

• **적서 차별** ❶ⓢⓩ는 호부 호형
하지 못하고 높은 벼슬을 하지
못함.

• **탐관오리의 횡포** 부패한 관리들
이 백성을 괴롭혀 부정하게 재물
을 모음.

● **갈등 양상**

• **길동과 사회의 외적 갈등**

길동(개인)
– 서자 출신으로 호부 호형하지 못함. – 입신양명을 바람.

⋮

❷ⓢⓗ
서자는 호부 호형하지 못하고 높은 벼슬에 오를 수 없음.

• **길동과 임금(조정)의 외적 갈등**

길동
❸ⓣⓖⓞⓡ의 재물을 빼 앗아 백성을 도움.

⋮

임금(조정)
길동을 잡고 싶으나 길동의 뛰 어난 능력 때문에 잡지 못함.

빈칸 답
❶ 서자 ❷ 사회 ❸ 탐관오리

● **호부 호형** | 아버지를 아버지
라 부르고 형을 형이라고
부름.

● **활빈당** | 가난한 백성을 살리
는 무리라는 뜻으로 길동이
만든 도적 집단.

● **수령** | 고려·조선 시대에, 각
고을을 맡아 다스리던 지방
관들을 통틀어 이르는 말.

● **방** | 어떤 일을 널리 알리기
위하여 사람들이 다니는 길
거리나 많이 모이는 곳에 써
붙이는 글.

● **초인** | 짚으로 만든 사람 모
양의 물건.

● **문초** | 죄나 잘못을 따져 묻
거나 심문함.

생략된 부분의 줄거리 더는 집에 머무를 수 없다는 것을 깨달은 길동은 홍 판서에게 하직을 고한다. 호부 호형하지 못하
며 출셋길이 막힌 것을 하소연하는 길동의 말을 듣고 홍 판서는 안타까워하며 길동에게 호부 호형을 허락하지만, 길동은
집을 나온다. 길동의 비범한 능력을 알아보고 스스로 부하가 되고자 하는 도둑들의 청을 받아들여 길동은 도둑 무리의 우
두머리가 된다.

　그 후, 길동은 스스로 호를 활빈당이라고 하면서 조선 팔도로 다니며 각 읍 수령이 불의
로 모은 재물이 있으면 탈취하고, 혹시 가난하고 의지할 데 없는 사람이 있으면 구제하되,
㉠백성은 침범하지 않고 나라의 재산에는 추호도 손을 대지 않았다. 그래서 부하들은 그
뜻에 감복하였다.
　　감동하여 충심으로 탄복함.
　"이제 함경 감사가 탐관오리로 백성을 착취해 견딜 수 없게 되었는지라, 우리가 그대로
　둘 수 없으니, 그대들은 나의 지휘대로 하라."
하고는, ㉡아무 날 밤으로 약속을 하고, 하나씩 흘러 들어가 남문밖에 불을 질렀다. 감사
가 크게 놀라 불을 끄라 하니, 관리며 백성들이 한꺼번에 달려나와 불을 끄는데, 길동의
부대 수백 명이 함께 성중에 달려들어 창고를 열고 곡식과 무기를 찾아 내어 북문으로 달
아나니, ㉢성중이 물 끓듯이 요란해졌다. 감사가 뜻밖의 변을 당하여 어쩔 줄을 모르다가
날이 밝은 후 살펴보고서야 창고의 무기와 곡식이 없어졌음을 알고 크게 놀라 도적 잡기
에 전력을 기울였다. 그런데 홀연 북문에 ⓐ방이 붙기를 '아무 날 돈과 곡식을 도적한 자
는 활빈당 당수 홍길동이라' 하였기에, 감사가 군사를 징발하여 도적을 잡으려 하였다.
　한편, ㉣길동이 여러 부하와 함께 곡식을 많이 훔쳤으나, 행여 길에서 잡힐까 염려하여
둔갑법과 축지법을 써서 처소에 돌아오니, 날이 새려 하였다. / 하루는 길동이 여러 부하
를 모으고 말했다. / "이제 우리가 합천 해인사에 가 재물을 탈취하고 또 함경 감영에 가
　돈과 곡식을 훔쳐서 소문이 파다하려니와, 나의 이름을 써서 감영에 붙였으니 오래지
　않아 잡히기 쉬울 것이다. 그러나 그대들은 나의 재주를 보라." / 하고 ㉤즉시 초인 일
곱을 만들어 주문을 외며 혼백을 붙였다. 일곱 길동이 한꺼번에 팔을 뽐내며 크게 소리치
고 한 곳에 모여 야단스럽게 지껄이니, 어느 것이 진짜 길동인지 알 수가 없었다. 팔도에
하나씩 흩어지되, 각각 사람 수백 명씩 거느리고 다니니, 그중에서도 어느 것이 진짜인지
알 수가 없었다. 여덟 길동이 팔도에 다니며 바람과 비를 마음대로 불러오는 술법을 부려
각 읍 창고에 있던 곡식을 하룻밤 사이에 종적 없이 가져가며, 지방에서 서울로 올려보내
는 선물 보통이들을 하나도 놓치지 않고 탈취하니, 팔도의 각 읍이 시끄러워져서 사람들
이 밤에는 잠을 설치고 낮에는 길에 나다니지 못하였다. 〈중략〉

　　┌　"이놈이 각도에 다니며 이런 난리를 치는데도 아무도 잡지 못하니, 이를 장차 어찌하리
　　│　오?" / 하면서 삼정승과 육판서를 모아 놓고 의논을 하고 있었다. 그때 연이어 공문이
[A]│　올라왔는데, 다 팔도에 홍길동이 작란한다는 내용의 공문이었다. 임금이 차례대로 보
　　│　　　　　　　　　　　　난리를 일으킴.
　　│　고는 크게 근심하여 주위를 돌아보면서 물었다. / "이놈이 아마 사람은 아니고 귀신인
　　└　것 같소. 조신 중에서 누가 그 근본을 짐작할 수 있겠소?" / 한 사람이 나와서 아뢰었다.
　　　　　　　　　　조정에서 벼슬살이를 하고 있는 신하.
　　"홍길동은 전임 이조 판서 홍아무개의 서자요, 병조 좌랑 홍인형의 서제이오니, 이제 그
　　　　　　　　　　　　　　　　　　　　　　　　　　　아버지의 첩에게서 태어난 아우.
　부자를 잡아 와서 친히 문초하시면 자연히 아실까 하옵니다."

감상의 적절성 파악하기 **5**

〈보기〉는 '선생님'의 설명에 따라 학생들이 이 글을 감상한 내용이다. 바르게 말한 학생을 있는 대로 고른 것은?

> 보기

선생님: 〈홍길동전〉에는 작품이 지어질 당시의 사회·문화적 상황이 반영되어 있어요. 〈홍길동전〉의 사회·문화적 배경과 길동이 겪는 갈등 양상을 연결 지어 말해 볼까요?

지민: 길동과 홍 판서가 호부 호형에 관한 문제로 외적 갈등을 겪는 부분에서는 당대에 서자가 겪었던 사회적 차별을 확인할 수 있습니다.

혜준: 탐관오리가 백성을 혹독하게 착취했던 시대적 상황도 반영되어 있습니다. 이는 길동이 양심과 의적 활동 사이에서 내적 갈등을 겪는 원인이 됩니다.

태연: 길동은 탐관오리의 재물을 빼앗아 백성을 돕고, 임금은 길동을 잡고 싶어 하지만 잡지 못합니다. 이러한 길동과 임금의 외적 갈등에는 탐관오리의 착취라는 사회적 배경이 반영되어 있습니다.

① 지민   ② 지민, 혜준   ③ 지민, 태연
④ 혜준   ⑤ 혜준, 태연

표현상 특징 파악하기 **6**

✚ 전기성
현실성이 있는 이야기가 아닌 진기한 것, 즉 일상적·현실적인 것과 거리가 먼 신비로운 내용이 허구적으로 표현되는 특성을 일컫는다.

㉠~㉤ 중 전기성이 드러나는 것은?

① ㉠   ② ㉡   ③ ㉢   ④ ㉣   ⑤ ㉤

세부 내용 파악하기 **7**

● 안위 | 편안함과 위태함을 아울러 이르는 말.

ⓐ에 대한 설명으로 적절하지 <u>않은</u> 것은?

① 길동이 직접 감영 북문에 붙인 것이다.
② 길동의 존재를 세상에 알리게 되는 수단이다.
③ ⓐ로 인해 길동은 자신의 안위를 걱정하게 된다.
④ 돈과 곡식을 도둑질한 자가 길동임을 밝히는 글이다.
⑤ ⓐ로 인해 함경 감사는 길동의 존재를 알게 되지만 결국 길동을 잡지 못한다.

상황에 맞는 한자 성어 찾기 **8**

[A]와 관련된 한자 성어로 적절한 것은?

① 시종일관(始終一貫)   ② 신출귀몰(神出鬼沒)   ③ 주경야독(晝耕夜讀)
④ 이실직고(以實直告)   ⑤ 포복절도(抱腹絕倒)

● **고전 소설로서의 특징**

• ❶ ㅈ ㄱ ㅅ ·비현실성 길동이 도술로 위기를 극복하고 활약함.

• **행복한 결말** 길동이 율도국을 건설하고 태평성대를 누림.

● **영웅 소설로서의 특징**

• **고귀한 혈통** 높은 벼슬을 지닌 홍 판서의 아들로 태어남.

• **비정상적 출생** 서자로 태어남.

• **비범한 능력** 도술을 사용함.

• **시련과 극복** 초란의 모함으로 죽을 위기에 처하나 자신의 힘으로 극복함.

• **위대한 업적** ❷ ㅇ ㄷ ㄱ 의 왕이 되어 태평성대를 이룸.

● **결말부 전개의 의미**

길동이 ❸ ㅇ ㅅ ㅇ ㅁ 의 목표를 달성한 후 조선을 떠나는 것은 새로운 나라를 만들기 위함 → 조선 사회의 문제가 근본적으로 해결하기 어려운 것임을 의미함.

┃ 빈칸 답

❶ 전기성 ❷ 율도국 ❸ 입신양명

● **적자** | 본처가 낳은 아들.

● **병조 판서** | 조선 시대에 둔, 병조의 으뜸 벼슬. 품계는 정이품으로, 군사와 국방에 관한 일을 총괄하였다.

● **제수** | 추천의 절차를 밟지 않고 임금이 직접 벼슬을 내리던 일.

● **사모관대** | 예전에 벼슬아치들이 쓰던 모자와 입던 관복.

● **사은하다** | 받은 은혜를 감사히 여겨 사례하다.

● **후군장** | 뒤에 있는 군대를 거느린 장수.

● **격서** | 군병을 모집하거나, 적군을 달래거나 꾸짖기 위한 글.

생략된 부분의 줄거리 길동을 잡기 위해 경상 감사로 임명된 홍 판서의 적자 인형은 길동의 자수를 권유하는 글을 곳곳에 붙여 놓고 길동이 오기를 기다린다. 마침내 인형이 자수하러 온 길동을 잡아 조정으로 보냈으나 조정에는 여덟 명의 길동이 모여 있었다. 길동이 임금에게 자신을 잡으라는 공문을 거두어 달라는 말을 마치자마자 여덟 명이 한꺼번에 넘어지니, 모두 풀로 만든 허수아비였다.

"길동의 소원이 병조 판서를 한번 지내면 조선을 떠나겠다는 것이라 하오니, 한번 제 소원을 풀면 저 스스로 은혜에 감사하오리니, 그때를 타 잡는 것이 좋을까 하옵니다."

고 했다. 임금이 옳다 여겨 즉시 길동에게 병조 판서를 제수하고 사대문에 글을 써 붙였다.

그때 길동이 이 말을 듣고 즉시 고관의 복장인 사모관대에 서띠를 띠고 덩그런 수레에 의젓하게 높이 앉아 큰길로 버젓이 들어오면서 말하기를, / "이제 홍 판서 사은하러 온다." _{조선 시대에 일품의 벼슬아치가 허리에 두르던 띠.}

고 했다. 병조의 하급 관리들이 맞이해 궐내에 들어간 뒤, 여러 관원들이 의논하기를, "길동이 오늘 사은하고 나올 것이니 도끼와 칼을 쓰는 군사를 매복시켰다가 나오거든 일시에 쳐 죽이도록 하자." / 하고 약속을 하였다. 길동이 궐내에 들어가 엄숙히 절하고 아뢰기를,

"소신의 죄악이 지중하온데, 도리어 은혜를 입사와 ㉠평생의 한을 풀고 돌아가면서 전하와 영원히 작별하오니, 부디 만수무강하소서." / 하고, 말을 마치며 몸을 공중에 솟구쳐 구름에 싸여 가니, 그 가는 곳을 알 수가 없었다. 임금이 보고 도리어 감탄을 하기를,

"길동의 신기한 재주는 고금(古今)에 드문 일이로다. 제가 지금 조선을 떠나노라 하였으니, 다시는 폐 끼칠 일이 없을 것이요, 비록 수상하기는 하나 일단 대장부다운 통쾌한 마음을 가졌으니 염려 없을 것이로다."

하고, 팔도에 사면의 글을 내려 길동 잡는 일을 그만두었다. 〈중략〉

"내가 이제 율도국을 치고자 하니 그대들은 최선을 다하라."

하고는 그날 진군을 하였다. 길동은 스스로 선봉장이 되고, 마숙으로 후군장을 삼아, 잘 훈련된 병사 오만을 거느리고 율도국 철봉산을 다다라 싸움을 걸었다. 율도국 태수 김현충이 난데없는 군사가 이름을 보고 크게 놀라, 왕에게 보고하는 한편 한 부대의 군사를 거느리고 내달아 싸웠다. 길동이 이를 맞아 싸워 한 번의 접전에 김현충을 베고 철봉을 얻어 백성을 달래어 위로하였다. 정철로 철봉을 지키게 하고, 대군을 지휘해 움직여 바로 도성을 치는데, 격서를 율도국에 보냈으니, 그 내용은 이러하였다.

"의병장 홍길동은 글을 율도왕에게 부치나니, 대저 임금은 한 사람의 임금이 아니요, 천하 사람의 임금이라. 내 하늘의 명을 받아 병사를 일으켜 먼저 철봉을 파하고 물밀 듯 들어오고 있으니, 왕은 싸우고자 하거든 싸우고, 그렇지 않으면 일찍 항복하여 살기를 도모하라." / 왕이 다 보고 나서 소리쳐 말하기를, / "우리 나라가 철봉을 굳게 믿거늘, 이제 잃었으니 어찌 대항하랴." / 하고는, 모든 신하를 거느리고 항복했다.

길동이 성중에 들어가 백성을 달래어 안심시키고 왕위에 오른 후, 전의 율도왕으로 의령군을 봉했다. 마숙과 최철로 각각 좌의정과 우의정을 삼고, 나머지 여러 장수에게도 각각 벼슬을 내리니, 조정에 가득 찬 신하들이 만세를 불러 하례하였다. 왕이 나라를 다스린 지 삼 년에 산에는 도적이 없고, 길에서는 떨어진 물건을 주워 가지지 않으니, 태평세계라고 할 만하였다.

세부 내용 파악하기 **9** 이 글의 내용으로 적절하지 <u>않은</u> 것은?

① 길동은 율도국을 정복하고 이상적인 나라를 건설하였다.

② 길동의 형인 인형은 길동을 잡기 위해 경상 감사에 임명되었다.

③ 율도국 군사는 길동의 군사에게 대항하였으나 결국 패배하였다.

④ 길동이 조선을 떠난 것은 조선의 사회적 문제가 모두 해결되었기 때문이다.

⑤ 길동과 임금(조정)의 갈등은 길동이 병조 판서에 임명된 후 조선을 떠나는 것으로 해결된다.

표현의 의미 파악하기 **10** 〈보기〉를 참고하여 ㉠의 의미를 이해한 내용으로 적절한 것은?

> **보기**
>
> 조선 시대에 서자는 과거 시험 중 문과에 응시할 수 없었으며, 무과와 잡과에는 응시할 수 있었으나 승진에 제한이 있어 높은 관직까지 올라갈 수 없었다. 실질적으로 문과에 합격하는 것이 출세의 지름길이었음을 고려하면 서자는 출세의 길이 거의 막혔다고 보아도 무방한 것이다.

① 신분 제도를 철폐하지 못한 것

② 아버지를 아버지라고 부르지 못하는 것

● **입신양명** | 출세하여 이름을 세상에 떨침. 사회적으로 인정을 받고 유명해지는 것을 일컫는다.

③ 자신의 신분 탓에 입신양명하지 못하는 것

④ 죄 없는 백성이 탐관오리에게 착취당하는 것

⑤ 자신을 암살하려 한 사람에게 복수하지 못한 것

외부 자료를 통해 해석하기 **11**

[고난도] [고1 모의고사 기출]

〈보기〉를 참고하여 이 글을 이해한 내용으로 적절하지 <u>않은</u> 것은?

> **보기**
>
> 〈홍길동전〉이 지금까지 인기를 얻는 이유는 독자들의 흥미를 불러일으키는 길동의 활약이 돋보이기 때문이다. 길동은 백성의 편에 서서 백성이 살기 좋은 세상을 만들려고 하며, 초월적 능력을 발휘하여 위기를 극복한다. 또한 새 나라를 건설하며, 자신이 가진 신분적 한계를 극복한다. 이러한 모습은 독자들의 기대를 충족시키며 공감을 이끌어 낸다.

① 새 나라를 건설하려는 모습은 길동이 율도국을 공격하는 것에서 드러나는군.

② 초월적 능력을 발휘하는 모습은 길동이 구름에 싸여 사라지는 것에서 드러나는군.

③ 신분적 한계를 극복하는 모습은 서자였던 길동이 왕위에 오르는 것에서 알 수 있군.

④ 백성의 편에 서서 펼치는 활약은 길동이 탐관오리가 백성에게 착취한 재물을 빼앗는 것에서 파악할 수 있군.

⑤ 백성이 살기 좋은 세상을 만들려는 노력을 인정받는 모습은 길동이 병조 판서에 제수되는 것에서 확인할 수 있군.

전체 구성

발단 서자 출신의 길동은 차별을 받으며 자라고, 홍 판서의 첩인 곡산댁 초란에게 모함을 당하고 초란이 보낸 자객에게 죽임을 당할 뻔한다. ···(128쪽 수록)

전개 집을 나온 길동은 자신을 우두머리로 추대하는 도적 무리를 만난다. 길동은 도적 무리의 이름을 활빈당으로 짓는다. ···(130쪽 수록)

위기 길동이 활빈당 무리와 함께 탐관오리에게서 재물을 빼앗아 백성들에게 돌려주어 백성들을 구제한다. 조정에서는 길동을 잡으려 하지만 도술을 쓰며 도망 다니는 길동을 잡지 못한다. ···(130쪽 수록)

절정 길동은 임금 앞에서 불합리한 사회 현실을 말하고, 임금은 길동을 잡기 위해 길동에게 병조 판서 벼슬을 내린다. 입신양명의 뜻을 이룬 길동은 홀연히 사라진다. ···(132쪽 수록)

결말 길동은 조선을 떠나 율도국을 정벌하여 왕이 되고, 태평성대를 이룬다. ···(132쪽 수록)

해제

이 작품은 조선 시대의 문인 허균이 지은 국문 고전 소설이다. 극심한 신분 차별 및 적서 차별, 부패한 관리들의 횡포 탓에 혼란했던 사회 상황을 반영하고 있다. 작가의 현실 비판 의식이 담겨 있는 작품으로, 전반부에는 적서 차별에 대한 비판이, 중·후반부에는 부패한 탐관오리에 대한 비판이 드러난다.

주제

불합리한 사회 제도 비판과 이상국 건설

사회·문화적 배경

이 작품의 사회·문화적 배경은 작가가 비판하고자 하는 당대의 사회 현실과 맞닿아 있다.

신분제 사회	양반과 종의 구분이 있고 신분에 따라 미래가 결정됨.
적서 차별	❶☐☐☐는 호부 호형하지 못하고 높은 벼슬까지 올라가지 못함.
탐관오리의 횡포	부패한 관리들이 백성들을 착취하여 부정하게 재물을 모음.

이 작품에 나타난 고전 소설의 특징

영웅적 인물	주인공인 길동은 학식이 높고 무술 실력이 뛰어나, 비범한 능력을 바탕으로 백성을 구제함.
❷☐☐☐	길동이 짚으로 일곱 명의 분신을 만들거나 도술을 사용하는 등 비현실적 사건 전개가 나타남.
행복한 결말	길동이 율도국을 건설하고 태평성대를 누림.

한편 이 작품은 현실적 문제에 대한 작가의 견해를 분명하게 드러냈다는 점, 비교적 사실적인 묘사로 전기적 성격을 탈피하려 했다는 점에서 이전의 고전 소설과 차별화되는 부분도 나타난다.

갈등 양상

• 길동(개인)과 사회의 갈등

길동		사회
– 서자 출신으로 호부 호형을 하지 못함. – ❸☐☐☐☐을 바람.	⟷	서자는 호부 호형을 못 하고 벼슬길에 오를 수 없음.

• 길동(개인)과 임금(개인)의 외적 갈등

길동		임금(조정)
탐관오리의 재물을 빼앗아 백성들을 구제함.	⟷	길동을 잡고 싶으나 길동의 뛰어난 능력 때문에 잡지 못함.

빈칸 답 ❶ 서자 ❷ 전기성 ❸ 입신양명

1 다음 뜻에 해당하는 단어를 말 상자에서 찾아 표시하시오.

(1) 아버지의 첩에게서 난 아우.
　　예 홍길동은 병조 좌랑 홍인형의 (　　　　　)이다.

(2) 예전에 벼슬아치들이 쓰던 모자와 입던 관복.
　　예 고관의 복장인 (　　　　　)에 서띠를 띠고

(3) 고려·조선 시대에 각 고을을 맡아 다스리던 지방관.
　　예 고을 (　　　　　)의 약탈이 극에 달하였다.

(4) 추천의 절차를 밟지 않고 임금이 직접 벼슬을 내리는 일.
　　예 즉시 길동에게 병조 판서를 (　　　　　)하시고

지	김	훈	부
성	은	수	사
서	제	박	모
병	수	령	관
혜	발	인	대

2 제시된 뜻에 알맞은 단어를 〈보기〉에서 선택한 글자를 조합하여 만드시오.

　보기

| 갑 | 격 | 둔 | 법 | 서 | 지 | 축 |

마음대로 자기 몸을 감추거나 다른 것으로 변하게 하는 술법.

(　　　　　　　　　　)

3 다음 빈칸에 들어갈 단어의 기본형으로 적절한 것을 고르시오.

・죄인을 (　　　　　).
・반란을 일으킨 주동자들을 (　　　　　).

① 감복하다　　② 문초하다　　③ 사은하다　　④ 작란하다　　⑤ 지중하다

어휘➕ '성공'과 관련된 한자 성어

4 다음 뜻풀이에 맞는 한자 성어를 〈보기〉에서 찾아 쓰시오.

　보기

|　 대기만성　　　　입신양명　　　　금의환향 |

(1) 출세하여 이름을 세상에 떨침. ┈┈┈┈┈┈┈┈┈┈┈┈┈┈┈┈┈┈┈ (　　　　)

(2) 큰 그릇을 만드는 데는 시간이 오래 걸린다는 뜻으로, 크게 될 사람은 늦게 이루어짐
을 이르는 말. ┈┈┈┈┈┈┈┈┈┈┈┈┈┈┈┈┈┈┈┈┈┈┈┈┈┈┈ (　　　　)

(3) 비단옷을 입고 고향에 돌아온다는 뜻으로, 출세를 하여 고향에 돌아가거나 돌아옴을
비유적으로 이르는 말. ┈┈┈┈┈┈┈┈┈┈┈┈┈┈┈┈┈┈┈┈┈┈┈ (　　　　)

독특한 서술자가 등장하는 소설 읽기

∞ 100쪽 〈동백꽃〉, 108쪽 〈사랑손님과 어머니〉, 116쪽 〈이상한 선생님〉 관련

나는 문학 천재라서 문천재

서술자는 사건의 전개 양상과 인물의 대화, 행동, 심리를 독자에게 전달해 주는 인물이야. 이 설명을 보면 서술자는 왠지 굉장히 똑똑하고 이성적이어야 할 것 같지? 하지만 작가는 때때로 〈사랑손님과 어머니〉, 〈이상한 선생님〉에서처럼 어리고 미숙한 인물을 서술자로 내세우기도 해.

다음은 작가가 〈나의 라임 오렌지 나무〉의 집필 구상을 할 때의 모습을 가정한 상황이야. 아래의 내용을 보고 '생각할 거리'에 답해 보자.

우리나라(브라질)의 국민들이 겪는 가난한 현실을 보여 주고 싶은데……
어떤 인물이 이야기를 끌고 가야 효과적일까?

J. M. 데 바스콘셀로스

저는 제제예요. 아버지가 실직하시고, 어머니는 돈을 버느라 바쁘신 탓에 저는 고작 5살인데도 가정에서 제대로 보살핌을 받지 못하고 있어요.
제 이야기를 들어보실래요?

나는 모든 것을 집 밖에서 배웠다. 집에서는 나 혼자 눈치껏 행동해야 했기 때문에 실수하기 일쑤였고 그 때문에 걸핏하면 매를 맞았다. 얼마 전까지만 해도 나를 때리는 사람은 없었다. 하지만 내가 사고뭉치라는 것을 알아챘는지 누구나 나를 볼 때마다 망나니라느니, 나쁜 놈이라느니, 억센 털 러시아 고양이 같은 놈이라느니 하며 욕을 해 댔다.

생각할 거리 ❶ ≫ 〈나의 라임 오렌지 나무〉에서 작가가 어린 서술자를 등장시킨 이유를 생각해 보자.

● 천재의 힌트

우리가 배운 〈사랑손님과 어머니〉, 〈이상한 선생님〉의 서술자는 모두 어린아이였어. 어린아이인 서술자는 순수하고 꾸밈이 없다는 특징을 지니고 있어 작가가 비판하고자 하는 바를 우회적으로 드러냈지. 〈나의 라임 오렌지 나무〉의 서술자인 '제제'도 5살짜리 어린아이로 세상 물정을 잘 모르는 '사고뭉치'야. 작가는 이런 서술자를 등장시켜서 아이가 보살핌을 받을 수 없었고 아이의 순수함이 훼손당했던 가난한 가정의 현실을 드러내고자 한 게 아닐까?

나는 문학 천재라서
문천재

이처럼 작가는 의도를 효과적으로 표현하기 위해 의도적으로 독특한 특성을 지닌 서술자를 등장시키는 경우가 많아. 그러니까 작가는 반드시 '똑똑하고 이성적인 사람'만을 서술자로 내세우지는 않는다는 거지.

어린 서술자 외에 또 어떤 독특한 서술자들이 있을까? 독특한 서술자가 등장하는 다음 ㉮와 ㉯의 두 작품을 더 읽어 보자.

📖 ㉮ **작품의 줄거리**

감정을 느끼는 데 어려움을 겪는 열여섯 살 소년 선윤재는 크리스마스이브이던 열여섯 번째 생일날 거리에서 벌어진 비극적 사건으로 할머니를 잃고 세상에 홀로 남겨진다. 그 후 선윤재는 특유의 무감정한 시선으로 사람들을 관찰하고 비판하며, 감정을 느끼는 법을 배워 나간다.

㉮ 곤이는 내게 자주 물었다. 두려움을 모른다는 게, 아무것도 느끼지 못한다는 게 어떤 느낌이냐고. 내가 설명하느라 늘 애를 먹어도 언제나 같은 질문을 던졌다.

내게도 풀리지 않는 의문이 있었다. 처음엔 할멈을 찌른 남자의 마음이 궁금했다. 하지만 그 질문은 점차 다른 쪽으로 옮겨 갔다. 알면서도 알지 못하는 척하는 사람들. 그들을 어떻게 이해해야 좋을지 도무지 알 수 없었다.

심 박사를 찾아간 어느 날이었다. 텔레비전 화면 속에서 폭격에 두 다리와 한쪽 귀를 잃은 소년이 울고 있다. 지구 어딘가에서 일어나는 전쟁에 관한 뉴스다. 화면을 보고 있는 심 박사의 얼굴은 무표정하다. 내 인기척을 느낀 그가 고개를 돌렸다. 나를 보자 다정하게 웃으며 인사를 건넸다. 내 시선은 미소 띤 박사의 얼굴 뒤로 떠오른 소년에게 향해 있었다. 나 같은 천치도 안다. 그 아이가 아파하고 있다는 걸. 끔찍하고 불행한 일로 고통스러워하고 있다는 걸.

하지만 묻지 않았다. 왜 웃고 있느냐고. 누군가는 저렇게 아파하고 있는데, 그 모습을 등지고 어떻게 당신은 웃을 수 있느냐고.

비슷한 모습을 누구에게서나 볼 수 있었기 때문이다. 채널을 무심히 돌리던 엄마나 할멈도 마찬가지였다. 너무 멀리 있는 불행은 내 불행이 아니라고, 엄마는 그렇게 말했었다.

그래, 그렇다 치자. 그러면 엄마와 할멈을 빤히 바라보며 아무런 행동도 하지 않았던 그날의 사람들은? 그들은 눈앞에서 그 일을 목도했다. 멀리 있는 불행이라는 핑계를 댈 수 없는 거리였다. 당시 성가대원 중 한 사람이 했던 인터뷰가 뇌리에 떠올랐다. 남자의 기세가 너무 격렬해, 무서워서 다가가지 못했다고.

멀면 먼 대로 할 수 있는 게 없다며 외면하고, 가까우면 가까운 대로 공포와 두려움이 너무 크다며 아무도 나서지 않았다. 대부분의 사람들이 느껴도 행동하지 않고 공감한다면서 쉽게 잊었다.

그렇게 살고 싶진 않았다.

– 손원평, 〈아몬드〉에서

● **천치** | 선천적으로 정신 작용이 완전하지 못하여 어리석고 못난 사람.
● **목도** | 눈으로 직접 봄.
● **성가대** | 성가를 부르기 위하여 조직된 합창대.

📄 나 **작품의 줄거리**

　일본의 근대 작가 나쓰메 소세키의 소설로, 중학교 영어 교사인 구샤미 선생과 그의 가족들, 구샤미 선생네 집에 방문하는 사람들을 둘러싼 사건들을 고양이인 '나'의 눈으로 관찰하는 작품이다.

● **단언하다** ┃ 도리에 어긋나지 아니한 바른말을 하다.
● **박해** ┃ 못살게 굴어서 해롭게 함.
● **다다미** ┃ 마루방에 까는 일본식 돗자리.
● **초연하다** ┃ 어떤 현실 속에서 벗어나 그 현실에 아랑곳하지 않고 의젓하다.

나 　나는 인간과 같이 살면서 그들을 관찰하면 할수록 그들이 제멋대로 구는 자들이라고 단언하지 않을 수 없게 되었다. 특히 내가 이따금 동침하는 아이들의 경우에는 더할 나위 없이 심하다. 자기네들 기분이 좋을 때에는 나를 거꾸로 쳐들기도 하고, 머리에 부댓자루를 씌우기도 하고, 내팽개치기도 하고, 부뚜막 속으로 처박기도 한다. 그러고도 내 쪽에서 조금이라도 반항을 할라치면 온 식구가 총동원해서 쫓아다니며 박해를 가한다. 요전에도 잠깐 다다미에다 발톱을 갈았더니 이 집 안주인이 무척 화를 내어, 그 후로는 여간해서 방에 들여보내 주질 않는다. 〈중략〉

　인간의 심리만큼 이해하기 어려운 것은 없다. 지금 주인의 마음은 화가 나 있는 건지, 들떠 있는 건지, 또는 철학자의 유서에서 한 가닥의 위안을 구하고 있는 건지 전혀 알 수가 없다. 세상을 비웃고 있는 건지, 세상에 섞이고 싶은 건지, 하찮은 일에 열통을 터뜨리고 있는 건지, 모든 세상사에 초연해 있는 건지 도무지 짐작이 안 간다.

　고양이는 거기에 비하면 단순하기 이를 데 없다. 먹고 싶으면 먹고, 자고 싶으면 자고, 화낼 때는 열심히 화내고, 울 때는 아주 처절하게 운다. 무엇보다 일기 같은 무용지물은 절대로 쓰지 않는다. 쓸 필요가 없기 때문이다.

– 나쓰메 소세키, 진영화 옮김, 〈나는 고양이로소이다〉에서

생각할 거리 ②

≫ (1) ㉮와 ㉯의 서술자가 각각 어떤 특성을 지니고 있는지 파악해 보자.

(2) ㉮와 ㉯의 서술자가 지닌 특성은 작품에 어떤 영향을 끼치는지 〈동백꽃〉의 서술자와 연관 지어 생각해 보자.

● 천재의 힌트

　㉮와 ㉯의 서술자는 모두 평범한 인물은 아니야. ㉮의 서술자는 감정을 잘 느끼지 못하고, ㉯의 서술자는 심지어 인간이 아니지. 작가가 이렇게 독특한 인물을 서술자로 설정한 이유가 무엇일까? 우리는 〈동백꽃〉에서 그 힌트를 찾을 수 있어. 〈동백꽃〉의 서술자는 어수룩하여 점순이의 마음을 알아채지 못하지만, 이러한 특징 덕분에 소년, 소녀의 순수한 사랑이라는 주제 의식을 강조할 수 있었어. 결국 독특한 인물을 서술자로 설정한 것은, 그 방법이 작가가 주제를 강조하는 데 더 유리하기 때문에 그런 것이 아닐까?

나는 문학 천재라서
문천재

　지금까지 독특한 서술자를 알아보았어. 독특한 서술자는 작품의 주제를 효과적으로 드러내는 데 큰 역할을 해. 그러니까 이제 소설을 읽을 때 서술자가 일반적인 인물이 아니라면 작품의 분위기와 작가의 의도를 파악하는 게 좋겠지?

개념 학습과 실전 연습으로 실력 쌓기!

3 수필/극

개념 # 01 수필

수필은 작가가 경험하고 생각하고 느낀 점을 자유롭게 쓴 글로, 시나 소설에 비해 형식이 자유롭고 소재가 다양하다. 또한, 전문가가 아니어도 어렵지 않게 쓰고 이해할 수 있어 창작층과 독자층이 넓다.

📖 **중학교 국어 문학 영역** • 자신의 가치 있는 경험을 개성적인 발상과 표현으로 형상화한다.

> 수필을 한자의 뜻대로 풀어 보면 '붓 가는 대로 쓴다'라는 의미가 돼요. 수필이라는 명칭에서 형식에 구애받지 않고 자유롭게 쓴다는 특징이 엿보이죠?

❶ 수필

일상의 경험이나 사색을 통해 깨달은 점을 형식에 매이지 않고 자유롭게 쓴 글이다.

✚ 소설과 수필의 비교

소설과 수필은 모두 산문 문학이라는 공통점이 있다.

• **소설** 허구적이며, 갈등의 진행 양상에 따라 '발단 – 전개 – 위기 – 절정 – 결말'의 5단계 구성을 따르고, 말하는 이는 작가가 내세운 서술자이다.

• **수필** 사실적이며, 정해진 형식이 없고 말하는 이는 작가 자신이다.

❷ 수필의 특징✚

(1) **개성적인 글** 자신의 생각을 자유롭게 쓴 글이기 때문에 글쓴이의 개성이 잘 드러난다.

(2) **자유로운 형식의 글** 형식에 매이지 않고 자유롭게 쓴 글이다.

(3) **비전문적인 글** 전문적인 작가가 아니더라도 누구나 쉽게 쓸 수 있다.

(4) **고백적인 글** 글쓴이의 가치관과 성찰이 진솔하게 드러난다.

(5) **교훈적·성찰적인 글** 글쓴이의 깨달음을 통해 독자가 감동을 느끼고 자신을 돌아볼 수 있게 하는 글이다.

> 일정한 형식에 따라 뚜렷한 주제 의식을 가지고 쓰는 시와 소설과 달리, 수필은 마음 가는 대로 자유롭게 쓸 수 있답니다. 일기나 편지가 그렇지요? 그래서 수필을 비전문적인 글이라고 하는 거예요.

산에서 살아 보면 누구나 다 아는 일이지만, 겨울철이면 나무들이 많이 꺾인다. 모진
_{글쓴이가 산에서 생활한 경험을 바탕으로 쓴 글임.}　　　　　　　　　　　　　_{강하고 거칠한 힘}
비바람에도 끄떡 않던 아름드리나무들이, 꿋꿋하게 고집스럽기만 하던 그 소나무들이
눈이 내려 덮이면 꺾이게 된다. 가지 끝에 사뿐사뿐 내려 쌓이는 그 가볍고 하얀 눈에 꺾
　　　　　　　　　　　　　　　　　　　　　　　　　　　　_{부드러운 힘}
이고 마는 것이다. 〈중략〉 살인귀 앙굴리마알라를 귀의시킨 것도 부처님의 불가사의한
신통력이 아니었다. 위엄도 권위도 아니었다. 그것은 오로지 자비였다.　– 법정, 〈설해목〉에서

✎ 글쓴이는 큰 나무들이 모진 비바람이 아닌 가벼운 눈에 꺾이는 것을 본 경험을 제시하며, 사람을 바꾸는 것은 강하고 거창한 힘이 아니라 부드러운 힘이라는 ❶(ㄱㅅㅈ)인 통찰을 표현하고 있음.

- - - - - - - - - - - - - - - -

지팡이로 길 앞을 더듬고 오는 친구는 분명히 그였다. 한 사람은 그의 팔짱을 끼고 있
_{글쓴이의 친구는 앞을 보지 못함.}
었는데, 여자였다. 검은 안경을 낀 여자는 완전히 그에게 몸을 의지하고 있었다. / 그가
　　　　　　　　　　　_{친구와 팔짱을 낀 여자도 앞을 보지 못함.}
"아내가 좋아해요."라고 말했을 때 나는 조금 움찔했지만 이번에는 가슴이 먹먹했다. 그
　　　　　　　　　　　　　　　　_{글쓴이가 이전에 가졌던 생각을 솔직하게 고백함.}
에게 아내가 있으리라고 생각하지 못했지만 그 여자가 또한 앞을 보지 못하리라는 생각
은 전혀 못했다. 〈중략〉

그가 능숙한 솜씨로 목욕을 끝내는 것을 조심스레 지켜보면서 나는 삶이란 그것을 가
꿔 갈 정직하고 따뜻한 능력이 있는 이에게만 주어지는 어떤 꽃다발 같은 것이라는 생각
　　　　　　　　_{친구와 그의 아내의 아름답고 건강한 삶에서 얻은 감동과 깨달음}
을 한다.　　　　　　　　　　　　　　　　　　　　　　　　　　– 곽재구, 〈그림엽서〉에서

✎ 글쓴이는 앞을 보지 못하는 부부가 서로를 의지하며 밝고 건강하게 사는 모습을 보며 느낀 ❷(ㄱㄷ)을 솔직하게 ❸(ㄱㅂ)하고 있음.

빈칸 답
❶ 개성적 ❷ 감동 ❸ 고백

+ 그 외의 종류
- **고전 수필** 고려 시대부터 개화기 이전까지 창작된 수필을 일컬으며, '설(說)', '기(記)' 등 다양한 형식이 있다.
  - 설: 사건이나 사물에 대한 경험담을 제시하고 이로부터 깨달음을 이끌어 내는 글
  - 기: 사건이나 경험의 과정을 사실대로 기록하여 기념하고자 한 글

❸ 수필의 종류+

(1) 경수필 주변에서 일어날 수 있는 일을 소재로 하여 가볍게 쓴 수필로, 소재와 내용이 비교적 자유롭다. 일기, 편지, 독후감, 기행문 등이 이에 속한다.

> 옛날 사람들은 흥정은 흥정이요 생계는 생계지만, 물건을 만드는 그 순간만은 오직 아름다운 물건을 만든다는 그것에만 열중했다. 그리고 스스로 보람을 느꼈다. 그렇게 순수
> _{옛날 사람들은 장인 정신을 가지고 있었음.}
> 하게 심혈을 기울여 공예 미술품을 만들어 냈다. 〈중략〉 나는 그 노인에 대해서 죄를 지
> _{노력을 기울여 만든 가치 있는 결과물}
> 은 것 같은 괴로움을 느꼈다. '그 따위로 해서 무슨 장사를 해 먹는담.' 하던 말은 '그런 노
> _{경험을 통해 깨달은 점}
> 인이 나 같은 젊은이에게 멸시와 증오를 받는 세상에서, 어떻게 아름다운 물건이 탄생할
> 수 있담.' 하는 말로 바뀌어졌다.
> — 윤오영, 〈방망이 깎던 노인〉에서
>
> ✎ 방망이 깎던 노인에게서 장인 정신의 가치를 깨달은 ❶(ㄱㅎ)을 제시하고 있음.

(2) 중수필 사회적, 학문적, 철학적 문제와 같은 무거운 주제를 다룬 수필이다. 경수필에 비해 문장이 딱딱하고 글쓴이의 개성이 덜 드러난다. 칼럼, 비평문 등이 이에 속한다.

> 폭포수와 분수는 동양과 서양의 각기 다른 두 문화의 원천이 되었다고 해도 지나친 말
> _{동양의 문화 서양의 문화}
> 은 아니다. 대체 그것은 어떻게 다른가를 보자. 무엇보다도 폭포수는 자연이 만든 물줄
> _{동양 문화의 특징 1}
> 기이며, 분수는 인공적인 힘으로 만든 물줄기이다. 그래서 폭포수는 심산유곡에 들어가
> _{서양 문화의 특징 1   동양 문화의 특징 2}
> 야 볼 수 있고, 거꾸로 분수는 도시의 가장 번화한 곳에 가야 구경할 수가 있다. 하나는
> _{서양 문화의 특징 2}
> 숨어 있고, 하나는 겉으로 드러나 있다.
> _{동양 문화의 특징 3   서양 문화의 특징 3}   — 이어령, 〈폭포와 분수〉에서
>
> ✎ ❷(ㅍㅍㅅ)와 ❸(ㅂㅅ)를 비교하며 동양 문화와 서양 문화의 차이점을 논리적으로 드러내고 있음.

빈칸 답
❶ 경험 ❷ 폭포수 ❸ 분수

바로 확인 ❶   다음 글에 대한 설명으로 적절하지 <u>않은</u> 것은?

💡 **도움말**
이 글은 글쓴이가 어린 시절 수많은 실패 끝에 결국 자전거 타기를 성공했던 경험을 회상하며, 그 경험이 자신에게 미친 영향을 담은 수필이다.

> 나는 몸을 앞뒤로 흔들어 자전거를 출발시켰다. 자전거는 앞으로 나아가기 시작했다. 페달을 밟지 않고도 가속이 붙었다. 나는 난생처음 봄을 맞는 장끼처럼 나도 모를 이상한 소리를 내지르며 자전거와 한 몸이 되어 달려 내려갔다. 〈중략〉 그날 나는 내 근육과 뇌에 새겨진 평범한, 그러면서도 세상을 움직여 온 비밀을 하나 얻게 되었다. 일단 안장 위에 올라선 이상 계속 가지 않으면 쓰러진다. 노력하고 경험을 쌓고도 잘 모르겠으면 자연의 판단 — 본능에 맡겨라.
> — 성석제, 〈어느 날 자전거가 내 삶 속으로 들어왔다〉에서

① 경험에서 얻은 깨달음을 제시하고 있다.
② 자전거 타기를 성공한 경험을 제시하고 있다.
③ 비유적 표현을 통해 경험을 실감 나게 표현하고 있다.
④ 작품 밖의 서술자가 사건을 주관적으로 서술하고 있다.

개념 02 희곡

희곡은 연극 공연을 목적으로 쓴 글이다. 희곡은 소설과 같이 갈등을 중심으로 사건을 전개하지만, 무대 공연을 목적으로 창작되기 때문에 소설과는 다른 내용적, 형식적 특징을 가진다.

📖 중학교 국어 문학 영역 •갈등의 진행과 해결 과정에 유의하여 작품을 감상한다.

> 희곡을 단순히 연극의 대본으로 생각하는 경우가 많아요. 하지만 공연 여부와 상관없이 희곡은 그 자체로 문학적 가치를 갖습니다. 그래서 희곡 중에는 무대 공연을 고려하지 않고 창작된 작품도 있는데, 이러한 희곡을 레제 드라마(lesedrama)라고 해요.

❶ 희곡

무대 공연을 위해 창작된 연극의 대본이다.

❷ 희곡의 특징⊕

연극은 일반적으로 제한된 시간과 공간에서 배우들의 연기를 통해 이야기가 전개된다. 이런 점에서 연극의 대본인 희곡은 다음과 같은 특징을 지닌다.

(1) **시간과 공간, 등장인물 수의 제약** 무대 공연을 목적으로 하기 때문에 시간적·공간적 배경이 자유롭게 전환되기 힘들고 한 장면에 많은 인물이 등장하기 어렵다.

(2) **인물의 말과 행동으로 사건 전달** 이야기를 전달하는 서술자가 따로 존재하지 않고, 모든 사건은 인물의 말과 행동으로 전달된다.

> **파수꾼 '나'**: (관객석 쪽으로 돌아서다가, 흠칫 놀라며) 웬 사람들이 이렇게 몰려오죠?
> <u>연극 공연을 전제로 함.</u>
> **촌장**: 마을 사람들이지요. / **파수꾼 '나'**: 마을 사람들요?
> <u>관객을 마을 주민으로 간주해 등장인물 수의 제약을 해결함.</u>
> **촌장**: (관객들을 향해) <u>어서 오십시오. 주민 여러분. 이 애가 그 말을 꺼낸 파수꾼입니다.</u>
> <u>촌장의 말을 통해 상황을 전달함.</u>
> <u>저기 방긋 웃고 있는 식량 운반인. 이 애가 틀림없지요?</u>　　　　　　　 — 이강백, 〈파수꾼〉에서
>
> ✎ ❶(ㄱㄱㅅ)이라는 표현에서 이 작품이 연극 공연을 전제로 함을 알 수 있음. 무대에 많은 인물을 등장시킬 수 없어 관객들을 마을 주민으로 간주함. ❷(ㅅㅅㅈ) 없이 인물들의 말과 행동으로 사건이 전개됨.

(3) **갈등 중심의 문학** 다양한 갈등을 중심으로 사건이 전개된다.

(4) **현재형 표현** 사건이 무대 위에서 바로 전달되기 때문에 모든 이야기가 현재형으로 표현된다.

> 귀신에 홀린 듯한 세 사람. 참담하게 세탁소를 바라보는 강태국. 엉거주춤하게 서서 은근슬쩍 옷을 뒤져 보는 염소팔. 두 사람을 의심의 눈초리로 보는 장민숙.
> <u>사람들이 서로 대립하며 갈등하는 모습을 보여 줌.</u>
>
> **장민숙**: (낯선 목소리로) 두 사람…….
>
> 강태국과 염소팔 <u>돌아본다.</u>
> <u>현재형으로 표현함.</u>
> **장민숙**: (의심하는 표정으로) 정말 할머니한테 아무것도 안 받았어?
>
> **강태국**: (세탁소로 달려간다.) 에이! (세탁소를 뒤엎으며) 이놈의 세탁소 다 부숴 버려?
> <u>인물들 사이의 갈등이 드러남.</u>
> 　　　　　　　　　　　　　　　　　　　　　　　 — 김정숙, 〈오아시스 세탁소 습격 사건〉에서
>
> ✎ 장민숙과 강태국 사이의 ❸(ㅇㅈ ㄱㄷ)이 직접적으로 드러남. '돌아본다'와 같이 모든 이야기가 ❹(ㅎㅈㅎ)으로 표현됨.

⊕ **소설과 희곡의 비교**
　소설과 희곡은 허구적 성격을 가진 갈등 중심의 산문 문학이라는 공통점이 있다.
• **소설** '발단 – 전개 – 위기 – 절정 – 결말'의 5단계 구성을 따르며, 사건이 서술자의 서술을 통해 전개된다.
• **희곡** '발단 – 전개 – 절정 – 하강 – 대단원'의 5단계 구성을 따르며, 사건이 인물의 말과 행동을 통해 전개된다.

빈칸 답
❶ 관객석 ❷ 서술자
❸ 외적 갈등 ❹ 현재형

정답과 해설 36쪽

➌ 희곡의 구성 단계

희곡은 소설과 같이 갈등을 중심으로 사건이 전개되므로 갈등의 진행 양상에 따라 단계적으로 구성된다. 일반적으로 '발단-전개-절정-하강-대단원'의 5단계 구성이 나타난다.

+ 희곡 구성의 5단계

발단	배경과 인물이 소개됨.
전개	대립과 갈등이 격해짐.
절정	갈등이 최고조에 이르며 사건의 전환점이 드러남.
하강	갈등 해결의 실마리가 제시됨.
대단원	갈등이 해결되고 인물의 운명이 결정됨.

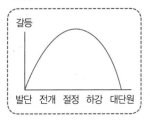

● 김정숙, 〈오아시스 세탁소 습격 사건〉의 5단계 구성

단계	줄거리
발단	오아시스 세탁소를 운영하는 강태국은 자신의 일에 자부심을 갖고 있음.
전개	할머니의 유산을 찾으러 온 할머니의 가족이 세탁소를 난장판으로 만듦.
절정	세탁소에서 쫓겨난 사람들은 세탁소에 잠입하고, 강태국이 할머니의 비밀을 알아냄.
하강	사람들의 탐욕스러운 모습에 화가 난 강태국은 사람들을 세탁기에 넣어 돌림.
대단원	강태국은 할머니의 비밀이 적힌 옷고름을 태우고 사람들은 깨끗하게 세탁됨.

✎ 할머니의 재산을 노리는 사람들과 세탁소를 지키려는 ❶(ㄱㅌㄱ) 사이의 갈등이 5단계 구성으로 제시됨.

➍ 희곡의 구성 요소

(1) **해설** 첫머리에서 작품의 배경, 무대 설정, 등장인물 등을 설명한다.
(2) **대사** 등장인물이 하는 말로, 인물의 성격을 드러내면서 사건을 전개한다.
(3) **지시문** 등장인물의 행동이나 심리, 효과음, 조명, 무대의 변화 등을 설명한다.

+ 대사의 종류

- **대화** 등장인물들 사이에 주고받는 대사
- **독백** 등장인물의 혼잣말. 관객들만 들을 수 있고, 무대 위의 다른 인물들은 들을 수 없다.
- **방백** 등장인물이 관객을 대상으로 하는 말. 무대 위의 다른 인물들은 들을 수 없다.

+ 지시문의 종류

- **행동 지시문** 등장인물의 행동이나 심리 등을 설명한다.
- **무대 지시문** 무대 장치, 음향, 조명 등을 설명한다.

맹 진사 태랑 씨의 안마당. 가풍 있는 오래된 집. 안방 집 뒤로 재실이 있는 모양. 나무가 울창하고 그중 한 그루 전나무가 오른편 한 구석에 놓여 있다. / 막이 열리면 무대는 잠시 비었다. / 맹 진사, 왼편 문 쪽으로 들어선다. / 기고만장하며 일종의 흥분 상태이다.
<small>해설 – 작품의 배경과 무대의 모습을 설명함.</small>
<small>지시문 – 맹 진사의 행동을 설명함.</small>

맹 진사: 얘, 아무도 없느냐, 아무도 없어? 헛, 내가 어떤 길을 다녀왔다구 쥐새끼 한 마리 얼씬 않느냐?
<small>대사 – 맹 진사의 거만한 성격을 드러냄.</small>

– 오영진, 〈맹 진사댁 경사〉에서

✎ ❷(ㅎㅅ)을 통해 무대의 모습을 설명하고 ❸(ㅈㅅㅁ)으로 인물의 등장과 행동을 지시함. 대사로 맹 진사의 생각을 직접 드러냄.

빈칸 답
❶ 강태국 ❷ 해설 ❸ 지시문

바로 확인 ❶ 〉 다음 글을 읽고 빈칸에 알맞은 말을 써 넣으시오.

남자, 관객석을 투덕투덕 걸어 다니다가 넥타이를 맨 남성 관객 앞에 앉는다.

남자: 물론 그래요. (㉠속상하다는 듯 담배를 피워 물고 상대방에게도 권하며) 저 인정사정도 없는 하인이 날더러 잘해 보라고 그런 말 한마디 하진 않았지요. 하지만 말입니다, 나도 그래요, 기죽을 필요야 없는 겁니다. – 이강백, 〈결혼〉에서

남자의 대사는 무대 위 다른 배우는 들을 수 없고 관객만 들을 수 있으므로 (   )(이)다. ㉠은 지시문 중 등장인물의 연기를 설명하는 (   )(이)다.

개념 **03 시나리오**

> 시나리오는 영화와 드라마의 대본으로, 희곡과 함께 극 갈래에 포함된다. 하지만 영화, 드라마는 연극과 매체상의 차이가 있으므로 시나리오의 특징을 희곡의 특징과 구별 지어 공부해야 한다.
>
> 🐾 **중학교 국어 문학 영역** •갈등의 진행과 해결 과정에 유의하여 작품을 감상한다.

> 시나리오는 영상물의 대본이에요. 따라서 영화나 드라마뿐만 아니라 이야기가 있는 영상물의 대본도 모두 시나리오의 범위에 포함됩니다.

❶ 시나리오

영상 제작을 위해 만들어진 대본이다. 일반적으로 영화와 방송극(드라마)의 대본을 말한다.

❷ 시나리오의 특징⊕

시나리오는 희곡과 같이 극 갈래에 해당하여 희곡과 유사한 특징을 가지지만, 촬영물을 편집할 수 있는 영상의 대본이라는 점에서 희곡과 구별되는 특징도 있다.

(1) **갈등 중심의 문학** 다양한 갈등을 중심으로 사건이 전개된다.

(2) **장면과 인물의 말, 행동으로 사건 전달** 이야기를 전달하는 서술자가 따로 존재하지 않고, 모든 사건은 장면과 인물의 말, 행동으로 전달된다.

(3) **현재형 표현** 모든 이야기가 현재형으로 표현된다.

(4) **시간과 공간, 등장인물 수의 제약이 적음** 영상은 촬영물을 편집하여 만들기 때문에 시간과 공간, 등장인물 수의 제약을 덜 받는다.

(5) **시나리오 용어 사용** 카메라 촬영을 효과적으로 하기 위해 특수한 용어들이 사용된다.

⊕ **희곡과 시나리오의 비교**

희곡	시나리오
•시간, 공간, 인물 수의 제약이 많음.	•시간, 공간, 인물 수의 제약이 적음.
•무대에서 상연됨.	•영상으로 표현됨.
•막과 장을 기본 단위로 함.	•장면을 기본 단위로 함.
•갈등을 중심으로 내용이 전개됨.	
•서술자 없이 인물들의 대사와 행동으로 내용을 전달함.	
•현재형으로 표현됨.	

S# 101 춘천 공설 운동장 / 아침
시나리오 용어가 사용됨.   시간과 공간에 제약이 적어 시·공간적 배경을 구체적으로 설정할 수 있음.

　경숙, 초원을 잡아끌지만, 초원은 움직일 생각을 안 한다.

경숙: 너 뛰다가 쓰러지면 또 주사 맞잖아. 주사 맞을 거야?

초원: (머뭇거리다가 이내) 안 쓰러져. 초원이 안 쓰러져.
　　　　　　　　　　달리기에 대한 초원의 의지를 대사로 표현함.

　그 순간 '타앙' 울리는 출발 총성. '와아' 하는 함성 소리와 함께 물밀듯이 밀려 나가기 시작하는 사람들. 그 틈바구니에서 손을 잡은 채, 서로 노려보고 있는 초원과 경숙. 〈중략〉
　　많은 사람들이 등장함. – 인원수의 제약을 덜 받음.　　　　　　　경숙과 초원의 갈등이 드러남.

경숙: 초원아, 엄마가 잘못했어. 이제, 이런 거 안 시킬게.

초원: 초원이 다리는……. /　경숙, 숨이 멎는 듯

초원: 초원이 다리는……?

경숙: (경숙의 눈가가 젖어 들고) 백만 불짜리 다리…….

　어느새, 스르르 손이 풀리고, 초원은 바람처럼 군중들 틈으로 사라진다.
　초원의 의지를 깨달은 경숙의 심리를 행동으로 표현하여 갈등 해소를 나타냄.

– 정윤철·윤진호·송예진, 〈말아톤〉에서

✎ 'S#'와 같은 시나리오 용어를 사용함. 시간·공간과 등장인물 수의 ❶(ㅈㅇ)이 적어 시·공간적 배경을 구체적으로 설정하고 많은 사람들이 등장함. 경숙과 초원의 ❷(ㄱㄷ)이 드러남.

빈칸 답
❶ 제약 ❷ 갈등

> 우리가 희곡을 공부할 때 배웠던 '해설'을 시나리오의 구성 요소에 추가하는 경우도 있어요.

❸ 시나리오의 구성 요소

(1) **장면** 시나리오의 최소 단위로, 같은 장소와 같은 시간에서 동일한 인물들이 일으키는 상황이나 사건을 의미한다. 장면 번호(S#)로 나타낸다.

(2) **대사** 등장인물들이 하는 말로, 인물의 성격을 드러내면서 사건을 전개한다.

(3) **지시문** 장면 설정, 등장인물의 표정, 행동, 카메라나 조명의 위치, 음향 등을 설명한다.

S# 15 종로 거리, 낮
장면 번호　장면의 시간적·공간적 배경 표시

<u>1900년대 초의 개방형 전차 안. 서양식 옷차림에 짧게 머리를 깎은 승객들이 간간이 보이</u>
　　　　　　　　　　　　　　　　　　　　장면 설정을 설명함.
고, 갓을 쓰고 도포를 걸친 50대 남자 두 명이 나란히 앉아 있다. 그중 한 명은 호창 부다. 호
창 부, 전차가 그리 빠른 속도로 <u>움직이는 것도 아닌데, 기둥을 꼭 붙잡고 있다.</u>
　　　　　　　　　　　　　　　호창 부가 전차에 익숙하지 않음을 간접적으로 제시함.

친구: 어떤가? 지금도 어지러운가? / **호창 부:** (무뚝뚝하게) 내가 언제 어지럽다고 했나?
　　　대사 - 인물의 생각을 말로 표현함.　　　　　행동 지시문 - 인물의 태도를 설명함.

　　　　　　　　　　　　　　　　　　　　　　　　　　　　　　　　　　　– 김현석, 〈YMCA 야구단〉에서

✎ 장면 번호를 통해 이 부분이 전체 시나리오 중 15번째 ❶(ㅈㅁ)임을 알 수 있음. 사건의 전개는 인물들의 ❷(ㄷㅅ)를 통해 드러나며 인물의 행동은 ❸(ㅈㅅㅁ)으로 설명함.

빈칸 답
❶ 장면 ❷ 대사 ❸ 지시문

❹ 시나리오 용어⊕

⊕ **그 외의 시나리오 용어**
- **montage** 몽타주. 따로 촬영한 짧은 장면들을 이어 붙여 편집하는 기법
- **E. (effect)** 효과음. 화면 밖에서의 음향이나 대사에 의한 효과
- **Ins. (insert)** 삽입 장면. 동작이나 상황을 설명하기 위해 삽입한 화면

용어	설명
S# (scene number)	장면 번호. 시나리오의 각 장면을 구분해 줌.
Nar. (narration)	내레이션. 화면에 없는 인물이 목소리로만 해설하는 말
F.I. (fade-in)	페이드 인. 어두운 화면이 점점 밝아지는 것
F.O. (fade-out)	페이드 아웃. 화면이 점점 어두워지는 것

바로 확인 ❶ 　다음 글에 대한 설명으로 적절하지 <u>않은</u> 것은?

S# 116. 초등학교 운동장 (해 질 녘, 눈)

운동장 전체가 한눈에 내려다보인다. 아무도 없는 운동장 위로 서서히 눈이 내리기 시작한다. 아이들이 남긴 무수한 발자국들 위로 흰 눈이 쌓여 간다.

정원 (Nar.): 내 기억 속 무수한 사진들처럼, 사랑도 언젠간 추억으로 그친다는 것을 난 알고 있었습니다. 하지만 당신만은 추억이 되질 않았습니다. 사랑을 간직한 채 떠날 수 있게 해 준 당신께 고맙단 말을 남깁니다. (F.O.)　– 오승욱·허진호·신동환, 〈8월의 크리스마스〉에서

① 특수한 시나리오 용어가 사용되었다.
② 이 장면은 영화의 116번째 장면이다.
③ 정원은 화면에 나타나 대사를 말한다.
④ 정원의 말을 끝으로 화면이 점점 어두워진다.

실전 01 막내의 야구 방망이 | 정진권

이 작품은 글쓴이가 야구 시합을 통해 단결심을 배우는 아이들의 순수함을 느끼고 그 마음을 이해하게 되는 과정을 담은 수필이다. 글쓴이의 관점과 소재의 상징적 의미에 주목하여 감상해 보자.

🖊 핵심 짚기

● **글쓴이의 경험**

야구 시합을 통해 ❶ㄷㄱㅅ을 배우는 막내와 아이들을 보며, 아이들의 순수한 마음에 감동과 대견함을 느낌.

● **글쓴이의 태도**

선생님과 반을 위해 단결하는 아이들의 순수한 모습을 애정 어린 시선으로 바라봄.

● **글쓴이의 심리 변화**

막내의 귀가가 늦음.
걱정스러움.

막내의 이야기를 들음.
❷ㄱㄷ함.

막내의 방망이를 받아 줌.
막내와 아이들이 대견함.

● **소재의 ❸ㅅㅈ적 의미**

• **야구 방망이** 막내네 반 아이들의 자존심과 노력을 상징함.
• **맑고 푸른 별** 선생님과 반 아이들을 생각하는 막내네 반 아이들의 순수한 마음을 상징함.

빈칸 답
❶ 단결심 ❷ 감동 ❸ 상징

● **괄시** | 업신여겨 하찮게 대함.
● **명멸하다** | 나타났다 사라졌다 하다.
● **팽배하다** | 어떤 기세나 사조 따위가 매우 거세게 일어나다.
● **도가니** | 흥분이나 감격 따위로 들끓는 상태를 비유적으로 이르는 말.
● **미덥다** | 믿음이 가는 데가 있다.

앞부분의 줄거리 막내가 간절히 원한 야구 방망이를 막내에게 사다 준 다음 날부터 막내의 귀가가 늦어지기 시작한다. 집에 늦게 오는 이유를 막내에게 물으니, 내일모레가 5학년 각 반 대항 야구 시합인데 자신의 반이 꼭 우승해야 한다고 말한다. 시합 날, 막내는 우승하지 못한 모양인지 밥도 먹는 둥 마는 둥 그냥 잠자리에 들어가 이불을 뒤집어쓴다. 나는 지나치게 승부에 민감한 것은 좋지 않을 듯하여 막내에게 서두르지 말라고 충고한다. 그런데 다음 날, 막내는 또 늦게 귀가한다.

나는 아무래도 이 아이가 자기 생활의 질서를 잃은 듯해서 / "왜 이렇게 늦었니? 시합 끝나면 일찍 오겠다고 하지 않았니? 어떻게 된 거야 이게?" / 하고 좀 심하게 나무랐다.

그제야 막내는 자초지종을 털어놓았다. 다음에 적는 것은 그 이야기의 대강이다.

막내의 담임 선생님은 마흔 남짓한 남자분이신데, 무슨 깊은 병환으로 입원을 하셔서 한 두어 달 쉬시게 되었다. 그렇게 되자 학교에서는 막내의 반 아이들을 이 반 저 반으로 나누어 붙였다. 그러니까 막내의 반은 하루아침에 해체되고 아이들은 뿔뿔이 헤어지게 된 것이다.

그런데 배치해 주는 대로 가 보니 그 반 아이들의 괄시가 말이 아니었다. 그런 괄시를 받을 때마다 옛날의 자기 반이 그리웠다. 선생님을 졸졸 따라 소풍 가던 일, 운동회에서 다른 반 아이들과 당당하게 겨루던 일, 이런저런 자기 반의 아름다운 역사가 안타깝게 명멸하는 것이다. 때로는 편찮으신 선생님이 무척 보고 싶어서 길도 잘 모르는 병원에도 찾아갔다.

그러는 동안에 아이들은 선생님이 다 나으셔서 오실 때까지 우리 기죽지 말자 하며 서로서로 격려하게 되었고, 이러한 기운이 팽배해지자 이른바 간부였던 아이들은 ㉠자기네의 사명을 깨닫게 되었다. 그래서 몇 아이들이 우리 집에 모였던 것이고, 그 기죽지 않을 방법으로 채택된 것이 야구 대회를 주최하여 우승을 차지하는 것이었다.

연습은 참으로 피나는 것이었다. ㉡뱃속에서 꼬르륵거리는 소리가 나도 누구 하나 배고프다는 말을 하지 않았다. 연습이 끝나면 또 작전 계획을 세우고 검토했다. ㉢그러노라면 어느새 하늘에 푸른 별이 떴다.

그리하여 마침내 결승전에 진출했다. ㉣이 반 저 반으로 헤어진 반 아이들은 예선부터 한 사람 빠짐없이 응원에 나섰다. 그 응원의 외침은 차라리 처절한 것이었다. 그러나 열광의 도가니처럼 들끓던 결승에서 그만 패하고 만 것이다.

㉤"아빠, 우린 해야 돼. 다음번엔 우승해야 돼. 선생님이 다 나으실 때까지 우린 누구 하나도 기죽을 수 없어." / 막내는 이야기를 마치면서 이렇게 말했다. 나는 아무 말도 하지 못했다. 무슨 망국민의 독립 운동사라도 읽은 것처럼 감동 비슷한 것이 가슴에 꽉 차 오는 것 같았다. 학교라는 데는 단순히 국어, 수학이나 가르치는 데가 아니구나 하는 생각도 들었다.

이튿날 밤 나는 늦게 돌아오는 ⓐ막내의 방망이를 미더운 마음으로 소중하게 받아 주었다. 그때도 막내와 그 애의 친구 애들의 초롱초롱한 눈 같은 ⓑ맑고 푸른 별이 두어 개 하늘에 떠 있었다. 나는 그때처럼 맑고 푸른 별을 일찍이 본 적이 없다.

1

서술상의 특징 파악하기

✚ 요약적 제시
　서술자가 인물의 상황이나 과거의 사건 등의 내용을 요약하여 전달하는 서술 방식이다. 긴 시간에 걸쳐 벌어진 사건을 모두 자세히 서술하기 어려울 때 사용된다.

이 글의 서술상 특징으로 가장 적절한 것은?

① 이야기 밖의 서술자가 인물의 심리를 설명하고 있다.

② 대화를 통해 인물들 사이의 외적 갈등을 제시하고 있다.

③ 요약적 제시를 통해 구체적인 시대적 배경을 보여 주고 있다.

④ 비유와 상징 표현을 통해 글쓴이의 경험을 효과적으로 드러내고 있다.

⑤ 과거 회상의 매개체를 활용해 시간적 배경을 현재에서 과거로 돌리고 있다.

2

세부 내용 파악하기

㉠~㉤에 대한 설명으로 적절하지 않은 것은?

① ㉠: 괄시를 받은 반 아이들의 단합을 유도하고 기를 살리는 것을 의미한다.

② ㉡: 진지한 태도로 야구 연습에 몰두하는 아이들의 모습이 드러난다.

③ ㉢: 늦은 밤이 될 때까지 아이들이 야구 연습에 열중하였음을 의미한다.

④ ㉣: 아이들이 주최한 야구 대회가 학교에서 많은 인기를 끌었음을 보여 준다.

⑤ ㉤: 괄시를 받은 설움을 극복하고자 하는 막내의 강한 의지가 드러난다.

3

태도와 심리 파악하기

다음은 이 글의 내용상 흐름을 정리한 것이다. [A]~[C]에 대한 설명으로 적절하지 않은 것은?

[A]		[B]		[C]
막내가 또 늦게 귀가함.	→	막내의 이야기를 들음.	→	이튿날 밤 늦게 귀가한 막내의 방망이를 받아 줌.

① [A]에서 글쓴이는 걱정스러운 태도로 막내를 나무라고 있다.

② [B]에서 글쓴이는 막내의 이야기를 듣고 감동하였다.

③ [B]에서 글쓴이는 막내의 심정과 순수한 마음을 이해하게 되었다.

④ [C]에서 글쓴이는 막내를 존중하고 막내에 대한 믿음을 드러내고 있다.

⑤ [C]에서 글쓴이는 막내네 반 아이들의 순수한 모습을 바라보며 자신을 성찰하고 있다.

4

소재의 상징적 의미 파악하기

ⓐ와 ⓑ의 상징적 의미를 알맞게 짝지은 것은?

	ⓐ	ⓑ
①	막내네 반 아이들의 단결심	야구 대회 결승에서 패배한 아쉬움
②	막내네 반 아이들의 단결심	괄시를 받은 것에 대한 설움
③	막내네 반 아이들의 단결심	막내네 반 아이들의 순수한 동심
④	야구 대회에서 우승한 기쁨	막내네 반 아이들의 순수한 동심
⑤	야구 대회에서 우승한 기쁨	괄시를 받은 것에 대한 설움

구성

 처음 | 막내의 부탁으로 막내에게 야구 방망이를 사다 줌.

 중간 | 야구 연습으로 늦게 귀가하는 막내를 나무라지만, 막내가 야구 연습에 몰두하는 이유를 듣고 감동함.

 끝 | 막내의 행동을 존중하게 되고, 막내의 야구 방망이를 미더운 마음으로 받아 줌.

해제

이 작품은 야구 시합을 통해 단결심을 배우는 막내네 반 아이들의 순수한 마음과 이를 바라보는 글쓴이의 따뜻한 시선이 담긴 수필이다. '야구 방망이', '맑고 푸른 별' 등의 소재에 상징적인 의미를 담아 주제를 구체화하고 있다. 또한 다양한 비유적 표현과 함께 간결한 문장으로 따뜻한 감동을 전하고 있다.

주제

야구 시합을 통해 단결심을 배우는 막내네 반 아이들의 착하고 순수한 마음

글쓴이의 심리 변화

일반적으로 수필에 드러난 글쓴이의 심리는 글쓴이가 얻은 깨달음, 작품의 주제와 밀접하게 연관된다. 수필의 주제는 글쓴이가 ❶ □□ 한 것에 대한 느낌과 연결되기 때문이다.

막내의 귀가가 늦어질 때	막내의 이야기를 듣고 나서	막내의 방망이를 받아 줄 때
막내가 생활의 질서를 잃어버릴까 걱정스러움.	막내의 순수한 마음에 감동함. 학교에서 공동체 의식을 배운 막내가 대견스러움.	막내의 행동을 존중하고 막내를 믿게 됨. 막내네 반 아이들의 순수한 동심을 느낌.

소재의 상징적 의미

상징은 표현하고자 하는 생각을 구체적인 사물로 대신하여 표현하는 방법으로, 글쓴이는 상징적 의미를 지닌 소재를 통해 주제를 효과적이고 참신하게 표현하고 있다.

막내의 야구 방망이	맑고 푸른 별
다른 반 아이들의 괄시에 기죽지 않기 위한 막내네 반 아이들의 자존심과 단결심을 상징	막내네 반 아이들의 맑고 ❷ □□ 한 동심을 상징

비유적 표현

글쓴이는 비유적 표현을 활용하여 자신이 느낀 감정을 더욱 구체적이고 생생하게 드러내고 있다.

- "무슨 망국민의 독립 운동사라도 읽은 것처럼 감동 비슷한 것이 가슴에 꽉 차 오르는 것 같았다."
  → 감동한 마음을 망국민의 독립 운동사를 읽는 것에 비유함. (직유법)

- "막내와 그 애의 친구 애들의 초롱초롱한 눈 같은 맑고 푸른 별"
  → 맑고 푸른 별을 아이들의 초롱초롱한 눈에 비유함. (❸ □□ 법)

빈칸 답 ❶ 경험 ❷ 순수 ❸ 직유

1 다음 뜻에 해당하는 단어를 말 상자에서 찾아 표시하시오.

(1) 믿음이 가는 데가 있다.

　　예 그는 보는 것만으로도 든든하고 (　　　　).

(2) 망하여 없어진 나라의 백성.

　　예 (　　　　)의 설움

(3) 어떤 기세나 사조 따위가 매우 거세게 일어나다.

　　예 우리 사회에는 이기주의가 (　　　　).

망	고	구	다
국	적	팽	이
민	현	배	자
동	령	하	배
미	덥	다	시

2 사다리타기에 따라, 빈칸에 들어갈 단어의 뜻을 〈보기〉에서 찾아 그 번호를 쓰시오.

● 보기 ●
① 업신여겨 하찮게 대함.
② 나타났다 사라졌다 하다.
③ 상대방의 잘못이나 부족한 점을 꼬집어 말하다.
④ 흥분이나 감격 따위로 들끓는 상태를 비유적으로 이르는 말.

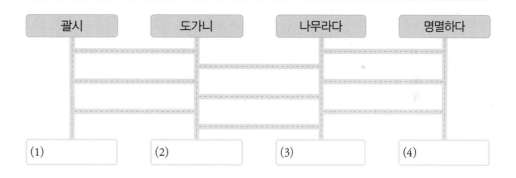

| 괄시 | 도가니 | 나무라다 | 명멸하다 |

(1)　　　　(2)　　　　(3)　　　　(4)

어법 'ㅂ' 불규칙 활용

3 〈보기〉를 참고할 때, 'ㅂ' 불규칙 활용이 나타나지 <u>않는</u> 것은?

● 보기 ●

　일반적으로 동사나 형용사의 형태가 바뀔 때는 어미 부분만 교체되어 나타난다. 예를 들어 '먹다'는 어미 '-다'가 모음으로 시작하는 어미인 '-은', '-으니', '-어서'로 교체되면 '먹은', '먹으니', '먹어서'로 바뀐다. 하지만 '미덥다'는 '미더운', '미더우니', '미더워서' 등에서 볼 수 있듯이, 형태가 바뀔 때 '-다'만 교체되는 것이 아니라 '-다' 앞의 'ㅂ'이 '우'로 교체되어 나타난다. 이러한 규칙을 'ㅂ' 불규칙 활용이라고 하며, '-다' 앞에 'ㅂ'이 있는 동사나 형용사의 경우 흔히 이러한 규칙을 따르게 된다.

① 덥다　　② 돕다　　③ 좁다　　④ 줍다　　⑤ 춥다

💡 도움말

　'어미'란 동사나 형용사에서 실질적인 의미를 갖지 않고 형태가 변하는 부분을 일컫는다. 예를 들어 '먹다'에서 '먹-'은 실질적 의미를 가진 어근, '-다'는 형태가 변하는 어미이다. '먹다'는 '먹으니', '먹어서' 등으로 어미의 형태가 변할 수 있는데, 이처럼 어미의 형태가 바뀌는 것을 '활용'이라고 한다.

실전 02 괜찮아 | 장영희

이 작품은 몸이 불편한 글쓴이가 세상을 긍정적으로 바라보게 된 경험을 담고 있는 수필이다. 글쓴이의 경험이 글쓴이에게 미친 영향과 글쓴이의 가치관을 파악하며 읽어 보자.

🖉 핵심 짚기

● 글쓴이의 경험
초등학교 1학년 때 **❶ ㅁ ㅂ** 을 두고 앉아 있는 글쓴이에게 깨엿 장수 아저씨가 깨엿 두 개를 내밀고 "괜찮아."라고 말함.

● 글쓴이의 **❷ ㄲ ㄷ ㅇ**
이 세상은 선의와 사랑이 있고, '괜찮아'라는 말처럼 용서와 너그러움이 있는 곳이라고 믿게 됨.

● 표현상의 특징
· 어른이 된 글쓴이가 과거를 **❸ ㅎ ㅅ** 하는 형식임.
· 어린 시절의 경험에서 얻은 깨달음을 진솔하게 표현함.
· 일화를 나열하여 일상적 말인 '괜찮아'의 의미를 여섯 가지로 나누어 살핌.

⌐ 빈칸 답
❶ 목발 ❷ 깨달음 ❸ 회상

앞부분의 줄거리 어머니는 방과 후 골목길에 아이들이 모일 때쯤이면 아이들이 노는 것을 구경하라고 대문 앞 계단에 작은 방석을 깔고 나를 거기에 앉히셨다. 나는 공기놀이 외에는 참여할 수 없었는데 친구들은 나를 위해 꼭 무언가 역할을 만들어 주었다.

놀이에 참여하지 못해도 난 전혀 소외감이나 박탈감을 느끼지 않았다. 아니, 지금 생각하면 내가 소외감을 느낄까 봐 친구들이 배려해 준 것이었다.

그 골목길에서의 일이다. 초등학교 1학년 때였던 것 같다. 하루는 우리 반이 좀 일찍 끝나서 나 혼자 집 앞에 앉아 있었다. 그런데 그때 마침 깨엿 장수가 골목을 지나고 있었다. 그 아저씨는 가위만 쩔렁이며 내 앞을 지나더니 다시 돌아와 내게 깨엿 두 개를 내밀었다. 순간 그 아저씨와 내 눈이 마주쳤다. 아저씨는 아무 말도 하지 않고 아주 잠깐 미소를 지어 보이며 말했다. / ㉠"괜찮아."

무엇이 괜찮다는 것인지는 몰랐다. 돈 없이 깨엿을 공짜로 받아도 괜찮다는 것인지, 아니면 목발을 짚고 살아도 괜찮다는 것인지……. 하지만 그건 중요하지 않다. 중요한 건 내가 그날 마음을 정했다는 것이다. 이 세상은 그런대로 살 만한 곳이라고, 좋은 친구들이 있고, 선의와 사랑이 있고, '괜찮아'라는 말처럼 용서와 너그러움이 있는 곳이라고 믿기 시작했다는 것이다.

어느 방송 채널에 오래전의 학교 친구를 찾는 프로그램이 있다. 한번은 어느 가수가 나와서 초등학교 때 친구들을 찾는데, 함께 축구 시합을 하던 이야기가 나왔다. 당시 허리가 36인치일 정도로 뚱뚱한 친구가 있었는데, 뚱뚱해서 잘 뛰지 못한다고 다른 친구들이 축구팀에 끼워 주려고 하지 않았다. 그때 그 가수가 나서서 말했다. / ㉡"괜찮아. 앤 골키퍼를 하면 함께 놀 수 있잖아!" / 그래서 그 친구는 골키퍼로 친구들과 함께 축구를 했고, 몇십 년이 지난 후에도 그 따뜻한 말과 마음을 그대로 기억하고 있었다.

'괜찮아.' 난 지금도 이 말을 들으면 괜히 가슴이 찡해진다. / 지난 2002년 월드컵 4강에서 독일에 졌을 때 관중들은 선수들을 향해 외쳤다. / "괜찮아! 괜찮아!"

혼자 남아 문제를 풀다가 결국 골든벨을 울리지 못하면 친구들이 얼싸안고 말해 준다. "괜찮아! 괜찮아!"

'그만하면 참 잘했다'고 용기를 북돋워 주는 말, '너라면 뭐든지 다 눈감아 주겠다'는 용서의 말, '무슨 일이 있어도 나는 네 편이니 넌 절대 외롭지 않다'는 격려의 말, '지금은 아파도 슬퍼하지 말라'는 나눔의 말, 그리고 마음으로 일으켜 주는 부축의 말, 괜찮아.

참으로 신기하게도 힘들어서 주저앉고 싶을 때마다 난 내 마음속에서 작은 속삭임을 듣는다. 오래전 따뜻한 추억 속 골목길 안에서 들은 말,

"괜찮아! 조금만 참아. 이제 다 괜찮아질 거야." / 아, 그래서 ⓐ'괜찮아'는 이제 다시 시작할 수 있다는 희망의 말이다.

● **소외감**│남에게 따돌림을 당하여 멀어진 듯한 느낌.
● **박탈감**│무엇인가를 빼앗겼다고 여기는 느낌이나 기분.
● **선의**│착한 마음.

세부 내용 파악하기 **1** **이 글의 내용으로 적절하지 <u>않은</u> 것은?**

① '목발'이라는 말을 통해 글쓴이의 처지를 짐작할 수 있다.

② 어린 시절 글쓴이는 친구들과 어울리지 못해 괴로움을 느꼈다.

③ 깨엿 장수 아저씨는 선의를 가지고 글쓴이에게 호의를 베풀었다.

④ 글쓴이는 '괜찮아'라는 말에 다양한 의미가 담겨 있다고 생각한다.

⑤ 글쓴이는 깨엿 장수 아저씨가 한 '괜찮아'라는 말의 의미를 정확히 알지 못했다.

세부 내용 파악하기 **2** **㉠을 들은 경험이 글쓴이에게 미친 영향으로 적절한 것은?**

① 못하던 놀이를 잘할 수 있게 되었다.

② 세상을 긍정적으로 바라보게 되었다.

③ 누구나 장애인을 동정한다는 것을 알게 되었다.

④ 장애는 스스로 극복해야 한다는 것을 알게 되었다.

⑤ 모르는 사람이 주는 것을 함부로 받으면 안 된다는 것을 알게 되었다.

인물의 의도 파악하기 **3** `주관식`

프로그램에 출연한 가수가 ㉡과 같이 말한 의도를 추측하여 15자 내외의 한 문장으로 쓰시오.

_____

다른 작품과 비교하기 **4** `고난도`

ⓐ와 〈보기〉의 ⓑ에 대한 설명으로 적절하지 <u>않은</u> 것은?

💡 **도움말**

이 글의 ⓐ와 〈보기〉의 ⓑ는 같은 말이지만 각 글의 글쓴이가 '괜찮아'라는 말을 받아들이고 사용하는 방식에는 차이가 있다. ⓐ와 ⓑ가 어떤 상황에서 사용되고 각 글의 글쓴이에게 어떤 영향을 끼치는지를 주의 깊게 살펴본다.

> ┈ 보기 ┈
>
> 나는 내가 실패했다고 생각하고, 그것을 자책하고, 상실감으로 인해 내가 무너지지는 않을까 걱정하고, 아픔과 상처와 세상을 견뎌 내야 할 나이에 그러면 안 되는 거라고 착각하고 있었다. 마음속에 고여 있던 달처럼 차디찬 슬픔이, 태양처럼 뜨거운 눈물이 밖으로 흘러나왔다. 그래, ⓑ괜찮아, 나는 생각했다. 선생님도 견딜 수 없는 슬픔을 굳이 내가 견디려고 애를 쓸 필요는 없어. 잠시 주저앉아 울고, 다시 일어나면 그만이니까.
>
> – 황경신, 〈견디지 않아도 좋아〉에서

① ⓐ는 타인을 이해하고 배려한다는 글쓴이의 인생관이 담긴 말이다.

② ⓐ는 글쓴이가 어린 시절 경험에서 얻은 깨달음을 함축하고 있는 말이다.

③ ⓑ는 글쓴이의 삶에 대한 인식을 바꾼 말이다.

④ ⓐ와 ⓑ는 모두 어려움을 참고 견디도록 하는 말이다.

⑤ ⓐ와 ⓑ는 모두 글쓴이에게 위로가 되는 말이다.

구성

 처음 어린 시절에 몸이 불편한 글쓴이를 배려해 준 친구들

 중간 "괜찮아."라는 말과 관련된 글쓴이의 경험과 다양한 일화

 끝 "괜찮아"라는 말에 담긴 다양한 의미

해제

이 글의 글쓴이는 어릴 때 앓은 소아마비로 몸이 불편한 글쓴이에게 역할을 만들어 주며 함께 놀이를 했던 친구들의 배려와 깨엿 장수 아저씨에게 들은 "괜찮아."라는 말을 통해 인생의 의미를 깨달은 경험을 제시하고 있다. 일상적인 경험을 통해 자신의 경험과 다양한 예시를 통해 깨달은 바를 담담하고 차분하게 이야기하고 있다.

주제

타인의 처지를 이해하고 배려하는 자세의 중요성

 어린 시절 글쓴이의 처지

> 목발을 짚고 다님. ▶ 몸이 불편하여 친구들의 놀이에 참여할 수 없었음에도 친구들의 배려 덕분에 소외감과 박탈감을 느끼지 않음.

글쓴이의 의미 있는 경험

글쓴이는 과거 ❶□□을 통해 의미 있는 경험을 제시한 후, 그 경험에서 얻은 깨달음을 담담하게 이야기하고 있다.

- 친구들이 글쓴이가 소외감을 느끼지 않도록 배려해 줌.
- 초등학교 1학년 때 지나가던 깨엿 장수 아저씨가 엿을 주며 '괜찮아'라고 말해 줌.

깨달음

세상은 살 만한 곳이라는 믿음을 가지게 되고, 세상을 긍정적으로 바라보게 됨.

'괜찮아'에 담긴 의미

글쓴이는 '괜찮아'라는 말이 지닌 다양한 ❷□□□ 의미를 이끌어 내고 있다.

용기를 북돋아 주는 말	그만하면 참 잘했다.
용서의 말	너라면 뭐든지 다 눈감아 주겠다.
격려의 말	무슨 일이 있어도 나는 네 편이니 넌 절대 외롭지 않다.
나눔의 말	지금은 아파도 슬퍼하지 말라
부축의 말	마음으로 일으켜 주는 말
희망의 말	이제 다시 시작할 수 있다는 말

글쓴이가 말하고자 하는 바

- '괜찮아'라는 말 속에는 격려, 용서, 나눔, 희망 등의 의미가 담겨 있음.
- 다른 사람을 ❸□□할 줄 아는 삶을 살아야 함.

1 제시된 뜻을 참고하여 다음 초성에 해당하는 단어를 쓰시오.

(1) ㅅ ㅇ : 착한 마음. ·· (   )

(2) ㅂ ㄹ : 도와주거나 보살펴 주려고 마음을 씀. ·················· (   )

2 사다리타기에 따라, 빈칸에 들어갈 단어의 뜻을 〈보기〉에서 찾아 그 번호를 쓰시오.

보기

① 마음이 넓고 아량이 있다.

② 길이의 단위. 약 2.54cm에 해당.

③ 큰길에서 들어가 동네 안을 이리저리 통하는 좁은 길.

④ 큰 방울이나 얇은 쇠붙이 따위가 흔들리거나 부딪쳐 울리는 소리가 나다.

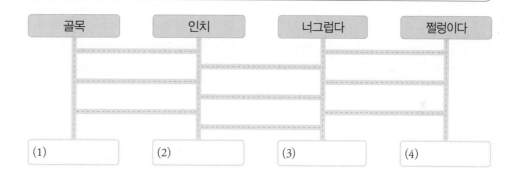

골목	인치	너그럽다	쩔렁이다
(1)	(2)	(3)	(4)

어휘 ➕ '감정'과 관련된 단어

3 〈보기〉는 '감정'과 관련된 단어이다. 다음 뜻풀이에 해당하는 단어를 〈보기〉에서 찾아 쓰시오.

보기

박탈감   소외감   찡하다

(1) 남에게 따돌림을 당하여 멀어진 듯한 느낌. ··················· (   )

(2) 무엇인가를 빼앗겼다고 여기는 느낌이나 기분. ··············· (   )

(3) 감동을 받아 가슴 따위가 뻐근해지는 느낌이 들다. ··········· (   )

이 작품은 흙과 관련된 글쓴이의 경험을 통해 자연의 가치와 소중함을 강조하는 수필이다. 작품 속 인물들이 대상을 바라보는 관점을 파악하며 감상해 보자.

✎ 핵심 짚기

● **글쓴이의 경험**
아파트 정원에서 흙장난하던 아이가 엄마에게 야단맞는 모습을 보고, 증조할머니와 지내며 흙장난을 즐겼던 어린 시절을 회상함.

● **흙에 대한 인물들의 관점**
• **글쓴이** 아이들이 흙을 만지며 자유롭게 노는 것을 긍정적으로 바라보고, 흙을 통해 자연을 배울 수 있다고 여김.
• **글쓴이의 증조할머니** 흙이 사람을 이롭게 한다고 생각하고 흙을 생명의 ❶ㄱㅇ으로 여김.
• **아이 엄마** 아이들이 흙을 만지며 노는 것을 ❷ㅂㅈㅈ으로 바라보고, 흙을 더러운 것으로 여김.

● **표현상 특징**
• '흙'을 과거 회상의 ❸ㅁㄱㅊ로 활용함.
• '하늘'과 '땅', '고층 아파트'와 '흙'을 대조해 자연의 가치를 강조함.

|빈칸 답
❶ 근원 ❷ 부정적 ❸ 매개체

● **발령** | 명령을 내림. 또는 그 명령. 흔히 직책이나 직위와 관계된 경우를 이른다.
● **기거하다** | 일정한 곳에서 먹고 자고 하는 따위의 일상적인 생활을 하다.
● **이기** | 실용에 편리한 기계나 기구.
● **모태** | 사물의 발생·발전의 근거가 되는 토대를 비유적으로 이르는 말.

㉮ 동네 꼬마들이 흙장난을 하고 있다. 그것도 흙냄새가 향기로운 아파트 정원에 앉아서. '출입 금지'라는 팻말에도 아랑곳없이 흙 위에 풀썩 주저앉아 노는 모습이 ㉠좋은 놀이터라도 발견한 듯 신이 나 있는 표정이다.

㉯ 한데 그것도 잠시였다. 아이를 찾던 곱슬머리 소년의 엄마가 헐레벌떡 달려오더니 다짜고짜 아이를 야단치기 시작했다. ㉡놀이터를 놔두고 왜 하필 더러운 흙을 만지며 노느냐는 것이다. 트럭을 만들려고 흙을 담아 놓은 운동화를 보자 아이 엄마의 얼굴은 더 일그러졌다. 새 신발에 흙을 묻혀 놓아 짜증스럽다는 표정이다.

㉰ 나도 어렸을 적 흙 놀이를 즐겼었다. 학교 이동이 잦았던 아버지께서 외지로 발령이 나자 어머니는 나를 사랑채에 사시는 증조할머니와 기거토록 하였다. 비행기나 차를 타는 일에 정도 이상으로 공포증을 갖고 있었던 나는 아버지 부임지로 함께 떠난다는 것은 생각할 수도 없었다. 지나가는 오토바이만 보아도 무슨 괴물을 보듯 무서워서 도망치곤 했을 만큼, ㉢문명의 이기에 적응을 못 했기에 할머니와 지내는 것을 편케 생각했는지도 모른다. 교육열이 대단하셨던 증조할머니도 어머니 못지않게 자상한 성품이어서 부모님께서도 안심이 되셨던 것 같다. / 신기한 놀이 시설도, 특별한 장난감도 없었지만 나는 할머니와 지내는 게 신이 났다. 촉촉한 흙냄새가 나는 마당에 앉아 손으로 흙을 주물며 놀아도 야단치는 일이 없었기 때문이다.

㉱ 주위가 어둑해질 때까지 흙장난에 지칠 줄 모르는 나를 보고도 증조할머니는 웬일인지 화를 내지 않으셨다. 흙강아지가 되도록 실컷 놀라고 하실 뿐이었다. / 아무런 조건도 없이 오랜 세월을 베풀어 주기만 한 땅, 조상이 물려준 토지에 집을 짓고 편안히 사는 게 모두 땅의 은덕이라 생각하신 듯싶었다. 발을 딛고 다니는 땅이야말로 살 속에 깃든 영혼이고 모든 생명의 고향이라 생각한 것이다. 하지만 요즈음 땅을 밟고 산다는 게 하나의 사치처럼 되어 가는 느낌이다. / 하늘과 가까운 고층 아파트에 살다 보니 흙을 가까이할 기회가 적어진 것이다. 가끔 이러다가는 ㉣하늘의 공간에서 영영 땅으로 내려오지 못하는 건 아닐까 하는 생각이 들기도 한다. 손바닥만 한 마당이라도 있는 주택으로 주거지를 옮기겠다고 입버릇처럼 말하면서도 결국 ㉤아파트의 편리함에 젖어 다시 주저앉게 되니 말이다.

㉲ 그래서인지 근래 들어선 ⓐ마음까지도 시멘트 벽을 닮아 가고 있는 것 같다. 오 년 동안 한 아파트 통로에 사는 아주머니와는 엘리베이터에서 만났어도 가벼운 목례를 하는 것 정도가 고작이고 서로 왕래해 본 일이 없다. 가까운 이웃이 없다면 훈훈한 정도 느끼지 못할 텐데 철저하게 혼자 사는 생활에 익숙해져 가고 있다.

지구(地球)의 절반 이상이 흐르는 물로 덮여 있음에도 수구(水球)라 하지 않고 지구라 칭한 것도 흙이 생명의 모태이기 때문이 아닐까. 땅과 멀어질수록 병원을 가까이한다는 말이 있듯이 무디어진 심성을 깨우치는 건 자연과 가까이하는 일이지 않나 싶다.

표현상의 특징 파악하기

1 **(가)~(마)에 대한 설명으로 적절하지 <u>않은</u> 것은?**

① (가): 동네 꼬마들의 모습을 관찰하여 서술하고 있다.

② (나): 서술자가 아이 엄마의 심리를 직접 제시하고 있다.

③ (다): '흙'을 과거 회상의 매개체로 활용하고 있다.

④ (라): '하늘'과 '땅'을 대조시켜 표현하고 있다.

⑤ (마): 다른 사람의 말을 인용하여 생각을 효과적으로 표현하고 있다.

세부 내용 파악하기

2 **이 글의 내용으로 적절하지 <u>않은</u> 것은?**

① 글쓴이의 어머니는 자상한 성품을 지녔다.

② 글쓴이의 아버지는 학교에서 직장 생활을 했다.

③ 글쓴이는 손바닥만 한 마당이 있는 주택에서 살고 있다.

④ 동네 꼬마들은 출입이 금지된 곳에서 흙장난을 하고 있다.

⑤ 글쓴이가 어린 시절 증조할머니와 지냈던 공간에는 특별한 장난감이 없었다.

설명에 맞는 소재 찾기

3 **㉠~㉤ 중 의미상 '흙'과 대조되는 대상이 <u>아닌</u> 것은?**

① ㉠   ② ㉡   ③ ㉢   ④ ㉣   ⑤ ㉤

문장의 의미 파악하기

4 주관식
문맥상 ⓐ에 담긴 의미를 20자 내외의 한 문장으로 쓰시오.

_____

인물의 관점 파악하기

5 **글쓴이와 (나)의 '아이 엄마'가 흙에 대해 지닌 관점을 비교한 내용으로 적절한 것은?**

① 글쓴이는 흙을 부정적으로 여기고, 아이 엄마는 흙을 더러운 것으로 여긴다.

② 글쓴이는 흙을 생명의 모태로 여기고, 아이 엄마는 흙을 더러운 것으로 여긴다.

③ 글쓴이는 흙을 생명의 모태로 여기고, 아이 엄마는 흙을 사람을 이롭게 하는 것으로 여긴다.

④ 글쓴이는 흙을 부정적으로 여기고, 아이 엄마는 흙을 건강에 나쁜 영향을 주는 것으로 여긴다.

⑤ 글쓴이는 흙을 경제적 가치가 높다고 여기고, 아이 엄마는 흙을 건강에 나쁜 영향을 주는 것으로 여긴다.

구성

처음 아파트 정원에서 흙을 갖고 놀던 아이가 엄마에게 혼나는 모습을 봄.

중간 증조할머니와 지내며 흙 놀이를 즐겼던 어린 시절을 회상함.

끝 편리함을 추구하며 자연과 멀어지고 이웃과도 왕래하지 않는 오늘날의 생활을 안타까워함.

해제

글쓴이는 자신의 경험을 소재로 하여 자연의 소중함과 가치를 강조하고 있다. 글쓴이는 흙장난을 하는 아이를 나무라는 아이 엄마의 모습을 보고 증조할머니와 지내며 흙장난을 즐겼던 어린 시절을 회상한다. 글쓴이는 편안함을 누리지만 인간의 심성은 삭막하게 메말라 가는 현대 사회에서 생명의 모태인 자연을 가까이함으로써 인간의 무뎌진 심성을 회복할 수 있을 것이라고 말한다.

주제

자연의 소중함과 가치를 알고 자연을 가까이해야 함.

인물들이 흙을 바라보는 관점의 차이

이 글에 등장하는 인물들의 관점은 글에 표현된 그 인물의 행동으로 파악할 수 있다. 다른 인물들의 관점은 글쓴이의 관점과 비교되고 글쓴이의 관점에 영향을 주기도 하며 글의 주제를 구체화한다.

인물	행동	관점
글쓴이	화단에서 흙장난을 하는 동네 꼬마들을 흐뭇하게 바라봄.	– 흙을 만지며 노는 것을 긍정적으로 바라봄. – 흙을 통해 자연을 배울 수 있다고 여김.
글쓴이의 증조할머니	흙장난에 지칠 줄 모르는 글쓴이를 보고 화를 내기는커녕 실컷 놀라고 내버려 둠.	– 흙을 만지며 노는 것을 긍정적으로 바라봄. – 흙을 생명의 근원으로 여김.
❶ □□□	화단에서 흙장난을 하는 아이를 야단침.	– 흙을 만지며 노는 것을 부정적으로 바라봄. – 흙을 더러운 것으로 여김.

글쓴이의 생각

글쓴이는 아파트의 편리함에 익숙해져 이웃과 단절되어 생활하는 오늘날의 상황을 안타까워하며 자연을 가까이하는 삶의 필요성을 강조하고 있다.

오늘날의 문제 상황	결과	해결책
고층 아파트에 살다 보니 흙을 가까이할 기회가 점점 줄어듦.	사람들의 마음이 삭막하게 메마르고 무뎌져 가고 있음.	무디어진 심성을 깨우치는 것은 자연과 가까이하는 일임.

↓

흙(자연)은 무뎌진 심성을 회복시키는 '생명의 ❷□□'임.

대조적 표현

글쓴이는 ❸□□를 통해 자연의 가치를 강조하고 있다.

자연 친화적 가치	오늘날의 가치
흙에 대한 글쓴이와 증조할머니의 관점	아이 엄마의 흙에 대한 관점
흙(땅)	아파트(하늘의 공간)

1 사다리타기에 따라, 빈칸에 들어갈 단어의 뜻을 〈보기〉에서 찾아 그 번호를 쓰시오.

> ― 보기 ―
> ① 사람이 사는 지역.
> ② 임무를 받아 근무하는 곳.
> ③ 사물의 발생·발전의 근거가 되는 토대를 비유적으로 이르는 말.
> ④ 명령을 내림. 또는 그 명령. 흔히 직책이나 직위와 관계된 경우를 이른다.

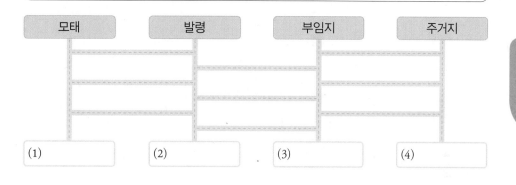

| 모태 | 발령 | 부임지 | 주거지 |

(1) [　　] (2) [　　] (3) [　　] (4) [　　]

2 제시된 뜻을 참고하여 다음 초성에 해당하는 단어를 쓰시오.

(1) ㅁㄹ : 눈짓으로 가볍게 하는 인사. ……………………………… (　　　　)

(2) ㅇㄱ : 실용에 편리한 기계나 기구. ……………………………… (　　　　)

(3) ㅇㄷ : 은혜와 덕. 또는 은혜로운 덕. ……………………………… (　　　　)

어법 용언의 준말

3 〈보기〉를 참고하여 밑줄 친 부분이 어법에 적절하지 <u>않은</u> 것을 고르시오.

> ― 보기 ―
> '어근 + -하-'로 구성된 말의 경우, '-하-'가 줄어 준말이 되는 경우가 있다. 예를 들어 '간편하지'는 '간편치'로, '거북하지'는 '거북지'로 준다.
> 둘은 똑같은 구성인데 왜 하나는 '치'로, 하나는 '지'로 줄었을까? 그 비밀은 앞에 붙는 어근에 있다. 앞에 붙는 어근의 맨 마지막 받침이 없거나 'ㄴ, ㄹ, ㅁ, ㅇ'일 경우는 '치'로 준다. 이외의 경우에는 '지'로 준다.

⊕ 어근
단어를 분석할 때 실질적인 의미를 나타내는 중심이 되는 부분. 예를 들어 '간편하다'라는 단어는 먼저 '간편'과 '-하다'로 분석되는데, 이 두 부분 가운데 '간편하다'라는 의미를 실질적으로 나타내는 부분은 '간편'이므로 '간편'이 어근이다.

① 당신과 같은 경우가 흔하지(→ 흔치) 않아요.

② 전혀 생각하지(→ 생각지)도 못한 일이 일어났어.

③ 저는 아직 그 일이 익숙하지(→ 익숙지) 않은데…….

④ 한 번만 도와주면 내가 섭섭하지(→ 섭섭치) 않게 챙겨 줄게.

⑤ 인간이 타락하는 것은 마음이 정결하지(→ 정결치) 못하기 때문입니다.

실전 **04 토끼와 자라** | 엄인희

이 작품은 고전 소설 〈토끼전〉을 각색한 희곡으로, 〈토끼전〉의 이야기 구조를 가져오면서 재치 있는 대사를 통해 연극의 재미를 살리고 있다. 희곡의 갈래상 특징과 인물들 사이의 갈등 양상에 주목하며 읽어 보자.

핵심 짚기

발단 | 전개 | **절정** | 하강 | 대단원

● 인물
- **용왕** 병에 걸려 온갖 약초를 먹었지만 낫지 않아 토끼의 ❶ㄱ 을 구해 오라고 자라에게 명령함.
- **자라** 용왕의 명령을 받아 육지로 올라가서 토끼를 꾀어 ❷ㅇㄱ으로 데려옴.
- **토끼** 자라의 꾐에 넘어가 용궁으로 와서 용왕에게 간을 뺏길 위험에 처함.

● 배경
- **시간적** 옛날 옛적
- **공간적** 용궁, 바닷가, 육지

● 갈래상 특징
- 갈래: ❸ㅎㄱ(연극의 대본)
- 인물 간의 갈등과 그 해소 과정을 주된 내용으로 함.
- 인물의 말과 행동으로 사건이 전개됨.
- 시·공간적 배경의 제약, 등장인물 수의 제약이 존재함.

빈칸 답
❶ 간 ❷ 용궁 ❸ 희곡

- **대신** | 조선 시대에 둔, 사헌부의 대사헌 이하 지평까지의 벼슬.
- **발칙하다** | 하는 짓이나 말이 매우 버릇없고 막되어 괘씸하다.
- **모독하다** | 말이나 행동으로 더럽혀 욕되게 하다.
- **오호통재** | '아, 비통하다'라는 뜻으로, 슬플 때나 탄식할 때 하는 말.
- **고등어자반** | 소금에 절인 고등어를 토막 쳐서 굽거나 쪄 만든 반찬.

앞부분의 줄거리 용왕이 병에 걸려 물속에 사는 온갖 약초를 먹었지만 낫지 않던 중, 자라가 토끼의 간을 먹으라고 청하자 용왕은 자라에게 토끼를 데려오도록 명한다. 뭍으로 나와 토끼를 찾은 자라는 용궁 구경을 가자며 토끼를 유혹한다.

– 제 3장 –

(다시 용궁)

용왕이 신이 나서 걸어 나온다. / 그러나 금방 몸이 아파서 쓰러지며 의자에 앉아 거친 숨을 쉰다.

용왕 그래, 토끼를 잡아 왔다고? 어서 들라 해라.

문어 자라 대신! 토끼를 데리고 들어오세요.

토끼, 용궁으로 들어온다. 토끼, 온갖 대신들이 모두 물고기들이라 깜짝 놀란다.

토끼 (뒤따라오는 자라에게 화를 낸다.) 아니, ㉠용궁으로 데리고 온다더니 수산물 파는 횟집에 온 거 아냐?

자라 토끼님 눈에는 이 용궁이 수족관으로 보인단 말이오?

용왕 허, 발칙하도다. 짐의 궁전을 모독하다니?

토끼 (용왕을 본다.) 어어…… 저 생선은 처음 보는데……. ⓐ근데 싱싱하지가 않아서 회로는 못 먹고 매운탕으로 먹겠다.

용왕 (부르르 떨며 화를 낸다.) 어서 저 고얀 놈 배를 갈라라. 냉큼 간을 가져오지 못할까!

신하들이 토끼를 향해 달려든다. / 토끼, 피한다.

토끼 잠깐! 잠깐! 내가 잘못 들었나? (정중하게) ㉡방금 간이라고 하셨습니까?

자라 토끼님, 미안하오. 용왕께 명약으로 바치려고 당신을 데려온 것이오.

토끼 내 간을 약으로 바치려고요? / **신하들** 그렇다.

[A] ┌─ 문어, 잽싸게 달려들어 다리로 토끼를 감싸 쥔다.
     └─ 전기뱀장어는 토끼 옆을 스친다. / 토끼는 전기가 올라 소스라친다.

토끼 (침착함을 잃지 않고, 과장해서) 아하하, 안타깝다. 오호통재라. 토끼 간이 산속 짐승한테만 명약인 줄 알았더니, 이런 생선들한테도 쓸모가 있더란 말이냐? 그래서 우리 조상들은 간을 대여섯 개씩 물려받았구나. 좋다. 주지, 줘. ㉢간을 줘서 생명을 살린다면 아까울 것이 없지.

고등어 과연 듣던 대로 판단력이 빠른 총명한 토끼로고…….

토끼 얘, 너 배를 좍 갈라서 소금 쫙쫙 뿌려서 고등어자반 만들기 전에 입 다물어. 까불고 있어. 용왕마마! 다만 한 가지 안타까운 말씀을 드려야겠나이다.

연출 방안 파악하기

1 이 글을 연극으로 공연할 때 준비할 사항으로 적절하지 <u>않은</u> 것은?

① 용왕은 병색이 깊은 모습으로 분장한다.
② 용왕의 신하들은 모두 물고기 모습으로 분장한다.
③ 배경이 용궁임을 보여 주는 적절한 소품을 준비한다.
④ 배경 음악은 무겁고 진지한 느낌이 나는 것으로 준비한다.
⑤ 용왕의 의자는 되도록 무대 입구와 가까운 곳에 배치한다.

인물의 심리 파악하기

2 토끼 역을 맡은 배우가 ㉠~㉢을 연기할 때의 말투나 행동으로 적절하지 <u>않은</u> 것은?

① ㉠을 연기할 때 실망한 표정을 짓는다.
② ㉠을 연기할 때 화가 난 말투로 말한다.
③ ㉡을 연기할 때 정중한 태도로 말한다.
④ ㉡을 연기할 때 긴장한 표정을 짓는다.
⑤ ㉢을 연기할 때 기뻐하는 말투로 말한다.

문장의 의미 파악하기

3 `주관식`

다음은 ⓐ에 대한 설명이다. 빈칸에 들어갈 말을 10자 내외로 쓰시오.

> ⓐ는 (   )을/를 비꼬아 표현하고 있다.

다른 갈래와 비교하기

4 `고난도`

〈보기〉는 이 글의 원작 소설인 〈토끼전〉에서 흐름상 [A]에 해당하는 부분이다. [A]와 〈보기〉를 비교한 내용으로 적절한 것은?

➊ 수국원혼
  용궁에서 원통하게 죽음을 맞이할 토끼의 넋을 이르는 말.

> ⊸ 보기 ⊷
>
>   이때에 뜰아래 섰던 군사들이 한꺼번에 달려들려 하니, 토끼 헛된 욕심을 부려 자라를 쫓아왔다가 수국원혼➊이 되게 되니 이는 모두 토끼가 자초한 화라, 누구를 원망하며 누구를 한하리오. 세상에 턱없이 명예와 이익을 탐하는 자는 가히 이것을 보아 벌할지로다.
>
> – 작자 미상, 〈토끼전〉에서

① [A]와 〈보기〉 모두 서술자가 해설자의 역할을 한다.
② [A]와 〈보기〉 모두 토끼의 헛된 욕심을 비판하고 있다.
③ [A]와 달리 〈보기〉는 토끼의 심리가 직접 제시되고 있다.
④ [A]와 달리 〈보기〉는 서술자가 자신의 의견을 드러내고 있다.
⑤ [A]와 달리 〈보기〉는 설의법을 활용해 용왕의 횡포를 비판하고 있다.

● **갈등 양상**

토끼의 **❶**`ㄱ`을 둘러싸고 토끼와 용왕(신하들) 사이에 외적 갈등이 발생함.

> 토끼는 간을 지키려 함.
> ⋮
> **토끼의 간**
> ⋮
> 용왕(신하들)은 간을 빼앗으려 함.

● **인물의 성격**

- **용왕** 화를 잘 냄. 욕심이 많고 **❷**`ㅇ ㄱ ㅈ`임. 어리석고 성급함.
- **자라** 우직하고 충성스러움. **❸**`ㅇ ㄷ`하여 다른 사람의 말을 쉽게 믿음.
- **토끼** 꾀가 많고 능청스러움. 상황 판단이 빠름.

⌐ 빈칸 답
❶ 간 **❷** 이기적 **❸** 우둔

● **심심산골** 깊고 깊은 산골.

용왕 ㉠뭐냐? 얼른 칼을 가져다 배를 쭉 갈라 보자.

토끼 예로부터 토끼들은 간이 배 밖으로 나왔습니다. 호랑이, 여우, 늑대, 표범, 살쾡이, 독수리한테 쫓기다 보니 간을 배 속에 넣고는 살아갈 수가 없거든요. 산속 깊은 골짜기에다 차곡차곡 재어 놓고 다니다 밤에만 배 안에 집어넣고 살고 있다고 합니다……가 아니라, 살고 있습니다.

용왕 그거 큰일이다. / **뱀장어** 저놈 말을 믿지 마세요, 폐하!

도루묵 먼저 저놈 배를 갈라 보고, 간이 없으면 다시 토끼를 잡아 오면 어떨는지요.

토끼 ㉡(엄살을 떤다.) 아이고, 나 죽네. 그 아까운 간을, 그 용하다는 명약을 심심산골에 숨겨 두고 아까운 목숨만 사라지네.

자라 ㉢폐하! 다시 육지로 나가 토끼 간을 받아오겠나이다. 산속 짐승이나 물속 짐승이나 모두 하나뿐인 생명입니다. 힘이 들더라도 한 번 더 다녀오겠습니다.

용왕 ㉣그래라, 그래. 간도 없는 놈을 죽여 무엇하겠느냐. 털가죽도 뒤집어 쓰는 걸 보니, 간 아니라 심장도 밖에다 내놓고 다닐 놈이로다. 얼른 서둘러 다녀오너라.

자라 다녀오겠습니다, 폐하!

뱀장어 (칼을 휘두르며 쫓아온다.) 속지 마십시오, 폐하! 이놈 간 내놔! 간 내놔!

> 토끼, 도망치며 얼른 자라의 등에 탄다. / 토끼, 자라의 등을 발로 차며 '이랴 낄낄' 한다.
>
> 둘은 헤엄쳐 간다. / 둘의 뒤로 다른 물고기들이 헤엄쳐 따라온다.
>
> 재미있는 빠른 음악이 울린다.

토끼 아이고, 이놈아, 빨리 가자. 간 떨어지겠다. 간이 콩알만 해지겠다.

자라 뭐라고? 간이 떨어져? / **토끼** 아냐, 어서 가. 똥 떨어진다는 소리다.

자라 ㉤앗! (걱정하며) 내 등에 싸지 마!

토끼 이놈아, 토끼 똥은 똥글똥글 콩자반처럼 예쁘기만 하다. 〈중략〉

– 마무리 –

> 자라는 땅에 엎드려 헉헉 숨을 쉰다. / 토끼는 깡충깡충 뛰어 언덕에 오른다.
>
> 자라는 땅에서 걷느라 천천히 걷는다.

자라 (소리친다.) 같이 가! / **토끼** (소리 지른다.) 왜 같이 가?

자라 간 하나만 줘야지! / **토끼** 너 줄 간은 없다. / **자라** 뭐라고?

토끼 하하하! 이 토끼님을 속여서 용궁으로 데려가? 하마터면 가마솥에 들어가 통째로 토끼탕이 될 뻔했구나. 이번엔 네 차례야. 네가 속은 거야. 세상에 간을 꺼내 놓고 사는 짐승이 어디 있냐? 이 어리석은 자라야! / **자라** 뭐야? 난 몰라. 깜빡 속았네.

토끼 이놈 자라야. 너나 이 땅을 어슬렁거리다 보약 좋아하는 사람들한테 잡혀 자라탕이나 되어라.

자라 아이고, 망했다. 어떻게 용궁으로 돌아가나……. 난 몰라. 모른다고…….

글의 특징 파악하기 **5**

➕ 관용 표현
　둘 이상의 단어가 결합하여 새로운 의미를 만들어 낼 때, 그 결합한 단어들의 쌍을 이르는 말. '손이 크다(씀씀이가 후하고 크다)' 등이 그 예이다.

이 글에 대한 설명으로 적절하지 않은 것은?

① 욕심에 눈이 먼 포악한 우두머리를 비판하고 있다.
② 음성 상징어를 사용하여 대사의 어감을 살리고 있다.
③ 등장인물을 동물로 설정하여 인간 사회를 풍자하고 있다.
④ 시·공간적 배경을 구체적으로 설정하여 사실성을 높이고 있다.
⑤ 관용 표현과 비유적 표현을 사용하여 해학적 효과를 높이고 있다.

갈등 양상 파악하기 **6**

이 글에 나타난 주된 갈등 양상으로 적절한 것은?

① 토끼를 풀어 줄지 고민하는 용왕의 내적 갈등
② 용왕에게 간을 줄지 고민하는 토끼의 내적 갈등
③ 간을 빼앗으려는 용왕과 간을 지키려는 토끼의 외적 갈등
④ 토끼에게서 간을 빼앗을지 말지를 고민하는 자라의 내적 갈등
⑤ 토끼를 풀어주려는 용왕과 토끼를 믿지 않는 도루묵의 외적 갈등

인물의 성격 파악하기 **7**

㉠~㉤에서 드러나는 인물들의 성격으로 적절하지 않은 것은?

① ㉠: 토끼의 말도 듣지 않고 배를 가르라고 하는 것으로 보아 용왕은 욕심이 많고 성급하다.
② ㉡: 위기를 벗어나려 능청스레 연기하는 것으로 보아 토끼는 꾀가 많다.
③ ㉢: 용왕을 위해 번거로운 일도 마다하지 않는 것으로 보아 자라는 우직하고 충성스럽다.
④ ㉣: 토끼를 재빠르게 풀어 주는 것으로 보아 용왕은 현명하다.
⑤ ㉤: 토끼의 말을 곧이곧대로 받아들이는 것으로 보아 자라는 우둔하다.

연출 방안 파악하기 **8**

다음은 이 글의 공간적 배경을 정리한 것이다. [A]~[C]에서의 연출 방안으로 적절하지 않은 것은?

[A] 용궁 → [B] 육지로 돌아오는 물속 → [C] 육지

① [A]: 뱀장어와 도루묵은 토끼를 의심하는 표정을 짓도록 한다.
② [A]: 용왕은 토끼의 말에 귀를 기울이는 모습을 보이도록 한다.
③ [B]: 토끼를 등에 업은 자라는 헤엄을 치는 듯한 동작을 하도록 한다.
④ [B]: 다른 물고기들이 토끼와 자라를 따라오도록 하며, 재미있는 음악을 재생한다.
⑤ [C]: 토끼와 자라는 대사를 말하기 전에 최대한 가깝게 서 있도록 한다.

작품 정리하기

◉ 전체 구성

발단 용왕은 병이 낫지 않자 신하들을 타박하고, 자라가 토끼의 간을 먹어야 나을 것이라고 말하자 용왕은 자라에게 육지로 가 토끼를 데려오라고 명령한다.

전개 육지로 나온 자라는 토끼를 설득하여 용궁으로 데려온다.

절정 용왕과 신하들이 토끼의 간을 꺼내려 하자 토끼는 간을 두고 왔다는 거짓말로 위기를 모면한다. --- 158, 160쪽 수록

하강 토끼는 자라와 함께 용궁을 빠져나온다. --- 160쪽 수록

대단원 토끼는 자라를 놀리며 산속으로 돌아가고 자라는 땅을 치며 걱정한다. --- 160쪽 수록

◉ 해제

이 희곡은 잘 알려진 고전 소설 〈토끼전〉을 각색한 작품으로 인간을 동물에 빗대어 인간 사회를 풍자하고 있다. 토끼의 간을 빼앗으려 하는 용왕과 신하들은 부패하고 무능한 지배층을 의미하며, 토끼는 나약한 민중을 상징한다. 등장인물의 말과 행동을 과장되게 표현하여 해학적인 재미를 주고, 풍자의 방식으로 무능한 지배층을 비판하며 교훈적인 내용을 전달하고 있다.

◉ 주제

용왕의 헛된 욕심과 토끼의 지혜

◉ 갈등 양상

희곡은 소설과 마찬가지로 인물 간의 갈등과 그 해소 과정을 주된 내용으로 한다. 이 글에서는 토끼의 간을 둘러싼 용왕(신하들)과 토끼의 외적 갈등이 두드러지게 나타난다.

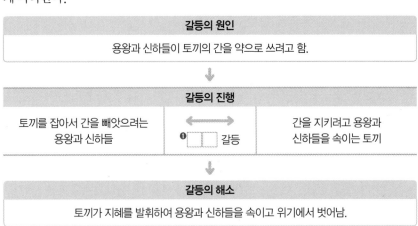

갈등의 원인
용왕과 신하들이 토끼의 간을 약으로 쓰려고 함.

↓

갈등의 진행		
토끼를 잡아서 간을 빼앗으려는 용왕과 신하들	❶☐☐ 갈등	간을 지키려고 용왕과 신하들을 속이는 토끼

↓

갈등의 해소
토끼가 지혜를 발휘하여 용왕과 신하들을 속이고 위기에서 벗어남.

◉ 등장인물의 성격

희곡은 서술자 없이 인물의 말과 행동으로 이야기가 전개되기 때문에 희곡에서는 인물의 성격이 인물의 말과 행동을 통해 간접적으로 제시된다.

인물	말과 행동	성격
용왕	(부르르 떨며 화를 낸다.) "어서 저 고얀 놈 배를 갈라라. 냉큼 간을 가져오지 못할까!"	❷☐☐이 많고 이기적임. 화를 잘 냄.
자라	"산속 짐승이나 물속 짐승이나 모두 하나뿐인 생명입니다. 힘이 들더라도 한 번 더 다녀오겠습니다."	우직하고 충성스러움.
	"앗! (걱정하며) 내 등에 싸지 마!"	우둔함.
	"뭐야? 난 몰라. 깜빡 속았네."	다른 사람의 말을 쉽게 믿음.
토끼	(침착함을 잃지 않고, 과장해서) "아하하, 안타깝다."	침착하고 여유로움.
	(엄살을 떤다.) "아이고, 나 죽네. 그 아까운 간을, 그 용하다는 명약을 심심산골에 숨겨 두고 아까운 목숨만 사라지네."	꾀가 많고 ❸☐☐스러움.

1 다음 뜻에 해당하는 단어를 말 상자에서 찾아 표시하시오.

(1) 깊고 깊은 산골.

예 명약을 ( )에 숨겨 두고 아까운 목숨만 사라지네.

(2) 효험이 좋아 이름난 약.

예 용왕께 ( )(으)로 바치려고 당신을 데려온 것이오.

(3) 조선 시대에 둔, 사헌부의 대사헌 이하 지평까지의 벼슬.

예 온갖 ( ) 들이 모두 물고기들이라 깜짝 놀랐다.

평	안	명	약
은	심	수	대
하	심	연	신
탄	산	규	하
동	골	전	진

2 빈칸에 들어갈 알맞은 말을 〈보기〉에서 선택한 글자를 조합하여 만드시오.

보기

| 고 | 독 | 명 | 모 | 발 | 총 | 칙 |

(1) ( )하다: 말이나 행동으로 더럽혀 욕되게 하다.

(2) ( )하다: 하는 짓이나 말이 매우 버릇없고 막되어 괘씸하다.

3 밑줄 친 단어와 바꾸어 쓰기에 알맞은 것은?

오호통재라. 토끼 간이 산속 짐승한테만 명약인 줄 알았더니, 이런 생선들한테도 쓸모
가 있더란 말이냐?

① 기쁘구나　　② 괘씸하구나　　③ 부끄럽구나　　④ 비통하구나　　⑤ 편안하구나

어휘 ➕ '간'과 관련된 관용 표현

4 다음 관용 표현을 그 의미와 알맞게 짝지으시오.

(1) 간이 붓다　　　　　　　　　•　　　　　　• ① 몹시 놀라다.

(2) 간이 크다　　　　　　　　　•　　　　　　• ② 지나치게 대담해지다.

(3) 간이 떨어지다　　　　　　　•　　　　　　• ③ 겁이 없고 매우 대담하다.

(4) 간이 콩알만 해지다　　　　•　　　　　　• ④ 몹시 두려워지거나 무서워지다.

실전

05 들판에서 | 이강백

이 작품은 우리나라의 분단 현실을 상징적으로 드러내는 희곡이다. 인물들의 말과 행동, 소재의 상징적 의미를 통해 작가가 전달하려는 주제를 생각하며 작품을 감상해 보자.

✎ 핵심 짚기

| 발단 | 전개 | **절정** | 하강 | 대단원 |

● **인물**
· 형과 아우 측량 기사의 이간질에 넘어가 서로를 의심하며 ❶ ㄱ ㄷ 함.
· 측량 기사와 조수들 형제의 땅을 빼앗기 위해 형제 사이를 이간질함.

● **배경**
· 시간적 봄
· 공간적 어느 아름다운 ❷ ㄷ ㅍ

● **사건**
측량 기사가 형과 아우에게 땅을 담보로 총을 팔아 서로에게 총질을 하게 만들어 형제간의 갈등을 심화시킴.

● **소재의 상징적 의미**
· 벽 형제의 대립을 상징함.
· 전망대, 탐조등 형제간의 불신과 갈등을 상징함.
· ❸ ㅊ 갈등을 최고조로 이끄는 소재로, 형제간의 무력 충돌을 의미함.

┌ **빈칸 답**
❶ 갈등 ❷ 들판 ❸ 총

● **대금** | 물건의 값으로 치르는 돈.
● **전망대** | 멀리 내다볼 수 있도록 높이 만든 대.
● **탐조등** | 어떠한 것을 밝히거나 찾아내기 위하여 빛을 멀리 비추는 조명 기구.
● **흉계** | 흉악한 계략.
● **무장** | 전투에 필요한 장비를 갖춤. 또는 그 장비.

측량 기사 이게 뭔지 알아요? / **아우** 총인데요.

측량 기사 ⓐ아주 성능이 좋은 총이죠. 당신은 이 총으로 벽을 지켜야 합니다.

아우 벽을 지켜요?

측량 기사 (아우의 손에 총을 쥐어 주며) 지금은 외상으로 드릴 테니, 대금은 나중에 땅으로 주세요.

조수들 (가방에서 총탄을 꺼내 놓으며) 여기 총알이 있어요.

측량 기사 당신의 안전을 위해서 아낌없이 쏘세요!

　측량 기사와 조수들, 웃으며 퇴장한다. 벽의 오른쪽에서 형이 전망대 위로 올라간다. ㉠탐조등이 켜지면서 강렬한 불빛이 벽 너머를 비춘다.

형 아우야! 아우야!

아우 (강렬한 불빛을 받고, 눈이 안 보여서 당황한다.) 누구예요?

형 나다, 나! / **아우** 형님?

형 그래! 내가 안 보여?

아우 왜 그런 불빛으로 나를 비추죠?

형 네가 뭘 하는지 잘 보려고…….

아우 ⓑ나는 그 불빛 때문에 형님이 안 보여요!

형 그럼 내가 그쪽으로 넘어갈까?

아우 아뇨! 넘어오지 말아요! 내 눈을 안 보이게 하고 넘어온다니 무슨 흉계죠?

형 ⓒ난 아무 흉계도 없어. 넘어간다.

아우 넘어오면 쏩니다! (허공을 향해 위협적으로 총을 발사한다.) 이건 진짜 총이에요!

　형, 요란한 총 소리에 놀라 전망대에서 황급히 내려온다. 그는 두려움에 질린 모습이 되어 움츠리고 앉는다. ⓓ측량 기사, 가죽 가방을 든 두 명의 조수와 함께 등장한다.

측량 기사 저 쪽 동생이 미쳤군요. 형님에게 총질을 하다니!

조수들 ⓔ(웃으며) 완전히 미쳤어요.

형 무서워요…….

측량 기사 이젠 동생이 아니라, 적이라고 생각하는 게 좋겠어요. 철저히 무장하고 자신을 지켜야지, 가만 있다간 죽게 됩니다. (조수들에게) 여봐, 이분에게 총을 드려.

조수들 네.

　조수들, 가죽 가방을 열고 장총의 분해품을 꺼낸다. 그리고 재빠르게 조립해서 형의 손에 쥐어 준다.

갈래상의 특징 파악하기

1 이와 같은 글에 대한 설명으로 적절하지 <u>않은</u> 것은?

① 무대 공연을 목적으로 한다.
② 다양한 시제를 사용해 시간 표현이 자유롭다.
③ 인물의 행동과 심리를 설명하는 요소가 있다.
④ 인물들의 말과 행동을 통해 사건이 전개된다.
⑤ 인물들 사이의 갈등을 중심으로 이야기가 진행된다.

소재의 기능 파악하기

2 다음 중 ㉠에 대해 바르게 설명한 내용을 모두 고른 것은?

> ㄱ. 형제간의 불신을 상징한다.
> ㄴ. 아우가 형을 볼 수 없도록 하는 소재이다.
> ㄷ. 아우가 위기 의식을 느끼게 하는 소재이다.
> ㄹ. 형이 아우를 위협하고 해칠 의도로 켠 것이다.

① ㄱ, ㄴ   ② ㄷ, ㄹ   ③ ㄱ, ㄴ, ㄷ
④ ㄴ, ㄷ, ㄹ   ⑤ ㄱ, ㄴ, ㄷ, ㄹ

인물의 심리 파악하기

3 ⓐ~ⓔ를 연극으로 공연할 때 배우들의 연기 방안으로 적절한 것은?

① ⓐ: 측량 기사는 아우를 진심으로 걱정하는 표정을 짓는다.
② ⓑ: 아우는 형을 걱정하는 말투로 말한다.
③ ⓒ: 형은 아우를 위협하려는 의도가 잘 드러나게 공격적인 말투로 말한다.
④ ⓓ: 측량 기사는 기다렸다는 듯이 등장하고, 형을 비웃는 듯한 표정을 짓는다.
⑤ ⓔ: 조수들은 형을 안심시킬 수 있는 편안한 웃음을 짓는다.

갈등 양상 파악하기

4 〔주관식〕

➕ 희곡 구성의 5단계
일반적으로 희곡은 갈등의 진행 양상에 따라 '발단-전개-절정-하강-대단원'의 다섯 단계로 이루어진다.

〈보기〉는 이 글의 갈등 양상에 대한 설명이다. ㉮~㉰에 알맞은 말을 쓰시오.

> **➤ 보기 ➤**
>
> 제시된 부분은 작품의 주된 갈등이 최고조에 이르는 부분으로, 희곡 구성의 5단계에서 (㉮)에 해당한다. 외적 갈등을 겪는 인물은 형과 아우이며, 갈등을 유발하는 인물은 (㉯)(이)다. 그리고 (㉰)은/는 갈등을 최고조에 이르게 하여 극적 긴장감을 높이는 소재이다.

㉮: (   )   ㉯: (   )   ㉰: (   )

● 갈등 양상

구성 단계	갈등의 전개
하강	형제가 자신의 잘못을 깨닫고 서로를 적대시했던 이전의 행동을 ❶ㅎㅎ함.
대단원	형제가 벽 너머에 민들레꽃을 던져 서로에게 마음을 전하고 화해함.

● 소재의 상징적 의미와 기능
• ❷ㄷㅍ 우리 국토를 상징함.
• 비 형제의 갈등을 상징하며, 형제가 자신의 행동을 성찰하도록 함.
• 햇빛 형제의 갈등 해소와 화해를 암시함.
• 민들레꽃 형과 아우가 서로의 마음을 확인하도록 하는 소재이며 형제의 ❸ㅇㅇ를 상징함.

빈칸 답
❶ 후회 ❷ 들판 ❸ 우애

형 어쩌다가 이런 꼴이 된 걸까! 아름답던 들판은 거의 다 빼앗기고, 나 혼자 벽 앞에 있어.

아우 내가 왜 이렇게 됐지? 비를 맞으며 벽을 지키고 있다니…….

형 저 요란한 천둥 소리! 부모님께서 날 꾸짖는 거야!

아우 빗물이 눈물처럼 느껴져!

　형과 아우, 탄식하면서 ㉠나누어진 들판을 바라본다.

형 아아, 이 들판의 풍경은 내 마음 속의 풍경이야. 옹졸한 내 마음이 벽을 만들었고, 의심 많은 내 마음이 ㉡전망대를 만들었어. 측량 기사는 내 마음 속을 훤히 알고 있었지. 내가 들고 있는 이 ㉢총마저도 그렇잖아? 동생에 대한 내 마음의 불안함을 알고, 그는 마치 나 자신의 분신처럼 내가 바라는 것만을 가져다 줬던 거야.

아우 난 이 들판을 나눠 가지면 행복할 줄 알았어. 형님과 공동 소유가 아닌, 반절이나마 내 땅을 가지기를 바랐지. 그래서 측량 기사가 하자는 대로 했던 거야. 하지만, 나에게 남은 건 벽과 총뿐, 그는 나를 철저히 이용만 했어. 〈중략〉

　형과 아우, ㉣그들 사이를 가로막은 벽을 안타까운 표정으로 바라본다. ⓐ비가 그치면서 구름 사이로 한 줄기 햇빛이 비친다.

형 하지만, 내 마음을 어떻게 저 벽 너머로 전하지?

아우 비가 그치고, ㉤산들바람이 부는군.

형 저 벽을 자유롭게 넘어갈 수만 있다면……. 가만있어 봐. 민들레꽃은 씨를 맺으면 어떻게 되지? 바람을 타고 멀리멀리 날아가잖아?

아우 햇빛이 비치니까 샛노란 민들레꽃이 더 예쁘게 보여.

형 이 꽃을 꺾어서 벽 너머로 던져 주어야지. 동생이 이 민들레꽃을 보면, 진짜 내 마음을 알아 줄 거야.

아우 형님에게 이 꽃을 드리겠어. 벽 너머의 형님이 이 꽃을 받으면, 동생인 나를 생각하겠지.

　형과 아우, 민들레꽃을 여러 송이 꺾는다. 그리고 벽으로 다가가서 민들레꽃을 벽 너머로 서로 던져 준다. 형은 아우가 던져 준 꽃들을 주워 들고 반색하고, 아우는 형이 던진 꽃들을 주워 들고 기뻐한다. 서로 벽을 두드리며 외친다.

아우 형님, 내 말 들려요?

형 들린다, 들려! 너도 내 말 들리냐? / **아우** 들려요!

형 우리, 벽을 허물기로 하자!

아우 네, 그래요. 우리 함께 빨리 벽을 허물어요!

　무대 조명, 서서히 암전한다. 다만, 무대 뒤쪽의 들판 풍경을 그린 걸개그림만이 환하게 밝다. 막이 내린다.

● **옹졸하다** | 성품이 너그럽지 못하고 생각이 좁다.
● **분신** | 하나의 주체에서 갈라져 나온 것.
● **반색** | 매우 반가워함. 또는 그런 기색.
● **암전** | 연극에서, 무대를 어둡게 한 상태에서 무대 장치나 장면을 바꾸는 일.
● **걸개그림** | 건물의 벽 따위에 걸 수 있도록 그린 그림.

상징적 의미 파악하기 **5**

㉠~㉤ 중 소재의 성격이 다른 것은?

① ㉠　　　　② ㉡　　　　③ ㉢　　　　④ ㉣　　　　⑤ ㉤

배경의 역할 파악하기 **6**

ⓐ에 대한 설명으로 가장 적절한 것은?

① 작품의 계절적 배경을 드러낸다.
② 작품 전체에 우울한 분위기를 조성한다.
③ 앞으로 갈등이 전개될 양상을 암시한다.
④ 인물이 과거를 회상하게 되는 매개체로 기능한다.
⑤ 인간의 삶과 대비되는 자연의 긍정적인 가치를 부각한다.

연출 방안 파악하기 **7**

이 글을 연극으로 공연할 때, 연출자의 연출 방안으로 적절하지 않은 것은?

① 무대 중앙에 설치할 높은 벽을 준비한다.
② 천둥이 치는 부분에서는 효과음을 활용한다.
③ 들판 풍경을 그린 걸개그림에 비출 조명을 준비한다.
④ 공간적 배경의 변화를 고려해 설치하고 해체하기 쉬운 무대 장치를 준비한다.
⑤ 꺾을 수 있는 노란 민들레꽃 모양의 소품을 준비하여 무대 바닥에 배치해 둔다.

외부 자료를 통해 해석 **8**
하기

💡 도움말
　희곡에서 작가의 의도는 직접적으로 드러나지 않고 인물의 말과 행동을 통해 드러난다. 따라서 작가의 의도를 파악하기 위해서는 인물의 말과 행동에 담긴 의미를 파악해야 한다.

고난도

〈보기〉를 참고하여 작가의 의도를 파악한 것으로 적절하지 않은 것은?

> ● 보기 ●
> 　이강백의 〈들판에서〉는 한반도의 분단 문제를 다룬 작품이다. 이 작품에서 벽을 두고 갈라선 형제는 남과 북으로 갈라진 우리 민족을, 측량 기사와 조수들은 한반도를 둘러싼 외세를 상징한다. 작가는 이 작품에서 분단의 원인과 분단 현실, 그리고 분단 문제를 해결하기 위한 우리 민족의 과제를 다양한 상징적 소재를 활용하여 효과적으로 표현하고 있다.

① 형제가 비를 맞으며 벽을 지키고 있는 것으로 보아, 작가는 분단 상황이 양측 모두에게 이로운 일이 아니라고 생각하고 있다.
② 형제가 측량 기사의 계략에 빠져 서로 갈등한 것으로 보아, 작가는 한반도에 대한 외세의 욕심이 분단의 원인 중 하나라고 여기고 있다.
③ 벽을 사이에 두고 형제가 후회하고 반성하는 것으로 보아, 작가는 문제 상황을 해결하기 위해 양측의 내면적 성찰이 필요하다고 생각하고 있다.
④ 형제가 벽 너머로 민들레꽃을 던지며 화해를 하는 것으로 보아, 작가는 양측이 서로에게 마음을 전하고 확인하는 것이 문제 해결 방법이라고 생각하고 있다.
⑤ 측량 기사의 이간질에 의해 쌓은 벽을 형제가 함께 허물자고 하는 것으로 보아, 작가는 분단 문제를 유발한 존재들에게 보복하는 것을 민족의 과제로 여기고 있다.

작품 정리하기

전체 구성

발단 부모님이 물려준 들판에서 행복하게 살고 있는 형제 앞에 어느 날 측량 기사가 나타나 들판에 말뚝을 박고 밧줄을 설치한다.

전개 형제는 밧줄로 나뉜 땅의 소유권 때문에 다투게 된다. 측량 기사는 형제를 이간질하여 형제가 들판에 벽과 전망대를 설치하게 한다.

절정 형제의 갈등이 고조되자 측량 기사는 형제에게 총을 구입하게 하고, 서로를 의심하고 오해하던 형제는 서로에게 총질을 한다. --(164쪽 수록)

하강 형제는 자신의 잘못을 뉘우치며 후회한다. 그리고 민들레꽃을 보며 형제가 사이좋게 지냈던 과거를 그리워한다. --(166쪽 수록)

대단원 민들레꽃을 벽 너머로 던지며 서로의 마음을 확인한 형제는 함께 벽을 허물기로 한다. --(166쪽 수록)

해제

이 작품은 측량 기사의 흉계로 땅을 빼앗기고 갈등하던 형제가 잘못을 깨닫고 우애를 되찾는다는 내용의 희곡으로, 우리나라의 분단의 역사를 떠올리게 한다. 작가는 다양한 소재를 활용하여 우리나라의 분단 현실과 우리 민족이 앞으로 나아가야 할 길을 상징적으로 표현하고 있다.

주제

분단 상황의 극복과 통일에 대한 염원

작품에 드러난 희곡의 특징

희곡은 무대 공연의 특성상 시간적·공간적 배경을 다양하고 복잡하게 구성할 수 없고 많은 인물이 한 장면에 등장할 수 없다.

시간적 배경	어느 봄날 → 시간적 배경의 변화가 적음.
공간적 배경	❶◻◻ → 공간적 배경의 변화가 없음.
등장인물	형, 동생, 측량 기사, 조수들 → 많지 않음.

▼

시간적·공간적 배경, 등장인물 수의 ❷◻◻이 있음.

갈등 양상

주된 갈등 양상은 형과 아우의 ❸◻◻ ◻◻이며, 측량 기사는 형제의 갈등을 유발하는 역할을 한다.

발단	전개	절정
형제가 들판에서 행복하게 지내고 있음.	측량 기사가 나타나 형제 사이를 이간질하여 형제는 갈등하기 시작함.	형제가 서로를 의심하고 서로에게 총질까지 하며 거세게 갈등함.

하강	대단원
형제가 자신들의 잘못을 깨닫고 반성함.	형제가 화해하고 우애를 되찾음.

소재의 상징적 의미와 작가의 창작 의도

이 작품은 한반도의 분단 상황을 우의적으로 표현하고 있다. 분단 상황의 문제점과 그 해결 방법을 표현하기 위해 다양한 소재에 상징적 의미를 부여하였다.

들판	한반도를 상징함.
형제	우리 민족을 상징함.
측량 기사	한반도를 둘러싼 외세를 상징함.
❹◻	남과 북의 갈등을 심화하는 군사적 대립을 상징함.
민들레꽃	우리 민족의 우애와 화해를 상징함.

▼

형제간의 갈등과 화해를 통해 남과 북의 분단 상황과 극복을 이야기하고 통일에 대한 염원을 드러내고자 함.

빈칸 답 ❶ 들판 ❷ 제약 ❸ 외적 갈등 ❹ 총

1 다음에서 설명하는 단어를 말 상자에서 찾아 ○표 하시오.

(1) 물건의 값으로 치르는 돈. .... (   )

(2) 매우 반가워함. 또는 그런 기색. .... (   )

(3) 전투에 필요한 장비를 갖춤. 또는 그런 장비. ⋯ (   )

(4) 화약의 힘으로 그 속에 든 탄환을 나가게 하는 무기.
　 .... (   )

(5) 어떠한 것을 밝히거나 찾아내기 위하여 빛을 멀리 비추는
　 조명 기구. .... (   )

무	열	희	열
총	탐	조	등
무	참	여	병
장	비	장	독
대	금	반	색
가	기	합	군

2 〈보기〉는 한 단어를 설명하는 힌트들이다. 힌트를 하나씩 보며 단어를 맞춰 보고, 몇 번째 힌트에
서 맞추었는지 써 보시오.

┌─ 보기 ─────────────────────────────────┐
│ 힌트 1 : 이 단어는 기본형을 기준으로 할 때, 4글자의 형용사입니다. │
│ 힌트 2 : 이 단어는 사람의 마음을 부정적으로 평가할 때 쓰는 말입니다. │
│ 힌트 3 : 이 단어와 비슷한 단어로 '옹하다'라는 말이 있습니다. │
│ 힌트 4 : 이 단어는 〈들판에서〉에서 형이 자신의 마음을 반성할 때 썼던 말입니다. │
│ 힌트 5 : 이 단어의 초성은 'ㅇㅈㅎㄷ'입니다. │
│ 힌트 6 : 이 단어의 의미는 '성품이 너그럽지 못하고 생각이 좁다.'입니다. │
└───────────────────────────────────────┘

(1) 단어 ◎ (　　　　　　)

(2) (　　　　　　)번째 힌트에서 단어를 맞췄습니다.

3 제시된 단어의 뜻을 참고하여 다음 초성에 해당하는 단어를 쓰시오.

(1) ㅂ ㅅ : 하나의 주체에서 갈라져 나온 것. .... (   )

(2) ㄱ ㄱ ㄱ ㄹ : 건물의 벽 따위에 걸 수 있도록 그린 그림. .... (   )

(3) ㅇ ㅈ : 연극에서, 무대를 어둡게 한 상태에서 무대 장치나 장면을 바꾸는 일.
　 .... (   )

어법 맞춤법에 맞는 표현

4 다음 문장의 괄호 안에 들어갈 알맞은 단어를 고르시오.

(1) 이게 뭔지 알아요? / (총인대요 , 총인데요).

(2) 탐조등이 켜지면서 강렬한 불빛이 벽 (너머 , 넘어)를 비춘다.

(3) 형님과 공동 소유가 아닌 반절이나마 내 땅을 가지기를 (바랐지 , 바랬지)

소설을 각색한 시나리오 읽기

∞ 158쪽 〈토끼와 자라〉 관련

나는 문학 천재라서
문천재

우리가 배운 희곡 〈토끼와 자라〉가 고전 소설인 〈토끼전〉에서 내용을 가져온 것처럼, 드라마나 영화 중에서도 소설에서 소재를 가져오는 경우가 많아. 〈구르미 그린 달빛〉이나 〈보건교사 안은영〉 등이 그 예이지.

소설을 시나리오로 각색하면 어떤 점이 달라질까? 다음 작품들을 읽어 보며 생각해 보자.

📑 **참고 자료**

〈날씨가 좋으면 찾아가겠어요〉는 서울 생활에 지쳐 북현리로 내려간 해원이 독립 서점을 운영하는 고등학교 동창 은섭을 다시 만나며 벌어지는 이야기를 담은 작품이다.

⑦ "그림이 달라졌다." / "응. 새로 그렸는데 맘에 드네." / "봐도 돼?"

해원은 끄덕이며 왼손을 내밀었다. 은섭은 그녀의 손목을 잡고 가로등 불빛 아래 비치도록 가만히 돌렸다. 살갗에 와닿는 그의 손목이 어쩐지 의식이 되어 그녀는 자기도 모르게 시선을 내리깔았다. 은섭은 물끄러미 거기에 그려진 잎사귀를 바라보았다.

"버드나무 잎이구나." / 희미하게 그의 깊은 곳에서 먼 등댓불이 켜지는 것 같았다. 그 불빛은 눈동자에도 떠올랐지만 금세 숨겨졌다.

자신의 박동이 좀 더 빨라지는 걸 깨달으며 은섭은 당황했다. 이제는 혼자 쓰는 일지에 농담처럼 추억하는 오래된 감정이라 여겼는데. 한참 전에 사라져버려 빛바랜 에피소드로 남았다고 생각했는데. 이 겨울 또다시 되풀이되고 마는 것일까. 은섭의 심장이 괴롭게 뛰기 시작했다.

– 이도우, 〈날씨가 좋으면 찾아가겠어요〉에서

④ **은섭** (대답 않고 흘끗 해원 손목을 보더니) …달라졌다.

해원 (뭐? 하듯 가로등 불 아래 서서 은섭을 보자) / **은섭** (손목 가리키며) 그림.

해원 아. 이건 헤나. 잠이 안 와서 그려봤어. / **은섭** (뚝 멈춰 서더니) 한번 봐도 돼?

해원, 조금 망설이다 천천히 손을 내밀어본다.

은섭이 자기도 모르게 가만히 해원의 손목을 잡고 곧 꺼질 듯 아주 옅은 가로등 불빛 아래 비치도록 살금살금 돌려 보는데, 해원의 손목 위엔 버드나무 잎이 잔뜩 놓여 있다.

그들 사이로 나뭇잎 흔들리며 바람이 불고 가로등 위 밤하늘엔 무수한 별이 조용한 소리를 내며 흘러간다.

은섭 …버드나무 잎이네. / **해원** 응.

은섭 (보다가) 이런 건 얼마나 가? / **해원** 아마 일부러 지우지 않는다면 일주일쯤?

은섭 (조심스레 놓으며) 예쁘다.

– 한가람, 〈한가람 대본집 1 – 날씨가 좋으면 찾아가겠어요〉에서

생각할 거리 ❶

≫ 〈토끼전〉과 〈토끼와 자라〉의 차이점을 떠올려 보며 ㉮와 ㉯의 차이점을 이야기해 보자.

• 천재의 힌트

㉯는 ㉮를 원작으로 한 드라마 시나리오이고, ㉮와 ㉯는 같은 장면을 다루고 있어. 해원과 은섭은 ㉮와 ㉯에서 모두 같은 행동을 하고 있지만, 분위기가 사뭇 다르지? 예를 들면, 우리가 해원과 은섭의 속마음을 더 잘 알 수 있는 것은 ㉯보다는 ㉮에서야. 왜 이런 차이가 생기는 걸까? 서술자가 상황을 설명해 주었던 〈토끼전〉과, 서술자가 없었던 〈토끼와 자라〉의 갈래상 특징을 떠올려 보면 알 수 있을 거야.

나는 문학 천재라서 문천재

소설은 서술자가 있어서 인물의 심리를 자유롭게 서술할 수 있지만 시나리오는 서술자가 없어서 인물의 말과 행동, 장면으로 심리를 간접 제시해야 해. 원작을 각색한 시나리오는 이와 같이 형식적 측면에서 원작과 차이가 나는 부분이 있어.

한편 원작을 각색하며 각본가가 장면의 내용을 바꾸는 경우도 있는데, 다음 예시를 보면 더 이해하기 쉬울 거야. ㉮는 소설이고, ㉯는 ㉮를 각색한 영화의 시나리오야. 함께 읽어 보자.

📖 ㉮ 소설의 줄거리

16세 소년인 아름은 나이에 비하여 빨리 늙는 병을 앓고 있다. 아름은 열일곱 살에 부모가 된 대수와 미라와 함께 씩씩하게 살아가던 중, 입원 치료 비용을 마련하기 위해 한 프로그램에 출연했다가 자신과 비슷한 처지에 있는 '서하'라는 소녀와 메일로 연락을 주고받으며 사랑의 감정을 느낀다. 하지만 서하는 실제 인물이 아니라 30대 남자가 시나리오를 쓰기 위해 꾸며 낸 가상의 인물이었고, 이 사실을 알게 된 아름은 큰 상처를 받는다.

㉮ 의사 선생님은 내게 게임을 하지 말라고 했다. 요즘 들어 내 왼쪽 시력뿐 아니라 면역력 수치도 많이 떨어졌다고, 앞으로는 치료와 휴식에만 집중하라고 했다. 당연한 일이지만, 부모님은 내게서 당장 게임기를 빼앗으려 했다. 처음에는 내가 기운을 차리는 듯해 기뻐하셨다가, 도가 지나칠 정도로 게임에 몰두하는 걸 보자 겁이 나셨던 거다. 하지만 내가 다섯 살 난 아이처럼 떼를 쓰고 밥을 안 먹자 결국 두 손을 들고 마셨다. 보다못해 타협안을 제시한 건 아버지였다. 난생처음 나를 때리려고까지 했던 아버지는 내게 딱 하루 게임기를 갖고 놀 수 있는 시간을 주겠다고 하셨다. 하지만 그 이상은 절대 안 된다고. 선택은 네가 하라고 했다. 한번 하고 관둘지, 아니면 그냥 관둘지. 물론 내가 그 '하루'를 온전히 게임에 쏟아 버리리라곤 예상하지 못한 눈치였다.

– 김애란, 〈두근두근 내 인생〉에서

㉯ S# 59. 아름이의 병실(오후)

〈중략〉

대수 너 그거 안 내려놔?

아름 (게임에만 몰두한다.) ……

대수 아빠 말 안 들려!

아름 (대수가 게임기를 뺏으려 하자) 왜 그래요, 진짜! 좀 내버려 두세요! (뿌리치며) 낫지도 않는 걸 왜 자꾸 먹으래! 어차피 죽을 거!

대수, 미라 (놀라 아무 말도 못 한 채) ……

📄 참고 자료

　소설 〈두근두근 내 인생〉은 1인칭 시점으로 되어 있으며 서술자인 '나'(아름)가 자신의 생각과 경험을 담담하게 고백하며 정신적 성숙을 이루는 것을 주제로 삼고 있다. 한편 영화 〈두근두근 내 인생〉은 아름의 심리를 묘사하기 어려우며 대중의 취향을 고려해야 하는 매체적 특성 때문에 가족애와 휴머니즘을 좀 더 강조하는 내용으로 각색되었다.

아름 (봇물 터지듯이 말하며) 내가 지금까지 엄마, 아빠 말 안 들은 적 있어요? 그냥 죽기 전에 내가 하고 싶은 거 좀 하겠다는데, (게임기 흔들며) 내가 지금 하고 싶은 게 이거라고요. 왜 이까짓 것도 못 하게 해요? 네? 내가 살면 얼마나 산다고!

S# 60. 병원 비상계단(오후)

　어디선가 들려오는 흐느낌. 아무도 없는 계단에 홀로 앉아 울고 있는 대수.

　그의 넓은 등이, 그의 꽉 쥔 주먹이 가느다랗게 떨리고 있다. 바닥에 대수의 눈물이 후드득 떨어진다.

　비상계단 문이 열리고 미라가 혼자 울고 있는 대수를 물끄러미 보다가 천천히 다가와 뒤에서 안아 주며, 대수의 등에 얼굴을 천천히 포갠다.

　미라의 눈에서도 눈물이 한 줄기 흐른다. 내색하지 않고 눈을 질끈 감는 미라.

– 김애란 원작, 최민석 외 각본, 〈두근두근 내 인생〉에서

생각할 거리 ❷　》》 ㉮를 ㉯처럼 각색한 이유는 무엇일까?

천재의 힌트

　원작을 각색할 때에는 그 목적에 따라 각색의 방향이 달라지는 경우도 있어. ㉯가 ㉮와 비교하여 눈에 띄게 달라진 점은 인물들의 행동이야. ㉮에서 아름은 게임에 몰두하며 좌절을 극복하려 노력하지만, ㉯에서 아름은 불행한 처지에 분노하고 대수와 미라(아름의 부모님)는 그것을 지켜보며 깊은 슬픔을 느끼지. 시나리오에서 인물의 말과 행동은 작가의 의도를 형상화한다는 점을 고려하면, ㉮와 ㉯의 작가가 작품을 통해 전하려는 메시지가 다른 것 같지? 그리고 작가의 의도가 달라진 이유는 소설보다 영화가 더 대중적인 매체라는 점에서 찾아볼 수도 있을 거야.

나는 문학 천재라서
문천재

　지금까지 소설을 각색한 시나리오들을 읽어 보았어. 어떤 작품이 시나리오로 각색될 때는 형식적 측면뿐 아니라 각색의 목적에 따라 내용적 측면으로도 많은 변화가 생긴다는 점을 알 수 있었을 거야. 앞으로 소설을 원작으로 한 드라마나 영화가 더 많이 나올 텐데, 오늘 공부한 내용을 생각하며 작품을 감상하면 작품을 더욱 깊이 있게 이해할 수 있겠지?

중학 DNA 깨우기 시리즈

문학 DNA 깨우기
(예비중~중3)

기본 개념/감상 원리/기출 유형
교과서 작품을 활용한 문학 독해서

비문학 독해 DNA 깨우기
(예비중~중3)

독해 기초/독해 원리/독해 기술/기출 유형
기초부터 심화까지 단계별 독해 원리

문법 DNA 깨우기
(중1~중3)

중학 교과서 필수 문법 총정리

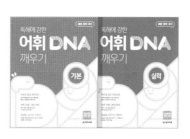

어휘 DNA 깨우기
(중1~중3)

기본/실력
퀴즈로 익히는 1,347개 중학 필수 어휘

CHUNJAE
EDUCATION

문학 **DNA**
깨우기

1
기본 개념

정답과 해설

천재교육

문학 **DNA** 깨우기

정답과
해설

와! 지문이 통째로! 상세한 설명!

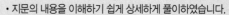

정답과 해설 활용 안내

· 지문의 내용을 이해하기 쉽게 상세하게 풀이하였습니다.
· 정답과 오답의 이유를 분명하게 풀이하였습니다.

개념

01 시적 화자의 정서와 태도

바로 확인 ❶, ❷   본문 8~9쪽

1 관찰   **2** ②

하종오, 〈동승〉
- **해제** 이 시는 국철을 타고 가던 화자가 열차 맞은편의 외국인 노동자들을 보고 그들의 행동을 관찰한 후 자신의 태도를 반성적으로 성찰하는 내용을 담고 있다. 화자는 열차 맞은편에 앉은 아시안 젊은 남녀의 행동을 구경하듯 관찰하는데, 이는 화자가 그들을 사회의 구성원으로 수용하지 못하고 있음을 드러내는 것이다. 화자는 이러한 자신의 '천박한 호기심'을 깨닫고, 그들과 국철에 자연스레 동승하지 못하는 태도를 성찰하고 있다.
- **주제** 외국인 노동자에 대한 차별적 시각과 그에 대한 반성

한용운, 〈나룻배와 행인〉
- **해제** 이 시의 화자는 늘 같은 자리에서 '행인'을 기다리는 '나룻배'의 이미지를 통해 임을 향한 절대적 믿음과 사랑을 비유적으로 드러내고 있다. 당신의 무심한 태도에도 온갖 고난과 역경을 극복하며 당신을 기다리는 화자의 자세에서 진정한 사랑을 이루고자 하는 의지를 엿볼 수 있다.
- **주제** 희생과 믿음을 통한 진정한 사랑의 실천 의지

1 이 시의 화자는 국철을 타고 가면서 건너편에 앉은 '아시안 젊은 남녀'의 행동을 관찰하여 묘사하고 있다.

2 이 시의 화자는 '나'이며, 당신을 안고 물을 건너는 나룻배이다. 당신은 시적 대상으로, 화자는 바람을 쐬고 눈비를 맞으며 항상 당신이 오실 날을 기다리고 있다. 이러한 시적 상황에서 시련을 견디며 당신을 항상 기다리는 화자의 태도가 드러난다.

02 운율

바로 확인 ❶, ❷   본문 10~11쪽

1 3, 외형률   **2** ④

김소월, 〈접동새〉
- **해제** 이 시는 한(恨)의 정서를 주제로 하고 있다. 의붓딸에 대한 계모의 학대, 한을 지니고 죽은 혼의 접동새로의 환생 등 한이라는 주제를 표현하기 위해 고전 설화의 소재들을 등장시켰다.
- **주제** 누나의 한과 누나에 대한 그리움

김억, 〈연분홍〉
- **해제** 이 시는 살구꽃이 핀 봄날에 나비가 꽃 사이를 날아다니는 모습을 표현한 시이다. 살구꽃이 필 때부터 질 때까지 시간의 흐름에 따라 시상이 전개되고 있다. 7·5조의 음수율과 3음보 율격, '-ㅂ니다'로 끝나는 문장 구성, '하늘하늘', '너훌너훌' 등의 음성 상징어가 운율을 형성하고 있다.
- **주제** 나비와 꽃이 어우러진 봄 풍경

1 이 시에는 각 행을 세 마디로 끊어 읽는 것이 반복되는 3음보의 규칙성이 나타난다. 이처럼 음보가 일정하게 반복되는 것은 운율이 겉으로 드러나는 외형률에 해당한다.

2 시의 처음과 끝을 유사하게 반복하는 것도 운율을 형성하는 방법 중 하나이지만, 이 시에서는 처음과 끝에 유사한 시구가 반복되고 있지 않다.
> **오답 풀이** ① '봄바람', '연분홍' 등의 시어가 반복되고 있다. ② '하늘하늘', '너훌너훌'과 같은 음성 상징어를 사용하였다. ③ 각 행을 세 마디로 끊어 읽는 3음보가 규칙적으로 반복되고 있다.

03 심상

바로 확인 ❶, ❷   본문 12~13쪽

1 ⑤   **2** 시각적, 촉각적, 공감각적

이장희, 〈봄은 고양이로다〉
- **해제** 이 시는 고양이의 모습을 통해 봄의 분위기를 표현한 시로, 봄의 이미지를 고양이의 털, 눈, 입술, 수염에 비유하여 봄의 속성을 감각적이고 참신하게 표현하였다. 또한 1연과 2연, 3연과 4연에서 유사한 문장 구조를 반복하여 운율을 형성하고 있다.
- **주제** 고양이를 통해 느끼는 봄의 생명력

김기림, 〈바다와 나비〉
- **해제** 이 시는 새로운 세계를 동경하는, 연약한 나비가 겪는 시련을 통해 현실의 냉혹함을 감각적으로 드러낸다. '바다'는 거대하고 냉혹한 존재를, '나비'는 작고 연약한 존재를 상징하는 소재로서 다양한 비유, 색채 대비, 감각적 심상을 통해 '바다'와 '나비'의 대조적 이미지를 뚜렷하게 드러내고 있다.
- **주제** 새로운 세계에 대한 동경과 좌절

1 '포근한 봄'에서 '포근하다'는 '보드랍고 아늑하다.'라는 뜻으로 촉각적 심상이 느껴진다.
> **오답 풀이** ① '부드러운'에서 촉각적 심상이 느껴진다. ② '향기'에서 후각적 심상이 느껴진다. ③ '금방울', '호동그란'에서 시각적 심상이 느껴진다. ④ '고요히'에서 청각적 심상이 느껴진다. 어떤 소리가 들릴 때뿐만 아니라 '조용하다', '고요하다'와 같이 청각과 관련한 감각이 표현된 경우도 청각적 심상이 나타난다고 한다.

2 밑줄 친 부분에는 '새파란'이라는 색채 이미지에서 드러나는 시각적 심상을 '시리다'라는 촉각적 심상으로 바꾸어 표현한 공감각적 심상이 나타난다.

04 비유와 상징

바로 확인 ❶, ❷   본문 14~15쪽

1 직유, 늬, 산ㅅ새   **2** ②

정지용, 〈유리창 1〉
- **해제** 이 시는 어린 자식을 잃은 화자의 슬픔과 그리움을 유리창

을 통해 감각적으로 표현하고 있다. 유리창은 화자와 죽은 자식과 이별시키기도 하고, 만나게도 하는 소재이다. 화자는 이 유리창을 닦으면서 자식의 죽음으로 인한 외로움과 유리창을 통해 아이를 느끼는 황홀함의 모순된 감정을 느끼고 있다.
- **주제** 자식을 잃은 슬픔과 죽은 아이에 대한 그리움

월명사, 〈제망매가〉
- **해제** 이 시는 신라 35대 왕인 경덕왕 때 월명사가 죽은 누이를 위하여 지은 10구체 향가로, 누이를 잃은 슬픔과 그 극복 의지를 다양한 비유와 상징으로 표현하고 있다. 누이의 죽음을 슬퍼하던 화자는 인생의 무상함과 허무함을 느끼고, 이별의 슬픔과 인생의 무상함을 종교적으로 극복하려는 모습을 보인다. 누이와의 이별을 자연 현상에 빗대어 표현하고 하강 이미지를 활용해 죽음의 분위기를 효과적으로 형상화하고 있다.
- **주제** 누이의 죽음으로 인한 슬픔과 극복 의지

1 '늬는 산ㅅ새처럼 날아갔구나'에서는 '~처럼'이라는 연결어를 사용하여 원관념을 보조 관념에 직접 빗대는 직유법이 사용되었다. 이때 '늬'는 화자가 표현하려 하는 중심 대상인 원관념에 해당하고, '산ㅅ새'는 훌쩍 날아가 버린 '늬'를 표현하기 위해 빗댄 대상인 보조 관념에 해당한다.

2 '이른 바람'에 떨어진 '잎'은 어린 나이에 죽은 누이를 상징한다. 이러한 표현은 집단적으로 통용되는 관습적 상징이 아니라 시인이 만들어내 낸 개인적 상징에 해당한다.
오답 풀이 ▸ ① '이른 바람'은 '잎'을 떨어지게 한 것으로서, 시적 대상이 이른 나이에 죽었음을 나타낸다.

05 여러 가지 표현 방법

바로 확인 ❶ 본문 16쪽

1 ②, ④

김영랑, 〈모란이 피기까지는〉
- **해제** 이 시는 봄이 끝날 무렵에 피는 모란을 소재로 하여, 모란이 피어 있는 시간의 기쁨을 드러내고 있다. 이 시의 중심 소재인 봄과 모란은 소망과 기쁨을 연상시키는 긍정적 이미지이지만, 모란이 지면 봄은 그 소망과 기쁨을 잃기에 봄은 슬픈 계절이기도 하다. 봄에 대한 이러한 이중적 감정은 '찬란한 슬픔의 봄'이라는 역설적 표현으로 드러난다.
- **주제** 소망에 대한 바람과 기다림

1 '나는 아직 ~ 슬픔의 봄을.'에서 도치법이 사용되었다. 일반적으로 '나는 아직 찬란한 슬픔의 봄을 기다리고 있을 테요.'와 같이 쓰는데, 말의 순서를 바꾸어 '찬란한 슬픔의 봄을.'이라는 부분을 더욱 강조하였다. 또한 '찬란한 슬픔의 봄'에는 '찬란한'이라는 긍정적 이미지의 시어와 '슬픔'이라는 부정적 이미지의 시어가 결합하여 모순되어 보이는 표현인 역설법이 사용되었다.

06 시상 전개 방식

바로 확인 ❶, ❷ 본문 17~18쪽

1 산도화, 시선 **2** ④

박목월, 〈산도화〉
- **해제** 이 시는 봄에 산도화가 피기 시작한 보랏빛 석산의 모습을 묘사하듯 표현하고 있다. 이상 세계로 표현되는 '구강산'은 신비한 이미지로 설정되어 있으며, '암사슴' 역시 이 공간의 신비함을 극대화하는 소재이다. 시상은 화자의 시선을 따라 산, 산도화, 물, 사슴으로 옮겨가며 전개되고 있다.
- **주제** 봄을 맞은 산의 평화롭고 아름다운 풍경

김종길, 〈성탄제〉
- **해제** 어른이 된 화자가 어린 시절을 회상하며 아버지를 향한 그리움을 표현한 시이다. 어린 시절 열병을 앓던 화자를 위해 아버지가 눈 속을 헤치고 붉은 산수유 열매를 따온 기억과, 어른이 된 화자가 어린 시절을 회상하는 모습이 차례로 나타나 있다. 이 시에서 '눈'은 과거 회상의 매개체이며, '붉은 산수유 열매'와 '서느런 옷자락'은 아버지의 사랑과 정성을 의미한다.
- **주제** 아버지의 정성과 사랑에 대한 그리움

1 화자는 '산 → 산도화 → 물 → 사슴'으로 시선을 옮기며 산의 풍경을 관찰하고 있다.

2 이 시는 '눈을 헤치고' 따온 '붉은 산수유 열매'에서 나타나는 흰색과 붉은색의 색채 대비와, '서느런 옷자락'과 '열로 상기한 볼'에서 나타나는 촉각적 심상의 대비를 활용하여 시상을 전개하고 있다.

07 고전 시가

바로 확인 ❶ 본문 19쪽

1 ③

윤선도, 〈만흥〉
- **해제** 이 시는 총 6수의 연시조로, 자연 친화적 태도가 잘 드러난 작품이다. 화자는 세속을 떠나 자연 속에서 지내는 삶의 즐거움을 노래하고 있다.
- **주제** 자연 속에 묻혀 사는 즐거움

1 이 시조를 지은 윤선도는 양반 계층으로, 이 시조는 사대부들이 쓴 시조에서 흔히 나타나는 자연 친화적인 삶의 만족감을 주제로 하고 있다.
오답 풀이 ▸ ① 이 시조는 평시조로, 3장 6구 45자 내외의 형식을 따르는 정형시이다. ② 이 시조는 '보리밥∨풋나물을∨알맞게∨먹은 후에'와 같이 한 행을 네 마디로 끊어 읽는 것이 자연스러운 4음보의 율격을 지니고 있다.

01 새로운 길

본문 20~23쪽

| 1 ④ | 2 ③ | 3 ② | 4 ④ | 5 시각적 심상 |

어휘 다지기 　1 (1) ③ (2) ① (3) ② 　2 (1) 소재 (2) 수미상관 (3) 상징 (4) 비유 　3 ③

내를 건너서 숲으로
　△ 화자가 살아가며 겪는 시련 문제4-①
　○ 화자가 나아가고자 하는 평화로운 곳 문제4-②
고개를 넘어서 마을로
행의 마지막에 '로'를 반복하여 운율 형성 문제3-③

어제도 가고 오늘도 갈
나의 길 새로운 길
화자인 '나'가 시의 표면에 드러남. 문제1-①
'길'을 중심으로 시상이 전개됨. 문제1-②

민들레가 피고 까치가 날고
아가씨가 지나고 바람이 일고
유사한 문장 구조를 반복하여 운율 형성 문제3-①
길에서 만나는 존재들: 화자가 삶의 희망을 느끼게 함. 문제4-⑤

나의 길은 언제나 새로운 길
오늘도…… 내일도……
화자의 의지적 태도가 드러남. 문제2, 4-③
말줄임표를 통해 리듬감을 형성함. 문제3-⑤

내를 건너서 숲으로
고개를 넘어서 마을로
첫 연과 마지막 연이 수미상관을 이루어 운율을 형성함. 문제3-④

3연을 기준으로 1연과 5연,
2연과 4연이 의미상 대칭을 이룸. 문제1-⑤

1연	2연	3연	4연	5연
길을 걸어 숲과 마을로 향함.	언제나 새로운 마음으로 길을 걸어감.	길을 걸으며 만나는 존재들	언제나 새로운 마음으로 길을 걸어갈 것을 다짐함.	길을 걸어 숲과 마을로 향함.

1 이 시에는 생명이 없는 대상, 즉 무생물을 생명이 있는 것처럼 표현하는 활유법은 쓰이지 않았다.

오답 풀이 ① '나의 길'이라는 표현에서 화자가 시의 표면에 드러남을 알 수 있다. ③ '내', '고개', '숲', '마을', '길' 등 상징적 의미를 지닌 소재를 사용하였다. ⑤ 3연을 기준으로 2연과 4연, 1연과 5연이 의미상 대칭 구조를 이룬다.

2 4연에서 화자는 '나의 길은 언제나 새로운 길'이라고 말하며 언제나 새로운 마음으로 살아가려는 의지를 드러내고 있다.

3 한 행의 글자 수를 대체로 일정하게 맞추는 것은 운율을 형성하는 방법 가운데 하나이지만, 이 시에서는 한 행의 글자 수를 규칙적으로 맞추지 않았다.

오답 풀이 ①, ③ 3연에서 '～이/가 ～고'의 문장 구조가 반복되며 운율을 형성하고 있다. ⑤ 4연의 '오늘도…… 내일도……'에 사용된 말줄임표가 시행을 읽을 때 호흡에 변화를 주게 되므로, 이를 통해 리듬감이 형성된다.

4 '오늘도…… 내일도……'는 늘 새로운 마음으로 살아가겠다는 화자의 다짐이 나타나는 부분이다. 화자가 겪은 안타까운 현실은 이 부분에서 찾을 수 없다.

오답 풀이 ①, ② 화자는 '내'를 건너고 '고개'를 넘어서 '숲', '마을'로 나아가고자 하고 있으므로, '내'와 '고개'는 살아가며 겪는 시련, '숲'과 '마을'은 화자가 나아가고자 하는 평화로운 곳을 의미한다고 볼 수 있다. ③ 2, 4연에서 화자는 '나의 길'을 '새로운 길'이라고 표현하며 늘 새로운 마음으로 살아가겠다는 다짐을 드러내고 있다. ⑤ '민들레', '까치', '아가씨', '바람'은 화자가 길을 걸으며 만나는 다양한 존재들로, 삶의 희망을 느끼게 하는 존재로 볼 수 있다.

5 이 시를 읽으면 화자가 걸어가는 길과 길에서 만나는 다양한 존재들의 모습을 떠올리게 된다. 따라서 이 시에는 시각적 심상이 주로 사용되고 있음을 알 수 있다.

어휘 다지기

본문 23쪽

3 '먹고살 길이 막막하다.'에서 '길'은 ⓒ의 '방법이나 수단'이라는 뜻으로 쓰인 예이다.

02 먼 후일

본문 24~27쪽

1 ②　　**2** ⑤　　**3** ②　　**4** ①　　**5** 사소함/사소한 일

어휘 **다지기**　　**1** (1) 후일 (2) 이별　**2** (1) ③ (2) ④ (3) ② (4) ①　**3** (1) 천생연분 (2) 이심전심
　　　　　　　　　(3) 오매불망 (4) 연모지정

먼 훗날 당신이 찾으시면
<small>당신과 헤어진 상황에서 미래에 당신이 자신을 찾는 상황을 가정함.</small>
그때에 내 말이 ㉠'잊었노라'　→ 당신과 만나기를 바라는 화자의 속마음이 드러남. 문제 1-②, 2-①
<small>화자　　　반어: 화자의 속마음과 반대로 표현됨. 문제 5</small>

당신이 속으로 나무라면
'무척 그리다가 잊었노라'
<small>화자는 당신을 무척 그리워하고 있음. 문제 2-②</small>

그래도 당신이 나무라면
'믿기지 않아서 잊었노라'
<small>화자는 당신과의 이별을 믿지 못하고 있음. 문제 2-③</small>

오늘도 어제도 아니 잊고
<small>화자는 당신과 이별하고 지금까지도 당신을 잊지 못함. 문제 2-④</small>
먼 훗날 그때에 '잊었노라'
<small>당신과 이별한 후에도 언제나 당신을 잊지 못할 것이라는 의미임. 문제 2-⑤</small>

1 이 시의 화자는 먼 훗날 당신이 자신을 찾는다면 '잊었노라'라고 말하겠다고 한다. 따라서 이 시는 미래에 임이 화자를 찾는 상황을 가정하여 시상을 전개하고 있음을 알 수 있다.

오답 풀이 ▸ ① 화자는 사랑하는 사람인 '당신'과 헤어진 후 잊지 못하는 심정을 드러내고 있으나 자기희생적 헌신의 태도를 보이고 있지는 않다. ③ 대상의 모습을 시각적으로 묘사한 부분은 찾을 수 없다. ④ 계절적 배경의 변화는 드러나지 않는다. ⑤ '당신'과 이별한 후 '당신'을 잊지 못하는 심정을 반어적 표현을 통해 돌려 말하고 있다.

2 이 시에서 반복되는 '잊었노라'라는 표현은 당신을 잊지 못했음을 의미하는 반어적 표현이다. 따라서 화자가 먼 훗날 당신이 자신을 찾을 때 '잊었노라'라고 말하겠다고 한 것은 당신을 잊겠다는 의지를 보여 주는 것이 아니라 먼 훗날에도 당신을 잊지 못할 것임을 의미한다.

3 이 시에서 음성 상징어가 쓰인 부분은 찾을 수 없다.

4 이 시의 화자는 사랑하는 '당신'과 헤어진 상황에서 당신을 결코 잊을 수 없다는 심정을 반어적으로 표현하며 그리움을 간절하게 드러내고 있다. 따라서 당신과의 이별로 인한 슬픔과 안타까움이 드러나는 어조로 낭송하는 것이 적절하다.

오답 풀이 ▸ ④ 화자는 당신에 대한 간절한 그리움을 노래하고 있으므로 역동적이고 쾌활한 어조는 어울리지 않는다. ⑤ 임과 만나는 것을 기쁘게 기대하고 있는 상황은 아니므로 기대감에 찬 기쁜 어조는 어울리지 않는다.

5 ㉠은 반어적 표현이다. 〈보기〉에서 '사소함/사소한 일'은 그대에 대한 화자의 깊고 변함없는 사랑을 반어적으로 표현한 부분이다.

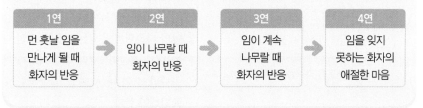

1연		2연		3연		4연
먼 훗날 임을 만나게 될 때 화자의 반응	→	임이 나무랄 때 화자의 반응	→	임이 계속 나무랄 때 화자의 반응	→	임을 잊지 못하는 화자의 애절한 마음

본문 28~31쪽

1 ⑤　　2 ②　　3 ㉮ 티끌 ㉯ 동산 ㉰ 처럼　　4 ②

어휘 다지기　　1 (1) 잘다 (2) 맷방석 (3) 엄격하다　　2 (1) 대조 (2) 직유법 (3) 점층법　　3 ③

친구가 원수보다 더 미워지는 ㉠날이 많다
　화자가 부끄러워하는, 옹졸한 자신의 모습이 드러나는 때 문제 2-①

[A]
㉡티끌만 한 잘못이 맷방석만 하게
동산만 하게 커 보이는 때가 많다
　타인의 잘못을 '티끌' → '맷방석' → '동산'으로 크기를 점차 키우며 표현: 점층법 문제 3

그래서 세상이 어지러울수록

남에게는 엄격해지고 내게는 너그러워지나 보다

㉢돌처럼 잘아지고 굳어지나 보다
　생각이 좁고 마음이 너그럽지 못한 화자 자신을 의미함. 문제 2-③

멀리 ㉣동해 바다를 내려다보며 생각한다
　남에게는 너그럽고 자신에게는 엄격한 대상으로, 화자가 본받고자 하는 대상 문제 2-④

[B]
널따란 바다처럼 너그러워질 수는 없을까
　자연물을 통해 화자가 지향하는 삶의 자세를 드러내고 있음. 문제 1-⑤
깊고 짙푸른 바다처럼
　타인에게 너그러운 삶의 태도를 상징함. 문제 4-②
감싸고 끌어안고 받아들일 수는 없을까
　너그럽고 관용적인 삶의 태도를 '널따란 바다', '깊고 짙푸른 바다'에 직접 빗댐.: 직유법 문제 3

스스로는 억센 파도로 다스리면서
　자신의 잘못을 엄격히 다스리는 삶의 태도를 상징함. 문제 4-③
제 몸은 맵고 모진 매로 ㉤채찍질하면서
　화자가 본받고자 하는, 스스로에 대한 엄격한 삶의 태도를 상징함. 문제 2-⑤

1연		2연
남에게는 엄격해지고 자신에게는 너그러워지는 태도를 반성함.	→	동해 바다를 바라보며 남에게는 너그럽고 자신에게는 엄격한 삶의 태도를 갖기를 바람.

1 화자는 널따란 동해 바다를 보며 옹졸했던 자신을 반성하고 바다처럼 너그러운 사람이 되고 싶다고 말하고 있다.

오답 풀이 • ④ 이 시는 같은 시어 및 유사한 시구와 문장 구조의 반복을 통해 운율을 형성하고 있다.

2 ㉡(티끌)은 친구의 작은 잘못을 의미한다.

오답 풀이 • ① ㉠은 '친구가 원수보다 더 미워지는 날', 친구의 '티끌만 한 잘못'이 '맷방석', '동산'만 하게 커 보이는 날로 화자가 부끄러워하는 화자의 옹졸한 모습이 드러나는 때이다. ③ ㉢은 잘고 굳은 특성을 지닌 대상으로, 생각이 좁고 마음이 너그럽지 못한 화자의 모습을 상징한다. ④ ㉣은 남에게는 너그럽고 자신을 모질게 다스리는 특성을 지닌 대상으로, 생각이 좁고 마음이 너그럽지 못한 화자가 본받고자 하는 대상이다. ⑤ ㉤은 제 몸을 맵고 모질게 다스리는 행위로, 스스로에 대한 엄격한 삶의 태도를 상징한다.

3 [A]에서는 '티끌 → 맷방석 → 동산'으로 시적 대상의 크기를 점차 키우며 나열하는 점층법이 사용되었고, [B]에서는 '~처럼'이라는 연결어를 활용해 시적 대상을 직접 비유하는 직유법이 사용되었다.

4 화자가 관찰한 바다의 특성인 ⓐ(넓고 깊고 짙푸름.)에서 화자는 항상 성찰하는 삶의 태도가 아니라, 타인에게 너그러운 삶의 태도를 발견하고 있다.

어휘 다지기

본문 31쪽

3 '짧다'의 '짧-'은 받침인 'ㄼ'에서 앞의 자음인 'ㄹ'이 발음되어 [짤따]와 같이 발음된다. 〈보기〉에 따르면 '-다랗-'이 결합하는 구조에서 앞말의 받침 중 앞의 자음이 발음되는 경우는 소리 나는 대로 적는다. 따라서 '짧다랗다'가 아니라 소리 나는 대로 '짤따랗다'로 표기해야 한다.

04 엄마 걱정

본문 32~35쪽

1 ②   **2** ②   **3** ④   **4** 내 유년의 윗목   **5** ⑤

어휘 다지기   **1** (1) 유년 (2) 고요 (3) 눈시울 (4) 윗목   **2** (1) 심상 (2) 은유 (3) 직유
                    3 (1) 톳 (2) 단 (3) 첩 (4) 손

열무 삼십 단을 이고
'삼십 단'이라는 표현으로 어머니의 고단한 삶의 무게를 표현함. 문제 5-①
시장에 간 우리 엄마
           화자는 열무를 팔러 시장에 간 엄마를 기다리고 있음. 문제 2-③
안 오시네, ㉠해는 시든 지 오래
'안 오시네', '안 들리네'와 같은 문장을 반복하여 운율을 형성함. 문제 1-①
㉡나는 찬밥처럼 방에 담겨
    아무도 돌봐 주지 않는 화자의 쓸쓸함과 서글픔을 '찬밥'에 빗대어 촉각적으로 표현함. 문제 3, 5-②
아무리 천천히 숙제를 해도
    애써 외로움을 의식하지 않으려는 화자의 심리가 드러남. 문제 5-③
엄마 안 오시네, ㉢배춧잎 같은 발소리 타박타박
    공감각적 심상(청각의 시각화), 엄마의 힘들고 고단한 삶을 의성어로 표현함. 문제 3, 5-④
안 들리네, 어둡고 무서워
        화자는 무서움을 느끼고 있음. 문제 2-①
금 간 창틈으로 고요히 빗소리
     화자의 무섭고 외로운 심리를 고조함. 문제 5-⑤
빈방에 혼자 엎드려 훌쩍거리던

아주 먼 옛날
    화자가 어른이 된 '나'임을 알 수 있음. 문제 1-⑤
지금도 내 눈시울을 뜨겁게 하는

그 시절, 내 유년의 윗목
은유법을 사용하여 외롭고 힘들었던 화자의 유년 시절을 표현함. 문제 2-⑤, 4

1연 (과거)		2연 (현재)
빈방에서 밤늦게까지 돌아오지 않는 엄마를 홀로 기다림.	→	어린 시절을 회상하며 안타까움과 서글픔을 느낌.

1 이 시에서 자연물을 의인화한 부분은 찾을 수 없다.

오답 풀이 • ① '안 오시네', '안 들리네'와 같이 유사한 문장 구조의 반복을 통해 운율을 형성하고 있다. ③ '찬밥처럼 방에 담겨', '어둡고 무서워', '금 간 창틈으로 고요히 빗소리' 등의 시구를 통해 어둡고 차가운 빈방에서 홀로 엄마를 기다리는 어린 화자의 모습을 묘사하여 어둡고 무거운 분위기를 자아내고 있다. ④ '찬밥처럼', '내 유년의 윗목' 등 비유적인 표현을 통해 화자의 정서를 생생하게 표현하고 있다. ⑤ 2연에서 어른이 된 화자가 어린 시절의 서글픈 경험을 떠올리고 있다.

2 1연에서 '배춧잎 같은 발소리'는 화자가 기다리는 엄마의 발소리를 나타낸 것이다. 화자가 집 앞을 걷고 있는 모습은 이 시에서 찾을 수 없다.

3 ㉠에서는 해가 진 모습을 시각적 심상으로 나타내고 있고, ㉡에서는 아무도 돌봐 주지 않는 화자의 처량한 모습을 촉각적 심상(찬밥)으로 나타내고 있으며, ㉢에서는 청각적 심상(발소리)을 시각적 심상(배춧잎)으로 전이시켜 공감각적 심상으로 나타내고 있다.

4 '내 유년의 윗목'은 외롭고 힘들었던 유년 시절을 상대적으로 차가운 공간인 '윗목'에 빗대어 표현한 시구로, 어른이 된 화자에게 유년 시절은 차갑고 시린 느낌을 주는 시간들로 기억되고 있음을 드러낸다.

5 '빗소리'는 빈방에서 홀로 엄마를 기다리는 화자의 무섭고 외로운 정서를 심화한다. 여기에 '빗소리'를 꾸며 주는 말로 '고요히'라는 시어를 선택함으로써 화자가 느끼는 무서움과 외로움을 더욱 효과적으로 부각하고 있다.

05 고향

본문 36~39쪽

1 ③　　　**2** ①　　　**3** ⑤　　　**4** 아무개 씨　　　**3** ④

어휘 다지기 **1** (1) 돋다 (2) 묵묵하다　　**2** (1) 매개체 (2) 직유법
　　　　　　　　3 (1) 관포지교 (2) 죽마고우 (3) 막역지우

공간적 배경이 제시됨. - 화자가 고향을 떠나 현재 지내고 있는 곳으로, 화자의 외로움을 유발함. 문제 1-②, 5-③, ④

나는 북관(北關)에 혼자 앓아누워서
시적 화자가 시의 표면에 드러남. 문제 1-①　　화자의 정서: 외로움 문제 3
어느 아침 의원을 뵈이었다
시간적 배경이 제시됨. 문제 1-②
의원은 여래(如來) 같은 상을 하고 관공(關公)의 수염을 드리워서
　　　　　　　의원의 인상을 비유적으로 표현함. 문제 1-④
먼 옛적 어느 나라 신선 같은데

새끼손톱 길게 돋은 손을 내어

묵묵하니 한참 맥을 짚더니
　　　맥박
문득 물어 고향이 어데냐 한다

평안도 정주라는 곳이라 한즉
　　　화자의 고향
그러면 아무개 씨 고향이란다
화자와 의원을 이어 주는 매개체 - 반가움, 친근감 문제 4
그러면 아무개 씰 아느냐 한즉　　　　화자와 의원의 대화를 간접 인용함. 문제 1-⑤
　　　화자의 정서: 반가움 문제 3
의원은 빙긋이 웃음을 띠고

막역지간(莫逆之間)이라며 수염을 쓴다

나는 아버로 섬기는 이라 한즉

의원은 또다시 넌즈시 웃고

말없이 팔을 잡어 맥을 보는데

손길은 따스하고 부드러워
화자가 고향을 떠올리게 하는 매개체 문제 5-⑤
고향도 아버지도 아버지의 친구도 다 있었다
　　　화자의 정서: 그리움 문제 3

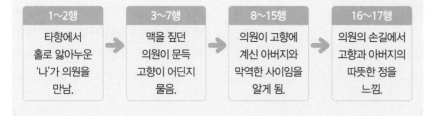

1~2행	3~7행	8~15행	16~17행
타향에서 홀로 앓아누운 '나'가 의원을 만남.	맥을 짚던 의원이 문득 고향이 어딘지 물음.	의원이 고향에 계신 아버지와 막역한 사이임을 알게 됨.	의원의 손길에서 고향과 아버지의 따뜻한 정을 느낌.

---

1 이 시는 화자가 의원에게 진료를 받게 된 '어느 아침'의 상황을 시간 순서에 따라 전개하고 있다. 이 시의 공간적 배경은 '북관'의 의원이 있는 곳으로 공간의 이동은 나타나지 않는다.

오답 풀이 ② 이 시의 공간적 배경은 '북관', 시간적 배경은 '어느 아침'으로 제시되어 있다. ④ '의원은 여래 같은 ~ 신선 같은데'에서 의원의 모습을 비유적으로 표현하면서 화자가 의원에게서 받은 느낌을 표현하고 있다. ⑤ 이 시의 7행부터 13행까지에서 화자와 의원의 대화를 인용하고 있다.

2 화자는 현재 고향(정주)을 떠나 타향(북관)에서 혼자 앓아누워 있는 상황에서 고향에 있는 아버지와 친분이 있는 의원을 만난 후 그에게서 고향의 따뜻함을 느끼고 있다. 이처럼 화자는 의원에게서 자신의 처지를 위로받고 있다.

3 화자는 타향인 북관에서 홀로 앓아누워 있으면서 외로움을 느꼈다. 그러다 진료를 받기 위해 만난 의원이 아버지의 친구임을 알고는 반가움을 느끼고, 의원의 손길에서 친근감과 고향에 대한 그리움을 느끼고 있다.

4 화자의 고향이 '평안도 정주'라는 말에 의원이 '아무개 씨 고향'이라고 언급하며 '아무개 씨'와 막역지간이라고 하자, 화자는 '아무개 씨'가 자신의 아버지라고 하며 반가움을 드러내고 있다. 즉 '아무개 씨'는 화자와 의원 사이를 이어 주는 매개체이다.

5 이 시의 '북관'은 현재 화자가 고향을 떠나 지내고 있는 공간이자 외로움을 느끼는 공간이므로, 〈보기〉의 '북쪽'처럼 화자가 그리워하는 공간과는 거리가 멀다.

오답 풀이 ① 이 시에는 고향의 모습을 묘사한 부분이 나타나지 않지만, 〈보기〉에서는 고향의 모습이 '연달린 산과 산 사이' '작은 마을'로 나타나 있다. ② 이 시와 〈보기〉의 화자 모두 고향과 고향에 있는 가족에 대한 그리움을 드러내고 있다. ③ 이 시의 화자의 고향은 '평안도 정주'인데 화자는 현재 타향인 '북관'에 있고, 〈보기〉의 화자도 고향이 아닌 곳에서 '북쪽'의 고향을 그리워하고 있다. ⑤ 이 시의 화자는 의원의 '손길'을 통해 '고향'과 '아버지'를 떠올리고 있고, 〈보기〉에서는 '눈'을 통해 고향의 풍경을 떠올리고 있다.

06 귀뚜라미

본문 40~43쪽

| 1 ② | 2 ③ | 3 ⑤ | 4 ① | 5 A: 청각적 B: 시각적 C: 공감각적 |

어휘 다지기 1 (1) ④ (2) ② (3) ③ (4) ① 2 (1) ② (2) ③ (3) ① 3 (1) 감정 (2) 감상 (3) 감동

높은 가지를 흔드는 ㉠매미 소리에 묻혀

내 울음 아직은 노래 아니다.
의인법을 사용하여 화자를 귀뚜라미로 설정함. 화자가 시의 표면에 드러남. 문제 1-⑤, 2
── 현재 매미와 귀뚜라미가 있는 공간을 대조함. 문제 1-④, 3-⑤

ⓐ차가운 바닥 위에 토하는 울음,

ⓑ풀잎 없고 이슬 한 방울 내리지 않는
↓ 화자는 풀잎과 이슬(생명력을 상징하는 긍정적 의미의 시어)이 없는 힘들고 열악한 상황에 놓여 있음. 문제 2, 4-②

지하도 콘크리트 벽 좁은 틈에서

숨 막힐 듯, ⓒ그러나 나 여기 살아있다
고통스러운 현실을 참고 이겨내겠다는 의지가 드러남. 문제 4-③

귀뚜르르 뚜르르 보내는 타전 소리가
음성 상징어를 통한 운율 형성 문제 1-①

누구의 마음 하나 울릴 수 있을까.
의문형 종결 어미를 사용하여 다른 사람에게 감동을 주고 싶다는 소망을 드러냄. 문제 1-③

지금은 ⓓ매미 떼가 하늘을 찌르는 시절
현재 계절은 여름으로, 매미 소리에 귀뚜라미의 울음이 들리지 않는 시간임. ─ 화자가 참고 견뎌야 하는 시간임. 문제 2, 4-④

그 소리 걷히고 맑은 가을이

어린 풀숲 위에 내려와 뒤척이기도 하고

계단을 타고 이 땅 밑까지 내려오는 날

발길에 눌려 우는 내 울음도

ⓔ누군가의 가슴에 실려 가는 노래일 수 있을까.
공감각적 심상(청각의 시각화)이 드러남. 누군가에게 감동을 줄 수 있는 삶을
지향하는 화자의 마음이 드러남. 문제 4-⑤, 5

1연	**2연**	**3연**
매미 소리에 묻힌 귀뚜라미 소리	어려운 상황에서도 소망을 잃지 않는 귀뚜라미	누군가에게 감동을 주는 노래를 하고 싶은 귀뚜라미의 소망

1 반어적 표현은 의미를 강조하기 위해 속마음과 반대로 표현하는 방법을 일컫는다. 이 시에서 반어적 표현이 사용된 부분은 찾을 수 없다.

오답 풀이 ▶ ① '귀뚜르르 뚜르르'와 같은 음성 상징어를 통해서 운율을 형성하고 있다. ③ 2연과 3연의 마지막 행에서 의문형 표현을 사용하여 화자의 소망을 드러내고 있다. ④ '매미'와 '귀뚜라미'를 대비하여 시상을 전개하고 있다. ⑤ 화자인 귀뚜라미에 인격을 부여하여 사람처럼 표현하는 의인법이 사용되어 있다.

2 **가영**: 화자는 현재 '차가운 바닥', '지하도 콘크리트 벽 좁은 틈'에서 겨우 울음을 토하고 있으며, 이 울음소리는 매미 소리에 묻히고 있으므로 화자는 힘들고 열악한 상황에 처해 있음을 알 수 있다.
준호: 이 시의 화자는 귀뚜라미이며 시의 표면에 드러나 있다.

오답 풀이 ▶ **민철**: 이 시의 계절적 배경은 매미 소리가 하늘을 찌르는 여름이다.
선주: 이 시의 시적 화자는 자신의 처지에 대해 '풀잎 없고 이슬 한 방울 내리지 않는 / 지하도 콘크리트 벽 좁은 틈'이라 표현하며 부정적으로 인식하고 있다.

3 현재 ㉠(매미)은 높은 가지를 흔들며 소리를 내고 있으며, 화자는 지하도 콘크리트 벽 좁은 틈에서 울음 소리를 내고 있다.

오답 풀이 ▶ ② 현재 화자는 고달픈 상황에 처해 있으나 ㉠은 가지 위에서 크게 소리 내고 있으므로 고달픈 상황에 있다고 볼 수 없다. ④ 화자가 현재 사람들에게 인정받는 존재는 아니지만, 그렇다고 꺼려지는 존재라 볼 수도 없다.

4 ⓐ는 화자가 고달픈 현실에 처해 겨우 울음소리를 내고 있다는 의미이다. 화자는 매미 떼의 소리가 걷히고 가을이 오기를 기다리며 고달픈 시간을 견디고 있으므로, 자신의 처지에 분노를 드러내고 있다는 것은 적절하지 않다.

오답 풀이 ▶ ② ⓑ는 화자가 현재 처해 있는 '지하도 콘크리트 벽 좁은 틈'의 상황으로, 화자가 '풀잎'도 '이슬'도 없는 열악한 상황에 있음을 드러내고 있다. ③ 화자는 '숨 막힐 듯'한 상황에서 '그러나 나 여기 살아있다'라고 하며 고통스러운 현실을 참고 이겨 내겠다는 의지를 드러내고 있다. ④ ⓓ는 화자의 울음소리가 매미소리에 묻히는 현재의 상황으로 화자가 참고 견디는 시간이다. ⑤ 화자는 자신의 울음이 '누군가의 가슴에 실려 가는 노래'가 되기를, 즉 누군가에게 감동을 줄 수 있기를 소망하고 있다.

5 이 시에서는 '매미 소리'와 '울음'을 통해 청각적 심상이 주로 드러나는 한편, '누군가의 가슴에 실려 가는 노래'에서는 청각적 심상을 '실려 가는'의 시각적 심상으로 전이시킨 공감각적 심상이 나타나 있다.

07 오우가

본문 44~47쪽

1 ② **2** ⑤ **3** ③ **4** ④ **5** 자연 친화

어휘 다지기 **1** (1) ③ (2) ② (3) ① **2** (1) ④ (2) ② (3) ① (4) ③
3 (1) 유유자적 (2) 안빈낙도 (3) 물아일체

⟨가⟩

내 벗이 몇이나 하니 ㉠수석(水石)과 송죽(松竹)이라.
　　　　　　　　　　　　　화자가 벗으로 여기는 대상 문제 3-①
동산(東山)에 달 오르니 그 더욱 반갑구나.
두어라 이 ㉡다섯밖에 또 더하여 무엇하리.　　　　　　(제1수)
수석, 송죽, 달: 화자가 가까이 두고 친밀하게 대하는 대상으로,
　화자의 자연 친화적 태도가 드러남. 문제 3-②, 5

⟨나⟩

꽃은 무슨 일로 피면서 쉬이 지고
㉢풀은 어이하여 푸르는 듯 누르나니
　　　　　　　　　　　대구의 방법을 활용해 운율을 형성함. 문제 2-⑤
쉽게 변하는 '풀': 변치 않는 '바위'와 대조됨. 문제 3-③
아마도 변치 않는 건 ㉣바위뿐인가 하노라.　　　　　　(제3수)
　　　변치 않는 꿋꿋함을 지닌다는 점에서 화자가 예찬하는 대상임. 문제 3-④

⟨다⟩

더우면 꽃 피고 추우면 잎 지거늘
　　　대구의 방법을 활용해 운율을 형성함. 문제 2-⑤
㉤솔아 너는 어찌 눈서리를 모르느냐.
　　　의인화되어 화자가 바람직하게 여기는 인간상으로 형상화됨. 문제 3-⑤
구천(九泉)에 뿌리 곧은 줄을 그로 하여 아노라.　　　(제4수)
땅속 깊은 밑바닥.

제1수	제3수	제4수
화자가 가까이 여기는 다섯 가지 자연물을 소개함.	꽃이나 풀과는 대조되는 바위의 변치 않는 성질을 예찬함.	다른 나무와는 대조되는 솔의 지조와 절개를 예찬함.

1 이 시에서 기승전결의 시상 전개 방식이 사용된 부분은 찾을 수 없다.

2 (나)에서는 '꽃은 무슨 일로 ~ 푸르는 듯 누르나니', (다)에서는 '더우면 꽃 피고 추우면 잎 지거늘'에 대구법이 쓰여 운율을 형성하고 있다.
　오답 풀이 ▶ ④ (가)에서는 '두어라 이 다섯밖에 또 더하여 무엇하리'와 같이 설의적 표현을 사용하여 다섯 자연물이 덕성을 지닌 진정한 벗이라는 시의 주제를 강조하고 있으나, (나)에서 설의적 표현이 사용된 부분은 찾을 수 없다.

3 ㉢은 푸르러지면 곧 누렇게 변하는 등 상황에 따라 쉽게 변하는 대상으로, 화자가 동경하는 대상인 '바위'와 대조되는 대상이다. 따라서 화자가 ㉢의 속성에서 본받고자 하는 삶의 태도를 찾아내고 있다고 보기 어렵다.
　오답 풀이 ▶ ①, ② 제1수에서 화자는 '수석', '송죽', '달'을 벗으로 삼고 있다. 따라서 ㉠과 ㉡은 화자가 가까이 두고 친밀하게 여기는 대상임을 알 수 있다. ④ 제3수에서 화자는 변치 않는 성질을 지닌 ㉣을 상황에 따라 쉽게 변하는 ㉢과 대조하여 나타내고 있다. 이를 통해 화자가 ㉣을 긍정적으로 바라보고 ㉣을 예찬하고 있음을 알 수 있다. ⑤ ㉤은 '꽃', '풀'과는 다르게 '눈서리를 모르'는(시련과 고통을 꿋꿋하게 견디는) 성질을 지니고 있다. 이로 보아 화자는 ㉤을 의인화하여 이상적인 인간상으로 표현하고 있음을 알 수 있다.

4 '솔'이 눈서리를 모른다는 (다)의 내용으로 보아 '솔'은 눈서리를 피해 겨울을 견디는 존재가 아니라, 뿌리를 곧게 내리고 '눈서리'와 같은 고난과 시련을 굳게 견디는 존재임을 알 수 있다.

5 이 시에서는 화자가 자연을 가까이 두고 자연과 친밀하게 지내려는 자연 친화적 태도가 두드러진다. 자연 친화적 태도는 〈청산별곡〉, 〈어부사시사〉 등 많은 한국 문학 작품에서 엿볼 수 있는 특별한 성질이다.

08 (가) 까마귀 싸우는 골에~
(나) 까마귀 검다 하고 ~

본문 48~51쪽

1 ④	2 ⑤	3 ⓐ 이성계 (일파) ⓑ 정몽주	4 ④

어휘 다지기 1 (1) ② (2) ④ (3) ③ (4) ① 　2 (1) 비유 (2) 상징 　3 (1) 표리부동 (2) 근묵자흑

(가)

　　　　　　　화자는 백로에게 까마귀를 경계하라고 당부하고 있음. 문제 3
㉠까마귀 싸우는 골에 백로야 가지 마라.
　까마귀는 싸우고 있음. → 호전적 이미지 문제 2-①
㉡성난 까마귀 흰빛을 시샘할세라.
　시적 대상을 의인화함. 시각적 심상을 사용해 시적 대상의 색채를 부각함. 까마귀를 부정적 존재로 형상화함. 문제 1-④, 2-②, 3
㉢청강(淸江)에 기껏 씻은 몸을 더럽힐까 하노라.
　백로의 깨끗한 이미지를 부각하여 백로를 긍정적인 존재로 형상화함. 문제 2-③, 3
　　　　　　　　　　　　　▶ 간신배들에 대한 경계와 올바른 처신 권고

(나)

까마귀 검다 하고 백로야 웃지 마라.
　시적 대상을 의인화함. 문제 1-④
㉣겉이 검은들 속조차 검을쏘냐.
　까마귀의 속까지 검지 않다고 말하며 까마귀에게 긍정적 의미를 부여함. 문제 2-④, 4-④
㉤겉 희고 속 검은 것은 너뿐인가 하노라.
　　　　　　　　　　　　　▶ 겉과 속이 다름(표리부동)에 대한 경계

(가) 까마귀 싸우는 골에~

초장		중장		종장
백로에게 까마귀 무리에 가까이 가지 말 것을 권고함.	→	까마귀가 백로의 청렴함을 시기할 수 있음을 경계함.	→	백로의 깨끗함과 청렴함이 더럽혀질 것을 경계함.

(나) 까마귀 검다 하고 ~

초장		중장		종장
까마귀를 탓하는 백로에게 따져 물음.	→	겉은 검지만 속은 검지 않은 까마귀	→	겉은 희지만 속은 검은 백로

---

1 (가)와 (나)는 모두 까마귀와 백로를 의인화하여 상징적 의미를 부여함과 동시에 두 시적 대상을 대조하여 주제를 효과적으로 드러내고 있다.

2 (나)에서 하얀 몸을 가진 백로가 부정적 이미지로 묘사되고 있다고 하여 ㉤에서 흰색이 부정적 이미지로, 검은색이 긍정적 이미지로 활용되고 있는 것은 아니다. (가)와 마찬가지로 ㉤에서 흰색은 긍정적 이미지, 검은색은 부정적 이미지로 활용되고 있다.

3 (가)의 화자는 백로에게 '까마귀 싸우는 골'에 가지 말라고 권고하면서 '성난 까마귀'가 백로의 흰빛을 시샘하고, '청강에 기껏 씻은 몸'을 더럽히는 것을 경계하고 있다. 〈보기〉를 참고할 때 까마귀는 정몽주를 자기편으로 끌어들이려고 하는 이성계 일파를, 까마귀와 대비되는 흰빛을 가지고 있으면서 화자가 걱정스러워하고 있는 대상인 백로는 정몽주를 상징한다고 볼 수 있다.

4 (나)와 〈보기〉에서 화자는 '까마귀'에 새로운 의미를 부여하는 상징의 방법을 사용했다. (나)에서는 까마귀의 겉은 검지만 속은 그렇지 않다고 말하며 까마귀에 긍정적 의미를 부여하고 있다. 〈보기〉에서는 본래 부정적인 속성을 지닌 까마귀가 긍정적인 것처럼 보이는 상황을 제시하여, 간사한 신하를 상징적으로 표현하고 있다.

오답 풀이 ① (나)와 〈보기〉의 까마귀가 화자 자신을 의미하는지는 알 수 없다. ② (나)와 〈보기〉의 화자가 까마귀를 통해 깨달음을 얻고 있다고 보기 어렵다. 오히려 자신이 생각하고 깨달은 바를 까마귀라는 자연물을 이용해 상징적으로 드러내고 있다. ③ 〈보기〉의 화자는 까마귀를 부정적으로 바라보고 있지만, (나)의 화자는 까마귀를 부정적으로 바라보고 있지 않다. ⑤ (나)의 화자는 까마귀의 내면을 긍정적으로 바라보고 있지만, 〈보기〉의 화자는 까마귀의 내면을 부정적으로 바라보고 있다.

01 서술자와 시점

본문 56~57쪽

바로 확인 ❶

1 ②

공선옥, 〈일가〉

• **해제** 이 소설은 '나'의 친척인 '아저씨'가 중국에서 '나'의 집을 찾아와 벌어지는 사건을 담고 있다. '나'의 가족은 아저씨를 부담스러워하고, 아저씨 때문에 가족 구성원끼리 갈등을 겪는 등 한 가족임에도 불구하고 일가답지 않은 모습을 보인다. 아저씨가 집을 떠나면서 갈등이 해결되고 '나'의 가족은 아저씨에게 조금이나마 동화된 것을 느낀다. '나'는 아저씨의 외로움을 떠올리며 눈물을 흘리는데, 이는 '나'가 다른 사람의 외로움에 공감할 정도로 성숙했음을 의미한다.

• **주제** 일가친척의 의미가 점점 사라져 가는 현대 사회에 대한 비판

1 이 글은 1인칭 주인공 시점으로, 이야기 속의 주인공이며 서술자인 '나'가 자신의 심리를 직접 드러내고 있다.

오답 풀이 ▸ ① 3인칭 시점에 대한 설명이다.
③ 3인칭 관찰자 시점에 대한 설명이다.

02 인물

바로 확인 ❶, ❷

본문 58~60쪽

1 ① 2 ④

오승희, 〈할머니를 따라간 메주〉

• **해제** 이 소설은 '나(은지)'의 집에서 할머니와 함께 살게 되면서 일어나는 '나'의 엄마와 할머니의 갈등을 그리고 있다. 할머니는 아파트에서 메주를 쑤는 등 시골에서의 생활을 이어가고 싶어 하지만 '나'의 엄마는 그것을 못마땅하게 여기고 급기야 할머니와 다투고 만다. 봄이 오자, 할머니는 도시 생활이 답답하다며 메주와 함께 시골로 돌아간다. '나'의 가족들은 할머니 집으로 찾아가 할머니의 메주로 만든 된장찌개로 맛있게 식사를 한다.

• **주제** 가치관의 차이로 인한 세대간의 갈등과 그 해결

김유정, 〈봄·봄〉

• **해제** 이 소설은 봄이 온 농촌 마을을 배경으로 하여 순박한 총각인 '나'와 탐욕스러운 장인 사이에 벌어지는 갈등을 해학적으로 그리고 있다. '나'와 장인은 점순이와의 성례를 둘러싸고 갈등하는데, '나'를 데릴사위 삼아 계속 부려 먹고 싶은 장인은 갖은 핑계를 대며 '나'와 점순이의 성례를 미룬다. 이에 발끈하여 '나'는 장인과 몸싸움을 벌이게 되고 '나'는 흠씬 두들겨 맞지만 가을에 성례를 시켜 주겠다며 '나'를 다독이는 장인의 말에 감격하여 다

시 일을 하러 나간다. 이처럼 '나'와 장인의 갈등 양상, 우스울 정도로 순진하고 순박한 '나'의 성격은 작품의 해학성을 극대화한다.

• **주제** 점순이와의 성례를 둘러싸고 벌어지는 '나'와 장인 사이의 갈등

1 이 글의 주동 인물은 갈등을 일으키며 이야기를 주도하는 할머니와 엄마이다. '나'는 작품의 관찰자로서 주동 인물이라고 보기 어려우며, 엄마가 '나'와 맞서 갈등을 일으키고 있지도 않다.

2 이 글의 서술자인 '나'는 ㉠과 '나'를 둘러싼 상황과 ㉠의 행동을 설명하여, ㉠의 이기적이고 탐욕적인 성격을 간접적으로 제시하고 있다.

03 사건과 갈등

바로 확인 ❶

본문 61~62쪽

1 아내, 사회

김유정, 〈만무방〉

• **해제** 이 작품은 성실한 농사꾼인 응오가 벼를 수확하지 않고 자신의 벼를 훔치는 비극적 상황을 그린 소설이다. 응오는 열심히 농사를 지어 수확을 해도 도지, 소작료, 세금으로 남는 것이 없기에 자신의 논에서 스스로 벼를 훔치게 된다. 이러한 상황 설정은 일제 강점기 농촌 사회의 문제점을 드러내며, 독자가 이 소설의 제목인 '만무방(염치없이 막돼먹은 존재)'이 누구인지를 생각해 보도록 만든다.

• **주제** 일제 강점기 농촌 사회의 구조적 모순

1 응오는 아내가 죽을 지경에 이를 정도로 위급한 상황임에도 벼를 털지 않고 있다. 이는 벼를 털어도 자신에게 남는 것이 없는 일제 강점기 농촌 사회의 현실 때문이다. 이로 보아, 응오는 사회와의 갈등을 겪고 있다.

04 배경

바로 확인 ❶

본문 63~64쪽

1 ②

박완서, 〈그 여자네 집〉

• **해제** 이 소설은 일제 강점기 '행촌리'를 배경으로 한 만득이와 곱단이의 사랑 이야기를 담고 있다. 청춘의 꿈과 같았던 만득이와 곱단이의 사랑은 일제의 폭압과 연이은 민족의 분단으로 인해 이루어지지 못한다. 이는 일제 강점기부터 6·25 전쟁 이후의

역사가 개인의 삶을 얼마나 비극적으로 만들고 유린할 수 있는지를 보여 준다. 또한 현재와 과거를 넘나드는 액자식 구성을 통해 개인과 민족의 비극이 오늘날까지도 사라지지 않고 영향을 끼치고 있음을 드러내고 있다.

• **주제** 민족의 비극적 역사 앞에서 고통받은 사람들의 삶

1 이 글의 공간적 배경은 살구꽃, 꽈리꽃, 오랑캐꽃, 자운영이 피는 '행촌리'이다. 행촌리는 아름답고 낭만적인 공간이면서도 만득이와 곱단이의 사랑이 일제의 징병으로 인해 끝맺는 공간이기도 하다. 따라서 이 글의 공간적 배경인 행촌리는 활기찬 분위기를 조성하는 공간이라기보다 애상적 분위기를 자아내는 공간이라고 보는 것이 적절하다.

05 구성

바로 확인 ❶, ❷	본문 65~67쪽

1 회상, 입체적(역순행적)   **2** 비, 암시, 복선

전광용, 〈꺼삐딴 리〉

• **해제** 이 소설은 일제 강점기부터 1960년대까지 한반도의 격동기에 기회주의적 면모로 권력에 빌붙으며 출세에 온 힘을 쏟는 의사 '이인국'을 주인공으로 삼고 있다. 한반도에서 외세의 주도권이 수없이 바뀌던 때, 살아남기 위해 권력에 아첨하며 이기적으로 살아 온 이인국의 삶을 풍자적으로 그려내어 당대 상류층의 삶을 비판하고 있다.

• **주제** 출세 지향적인 삶을 사는 기회주의자에 대한 비판

현진건, 〈운수 좋은 날〉

• **해제** 이 소설은 서울 동소문 안에 사는 인력거꾼 김 첨지의 하루를 통해 1920년대 하층민의 삶을 사실적으로 그려내고 있다. 이 작품은 전체적으로 '반어'에 바탕을 두고 있는데, 작품에 그려진 김 첨지의 하루는 겉으로 보기에 큰돈을 번 '운수 좋은 날'이지만 그 내면을 살펴보면 병든 아내가 죽은 가장 불행한 날이기도 하기 때문이다. '운수 좋은 날'이라는 제목에는 아내가 죽은 '비운의 날'이라는 반어적 표현이 포함된 것이다. 이러한 표현은 일제 강점기 하층민의 비극적인 생활상을 부각한다.

• **주제** 일제 강점기 하층 노동자의 비극적인 생활상

1 '늘 어제 일마냥 생생하기만 하다.'까지는 현재의 상황이며, '1945년 8월 하순.'부터는 이인국 박사가 과거를 회상하는 장면이다. 현재에서 과거로 시간의 흐름이 역전되었으므로 이 글은 입체적 구성을 취하고 있다.

2 비가 내리는 날씨는 음산하고 우울한 분위기를 형성하고 작품의 비극성을 강조한다. 또한 아내의 부탁은 이날 아내에게 비극적인 일이 생길 것임을 암시한다. 마지막 부분에서 아내가 결국 죽은 것으로 보아, 비가 내리는 날씨와 아내

의 부탁은 비극적 결말을 암시하는 장치인 복선이라고 할 수 있다.

06 소재

바로 확인 ❶	본문 68~69쪽

1 ②

성석제, 〈오렌지 맛 오렌지〉

• **해제** 이 소설은 지적인 소양은 부족하면서 고집은 센 '비읍'의 일화를 에피소드 식으로 나열하고 있는 작품이다. '비읍'의 동료인 편집부 사람들은 '비읍'의 행동을 관찰하고 풍자하면서도 '비읍'에 대한 애정 어린 시선을 잃지 않는다. 이러한 관찰자적 시점은 '비읍'을 부정적인 인물로 해석하는 것을 넘어, '비읍'이 우리 주변에서 볼 수 있는 현대인의 모습임을 독자들이 마주볼 수 있게 한다.

• **주제** 지적 소양은 부족하면서 고집은 센 인물의 행동을 보며 느끼는 허위의식과 웃음

1 비읍의 회사 동료가 비읍에게 선물한 것은 값비싼 백 퍼센트 무가당 오렌지 주스인데, 비읍의 부인이 내온 것은 값싼 오렌지 맛 음료였으므로 ㉠은 비읍 부인의 인색한 성격을 드러내는 역할을 한다.

07 고전 소설

바로 확인 ❶	본문 70~71쪽

1 비현실적(전기적), 인과응보(권선징악)

작자 미상, 〈옹고집전〉

• **해제** 이 소설은 설화와 판소리를 바탕으로 만들어진 판소리계 소설이다. 학대사는 많은 재산을 가지고도 욕심 때문에 다른 이를 무시하던 실옹가(진짜 옹씨)를 혼내 주기 위해 허수아비로 실옹가의 분신을 만들어 집으로 보낸다. 허옹가(가짜 옹씨)에게 망신을 당하고 집에서 쫓겨난 실옹가는 주변 사람들에게 소외를 당하고 고생을 한 뒤 결국 자신의 잘못을 뉘우치고 집으로 돌아온다. 이러한 구조를 통해 인과응보라는 고전 소설의 핵심 가치를 강조하고 있다.

• **주제** 욕심 많은 재력가에 대한 비판 의식

1 도술을 활용해 옹고집과 똑같은 모습의 인물을 만들어 내는 것은 비현실적(전기적) 요소이다. 또한 학대사가 악행을 일삼던 옹고집을 혼내 준다는 점에서 이 작품은 '인과응보'를 주제로 하고 있다.

01 하늘은 맑건만

본문 72~73쪽

1 ⑤　　**2** ②　　**3** ④　　**4** ②

앞부분의 줄거리　문기는 숨겨둔 공과 쌍안경이 없어진 것을 발견하고 숙모나 삼촌에게 자신의 잘못이 발각되었을까 봐 불안해한다. 며칠 전 문기는 숙모의 심부름으로 고깃간에 갔다가 고깃간 주인의 실수로 원래 받아야 하는 것보다 더 많은 거스름돈을 받았다. 문기는 친구인 수만의 꼬드김에 넘어가 거스름돈으로 공과 쌍안경을 사고 군것질을 한다. 방에서 공과 쌍안경을 본 삼촌에게 문기는 수만이 준 것이라고 거짓말하고, 삼촌은 문기에게 나쁜 마음을 먹지 말라고 충고한다.
└─수만이는 거스름돈을 쓰도록 문기를 꼬드김. [문제 3]

　ㄱ문기는 아랫방에 내려와 혼자 되자 삼촌 앞에서보다 갑절 얼굴이 달아올랐다.
└문기는 부끄러움과 죄책감을 느끼고 있음. [문제 2-①]
ⓐ지금까지 될 수 있는 대로 생각지 않으려고 힘을 써 오던 그편에 정면으로 제 몸을 세워 놓고 보지 않을 수 없었다. 그러자「자기라는 몸은 벌써 삼촌의 이른바 나쁜
「」: 문기는 삼촌의 충고를 듣고 자신의 잘못을 합리화하던 생각에서 벗어나 죄책감을 느끼며 반성함. [문제 2-②]
데 빠지고 만 것이었다. 그야 ㄴ자기는 수만이가 시켜서 한 일이니까 잘못이 없다는 것이지만 당초에 그것은 제 허물을 남에게 밀려는 얄미운 구실이 아니고 뭐냐.」
잘못 저지른 실수
그리고 문기는 이미 삼촌을 속였다. 또 써서는 아니 될 돈을 쓰고 말았다. 아아, 일찍이 어머니를 여의고, ㄷ아버지란 사람은 일상 천냥만냥 하고 허한 소리만 하면
문기의 아버지는 노름에 빠져 거처 없이 돌아다니는 처지임. → 문기를 돌아 줄 수 없음. [문제 2-③]
서 남루한 주제에 거처가 없이 시골, 서울로 돌아다니는 사람이고, 어려서부터 문기를 길러 낸 사람이 삼촌이었다. 그리고 조카의 장래를 자기의 그것보다 더 중히
삼촌은 책임감이 강함. [문제 3]
알고 염려하며 잘되어 주기를 바라는 삼촌이었다. 그 삼촌의 기대에 어그러지지 않는 인물이 되어 보이겠다고 엊그제도 주먹을 쥐고 결심하던 문기가 아니냐. 생각할수록 낯이 뜨거워지는 일이다.
문기는 자기 자신에게 부끄러움을 느끼고 있음. [문제 3]
　마침내 문기는 공과 쌍안경을 집어 들고 문밖으로 나갔다. 어둑어둑 저물어가는 행길이다. 문기는 골목으로 들어섰다. 대낮에 많은 사람 가운데에서 거리낌 없이 가지고 놀던 그 공이 지금은 사람이 드문 골목 안에서도 남이 볼까 두려워졌다. 「ㄹ컴컴해질수록 더 허옇게 드러나 보이는 커다란 공을 처치하기에 곤란해 문기는
「」: 죄책감 때문에 공과 쌍안경이 더 두드러져 보임. [문제 2-④]
옆으로 꼈다 뒤로 돌렸다 하며 사람의 눈을 피한다. 쌍안경이 든 불룩한 주머니가 또 성화다.」골목 하나를 돌아서 나올 즈음, 문기는 모르고 흘리는 것인 양 슬며시 쌍안경을 꺼내 길바닥에 떨어뜨렸다. 그리고 걸음을 빨리 건너편 골목으로 들어간다.
　개천가 앞에 이르렀다. 거기서 문기는 커다란 공을 바지 앞에 품고 앉아서 길 가는 사람이 없기를 기다린다. 자전거가 가고 노인이 오고 동이 뜬 그 중간을 타서 문기는 허옇게 흐르는 물 위로 공을 던져 버렸다. 이어 양복 안주머니에 간직해 두었던 나머지 돈을 꺼내 들었다. 그것도 마저 던져 버리려다가 문득 들었던 손을 멈춘다. 그리고 잠시 ㅁ둥실둥실 물을 따라 떠나가는 공을 통쾌한 듯 바라보다가는 돌
문기의 내적 갈등이 일시적으로 해소됨. [문제 2-⑤]
아서 걸음을 옮긴다.
　문기는 삼거리 고깃간을 향해 갔다. 그리고 골목으로 돌아가 나머지 돈을 종이에 싸서 담 너머로 그 집 안마당을 향해 던졌다.
　「그제야 문기는 무거운 짐을 풀어 놓은 듯 어깨가 거뜬했다. 아까 물 위로 둥실둥
「」: 공과 쌍안경을 버리고, 남은 거스름돈을 고깃간 안마당에 던진 뒤 문기의 내적 갈등이 일시적으로 해소됨.
실 떠나가던 그 공, 지금은 벌써 십 리고 이십 리고 멀리 떠났을 듯싶은 그 공과 함께 문기는 자기의 허물도 멀리 사라져 깨끗이 벗어난 듯 속이 후련했다.」
▶전개: 문기는 죄책감에 시달리다 잘못 받은 거스름돈으로 산 물건을 버리고 남은 돈을 돌려줌.

1 이 글의 갈래는 '소설'이다. 소설은 시간적·공간적 배경과 등장인물의 수에 제약이 없다. 시간적·공간적 배경과 등장인물의 수에 제약이 있는 글의 갈래는 희곡이다.

2 문기는 수남이의 꼬드김에 넘어가 잘못 받은 거스름돈을 썼을 때는 ㄴ과 같이 수남이에게 책임을 돌리며 자신의 잘못을 합리화하기도 했다. 하지만 ㄱ의 앞뒤 상황을 볼 때 문기는 삼촌의 충고를 듣고 난 뒤에는 죄책감을 느껴 잘못을 깊이 반성하고 있음을 알 수 있다.

3 **가온**: 삼촌의 훈계를 듣고 얼굴이 달아오르거나 낯이 뜨거워지는 것을 보아 문기는 양심이 있는 성격임을 알 수 있다.
다정: 수만은 문기를 꼬드겨 잘못 받은 거스름돈을 쓰게 하였다. 이로 보아 수만은 영악하고 약삭빠른 성격이다.
라준: 삼촌은 문기를 친아들처럼 아끼며 문기의 장래를 위해 훈계를 아끼지 않는다. 이로 보아 삼촌은 책임감이 강하고 엄격한 성격이다.
《오답 풀이》 **나진**: 문기는 자신의 잘못이 수만이가 시켜서 한 일일 뿐이라고 합리화하기도 했지만 자신의 잘못을 수만이에게 모두 뒤집어씌우려고 하지는 않았다. 문기는 삼촌의 훈계에 죄책감을 느끼고 있으므로 뻔뻔하고 대담한 성격과는 거리가 멀다.

4 ⓐ는 잘못을 저지른 문기가 지금까지 될 수 있는 대로 생각지 않으려고 힘을 써 오던 것이고, ⓐ에 정면으로 자기 몸을 세워 놓고 본 결과 자신이 나쁜 짓을 했다는 것을 깨닫게 되었으므로 ⓐ는 '양심을 지키며 살아가는 관점'을 의미한다.

01 하늘은 맑건만

5 ③ **6** ④ **7** ③ **8** ④

생략된 부분의 줄거리 문기가 집 근처에 이르렀을 때, 같이 환등 틀을 사러 가기로 약속한 수만이 기다리고 있다. 문기가 고깃간 집 안마당에 돈을 던졌다고 말하며 자신은 더 이상 양심에 어긋난 일은 안 하겠다고 하자, 수만은 믿지 않고 문기를 협박한다.

　문기 집 가까이 이르렀다. 수만이는 문기 앞으로 다가서며 작은 음성으로 조졌다.

　㉠"너, 지금으로 가지고 나오지 않으면 낼은 가만 안 둔다. 도적질했다 하구
<u>돈이 없다는 문기의 말을 믿지 않고 돈을 내놓으라고 협박함. → 수만의 집요하고 영악한 성격이 드러남. 문제6-①, 7-④</u>
똑바루 써 놀 테야."

[A]　문기는 여전히 못 들은 척 걸음만 옮긴다. 자기 집 마당엘 들어섰다. 숙모는 뒤꼍에서 화초 모종을 하는지 여기 심어라, 저기 심어라 하고 아랫집 심부름을 하는 아이와 이야기하는 소리가 날 뿐 집 안엔 아무도 없다.

　『그리고 눈앞에 보이는 붙장 안 앞턱에 잔돈 얼마와 지전 몇 장이 놓여 있다. 그
<u>『 』: 수만의 협박에 못 이겨 붙장 안의 숙모의 돈을 훔쳐 수만에게 줌. 문제7-⑤</u>　<u>종이에 인쇄를 하여 만든 화폐.</u>
리고 문밖엔 지금 수만이가 돈을 가지고 나오기를 기다리고 섰다. 여기서 문기는 ㉡두 번째 허물을 범하고 말았다.
<u>문기가 숙모의 돈을 훔쳐 수만에게 준 것을 의미함. 문제6-②</u>
　"진작 듣지."

　하고 빙그레 웃는 수만이 얼굴에다 뺨을 때리듯 돈을 던져 주고 문기는 달아났다.』
　급한 걸음으로 문기는 ㉢네거리 하나를 지났다. 또 하나를 지났다. 또 하나를 지
<u>문기가 죄책감 때문에 숙모네 집에서 멀리 벗어나려 함. 문제6-③</u>
났다. 걸음은 차차 풀이 죽는다. 『그리고 문기는 이런 생각을 하였다.
<u>『 』: 이야기 밖의 서술자가 인물의 생각과 내면 심리를 서술함. 문제5</u>
　㉣'나는 몰래 작은어머니 돈을 축냈다. 그러나 갚으면 고만 아니냐. 그 돈 값어
<u>문기가 죄책감을 덜기 위해 자신의 행동을 합리화함. 문제6-④</u>
치만큼 밥도 덜 먹고 학용품도 아껴 쓰고 옷도 조심해 입고, 이렇게 갚으면 고만 아니냐.'

　몇 번이고 이 소리를 속으로 되뇌며 문기는 떳떳이 얼굴을 들고 집으로 들어갈 수 있을 만한 뱃심을 만들려 한다.』 그러나 일없이 공원으로 거리로 돌며 해를 보낸다.
<u>아무런 까닭이나 실속 없이</u>
　날이 저물어서 문기는 풀이 죽어 집 마루에 걸터앉았다. 숙모가 방에서 나오다 보고,

　"너, 학교에서 인제 오니?" / 그리고 이어,

　"너 혹 붙장 안의 돈 봤니?" / 하다가는 채 문기가 입을 열기 전에 숙모는,

　"학교서 지금 오는 애가 알겠니. 참, 점순이 고년 앙큼헌 년이드라. 낮에 내가 뒤꼍에서 화초 모종을 내고 있는데 집을 간다고 나가더니 글쎄, 돈을 집어 갔구나."
　문기는 잠잠히 듣기만 한다. 그러나 속으로는 갚으면 고만이지 소리를 또 한 번 외어 본다.

　그날 밤이었다. 아랫방 들창 밑에서 ㉤훌쩍훌쩍 우는 어린아이 울음소리가 났다. 아랫집 심부름하는 아이 점순이 음성이었다. 숙모가 직접 그 집에 가서 무슨 말
<u>점순의 울음소리: 문기의 내적 갈등 심화함. 문제6-⑤</u>
을 한 것은 아니로되 자연 그 말이 한 입 건너 두 입 건너 그 집에까지 들어갔고, 그리고 그 집 주인 여자는 점순이를 때려 쫓아낸 것이다. 먼저는 동네 아이들이 모여지껄지껄하더니 차차 하나 가고 둘 가고 훌쩍훌쩍 우는 그 소리만 남는다. ⓐ방 안의 문기는 그 밤을 뜬눈으로 새웠다.
<u>문기는 자신의 잘못 때문에 점순이 피해를 입은 것에 대해 죄책감을 느낌. 문제8-④</u>

　▶위기: 문기는 돈을 내놓으라는 수만의 협박 때문에 숙모의 돈을 훔치고, 이로 인해 점순이 누명을 쓰자 죄책감을 느낌.

---

5 이 글은 3인칭 전지적 시점으로 작품 바깥의 서술자가 주인공 문기의 내면까지 서술하고 사건의 정황을 독자에게 상세하게 설명해 준다.

오답 풀이 ▶ ② 1인칭 주인공 시점에 대한 설명이다. ④ 1인칭 관찰자 시점에 대한 설명이다. ⑤ 3인칭 관찰자 시점에 대한 설명이다.

6 ㉣에는 문기가 숙모의 돈을 훔친 죄책감에서 벗어나기 위해 자신이 돈을 덜 써서 갚으면 된다고 합리화하는 생각이 드러날 뿐 자신의 잘못을 반성하는 태도는 나타나 있지 않다.

7 [A]에는 돈을 고깃간에 돌려주었으며 더 이상 양심에 어긋나는 일은 하지 않겠다고 한 문기(ㄷ)와, 이를 믿지 않고 돈을 내놓지 않으면 도적질했다고 알리겠다고 협박하는 수만(ㄹ) 사이의 외적 갈등(㉠)이 드러나 있다. 즉 문기는 돈을 돌려주어서 수만에게 줄 돈이 없는 상황에 있다. 문기가 수만을 괘씸하게 여기는지는 알 수 없다.

오답 풀이 ▶ ⑤ 수만에게 협박당하던 문기는 붙장 안에 있는 돈을 훔쳐 수만에게 주고, 이에 수만은 "진작 듣지."라며 웃는다. 이를 통해 수만이 문기에게 돈을 내놓으라며 괴롭히는 상황의 갈등은 해소되었다고 볼 수 있다.

> **자료실**
>
> **[A]에서 문기가 수만의 얼굴에다 뺨을 때리듯 돈을 던진 이유는?**
>
> 잘못 받은 거스름돈으로 산 물건과 나머지 돈을 이미 버린 문기에게 수만은 돈을 가져오라고 계속 위협을 했다. 수만의 계속된 협박에 문기는 어쩔 수 없이 숙모의 돈을 훔쳐서 수만에게 주게 되었고 문기는 그러한 수만의 비열함에 뺨을 때리고 싶은 심정으로 돈을 던졌다.

8 문기가 숙모의 돈을 훔친 일 때문에 아랫집 심부름하는 아이인 점순이 도둑 누명을 쓰고 쫓겨났다. 이런 상황에서 문기는 밖에서 들려오는 점순의 울음소리를 듣고 자신의 잘못 때문에 점순이 피해를 입게 된 것에 죄책감을 느끼며 잠을 이루지 못하고 있다.

01 하늘은 맑건만

본문 76~79쪽

9 ③　　　**10** 맑은 하늘　　　**11** ④

어휘 다지기　**1** (1) ④ (2) ③ (3) ① (4) ②　**2** (1) ① (2) ③　**3** (1) 성화 (2) 들창　**4** ①

학교엘 갔다. 첫 시간은 수신 시간, 그리고 공교로이 제목이 '정직'이다. 선생님
은 뒷짐을 지고 교단 위를 왔다 갔다 하며 거짓이라는 것이 얼마나 악한 것이고 정
직이 얼마나 귀하고 중한 것인가를 누누이 말씀한다. 그리고 안경 쓴 선생님의 그
눈이 번쩍하고 문기 얼굴에 머물렀다 가고 가고 한다. / 그럴 때마다 문기는 가슴
이 뜨끔뜨끔해진다. 문기는 자기 한 사람에게만 들리기 위한 정직이요 수신 시간
인 듯싶었다. 그만치 선생님은 제 속을 다 들여다보고 하는 말인 듯싶었다.

운동장에서도 문기는 풀이 없다. 사람 없는 교실 뒤 버드나무 옆 그런 데만 찾아
다니며 고개를 숙이고 깊은 생각에 잠기거나 팔짱을 찌르고 왔다 갔다 하기도 한다.
그러다 누가 등을 치면 소스라쳐 깜짝깜짝 놀란다.

언제나 다름없이 하늘은 맑고 푸르건만 문기는 어쩐지 그 하늘조차 쳐다보기가 두
려워졌다. 자기는 감히 떳떳한 얼굴로 그 하늘을 쳐다볼 만한 사람이 못 된다 싶었다.
언제나 다름없이 여러 아이들은 넓은 운동장에서 마음대로 뛰고 마음대로 지껄
이고 마음대로 즐기건만 문기 한 사람만은 어둠과 같이 컴컴하고 무거운 마음에
잠겨 고개를 들지 못한다. 무엇보다도 문기는 전날처럼 맑은 하늘 아래서 아무 거
리낌 없이 즐길 수 있는 마음이 갖고 싶다. 떳떳이 하늘을 쳐다볼 수 있는, 떳떳이
남을 대할 수 있는 마음이 갖고 싶었다. 〈중략〉 / 어느덧 걸음은 삼거리를 건너고
있었다. 문기 등 뒤에서 아주 멀리 뿡뿡 하고 자동차 소리와 비켜라 하는 사람의 소
리가 나는 듯하더니 갑자기 귀 밑에서 크게 울린다. 언뜻 돌아다보니 바로 눈앞에
자동차 머리가 달려든다. 그리고 문기는 으쓱하고 높은 데서 아래로 떨어지는 듯
싶은 감과 함께 정신을 잃고 말았다.

얼마 동안을 지났는지 모른다. 문기가 어렴풋이 눈을 떴을 때 무섭게 전등불이
밝아 눈이 부셨다. 문기는 다시 눈을 감았다. 두 번째 문기는 눈을 뜨자 희미하게
삼촌의 얼굴이 나타나며 그것이 차차 똑똑해지더니 삼촌은,

"너, 내가 누군 줄 알겠니?" / 하고 웃지도 않고 내려다본다.
문기는 이것도 꿈인가 하고 한번 웃어 주려면서 그대로 맑은 정신이 났다. 문기
는 병원 침대 위에 누워 있었다. 어디 아픈 데는 없으면서도 몸을 움직일 수는 없
다. 삼촌은 근심스러운 얼굴로 내려다본다.

"작은아버지." / 하고 문기는 입을 열었다. 그리고, / "저는 마땅히 받아야 할 벌
을 받은 거예요." / 하고 문기는 눈을 감으며 한 마디 한 마디 그러나 똑똑하게
처음서부터 끝까지 먼저 고깃간 주인이 일 원을 십 원으로 알고 거슬러 준 것, 그
돈을 써 버린 것, 그리고 또 붙장 안의 돈을 자기가 훔쳐낸 것, 이렇게 하나하나 숨
김없이 자백을 하자 이때까지 겹겹으로 몸을 싸고 있던 허물이 한 꺼풀 한 꺼풀 벗
어지면서 따라 마음속의 어둠도 차차 사라지며 맑아 가는 것을, 문기는 확실히 깨
달을 수 있었다. 마음이 맑아지며 따라 몸도 가뜬해진다. / 내일도 해는 뜨고 하늘
은 맑아지리라. 그리고 문기는 그 하늘을 떳떳이 마음껏 쳐다볼 수 있을 것이다.

9 문기가 운동장에서 뛰어노는 아이들과
어울리지 못하고 무거운 마음에 잠겨 있
는 것은 자신이 저지른 잘못에 대한 죄책
감 때문이지 다른 인물들과 갈등을 겪는
모습으로 볼 수 없다.

오답 풀이 ① 문기가 수신 시간에 '정직'에
대한 이야기를 들으며 가슴이 뜨끔해진 것은
정직하지 못한 자신에 대해 죄책감을 느끼는
모습으로, 내적 갈등을 겪고 있음을 보여 준다.
②, ③ 문기가 잘못 받은 거스름돈을 쓴 뒤 그
잘못을 감추기 위해 다른 잘못을 저지르고 죄
책감을 느끼는 모습은 성장 과정에서 겪을 법
한 일로 독자는 이에 공감하고, 교훈을 얻을 수
있다. ⑤ 문기는 죄책감에 시달리다가 결국 삼
촌에게 모든 잘못을 고백하고는 마음속의 어둠
이 사라지는 것을 깨닫는데, 이는 주인공이 양
심을 회복하며 성장하는 모습을 보여 준다.

10 문기는 죄책감을 느끼며 맑고 푸른 하
늘을 쳐다보기 두렵고, 자신은 감히 떳떳
한 얼굴로 그 하늘을 쳐다볼 만한 사람이
못 된다고 생각했다. 이로 보아 죄책감으
로 괴로워하는 문기의 마음과 대조되면
서 문기가 회복하고 싶은 양심과 정직한
마음을 의미하는 소재는 '맑은 하늘'이다.

11 문기는 죄책감에 시달리다가 사고를 당
한 뒤 "저는 마땅히 받아야 할 벌을 받은
거예요."라고 하며 자신의 잘못을 삼촌에
게 고백하였다. 즉 문기는 내적 갈등을
겪다가 사고를 계기로 잘못을 고백하고
있을 뿐 문기가 소심한 성격을 바꾸었다
고는 볼 수 없다.

어휘 다지기　본문 79쪽

4 밤새 잠을 이루지 못하는 상황이므로
잠을 이루지 못하고 밤새 뒤척이는 것
을 뜻하는 ①로 나타낼 수 있다.

오답 풀이 ② 어쩔 도리가 없어 꼼짝 못
함을 뜻한다. ③ 자세히 살피지 않고 대충보
고 지나감을 뜻한다. ④ 사리에 옳고 그름을
돌보지 않고, 자신의 비위에 맞으면 취하고
싫으면 버린다는 뜻이다. ⑤ 하나를 듣고 열
가지를 미루어 안다는 뜻으로 지극히 총명
함을 뜻한다.

02 고무신

1 ②   **2** ③   **3** ⑤   **4** 벌

앞부분의 줄거리   귀환 동포가 모여 사는 가난한 산기슭 마을 아이들의 유일한 즐거움은 날마다 찾아
_{전쟁이나 징용으로 외국에 나갔다가 고국으로 돌아온 사람을 부르는 말.}
오는 엿장수를 기다리는 것이다. 어느 날 철수의 아이들인 영이와 윤이가 식모로 일하는 남이의 옥색
고무신을 엿으로 바꾸어 먹는 사건이 발생한다. 철수네 부부에게 선물 받은 후로 아까워 잘 신지도 않
던 옥색 고무신을 잃은 남이는 이 일로 몹시 속상해한다.
_{남이의 집에 고용되어 주로 부엌일을 맡아 하는 여자.}

엿장수가 엿판을 길목에 내리자 남이는 가시처럼 꼭 찌르는 소리로, / "보소!"

엿장수는 놀란 듯 힐끗 한 번 돌아보고는 담을 싼 아이들을 헤치고 남이에게

로 오는데 남이는 입을 쌜쭉하면서 대뜸, / "내 신 내놓소!"

했다. ┌ 」: 남이가 엿장수에게 자신의 고무신을 돌려 달라고 하고, 엿장수는 황당해하며
        무슨 일인지 물음. → 남이와 엿장수의 외적 갈등 **문제 2**

엿장수는 걸음을 멈추고 한참 동안 남이를

바라보다 말고 은근한 말투로,

"신은 웬 신요?"

[A] 하고는 상대편의 의심을 받을 만큼 히죽이

웃어 보이자, 남이는 눈이 까칠해 가지고,

"잡아떼면 누가 속을 줄 아는가 베!"

그러나 ㉠엿장수는 수양버들 봄바람 맞듯
_{엿장수가 히죽거리는 모습을 '수양버들 봄바람 맞듯'이라고}
연신 히죽거리며, _{비유하여 표현함(직유법). **문제 3**}

"뭘요? 그믐밤에 홍두깨도 분수가 있지."
_{별안간 엉뚱한 말이나 행동을 함을 비유하여 이르는 말.}
남이는 발끈하고, / "신 말이오!" / "신을요?"

"어제 우리 집 아이들을 꾀어 간 옥색 고무신 말이오!" 〈중략〉

엿장수는 손짓으로 어르듯 달래듯,

"가만있소. 도가에 가 보고 신이 있으면야 갖다 주고말고. 만일 신이 없으면 새

신이라도 사다 줄게요. 염려 마소!" _{남이와 엿장수를 연결하는 매개체이자, 남이와 엿장수의}
_{외적 갈등을 해소하는 소재 **문제 4**}
하고는 남이의 발을 눈짐작하는데, 이때 난데없이 굵다란 벌 한 마리가 날아와 남
_{눈짐작. 눈으로 헤아려 보는 짐작.}
이의 얼굴 주위를 잉잉 날아돈다. 남이는 상을 찌푸리고 한 손을 내저어 벌을 쫓고,

목을 돌리고 하는데, 벌은 갑자기 남이 저고리 앞섶에 붙어 가슴패기로 기어오르

고 있다.

이것을 조마조마 보고 있던 엿장수는, / "가, 가만……."

하고는 한걸음에 뛰어들어, "요놈의 벌이."

하고 손바닥으로 벌을 딱 덮어 눌렀다.

옆에서 보기에도 민망스러운 순간이었다.
_{낯을 들고 대하기에 부끄러운 데가 있는.}
남이는 당황하면서도 귀 언저리를 붉히고 한 걸음 뒤로 물러서자 함께, 엿장수

손아귀에는 벌이 쥐어졌다. 쥐인 벌은 고스란히 있을 리가 없다. 한 번 잉 소리를

내고는 그만 손바닥을 쏘아 버렸다. 동시에 엿장수는, / "앗!"

하고, 쥐었던 손을 펴 불며 앙감질을 하는 꼴이 남이는 어떻게나 우스웠던지 그
_{한 발은 들고 한 발로만 뛰는 짓.}
만 손등으로 입을 가리고 킥킥 하고 웃어 버렸다. 엿장수는 반은 울상 반은 웃는 상

남이를 바라보는데, 남이의 송곳니가 무척 예뻐 보였다.

▶ 전개: 고무신 문제로 갈등하던 남이와 엿장수는 벌 한 마리를 계기로 가까워짐.

---

1 이 글은 남이와 엿장수가 갈등하며 서로 가까워지는 모습을 인물의 말과 행동을 중심으로 서술하고 있다.

오답 풀이 ① 남이가 엿장수에게 고무신을 돌려 달라고 하고, 엿장수가 남이의 저고리 앞섶에 앉은 벌을 잡아 주는 사건이 묘사를 통해 제시되고 있다. 여러 사건을 요약적으로 나열하고 있지는 않다. ③ 서술자는 인물의 말과 행동을 전달하고 있을 뿐 성격과 행동을 평가하고 있지는 않다. ④ 상황을 묘사하는 부분에서 현재형 표현을 사용하고 있으나 과거의 일을 현재에 일어나는 일처럼 표현하고 있지는 않다. ⑤ 서술자는 이야기 바깥에 있다.

2 [A]에는 불만스러운 태도로 엿장수에게 고무신을 돌려 달라고 하는 남이와, 이에 황당해하며 무슨 신 이야기냐고 응답하는 엿장수 사이의 외적 갈등이 나타나 있다. 이와 유사한 갈등 양상이 나타난 것은 인물과 인물 사이의 갈등이 나타난 ③이다.

오답 풀이 ①, ⑤ 내적 갈등에 해당한다. ② 인물과 자연의 갈등에 해당한다. ④ 인물과 사회의 갈등에 해당한다.

3 ㉠에는 엿장수가 히죽거리는 모습을 수양버들이 봄바람 맞는 모습에 직접 빗댄 직유법이 사용되었다. 이와 같은 직유법이 사용된 문장은 ⑤로, '처럼'이라는 연결어를 사용하여 불도저를 '성난 맹수'에 직접 비유하고 있다.

오답 풀이 ① 도치법과 역설이 사용되었다. ② 역설이 사용되었다. ③ 설의법이 사용되었다. ④ 열거법이 사용되었다.

4 엿장수가 남이의 저고리 앞섶에 붙은 벌을 대신 잡아 주다가 벌에 쏘이는데, 남이는 벌에 쏘여 아파하는 엿장수의 모습을 보며 웃음을 터뜨리고 엿장수는 그런 남이가 예뻐 보인다. 따라서 '벌'은 '고무신'으로 인한 남이와 엿장수의 외적 갈등을 해소하는 소재이자 둘 사이를 연결하는 매개체에 해당한다.

5 ③　　**6** ③　　**7** ②　　**8** 남이가 자천 골짜기로 꽃놀이를 가는 줄 알았기 때문이다.

어휘 다지기　　**1** (1) 연신 (2) 모퉁이 (3) 도가　　**2** (1) ② (2) ① (3) ③　　**3** 앙감질　　**4** ④

생략된 부분의 줄거리　이튿날부터 깨끗한 옷으로 갈아입은 엿장수가 남이를 보기 위해 동네에 자주 나타나 남이 주변을 맴돈다. 봄기운이 완연한 어느 날 남이의 아버지가 찾아와 남이를 시집보내기 위해 데려가겠다고 한다. 남이는 동네를 떠나기 싫어 울고, 철수는 남이를 타이른다. 남이는 어쩔 수 없이 아버지를 따라가기로 한다.

　<u>철수 아내는 이모저모 남이 옷맵시를 보아주고</u>, "어서 가거라. 너 잔치할 때는
_{철수 아내는 식모인 남이를 마지막까지 세심하게 배려해 줌. 문제5-②}
너 아저씨가 가든지 내가 가든지 꼭 할 테니." / 그러나 남이는 한 마디 인사말도 없이 영이와 윤이를 찾는다. 골목에 나가 있던 영이와 윤이는 남이의 달라진 모양을 보고 눈이 똥그레져서, "아지마, 어데 가노?" / 하고 묻는다.

　남이는 대답도 않고 두 아이를 데리고 건넌방으로 들어가, 영이와 윤이를 세운 채 두 팔로 가둬 안고, / "윤아, 아지마 가면 니 <u>빠빠</u> 누가 줄꼬?" / 하자, 영이가 또, "아지마, 어데 가노?" / 하고 묻는다. 남이는 목멘 낮은 소리로, / "우리 집에 간다."
　그러나 영이는, / "거짓말이다. 이거 너거 집 앙이고 머고?" / 하고 발까지 구르
_{영이와 윤이는 남이를 한 식구로 여기고 있으며, 남이가 떠난다고 하자 슬퍼함. 문제5-③}
며 짜증을 낸다. 갑자기 윤이가 그 넓적한 입을 삐죽거리면서 억실억실한 눈에 눈물을 함빡 가둔다. 남이는 지그시 팔에 힘을 준다. 윤이 눈에서 눈물 한 방울이 떨어져 남이의 자줏빛 옷고름에 얼룩이 진다. 〈중략〉

　남이는 윤이를 업은 채 허리를 굽히고, 몸을 약간 돌려 치맛자락을 걷고 빨간 콩 주머니에서 십 원짜리 두 장을 꺼내 엿장수를 주었다. 엿장수는 그제서야 눈을 돌려 남이와 돈을 번갈아 보다 말고, <u>신문지 조각에 ㉠엿을 네댓 가락 싸서 아무 말</u>
<u>도 없이 돈과 함께 내민다.</u>
_{엿장수에게 마음을 직접 표현하지 못하고 간접적으로 표현하고 있음. 문제5-①, 6-①, 7-⑤}

　남이는 약간 망설이다가 역시 암말도 없이 한 손으로 받아 가지고는 영이를 앞세우고 안으로 들어왔다. 엿장수는 멍하니 대문만 쳐다보고 있다가 침을 한 번 꿀꺽 삼키고 나서 엿판을 둘러메고는 혼잣말로, <u>"꽃놀이를 가면 자천 골짜기지. 그럼</u>
<u>한 걸음 앞서 울음 고개로 질러감 되겠지."</u> 〈중략〉
_{엿장수는 남이가 꽃놀이를 가는 줄 알고 있음. 문제8}
▶절정: 남이와 엿장수의 마지막 만남

　철수 아내는 보퉁이 한 개를 들고 따라 나오면서 남이에게 귀엣말로 뭣을 일러 주고……. 이래서 남이는 떠나간다. 다만 한 가지 철수 내외에게 수수께끼는 마을 중턱에서 남이를 보내고 서서 그의 뒷모양을 바라보는데, 남이가 어이한 <u>㉡옥색</u>
_{엿장수가 남이에게 사 준 것이며, 남이와 엿장수의 애틋한 사랑과 이별을 상징함. 문제6-②, ③}
<u>고무신을</u> 신고 가는 것이다. 더구나 한 번도 신지 않은 새것을…….
_{남이가 신고 가는 옥색 고무신은 엿장수가 사다 준 것으로 추측할 수 있음. 문제6-③}
　철수 내외는 서로 얼굴만 쳐다볼 뿐 도로 물어본달 수도 없고 해서 그만두었다.

　보리밭 사이 조그만 언덕길로 옥색 고무신을 신은 남이는 갔다. 자천 골짜기로 꽃놀이를 가는 줄만 알았던 남이가 난데없는 영감 하나를 따라가고 있는 광경을 엿장수는 <u>㉢울음 고개</u> 위에서 멀거니 바라보고 있는 것을 남이 자신이야 알 리도 없었다.
_{엿장수가 남이를 떠나보내는 이별의 장소임. 문제6-④}
▶결말: 남이는 정든 마을을 떠나고, 엿장수는 그 모습을 울음 고개 위에서 멀거니 바라봄.

5 남이가 자기 집으로 간다는 말에 영이는 여기가 집이 아니고 뭐냐며 짜증을 내고, 윤이는 눈물을 흘리며 슬퍼하고 있다. 따라서 영이와 윤이는 남이를 미워하는 것이 아니라 가족으로 여기며 아끼고 있음을 알 수 있다.

오답 풀이 ① 엿장수는 자신의 마음을 직접 표현하지 않고 남이의 곁을 맴돌거나 호감을 드러내는 행동을 통해 간접적으로만 표현한다. ② 철수 아내는 떠나는 남이를 위해 이것저것 챙겨 주고 있다. ④, ⑤ 생략된 부분의 줄거리에서 남이의 아버지는 독단적으로 남이를 데려가려 하고, 남이는 가기 싫어 울지만 어쩔 수 없이 아버지를 따라가게 되었음을 알 수 있다.

6 철수 내외가 ㉡(옥색 고무신)을 보고 의아해하는 것으로 보아, ㉡은 철수 내외가 사 준 것이 아니다. 앞부분에서 남이가 엿장수에게 옥색 고무신을 내놓으라고 할 때, 엿장수가 고무신이 도가에 없으면 새로 사다 준다고 말했던 것을 고려하면 ㉡은 엿장수가 사다 준 것이라고 추측할 수 있다.

7 생략된 부분의 줄거리에서 남이의 아버지는 갑자기 나타나 남이를 시집보내기 위해 데려가겠다고 하는데, 이에 남이는 동네를 떠나기 싫어 울다가 어쩔 수 없이 아버지를 따라가기로 하고 호감을 가지고 있었던 엿장수와 이별하게 된다. 이를 통해 당시에는 아버지가 독단적으로 자식의 혼사를 결정하는 봉건적이고 가부장적인 분위기가 있었음을 알 수 있다.

8 엿장수는 옷을 차려입은 남이가 엿을 사 가자 남이가 꽃놀이를 가는 줄 알고 "꽃놀이를 가면 자천 골짜기지. 그럼 한 걸음 앞서 울음 고개로 질러감 되겠지."라고 혼잣말을 중얼대며 울음 고개로 향했다.

어휘 다지기
본문 85쪽

4 '그믐밤에 홍두깨'는 '뜻밖의 일이 갑작스럽게 일어난다'는 뜻으로 이와 유사한 속담은 ④ '자다가 봉창 두드린다'이다.

오답 풀이 ① 실속 없는 사람이 겉으로 더 떠들어 댄다는 뜻이다. ② 늘 일이 잘 안되던 사람이 모처럼 좋은 기회를 만났건만, 그 일마저 역시 잘 안 된다는 뜻이다. ③ 값이 같거나 같은 노력을 한다면 품질이 좋은 것을 택한다는 말이다. ⑤ 말을 삼가야 한다는 뜻이다.

03 수난이대

본문 86~87쪽

1 ③　　**2** ④　　**3** ③　　**4** ⑤　　**5** 만도의 왼쪽 팔이 없다.

가 진수가 돌아온다. 진수가 살아서 돌아온다. <u>아무개는 전사했다는 통지가 왔고,</u> <u>아무개는 죽었는지 살았는지 통 소식이 없는데, 우리 진수는 살아서 오늘 돌아오</u> 전쟁 직후의 시대적 상황을 엿볼 수 있음.[문제 1] 는 것이다. 생각할수록 어깻바람이 날 일이다. 그래 그런지 몰라도 박만도는 여느 때 같으면 아무래도 한두 군데 앉아 쉬어야 넘어설 수 있는 용머리재를 단숨에 올라채고 만 것이다. 가슴이 펄럭거리고 허벅지가 뻐근했다.

그러나 그는 고갯마루에서도 쉴 생각을 하지 않았다. 들 건너 멀리 바라보이는 정거장에서 연기가 몰씬몰씬 피어 오르며, 삐익 기적 소리가 들려왔기 때문이다. 아들이 타고 내려올 기차는 점심 때가 가까워서야 도착한다는 것을 모르는 바 아니다. 해가 이제 겨우 산등성이 위로 한 뼘가량 떠올랐으니, 정오가 되려면 아직 차례 먼 것이다. 그러나 그는 공연히 마음이 바빴다. 〈중략〉

▶발단: 만도는 6·25 전쟁에 참전했던 아들 진수가 돌아온다는 소식을 듣고 기차역으로 진수를 마중 나감.

'삼대독자가 죽다니 말이 되나, 살아서 돌아와야 일이 옳고말고, 그런데 <u>병원에</u> 만도는 아들 살아 돌아온다는 사실에 기뻐하면서도 아들이 병원에서 나온다는 소식에 불안해하고 있음.[문제 2] <u>서 나온다 하니 어디를 좀 다치기는 다친 모양이지만, 설마 나같이 이렇게 되진</u> <u>않았겠지.</u>'

[A] 「만도는 왼쪽 조끼 주머니에 꽂힌 소맷자락을 내려다보았다. 그 소맷자락 속에 「」: 만도의 왼쪽 팔이 없음을 간접적으로 보여 줌.[문제 5] 는 아무것도 든 것이 없었다. 그저 소맷자락만이 어깨 밑으로 덜렁 처져 있는 것이다. 그래서 노상 저쪽은 조끼 주머니 속에 꽂혀 있는 것이다.」

'볼기짝이나 장딴지 같은 데를 총알이 약간 스쳐 갔을 따름이겠지. 나처럼 팔뚝 하나가 몽땅 달아날 지경이었다면, 그 엄살스런 놈이 견뎌 냈을 턱이 없고말고.'

나 징용에 끌려 나가는 사람들이었다. 그러니까, 지금으로부터 십삼사 년 옛날의 과거 회상: 입체적(역순행적) 구성 이야기인 것이다. 〈중략〉 바위 틈서리에 구멍을 뚫어서 다이너마이트 장치를 하는 것이었다. 장치가 다 되면 모두 바깥으로 나가고, 한 사람만 남아서 불을 댕기는 것이다. 그리고 그것이 터지기 전에 얼른 밖으로 뛰어나와야 한다.

만도가 불을 댕기는 차례였다. 모두 바깥으로 나가 버린 다음 그는 성냥을 꺼냈다. 그런데 웬 영문인지 기분이 꺼림칙했다. 모기에게 물린 자리가 자꾸 쑥쑥 쑤시 만도에게 비극적인 사건이 발생할 것임을 암시함.[문제 4] 는 것이었다. 긁적긁적 긁어 댔으나 도무지 시원한 맛이 없었다. 그는 이맛살을 찌푸리면서 성냥을 득! 그었다. 그래 그런지 몰라도 불은 이내 픽 하고 꺼져 버렸다. 성냥 알맹이 네 개 째에서 겨우 심지에 불이 댕겨졌다. 심지에 불이 붙는 것을 보자, 그는 얼른 몸을 굴 밖으로 날렸다. 바깥으로 막 나서려는 때였다. 산이 무너지는 듯한 소리와 함께 사나운 바람이 귓전을 후려갈기는 것이었다. 「만도는 정신이 「」: 짧은 문장으로 상황을 묘사하여 긴박함을 드러냄.[문제 3] 아찔했다. 공습이었던 것이다. 산등성이를 넘어 달려든 비행기가 머리 위로 아슬 아슬하게 지나가는 것이었다.」 미처 정신을 차리기도 전에 또 한 대가 뒤따라 날아드는 것이 아닌가. 만도는 그만 넋을 잃고 굴 안으로 도로 달려 들어갔다. 달려 들어 가서 굴 바닥에 아무렇게나 팍 엎드리고 말았다. 그 순간이었다. 쾅! 굴 안이 미어지는 듯하면서 다이너마이트가 터졌다. 만도의 두 눈에서 불이 번쩍했다.

만도가 어렴풋이 눈을 떠 보니, 바로 거기 눈앞에 누구의 것인지 모를 팔뚝이 아 만도가 사고로 팔 한쪽을 잃음. 무렇게나 던져져 있었다.

▶전개: 만도는 기차역에 도착한 후, 폭발 사고로 왼팔을 잃게 된 과거를 회상함.

---

1 '아무개는 전사했다는 통지가 왔고'와 '볼기짝이나 장딴지 같은 데를 총알이 약간 스쳤을 따름이겠지.'라는 내용으로 미루어 보아 이 글이 6·25 전쟁 직후를 배경으로 함을 알 수 있다.

오답 풀이 ◆ ① 만도가 시대적 현실 속에서 고난을 겪는 모습이 나타날 뿐 현실에 저항하는 모습은 나타나지 않는다. ② 인물과 시대 상황과의 갈등이 드러날 뿐 자연과의 갈등은 드러나지 않는다. ④ '용머리재', '산등성이', '들 건너 멀리 바라보이는 정거장' 등으로 보아 폐허가 된 도시가 아니라 시골을 배경으로 하고 있음을 알 수 있다. ⑤ 인물 간의 대립은 드러나지 않는다.

2 (나)에서 만도는 아들이 살아서 돌아온다는 사실에 기뻐하면서도 병원에서 나온다는 말에 불안해하고 있다.

오답 풀이 ◆ ① '어디를 좀 다치기는 다친 모양'이라고 생각하고 있다. ② 아들을 '엄살스런 놈'이라며 아들이 크게 다치지 않았을 것이라고 스스로를 다독이고 있는 것이지 엄살을 부릴까 봐 불안해한 것은 아니다. ⑤ '설마 나같이 이렇게 되진 않았겠지.'라고 생각하며 조금만 다쳤을 것이라고 스스로를 다독이고 있다.

3 '만도는 정신이 아찔했다. 공습이었던 것이다.', '그 순간이었다. 쾅!'과 같이 짧은 문장을 사용하여 사고 당시의 긴박했던 상황을 효과적으로 표현하고 있다.

오답 풀이 ◆ ① '꺼냈다', '그었다', '꺼져 버렸다'와 같이 주로 과거형으로 서술하고 있다. ④ 반어적 표현은 나타나지 않는다. ⑤ 서술자는 만도의 행동과 내면 심리까지 모두 서술하고 있다.

4 장치가 다 된 후에 다이너마이트에 불을 댕길 만도만 제외하고 모두 밖으로 나가는 것은 늘 하던 방식에 따른 것이었으므로 비극적인 사건의 발생을 암시한다고 볼 수 없다.

5 ㉠에서는 만도의 왼쪽 소맷자락 속에는 아무것도 없음을 나타내어 만도의 왼쪽 팔이 없음을 간접적으로 제시하고 있다.

6 ④　　　**7** ③　　　**8** ⑤　　　**9** ④

째애액 기차 소리였다. 멀리 산모퉁이를 돌아오는가 보다. 만도는 자리를 털고 벌떡 일어서며, 옆에 놓아둔 고등어를 집어 들었다. ⑦<u>기적 소리가 가까워질수록 그의 가슴이 울렁거렸다.</u> 대합실 밖으로 뛰어나가 플랫폼이 잘 보이는 울타리 쪽으로 가서 발돋움을 했다. 땡땡땡……. 종이 울자, 잠시 후 차는 소리를 지르면서 달려들었다. 기관차의 옆구리에서는 김이 픽픽 풍겨 나왔다. 만도의 얼굴은 바짝 긴장되었다. 시커먼 열차 속에서 꾸역꾸역 사람들이 나왔다. 꽤 많은 손님이 쏟아져 내리는 것이었다. 만도의 두 눈은 곧장 이리저리 굴렀다. 그러나 아들의 모습은 쉽사리 눈에 띄지 않았다. 저쪽 출찰구로 밀려가는 사람의 물결 속에 ⑥<u>두 개의 지팡이를 짚고 절룩거리면서 걸어 나가는 상이군인이 있었으나, 만도는 그 사람에게 주의가 가지는 않았다.</u> 기차에서 내릴 사람은 모두 내렸는가 보다. 이제 미처 차에 오르지 못한 사람들이 플랫폼을 이리저리 서성거리고 있을 뿐인 것이다.

> ⑦ 아들을 만난다는 기대감이 드러남. 문제 6-①
> ⑥ 상이군인에게 관심을 가지지 않는 만도 – 아들이 크게 다치지 않았을 것이라고 믿고 있음. 문제 6-②

'그놈이 거짓으로 편지를 띄웠을 리는 없을 건데…….'

⑤<u>만도는 자꾸 가슴이 떨렸다.</u> / '이상한 일이다.' / 하고 있을 때였다. 분명히 뒤에서,

> ⑤ 불안한 심리가 드러남. 문제 6-③

"아부지!" / 부르는 소리가 들렸다. 만도는 깜짝 놀라며 얼른 뒤를 돌아보았다.

⑧<u>그 순간 만도의 두 눈은 무섭도록 크게 떠지고, 입은 딱 벌어졌다.</u> 틀림없는 아들이었으나, 옛날과 같은 진수는 아니었다. 양쪽 겨드랑이에 지팡이를 끼고 서 있는데, 스쳐 가는 바람결에 <u>한쪽 바짓가랑이가 펄럭거리는 것이 아닌가.</u> 만도는 눈앞이 노래지는 것을 어쩌지 못했다. 한참 동안 그저 멍멍하기만 하다 코허리가 찡해지면서 두 눈에 뜨거운 것이 핑 도는 것이었다.

> ⑧ 한쪽 다리를 잃은 아들을 보고 충격을 받은 만도 문제 6-④
> 당대의 사회·문화적 배경이 드러난 부분: 6·25 전쟁으로 인해 큰 부상을 당한 사람들이 있었음. 문제 8

[A]
┌ "에라이, 이놈아!" / 만도의 입술에서 모지게 튀어나온 첫마디였다. 떨리는 목소리였다.
│ > 만도는 진수의 처지에 대한 안타까움, 현실에 대한 분노 때문에 애꿎은 진수에게 화를 내고 있음. 문제 7
│ ⑩<u>고등어를 든 손이 불끈 주먹을 쥐고 있었다.</u>
│ > 참담한 현실에 대한 분노가 드러남. 문제 6-⑤
└ "이기 무슨 꼴이고, 이기?" / "아부지!" / "이놈아, 이놈아…….."

만도의 들창코가 크게 벌름거리다가 훌쩍 물코를 들이마셨다. 진수의 두 눈에서는 어느 결에 눈물이 꾀죄죄하게 흘러내리고 있었다. 만도는 모든 게 진수의 잘못이기나 한 듯 험한 얼굴로, / "가자, 어서!" / 무뚝뚝한 한마디를 던지고는 성큼성큼 앞장을 서 가는 것이었다.

> ▶위기: 만도는 전쟁터에서 돌아온 진수가 다리 하나를 잃었다는 것을 알고 절망감과 안타까움을 느낌.

생략된 부분의 줄거리　화가 난 만도는 성큼성큼 앞장서 가 버리고 진수는 그런 만도를 열심히 따라가 보지만 결국 뒤처진다. 만도는 주막집 앞에 이르러서야 비로소 뒤를 한 번 돌아보고, 힘겹게 오줌을 누는 진수의 <u>모습에 속상한 나머지 술방에 여편네에게 술을 달라고 재촉한다.</u>

> ▶앞장서 가는 만도와 점점 뒤처지는 진수의 모습은 둘 사이의 갈등과 심리적 거리감을 표현함. 문제 9-③

<u>술기가 얼근하게 돌자, 이제 좀 속이 풀리는 것 같아 방문을 열고 바깥을 내다보았다.</u> 진수는 이마에 땀을 척척 흘리면서 다 와 가고 있었다.

> 만도는 술을 마시며 화를 누그러뜨림.

"진수야!" / 버럭 소리를 질렀다. / "이리 들어와 보래." / "……."

진수는 아무런 대꾸도 없이 어기적어기적 다가왔다. 다가와서 방문턱에 걸터앉으니까, 여편네가 보고, / "방으로 좀 들어오이소." / 한다. / "여기 좋심더."

그는 수세미 같은 손수건으로 이마와 코언저리를 아무렇게나 훔친다.

"마, 아무 데서나 묵어라. 저…… 국수 한 그릇 말아 주소." / "야."

<u>"곱빼기로 잘 좀……. 참지름도 치소, 잉?"</u> / "야아."

> 만도의 아들에 대한 애정이 드러나는 부분으로, 만도와 진수의 갈등 해소를 암시함. 문제 9-④

> ▶절정 ①: 주막집에서 술을 마시며 화를 누그러뜨린 만도는 진수에게 국수를 시켜 주며 진수와 화해하려 함.

---

6 ⑥에서 만도의 눈이 무섭도록 크게 떠지고 입이 딱 벌어진 것은 한쪽 다리를 잃고 돌아온 진수의 모습에 대한 충격 때문이다.

> **자료실**
>
> **만도가 상이군인을 주의 깊게 보지 않은 이유는?**
>
> 기차에서 내린 상이군인이 만도가 그렇게 기다리던 아들 진수임에도 불구하고, 이를 알아보지 못한 것은 진수가 무사히 돌아올 것이라는 만도의 믿음이 그만큼 강했기 때문이다. 한편으로는 병원에서 나온다는 진수의 편지에서 오는 불안감을 외면하고 싶은 마음이 컸기 때문에 상이군인이 진수일 것이라고 생각하고 싶지 않았을 것이다.

7 만도는 진수가 한쪽 다리를 잃은 것을 보고 눈앞이 노래지고 두 눈에 뜨거운 것이 핑 돌았다. 따라서 [A]에서 진수에게 떨리는 목소리로 모진 말을 하는 것은 진수의 처지에 대한 안타까움과 슬픔, 절망감, 현실에 대한 분노 때문이지 진수의 태도가 못마땅해서는 아니다.

8 진수는 징병되어 전쟁터에 간 후 한쪽 다리를 잃은 상이군인이 되어 돌아왔다. 이를 통해 당시에는 징병되어 전쟁터에 끌려갔다가 큰 부상을 당하고 온 사람들이 있었음을 알 수 있다.

9 만도는 A(정거장 플랫폼)와 B(주막집 가는 길)에서 진수에게 모질게 대하고, 걸음이 느린 진수를 두고 성큼성큼 앞장서 가 버리는 등 진수와의 외적 갈등을 드러내고 있다. 한편 C(주막집)에서 만도는 A, B에서와는 달리 분노를 누그러뜨리고 진수에게 국수를 시켜 주며 아들에 대한 애정을 드러내고 있다. 이는 만도와 진수 사이의 외적 갈등이 해소될 것임을 암시한다.

> **오답 풀이** ▶ ③ 생략된 부분의 줄거리에서, 주막집으로 가는 길에 만도와 진수의 거리가 점점 멀어지는 것은 만도와 진수의 심리적 거리가 점점 멀어지고 있는 것으로 해석할 수 있다.

03 수난이대

10 ①   **11** ②   **12** ④   **13** 우리 민족이 화합과 협력을 통해 시련을 극복할 수 있다는 것을 의미한다.

어휘 다지기   **1** (1) ② (2) ① (3) ④ (3) ③   **2** 출찰구   **3** ④   **4** (1) 지그시 (2) 지그시 (3) 지긋이

진수는 앞날을 걱정하고 있음. 문제 12-①
"아부지!" / "와?" / ㉠"이래 가지고 나 우째 살까 싶심니더." / ㉡"우째 살긴 뭘
사투리 사용: 사실감과 현장감을 높이고 인물들의 순박한 성격을 부각함. 문제 11
우째 살아? 목숨만 붙어 있으면 다 사능 기다. 그런 소리 하지 마라."
진수를 격려하는 만도 문제 12-②
"……." / ㉢"나 봐라. 팔뚝이 하나 없어도 잘만 안 사나? 남 봄에 좀 덜 좋아서
팔을 잃은 아픔을 극복한 만도 문제 12-③
그렇지, 살기사 왜 못 살아?"
㉣"차라리 아부지같이 팔이 하나 없는 편이 낫겠어예. 다리가 없어 노니, 첫째
진수는 자신이 처한 상황을 비관하고 있음. 문제 12-④
걸어 댕기기에 불편해서 똑 죽겠심더." / "야야, 안 그렇다. 걸어 댕기기만 하면
뭐하노, 손을 지대로 놀려야 일이 뜻대로 되지."
"그럴까예?" / "그렇다니까. ㉤그러니까 집에 앉아서 할 일은 니가 하고, 나댕기
진수를 격려하며 어려운 상황도 낙천적으로 극복하고자 하는 만도의 성격이 드러남. 문제 10-③, 12-⑤
메 할 일은 내가 하고, 그라면 안 대겠나, 그제?"
"예." / 진수는 가벼운 한숨을 내쉬며 아버지를 돌아보았다. 만도는 돌아보는 아
들의 얼굴을 향해서 지그시 웃어 주었다. 〈중략〉
▶ 절정 ②: 함께 논두렁길을 걸으며 앞날을 걱정하는 진수를 위로하는 만도
외나무다리가 놓여 있는 그 시냇물이다. 진수는 슬그머니 걱정이 되었다. 물은 그
만도 부자에게 닥친 시련
렇게 깊은 것 같지 않지만, 밑바닥이 모래흙이어서 지팡이를 짚고 건너가기가 만만
할 것 같지 않기 때문이다. 외나무다리 위로는 도저히 건너갈 재주가 없고……. 진
수는 하는 수 없이 둑에 퍼지르고 앉아서 바짓가랑이를 걷어 올리기 시작했다. 만도
는 잠시 멀뚱히 서서 아들의 하는 양을 내려다보고 있다가,
"진수야, 그만두고 자아, 업자." / 하는 것이었다.
"업고 건느면 일이 다 되는 거 아니가. 자아, 이거 받아라." / 고등어 묶음을 진수
앞으로 민다.
"……." / 진수는 퍽 난처해하면서, 못 이기는 듯이 그것을 받아 들었다. 만도는
등어리를 아들 앞에 갖다 대고 하나밖에 없는 팔을 뒤로 버쩍 내밀며, / "자아, 어
서!" / 진수는 지팡이와 고등어를 각각 한 손에 쥐고, 아버지의 등어리로 가서 슬그
외나무다리를 건너기 위해 만도가 한 손으로 들고 다니던 고등어를 진수가 쥠: 고등어는 부자간의 협동을 의미함. 문제 10-②
머니 업혔다. 만도는 팔뚝을 뒤로 돌리면서 아들의 하나뿐인 다리를 꼭 안았다. 그
리고, / "팔로 내 목을 감아야 될 끼다." / 했다. 진수는 무척 황송한 듯 한쪽 눈을
찔 감으면서, 고등어와 지팡이를 든 두 팔로 아버지의 굵은 목줄기를 부둥켜안았
다. 만도는 아랫배에 힘을 주며, '끙!' 하고 일어났다. 아랫도리가 약간 후들거렸으
나, 걸어갈 만은 했다. 외나무다리 위로 조심조심 발을 내디디며 만도는 속으로,
'이제 새파랗게 젊은 놈이 벌써 이게 무슨 꼴이고? 세상을 잘못 만나서 진수 니
신세도 참 똥이다. 똥!' / 이런 소리를 주워섬겼고, 아버지의 등에 업힌 진수는 곧
장 미안스러운 얼굴을 하며,
'나꺼정 이렇게 되다니 아부지도 참 복도 더럽게 없지. 차라리 내가 죽어 버렸더
라면 나았을 낀데…….' / 하고 중얼거렸다. / 만도는 아직 술기가 약간 있었으
나, ⓐ용케 몸을 가누며 아들을 업고 외나무다리를 조심조심 건너가는 것이었
만도와 진수가 서로 협력하며 외나무다리를 건넘: 화합과 협력을 통해 현실의 문제를 극복함. 문제 10-⑤, 13
다. 눈앞에 우뚝 솟은 용머리재가 이 광경을 가만히 내려다보고 있었다.
용머리재는 만도와 진수가 넘어야 할 시련을 의미하면서도 화합을 통해 아픔을 극복할 수 있다는 희망을 상징함. 문제 10-④
▶ 결말: 만도와 진수는 힘을 합쳐 외나무다리를 건넘.

10 미안함을 느끼고 있는 것은 만도가 아니라 진수이다. 만도는 진수의 처지를 안타까워하면서도 긍정적인 태도로 현실을 극복하려는 의지를 보여 주고 있다.

11 이 글에서 만도와 진수는 경상도 사투리를 사용하여 대화하는데, 이를 통해 사실감과 생동감, 향토적인 느낌이 더해지며 인물의 순박한 성격이 부각되고 있다. 사투리의 사용과 사건의 전개 속도는 연관성이 없다.

12 ㉣에서 진수는 현재 자신이 처한 상황을 비관하고 있으므로 아직 Ⅰ단계에 머물러 있는 것으로 볼 수 있다.

13 〈보기〉에 따르면 만도와 진수는 일제 강점기와 6·25 전쟁을 거치며 수난을 겪은 우리 민족을 상징한다. ⓐ는 시대적 아픔을 겪은 두 세대가 협력하여 고난을 극복하는 장면이다. 따라서 ⓐ는 우리 민족이 화합과 협력을 통해 시련을 극복할 수 있다는 것을 의미한다.

어휘 다지기

3 문맥상 '옷차림이나 모양새가 매우 지저분하고 궁상스럽다.'를 뜻하는 '꾀죄죄하다'가 들어가는 것이 적절하다.
오답 풀이 ▶ ① 괴로움이나 아픔 따위의 정도가 지나치게 심하다. ② 아무렇게나 앉아 팔다리를 편안하게 뻗어 버리다. ③ 분에 넘쳐 고맙고도 송구하다. ⑤ 들은 대로 본 대로 이러저러한 말을 아무렇게나 늘어놓다.

04 연

본문 94~95쪽

1 ③　　**2** ②　　**3** ⓐ 새, ⓑ 자유　　**4** ⑤

마을 쪽 하늘에선 연이 떠오르지 않는 날이 없었다.

<u>연은 먼 하늘 여행을 꿈꾸는 작은 새처럼 하루 종일 마을 위를 맴돌았다.</u>
　연을 자유롭고 꿈꾸는 모습의 새에 빗대어 표현함. 문제 3
들에서나 산에서나 마을 근처에선 언제 어디서나 ㉠새처럼 하늘을 떠도는 연을
　　　　　　　　　　　　　　　　　　　　　　연을 새에 빗대어 표현함.(직유법) 문제 4
볼 수 있었다.

연이 하늘에 떠올라 있는 동안은 어머니도 마음이 차라리 편했다.

들에서나 산에서나 어머니는 이따금 자신도 모르게 그 연을 찾아 일손을 멈추곤
했다. 그리고 그 적막스런 봄 하늘을 바라보며 허기진 한숨을 삼키곤 했다.

아비 없이 자란 놈이라 하는 수가 없는가 보았다.
　아들은 아버지 없이 어머니와 살고 있음. 문제 1-①
"우리 집 처지에 상급 학교가 당하기나 한 소리냐. 이름자나마 쓰고 읽게 된 걸
　집안 형편이 어려워 상급 학교에 갈 수 없음. 문제 1-②
다행으로 알거라."

어미 곁에서 함께 땅이나 파고 살자던 소리가 아들놈의 어린 가슴에 못을 박은
모양이었다.

"상급 학교 못 가면 연이나 실컷 띄우고 놀 거야. 상급 학교 안 보내 준 대신 연실
이나 많이 만들어 줘."
　　　　　▶발단: 가정 형편 탓에 상급 학교에 진학하지 못한 아들은 어머니에게 연실을 만들어 달라고 말함.
상급 학교 진학을 단념한 대신 아들놈은 그 철 늦은 연날리기 놀이를 시작했다.

<u>연실 마련이 어려워서 제철에는 남의 집 애들 연 띄우는 거나 곁에서 늘 부러워해</u>
　　　　　　가난한 형편 탓에 연실 마련이 어려워 아들은 제대로 연날리기를 할 수 없었음. 문제 1-④
<u>오던 녀석이었다.</u>

어머니는 큰맘 먹고 연실을 마련해 냈고, 아들놈은 그때부터 하고한 날 연에만
　어머니는 아들의 마음을 달래기 위해 연실을 마련함. 문제 1-⑤
붙어 지냈다.

[A]
　　봄이 되어 제 또래 아이들이 모두 마을을 떠나 읍내 상급 학교로 가 버린 다음
　　　　　　　　상급 학교를 가지 못해 답답하고 외로운 마음이 드러나는 아들의 행동 문제 2
에도 아들놈은 혼자서 그 파란 봄 보리밭 위로 하루같이 연만 띄워 올리고 있었
다. 아침나절에 띄워 올린 연이 해 질 녘까지 마을의 하늘을 맴돌았다.

어머니는 언제 어디서나 그 아들의 연을 볼 수 있었다.

연을 보면 아들의 얼굴을 보는 것 같았고, 아들의 마음을 보는 것 같았다.

연은 언제나 머나먼 하늘 여행을 꿈꾸고 있는 작은 새처럼 보였고, 그래서 언
젠가는 실줄을 끊고 마을의 하늘을 떠나가 버릴 것처럼 어머니의 마음을 불안하
　　　　　　　　　　어머니는 아들이 자신의 곁을 떠날까 봐 불안함을 느끼고 있음. 문제 1-③, 2
게 했다.

하지만 연이 그렇게 하늘에 떠올라 있는 동안엔 어머니도 아직은 마음을 놓을
수 있었다. 연이 하늘에 떠 있으면 아들이 떠나지 않았다는 뜻이므로 어머니는 안도감을 느낌. 문제 2
연이 하늘을 나는 동안은 어느 집 양지바른 담벼락 아래, 마을의 회관
뜰 한구석에, 또는 아지랑이 피어오르는 어느 보리밭 이랑 끝에 ㉡그 봄 하늘처
럼 적막스럽고 외로운 아들의 모습이 선하기 때문이었다.
　아들의 모습을 봄 하늘에 비유함.(직유법) 문제 4
그래서 어머니는 아들놈의 연날리기를 탓해 본 일이 한 번도 없었다.

철 늦은 연날리기에 넋이 나간 아들놈을 원망해 본 일이 한 번도 없었다.

녀석의 마음이 고이 머물고 있는 연의 위로를 감사할 뿐이었다. / 연에 실린 아
들의 마음이 하늘을 내려오는 저녁 연처럼 조용히 다시 마을로 가라앉기를 기다릴
뿐이었다.
　　　　　▶전개: 연실을 받은 아들은 하루 종일 연을 날리고, 어머니는 그 연을 언제 어디서나 봄.

1 언젠가는 연이 실줄을 끊고 마을의 하늘
을 떠나가 버릴 것처럼 어머니의 마음을
불안하게 했다는 서술로 보아 어머니는
연이 나는 것을 보고도 방황하는 아들을
계속 걱정하고 있음을 알 수 있다.

2 [A]에서 어머니는 연을 보며, 연이 실줄
을 끊고 마을의 하늘을 떠나가 버릴 것처
럼 불안하지만 연이 하늘에 떠올라 있는
동안엔 마음을 놓을 수 있다고 하였다.
아들은 또래 아이들이 모두 마을을 떠나
읍내 상급 학교에 가 버린 후 혼자 남아
연만 날리고 있으므로 답답하고 외로운
심정을 연날리기를 통해 달래고 있는 것
으로 볼 수 있다.

3 '연은 먼 하늘 여행을 꿈꾸는 작은 새처
럼 하루 종일 마을 위를 맴돌았다.'는 하
루 종일 마을 위를 맴도는 아들의 연을
새에 빗대어 표현한 부분이다. '새'는 자
유롭게 날아다닐 수 있으면서 '먼 하늘
여행을 꿈꾸는' 존재로, 아들이 연을 날
리는 행동에는 새처럼 자유롭게 다른 곳
으로 날아가고 싶은 마음이 담겨 있음이
드러난다.

4 ㉠과 ㉡에는 한 대상을 다른 대상에 직접
빗대어 표현하는 직유법이 사용되었다.
직유법이 사용된 문장은 ⑤로, 부드러운
고양이의 털을 꽃가루에 직접 빗대어 표
현하고 있다.

오답 풀이 ▶ ①, ② 은유법이 사용되었다. ③ 의
인법이 사용되었다. ④ 반복법이 사용되었다.

04 연

5 ④　　　**6** ③　　　**7** ②　　　**8** ④

어휘 다지기　　**1** (1) ① (2) ② (3) ④ (3) ③　　**2** (1) ③ (2) ② (3) ① (4) ④　　**3** ③

어머니는 이날도 고개 너머 들밭 언덕에서 봄 무릇을 캐고 있던 참이었다.

ⓐ바람을 태우기가 좋아 그랬던지 아들놈은 이날따라 ⓑ연을 더 하늘 높이 띄워 올리고 있었다. 마을에서 띄워 올린 녀석의 연이 고개 이쪽 어머니의 머리 위까지 까맣게 떠올라 와 있었다. ⓒ얼레의 실이 모조리 풀려 나와 ⓓ하늘 끝까지 닿고 있는 것 같았다. / 무릇 싹을 찾아 헤매던 어머니의 발길이 자꾸만 헛디딤질을 되풀이했다. 연이 너무 높은 데다가 전에 없이 드센 바람기 때문에 마음이 놓이지 않는 탓이었다. 팽팽하게 하늘을 가로질러 올라간 ⓔ연실 끝에서 드센 바람을 받고 심하게 오르내리는 연을 따라 어머니의 마음도 불안하게 흔들리고 있었다. ▶위기: 높이 뜬 아들의 연을 보며 불안함을 느끼는 어머니

아니나 다를까. / 불안감에 쫓기던 어머니가 어느 순간엔가 다시 그 하늘의 연을 찾았을 때였다. / 연이 있어야 할 곳에 연의 모습이 보이질 않았다.

연은 어느새 실이 끊어져 날아간 것이었다. 빗살처럼 곧게 하늘로 뻗어 오르던 연실이 머리 위를 구불구불 힘없이 흘러 내려오고 있었다.

실이 뻗쳐 올라가 있던 쪽 하늘을 자세히 살펴보니, 아직도 한 점 까만 새처럼 허공 속으로 아득히 멀어져 가고 있는 것이 있었다. / 어머니는 아예 밭 언덕에 주저앉아 연의 흔적이 시야에서 사라질 때까지 그 하염없는 눈길을 하늘에 못 박고 있었다. / 그리고 그 연의 모습이 완전히 시야에서 자취를 감추고 난 다음에야 어머니는 비로소 가는 한숨을 삼키면서 천천히 다시 자리를 털고 일어났다.

하지만 이제 반나마 차오른 무릇 바구니를 옆에 끼고 마을 길을 돌아가고 있는 어머니는 방금 전에 무슨 아쉬운 배웅이라도 끝내고 돌아선 사람처럼 거동이 무척 차분했다. 연을 지킬 때처럼 초조한 눈빛도 없었고, 발길을 조급히 서둘러 가려는 기색도 아니었다. 〈중략〉

어머니가 흐느적흐느적 허기진 걸음걸이로 마을을 들어섰을 때였다. 아들놈의 연실을 감아 들이고 있던 이웃집 조무래기 놈이 제풀에 먼저 변명을 하고 나섰으나, 어머니는 이번에도 미리 모든 것을 짐작하고 있었던 것처럼 놀라는 빛이 없었다. 앞뒤 사정을 궁금해하거나 집을 나간 녀석을 원망하는 기색 같은 것도 없었다. 아들의 뒤를 서둘러 쫓아 나서려기는커녕 걸음 한번 멈추지 않고 말없이 그냥 녀석의 곁을 지나쳐 갈 뿐이었다. 〈중략〉

어머니는 다만 그 무심한 하늘을 향해 다시 한번 가는 한숨을 삼키며 허망스럽게 중얼거리고 있었다. / "아가, 어딜 가거나 몸이나 성하거라……." ▶결말: 떠난 아들이 건강하게 잘 살기를 바라는 어머니

(본문 주석)
- 이야기 밖의 서술자가 어머니의 심리를 꿰뚫어 서술함. 문제 5
- 불안한 어머니의 심정이 드러나는 행동 문제 6-①
- 연실이 끊어져 연이 날아가자 충격으로 망연자실한 어머니의 모습 문제 6-②
- 아들이 떠났다는 것을 직감한 어머니의 차분한 태도 문제 6-④
- 아들이 떠났다는 소식에도 놀라는 빛이 없음. – 어머니는 아들이 떠날 것을 예감하였음. 문제 8-④
- 아들은 결국 땅이나 파고 살자는 어머니의 바람을 저버렸지만, 어머니는 아들의 안녕을 기원하고 있음. 문제 6-⑤, 8-⑤
- 어이없고 허무하게 문제 6-⑤

---

5 이 글은 작품 밖의 서술자가 등장인물의 행동과 심리까지 모두 전달하는 3인칭 전지적 시점을 취하고 있다. 한편 서술자는 어머니의 내면 심리만 서술하고 있으므로 3인칭 제한적 전지적 시점이라고도 할 수 있다.

오답 풀이 ①, ②, ⑤ 1인칭 시점에 대한 설명이다. ③ 3인칭 관찰자 시점에 대한 설명이다.

6 (ㄴ)에서 어머니는 아들이 떠난 것에 망연자실하고 있지만, 떠나는 아들을 말리지 못해 자책하고 있지는 않다. 오히려 이후에는 차분한 태도를 보이고 아들의 앞날을 걱정하며 안녕을 기원하고 있다.

오답 풀이 ① 연이 하늘 끝까지 닿고 있는 것을 보았을 때, 어머니는 무릇 싹을 찾아 헤매면서 자꾸 헛디딤질을 되풀이하였다. 이는 어머니가 불안함을 느끼고 있다는 것을 의미한다. ② 연실이 끊어져 멀어져 가자, 어머니는 밭 언덕에 주저앉아 하염없이 눈길을 하늘에 못 박고 있었다. 이는 연실이 끊어진 충격으로 망연자실한 어머니의 심정을 보여 준다. ④ '어머니는 이번에도 미리 모든 것을 짐작하고 있었던 것처럼 놀라는 빛이 없었다.'에서 아들이 떠났다는 것을 받아들인 어머니의 차분한 태도를 확인할 수 있다. ⑤ "아가, 어딜 가거나 몸이나 성하거라……."라는 어머니의 말에서 아들에 대한 사랑과 아들의 건강을 기원하는 마음을 확인할 수 있다.

7 하늘로 날아가기를 꿈꾸지만 연실에 묶여 날아가지 못하다가 결국 연실을 끊고 마을 밖으로 날아가 버리는 '연'은 현실에 얽매여 떠나지 못하다가 결국 새로운 세계로 떠나는 아들을 상징한다.

8 어머니는 연을 보며 불안감을 느끼고 있었으며, 이웃집 조무래기가 아들이 떠났다고 전하는 말을 듣고도 놀라는 기색을 보이지 않았다. 이로 보아 어머니는 이전부터 아들이 언젠가 떠날 것을 예감하고 있었다고 짐작할 수 있다.

어휘 다지기

3 아들이 두고 간 연실을 감아 자기 것으로 하려던 '이웃집 조무래기 놈'이 제풀에 어머니에게 변명을 늘어놓는 상황이므로, '지은 죄가 있으면 자연히 마음이 조마조마해진다.'라는 뜻을 지닌 '도둑이 제 발 저리다'라는 속담이 이 상황에 적절하다.

오답 풀이 ① 내 사정이 급하고 어려워서 남을 돌볼 여유가 없다는 뜻이다. ② 대상에서 가까이 있는 사람이 도리어 대상에 대하여 잘 알기 어렵다는 뜻이다. ④ 쉬운 일이라도 협력하여 하면 훨씬 쉽다는 뜻이다. ⑤ 사람이 글자를 모르거나 아주 무식함을 비유적으로 이르는 말이다.

1 ③　　　**2** ⑤　　　**3** ③　　　**4** ④

앞부분의 줄거리 오늘도 '나'의 수탉이 쪼이었다. 점순이가 힘센 자기네 닭과 또 싸움을 붙여 놓은 것이다. 소작농의 아들인 '나'는 마름의 딸인 점순이의 수탉을 차마 때리지는 못하고 헛매질로 떼어 놓기만 한다. '나'는 점순이가 왜 자신을 괴롭히는지 도무지 알 수가 없다.

　┌ㄱ 나흘 전 감자 쪼간만 하더라도 나는 저에게 조금도 잘못한 것은 없다.
　　시간의 흐름을 현재에서 과거로 전환해 이야기를 전개함. → 입체적(역순행적) 구성 문제 3-①
계집애가 나물을 캐러 가면 갔지 남 울타리 엮는데 쌩이질을 하는 것은 다 뭐냐.
　　대화하듯 서술하는 구어체 문장을 활용해 작품의 분위기를 가볍고 유쾌하게 만듦. 문제 1-⑤
그것도 발소리를 죽여 가지고 등 뒤로 살며시 와서

"얘! 너 혼자만 일하니?"

하고 긴치 않은 수작을 하는 것이다.

　어제까지도 저와 나는 이야기도 잘 않고 서로 만나도 본척만척하고 이렇게 점잖게 지내던 터이련만 오늘로 갑작스레 대견해졌음은 웬일인가. 항차 망아지만 한 계집애가 남 일하는 놈 보고……

　┌ㄴ "그럼 혼자 하지 떼루 하디?"
　　'나'는 점순이의 심리를 눈치채지 못하고 퉁명스럽게 대답함. 문제 3-②
내가 이렇게 내뱉은 소리를 하니까

"너 일하기 좋니?"

또는

　┌ㄷ "한여름이나 되거던 하지 벌써 울타리를 하니?"
　　점순이는 '나'와 친해지고 싶어 '나'에게 계속 말을 걸고 있음. 문제 3-③
잔소리를 두루 늘어놓다가 남이 들을까 봐 손으로 입을 틀어막고는 그 속에서 깔깔댄다. 별로 우스울 것도 없는데 날씨가 풀리더니 이놈의 계집애가 미쳤나 하고 의심하였다. 게다가 조금 뒤에는 즈 집께를 할금할금 돌아다보더니 행주치마의 속으로 꼈던 바른손을 뽑아서 나의 턱 밑으로 불쑥 내미는 것이다. ㄹ 언제 구웠는지 아직도 더운 김이 홱 끼치는 굵은 감자 세 개가 손에 뿌듯이 쥐었다.
점순이가 '나'를 위해 준비한 것으로, '나'에 대한 점순이의 관심(애정)을 의미함. 토속적인 소재로 정감을 줌. 문제 1-②, 3-④
　"느 집엔 이거 없지?" 하고 생색 있는 큰소리를 하고는 제가 준 것을 남이 알면
　　'나'의 자존심을 상하게 하는 말로, '나'가 감자를 거절하는 원인이 됨. 문제 4
큰일 날 테니 여기서 얼른 먹어 버리란다. 그리고 또 하는 소리가

"너 봄 감자가 맛있단다."

"난 감자 안 먹는다. 니나 먹어라."

　나는 고개도 돌리려 하지 않고 일하던 손으로 그 감자를 도로 어깨 너머로 쑥 밀어 버렸다.

　그랬더니 그래도 가는 기색이 없고, 그뿐만 아니라 쌔근쌔근하고 심상치 않게 숨소리가 점점 거칠어진다. 이건 또 뭐야 싶어서 그때에야 비로소 돌아다보니 나
　　'나'의 어수룩한 성격을 지녀 점순이의 마음을 전혀 눈치채지 못함. → 해학적 분위기 형성 문제 1-④
는 참으로 놀랐다. 우리가 이 동리에 들어온 것은 근 삼 년째 되어 오지만 여지껏 가무잡잡한 점순이의 얼굴이 이렇게까지 홍당무처럼 새빨개진 법이 없었다. 게다가 ㅁ 눈에 독을 올리고 한참 나를 요렇게 쏘아보더니 나중에는 눈물까지 어리는
　　'나'가 감자를 거절하자 화가 난 점순이의 모습을 묘사하고 있음. → 자존심이 상한 점순이의 심리 간접 제시됨. 문제 2, 3-⑤
것이 아니냐. 그리고 바구니를 다시 집어 들더니 이를 꼭 악물고는 엎더질 듯 자빠질 듯 논둑으로 횡하니 달아나는 것이다.

▶전개: 나흘 전, 점순이가 건넨 감자를 '나'가 거절하고 점순이는 화가 남.

---

1 이 글에서 당대 농촌 사회에 대한 비판적 어조가 드러나는 부분은 찾아볼 수 없다.

2 이 글의 서술자는 이야기의 주인공인 '나'이다. 이러한 1인칭 주인공 시점에서는 서술자인 '나'가 다른 인물의 행동을 묘사하지만 그 인물의 심리까지는 서술하기 어렵다. 따라서 독자는 자연스럽게 다른 인물의 심리를 추측하며 읽게 된다.

오답 풀이 ▶ ① 이 글의 서술자는 이야기 속에 위치해 있다. ③ 인물의 말과 행동, 사건 전개를 객관적으로 서술하는 것은 3인칭 관찰자 시점이다. 1인칭 주인공 시점에서는 인물의 말과 행동, 사건 전개를 서술자가 이해한 대로 설명하기 때문에 객관적이기 어렵다. ④ 이 글의 서술자는 주요 인물이다.

3 ㄷ은 점순이가 '나'에 대한 관심을 표현하는 말로, 앞뒤 상황으로 보아 점순이가 '나'와 친해지고 싶어 '나'에게 계속 말을 거는 것으로 이해할 수 있다. ㄷ이 점순이가 '나'를 진심으로 걱정하여 충고하는 말이라는 설명은 적절하지 않다.

4 〈보기〉를 참고하면 '나'의 집은 소작농이어서 항상 마름인 점순네 집의 눈치를 보며 살고 있고, 두 가족의 형편도 차이가 날 것으로 짐작할 수 있다. 이런 상황에서 점순이가 '나'에게 "느 집엔 이거 없지?"라고 말한 것이 점순이가 '나'에게 집안 형편을 비교하며 괜히 생색을 내는 것처럼 여겨져 '나'는 자존심이 상했고, 이런 이유로 점순이가 준 감자를 거절했을 것이라고 추측할 수 있다.

자료실

감자에 담긴 의미

• 나에 대한 점순이의 애정을 보여 줌.
• 나와 점순이 사이의 최초의 갈등을 낳는 매개체가 됨.
• 사회적 계급(마름과 소작인의 관계)에 따른 가정 형편의 차이를 보여 줌으로써 '나'의 자존심을 건드리게 됨.

05 동백꽃

5 ③　　　**6** ③　　　**7** ②　　　**8** ④

눈물을 흘리고 간 그담 날 저녁나절이었다. 나무를 한 짐 잔뜩 지고 산을 내려오려니까 어디서 닭이 죽는 소리를 친다. 이거 뉘 집에서 닭을 잡나 하고 점순네 울 뒤로 돌아오다가 나는 고만 두 눈이 뚱그렸다. 점순이가 즈 집 봉당에 홀로 걸터앉았는데, 아, 이게 치마 앞에다 우리 씨암탉을 꼭 붙들어 놓고는

"이놈의 닭! 죽어라. 죽어라."

요렇게 암팡스레 패 주는 것이 아닌가. 그것도 대가리나 치면 모른다마는 아주 알도 못 낳으라고 그 볼기짝께를 주먹으로 콕콕 쥐어박는 것이다.

나는 눈에 쌍심지가 오르고 사지가 부르르 떨렸으나 사방을 한번 휘돌아보고야 그제서 점순이 집에 아무도 없음을 알았다. 잡은 참 지게막대기를 들어 울타리의 중턱을 후려치며

"이놈의 계집애! 남의 닭 알 못 낳으라구 그러니?" / 하고 소리를 빽 질렀다.

그러나 ㉠점순이는 조금도 놀라는 기색이 없고 그대로 의젓이 앉아서 제 닭 가지고 하듯이 또 죽어라, 죽어라 하고 패는 것이다. 이걸 보면 내가 산에서 내려올 <u>점순이는 '나'의 성화에도 불구하고 대범하게 행동함. 문제 7-①</u> 때를 겨냥해 가지고 미리부터 닭을 잡아 가지고 있다가 네 보란 듯이 내 앞에 쥐어 <u>'나'가 산에서 내려오기를 기다렸다가 '나'가 보는 앞에서 닭을 때림. → 점순이는 영악한 성격을 가지고 있음. 문제 5-③, 문제 6-⑤</u> 지르고 있음이 확실하다.

그러나 나는 그렇다고 남의 집에 뛰어 들어가 계집애하고 싸울 수도 없는 노릇이고 형편이 썩 불리함을 알았다. ㉡그래 닭이 맞을 적마다 지게막대기로 울타리 <u>점순이의 행동에 '나'는 소극적으로 대응함. 문제 7-③</u> 나 후려칠 수밖에 별도리가 없다. 왜냐하면 울타리를 치면 칠수록 울섶이 물러앉으며 뼈대만 남기 때문이다. 하나 아무리 생각하여도 나만 밑지는 노릇이다.

"아, ⓐ이년아! 남의 닭 아주 죽일 터이냐?" <u>비속어 사용: 독자의 웃음을 유발하고 사건의 사실성과 현장감을 높여 줌. 인물의 심리를 직설적으로 표현함. 문제 8</u> 내가 도끼눈을 뜨고 다시 꽥 호령을 하니까 그제서야 울타리께로 쪼르르 오더니 울 밖에 섰는 나의 머리를 겨누고 닭을 내팽개친다.

"예이, 더럽다! 더럽다!"

"더러운 걸 널더러 입때 끼고 있으랬니? ⓑ망할 계집애 년 같으니."

하고 나도 더럽단 듯이 울타리께를 횡하니 돌아내리며 약이 오를 대로 다 올랐다라고 하는 것은, 암탉이 풍기는 서슬에 나의 이마빼기에다 물찌똥을 찍 갈겼는데, 그걸 본다면 알집만 터졌을 뿐 아니라 골병은 단단히 든 듯싶다. <u>'나'는 점순이에게 맞는 닭이 병들었다고 추측하고 있음. 문제 6-②</u>

그리고 나의 등 뒤를 향하여 나에게만 들릴 듯 말 듯한 음성으로

"이 바보 녀석아!" / "얘! 너 ⓒ배냇병신이지?" <u>점순이는 감자를 거절당한 것에 대한 앙갚음으로 '나'를 괴롭히고 있음. 문제 6-④</u>

그만도 좋으련만 / "얘! 너 느 아버지가 고자라지?"

"뭐? 울 아버지가 그래 고자야?" 할 양으로 열벙거지가 나서 고개를 홱 돌리어 바라봤더니 그때까지 울타리 위로 나와 있어야 할 점순이의 대가리가 어디 갔는지 보이지를 않는다. 그러다 돌아서서 오자면 아까에 한 욕을 울 밖으로 또 퍼붓는 것이다. ㉢욕을 이토록 먹어 가면서도 대거리 한마디 못하는 걸 생각하니 돌부리에 <u>점순이는 마름의 딸이고 '나'는 소작농의 아들이기 때문에 점순이에게 적극적으로 대응하지 못함. 문제 7-④, ⑤</u> 채어 발톱 밑이 터지는 것도 모를 만치 분하고 급기야는 두 눈에 눈물까지 불끈 내 <u>'나'는 점순이의 괴롭힘에 제대로 대응하지 못하고 눈물까지 글썽일 정도로 순진하고 어수룩함. 문제 5-③, 6-①</u> 솟는다.

▶ 위기: 감자를 거절당한 이후 점순이는 '나'의 관심을 끌기 위해 '나'를 집요하게 괴롭힘.

---

5 '나'는 점순이의 관심을 눈치채지 못하고 점순이에게 퉁명스레 대하는 등 순박하고 어수룩한 성격을 가지고 있으며, 점순이는 미리 닭을 잡아 가지고 있다가 '나'가 돌아오는 것을 보고 닭을 괴롭히는 것으로 보아 영악한 성격을 가지고 있음을 알 수 있다.

6 '나'는 점순이가 자신을 괴롭히는 이유를 전혀 모르고 있다.

7 ㉠은 점순이가 '나'에게 호의로 건넨 감자를 거절당한 후, 부끄럽고 분한 마음에 '나'의 닭을 괴롭히고 있는 것이다. 점순이는 '나'에게 앙갚음을 하는 한편 '나'의 관심을 끌어 보고자 ㉠과 같은 행동을 한 것일 뿐, '나'에게 사회적 권력을 과시하기 위해 ㉠과 같은 행동을 했다고 보기는 어렵다.

오답 풀이 ▶ ③ ㉡에서 '나'는 점순이의 행동을 적극적으로 제지하지 못하고 울타리를 후려치는 등 소극적으로 대응하고 있다. ④, ⑤ ㉢에서 '나'는 점순이에게 욕을 먹어 가면서도 대거리 한마디 하지 못하고 당하고 있는데, 이는 마름과 소작인의 관계가 '나'의 행동을 제약하고 있기 때문이다. 이로 보아 점순이와 '나' 사이에 사회적 신분 차이가 있음을 짐작할 수 있다.

8 ⓐ~ⓒ와 같은 표현은 비속어로, 비속어 표현은 이야기에 긴장감과 박진감을 부여하지 않는다.

자료실

'동백꽃'은 어떤 꽃?

이 작품의 제목이기도 한 '동백꽃'은 우리가 흔히 아는 붉은 동백꽃이 아니다. '산동백'이라고 부르는 '둥근잎 생강나무'의 꽃이다. '둥근잎 생강나무'는 강원도에서 잘 자라며 이른 봄에 노란 꽃을 피운다. 이 글의 작가 김유정의 고향인 강원도 지방에서는 '생강나무'를 동백나무 또는 동박나무라고 부른다.

9 ⑤　　**10** ①　　**11** ⓐ 닭싸움, ⓑ (노란) 동백꽃　　**12** ②

어휘 다지기　**1** (1) 호드기 (2) 쌩이질 (3) 암팡스레　**2** (1) ③ (2) ② (3) ④
3 (1) 쥐어지르다 (2) 흡뜨다　**4** ④

생략된 부분의 줄거리　점순이는 이후 '나'의 집 수탉과 자기 집 수탉을 싸움 붙이는 등 '나'를 집요하게 괴롭힌다. '나'는 매번 싸움에 지는 수탉에게 고추장을 먹여 보기도 하지만 점순네 수탉을 이기지 못한다. '나'는 나무를 하고 산에서 내려오던 중, 노란 동백꽃이 소보록하니 깔린 바위 틈에 점순이가 앉아 청승맞게 호드기를 불며 자기 집 닭과 '나'의 집 닭을 싸움 붙이고 있는 것을 본다.

「나는 약이 오를 대로 다 올라서 두 눈에서 불과 함께 눈물이 퍽 쏟아졌다. 나무
　└ 「 」: '나'와 점순이의 외적 갈등이 최고조에 달함. 문제 9
지게도 벗어 놀 새 없이 그대로 내동댕이치고는 지게막대기를 뻗치고 허둥지둥 달
려들었다. / 가차이 와 보니 과연 나의 짐작대로 우리 수탉이 피를 흘리고 거의 빈
사지경에 이르렀다. 닭도 닭이려니와 그러함에도 불구하고 눈 하나 깜짝 없이 고
　　　　　└ '닭싸움'은 '나'와 점순이의 갈등 관계를 보여 주는 소재임. 문제 11
대로 앉아서 호드기만 부는 그 꼴에 더욱 치가 떨린다. 동리에서도 소문이 났거니
와 나도 한때는 걱실걱실히 일 잘하고 얼굴 이쁜 계집애인 줄 알았더니 시방 보니
까 그 눈깔이 꼭 여우 새끼 같다.

나는 대뜸 달려들어서 나도 모르는 사이에 큰 수탉을 단매로 때려 엎었다. 닭은
푹 엎어진 채 다리 하나 꼼짝 못 하고 그대로 죽어 버렸다. 그리고 나는 멍하니 섰
다가 점순이가 매섭게 눈을 흡뜨고 닥치는 바람에 뒤로 벌렁 나자빠졌다.
　　　　　　　　　▶절정: 닭싸움을 또 시킨 점순이에게 분노하여 '나'가 점순네 닭을 때려 죽임.

"이놈아! 너 왜 남의 닭을 때려죽이니?"

"그럼 어때?" 하고 일어나다가 / "뭐 이 자식아! 누 집 닭인데?"

하고 복장을 떼미는 바람에 다시 벌렁자빠졌다. 그러고 나서 가만히 생각을 하니
분하기도 하고 무안도 스럽고, 또 한편 일을 저질렀으니 인젠 땅이 떨어지고 집도
내쫓기고 해야 될는지 모른다. / 나는 비슬비슬 일어나며 소맷자락으로 눈을 가리
고는 얼김에 엉 하고 울음을 놓았다. / 그러다 점순이가 앞으로 다가와서

　ⓞ"그럼 너 이담부턴 안 그럴 터냐?"
　　└ '내 호의를 다시는 거절하지 않을 거지?'의 의미이며, 닭싸움에서 최고조에 달한 갈등이 해소되기 시작하는 부분 문제 10, 11
하고 물을 때에야 비로소 살길을 찾은 듯싶었다. 나는 눈물을 우선 씻고 뭘 안 그
러는지 명색도 모르건만 / "그래!" 하고 무턱대고 대답하였다.

"요담부터 또 그래 봐라. 내 자꾸 못살게 굴 터니?"

　　┌"그래그래, 인젠 안 그럴 테야!"
[A]┤"닭 죽은 건 염려 마라. 내 안 이를 테니."
　　└그리고 뭣에 떠다밀렸는지 나의 어깨를 짚은 채 그대로 픽 쓰러진다. 그 바람에
아직도 상황을 파악하지 못한 '나'의 어수룩함이 해학성을 높이고 순박한 느낌을 더해 줌. 문제 12
나의 몸뚱이도 겹쳐서 쓰러지며 한창 피어 퍼드러진 노란 동백꽃 속으로 폭 파묻
　　　　　　　└ '나'와 점순이의 갈등 해소를 의미함. 낭만적 분위기를 형성함. 문제 11
혀 버렸다. / 알싸한 그리고 향긋한 그 냄새에 나는 땅이 꺼지는 듯이 온 정신이 고
만 아찔하였다.
　　　　　　　　　▶결말: '나'와 점순이가 화해함.

9 점순이가 감자를 거절당한 앙갚음으로 '나'의 집 씨암탉을 괴롭히거나 '나'의 집 수탉과 자기 집 수탉을 싸움 붙이는 등 '나'를 괴롭히고 '나'는 그런 점순이의 행동에 대응하면서 '나'와 점순이 사이에 외적 갈등이 발생하고 있다.

10 점순이가 지금까지 '나'를 괴롭힌 것은 자신의 호의를 거절하고 자신의 마음을 몰라주는 것에 대한 원망 때문이었다.

11 '나'와 점순이의 외적 갈등은 '닭싸움'이라는 소재를 통해 드러난다. 닭싸움으로 인해 '나'가 점순이의 닭을 죽이는 등 닭싸움은 갈등을 최고조에 달하게 하면서도, 점순이가 '나'가 닭을 죽인 것을 용서해 줌으로써 닭싸움은 갈등 해소의 실마리를 제공하기도 한다. 한편 '노란 동백꽃'은 낭만적인 분위기를 형성하여 '나'와 점순이의 갈등이 해소될 것임을 암시하는 소재로, 농촌 마을 소년과 소녀의 풋풋한 사랑이라는 작품의 주제를 상징적으로 드러내는 소재이다.

12 [A]에서 서술자인 '나'는 '뭣에 떠다밀렸는지'와 같이 말하며 점순이의 마음을 여전히 이해하지 못하고 있다. 이렇듯 '나'의 어수룩하고 눈치 없는 성격은 독자에게 웃음을 주어 작품의 해학성을 높인다. 반면 〈보기〉에서는 점순이가 자신의 속마음을 자세히 드러내고 있어 [A]에 비해 '나'의 어수룩함이 잘 드러나지 않아 해학성이 덜하다.(③) 따라서 〈보기〉가 '나'가 서술자일 때보다 해학적 분위기가 극대화된다는 설명은 적절하지 않다.

오답 풀이　①, ⑤ 〈보기〉에서는 서술자가 작품의 주요 인물인 점순이로 바뀌었으므로 상황이 점순이의 입장에서 주관적으로 서술된다. ④ 〈보기〉의 서술자인 점순이는 자신의 속마음을 자세히 드러내고 있다. 〈보기〉는 [A]에서 상황을 제대로 이해하지 못한, 어수룩한 서술자인 '나'의 서술보다 상황이 더욱 정확하게 설명되어 있다.

어휘 다지기

4 '채여'는 어법에 맞지 않는 표현이다. '채여'는 '채이어', 즉 '채다'에 피동의 의미를 만드는 접사인 '-이-'가 결합한 형태이다. '채다'는 '차이다'의 준말로, '채다'라는 말에 피동의 의미를 만드는 접사인 '-이-'가 이미 결합해 있다. 따라서 '채여'를 풀어 쓰면 '차이이어'가 되므로 피동을 만드는 접사인 '-이-'가 중복되어 쓰였음을 알 수 있다. 이렇게 '-이-'가 중복되어 쓰인 말은 어법에 맞지 않는다. '채여'는 '채어'로 고쳐 써야 한다.

06 사랑손님과 어머니

본문 108~109쪽

1 ③　　**2** ④　　**3** ①　　**4** 달걀

나는 금년 여섯 살 난 처녀 애입니다. 내 이름은 박옥희이구요.
이야기 속 인물인 '나'가 사건을 전달함. 구어체로 서술하고 있음.[문제 1-②, ④]
우리 집 식구라고는 세상에서 제일 이쁜 우리 어머니와 단 두 식구뿐이랍니다.
'나'는 어머니, 외삼촌과 함께 살고 있음.[문제 2-②]
아차 큰일 났군, 외삼촌을 빼놓을 뻔했으니. / ㉠지금 중학교에 다니는 외삼촌은
어디를 그렇게 싸돌아다니는지 집에는 끼니때나 외에는 별로 붙어 있지를 않으니
외삼촌의 자유분방한 성격을 간접 제시 방법으로 드러냄.[문제 3]
까 어떤 때는 한 주일씩 가도 외삼촌 코빼기도 못 보는 때가 많으니까요, 깜빡 잊어
버리기도 예사지요, 무얼.

우리 어머니는, 그야말로 세상에서 둘도 없이 곱게 생긴 우리 어머니는, 금년 나
이 스물네 살인데 과부랍니다. 과부가 무엇인지 나는 잘 몰라도 하여튼 동리 사람
들은 날더러 '과부 딸'이라고들 부르니까 우리 어머니가 과부인 줄을 알지요. 남들
은 다 아버지가 있는데 나만은 아버지가 없지요. 아버지가 없다고 아마 '과부 딸'이
라나 봐요. 〈중략〉

나는 그 아저씨가 어떠한 사람인지는 몰랐으나 첫날부터 내게는 퍽 고맙게 굴고
나도 그 아저씨가 꼭 마음에 들었어요. 어른들이 저희끼리 말하는 것을 들으니까
'나'의 심리가 직접 제시됨.[문제 1-①]
그 아저씨는 돌아가신 우리 아버지와 어렸을 적 친구라고요. 어디 먼 데 가서 공부
를 하다가 요새 돌아왔는데, 우리 동리 학교 교사로 오게 되었대요. 또 우리 큰외삼
촌과도 동무인데, 이 동리에는 하숙도 별로 깨끗한 곳이 없고 해서 우리 사랑으로
아저씨는 '나'의 큰외삼촌과 동무임.[문제 2-④]
와 계시게 되었다고요. 또 우리도 그 아저씨한테서 밥값을 받으면 살림에 보탬도
어머니는 하숙비를 살림에 보탤 겸 사랑방에 아저씨를 하숙인으로 들였음.[문제 2-⑤]
좀 되고 한다고요.
▶ 발단: '나'의 집 사랑방에 아저씨를 하숙인으로 들임.

그 아저씨는 그림책들이 얼마든지 있어요. 내가 사랑방으로 나가면 그 아저씨는
나를 무릎에 앉히고 그림책들을 보여 줍니다. 또 가끔 과자도 주고요.

어느 날은 점심을 먹고 이내 살그머니 사랑에 나가 보니까 아저씨는 그때에야 점
심을 잡수셔요. 그래 가만히 앉아서 점심 잡숫는 걸 구경하고 있노라니까, 아저씨가,

"옥희는 어떤 반찬을 제일 좋아하누?" / 하고 묻겠지요. 그래 삶은 달걀을 좋아
한다고 했더니 마침 상에 놓인 삶은 달걀을 한 알 집어 주면서 나더러 먹으라고 합
아저씨는 자상한 성격을 지님.[문제 2-①]
니다. 나는 그 달걀을 벗겨 먹으면서,

"아저씨는 무슨 반찬이 제일 맛나우?" / 하고 물으니까, 그는 한참이나 빙그레
웃고 있더니, / "나두 삶은 달걀." / 하겠지요. 나는 좋아서 손뼉을 짤깍짤깍 치고,

"아, 나와 같네. 그럼, 가서 어머니한테 알려야지."

하면서 일어서니까, 아저씨가 꼭 붙들면서,

"그러지 말어." / 그러시지요. 그래도 ㉡나는 한번 맘을 먹은 다음엔 꼭 그대로
'나'의 성격을 직접 제시 방법으로 드러냄.[문제 3]
하고야 마는 성미지요. 그래 안마당으로 뛰쳐 들어가면서,

"엄마, 엄마, 사랑 아저씨두 나처럼 삶은 달걀을 제일 좋아한대." / 하고 소리를
질렀지요.

"떠들지 말어." / 하고 어머니는 눈을 흘기십니다.

그러나 사랑 아저씨가 달걀을 좋아하는 것이 내게는 썩 좋게 되었어요. 그것은
어머니는 달걀을 통해 아저씨에 대한 관심과 정성을 드러내고 있음. '나'는 어린아이의 시선으로 인물의 행동을 관찰하고 있음.[문제 1-⑤, 4]
그다음부터는 어머니가 달걀을 많이씩 사게 되었으니까요.
▶ 전개: '나'와 아저씨가 점차 친해지고, '나'의 어머니와 아저씨가 서로에게 관심을 보이기 시작함.

---

1 이 글의 서술자는 여섯 살 난 '나'이다. '나'는 어린아이의 시선으로 사건을 관찰하고 전달하고 있을 뿐 어린 시절의 경험을 회상하고 있지는 않다.

2 아저씨는 중학교에 다니는 '나'의 외삼촌이 아니라 '나'의 큰외삼촌과 동무이다.

3 ㉠에는 외삼촌의 행동을 묘사하여 외삼촌이 자유분방한 성격임을 드러내는 간접 제시가, ㉡에는 '나'의 성격을 '나'가 직접 설명하는 직접 제시가 사용되었다.

오답 풀이 ▶ ②, ④ 왼쪽 문장과 오른쪽 문장 모두 간접 제시가 사용되었다. ③ 왼쪽 문장은 직접 제시가, 오른쪽 문장은 간접 제시가 사용되었다. ⑤ 왼쪽 문장과 오른쪽 문장 모두 직접 제시가 사용되었다.

4 '나'는 아저씨가 자신처럼 좋아하는 음식이 삶은 달걀이라는 것을 알고 기뻐한다. 어머니는 아저씨가 삶은 달걀을 좋아한다는 사실을 알고 달걀을 많이 사는데, 이는 아저씨에 대한 어머니의 관심과 정성을 드러내는 행동이다.

자료실

신빙성 없는 화자

신빙성 없는 화자란 어린아이처럼 서술하는 일들에 관한 생각이나 해석이 미성숙하거나 무지한 화자를 말한다. 이 작품도 어린아이를 서술자로 내세워 1인칭 관찰자 시점으로 전개하고 있다. 이를 통해 통속적일 수 있는 사랑 이야기를 어린아이의 시선에서 아름답게 승화시키고 있으며, 서술자가 어린아이이기 때문에 나타나는 한계로 재미를 주고 있다. 어린아이의 관점에서 인물들의 내면 심리와 행동을 해석하기 때문에 독자의 상상력을 자극할 수도 있다.

2. 소설

정답과 해설 | 27

06 사랑손님과 어머니

본문 110~111쪽

5 ②　　**6** ④　　**7** ②　　**8** ③

　　예배당에 가서 찬미하고 기도하다가 기도하는 중간에 갑자기 나는, '혹시 아저씨두 예배당에 오지 않았나?' 하는 생각이 나서 눈을 뜨고 고개를 들어 남자석을 바라다보았습니다. 그랬더니 하, 바로 거기에 아저씨가 와 앉아 있겠지요. 그런데 아저씨는 어른이면서도 눈감고 기도하지 않고 우리 아이들처럼 눈을 번히 뜨고 여기저기 두리번두리번 바라봅니다. 나는 얼른 아저씨를 알아보았는데 아저씨는 나를 못 알아보았는지 내가 방그레 웃어 보여도 웃지도 않고 멀거니 보고만 있겠지요. 그래 나는 손을 흔들었지요. 그러니까 아저씨는 얼른 고개를 숙이고 말더군요. 그때에 어머니가 내가 팔 흔드는 것을 깨닫고 두 손으로 나를 붙들고 끌어당기더군요. 나는 어머니 귀에다 입을 대고, / "저기 아저씨두 왔어."
하고 속삭이니까 어머니는 흠칫하면서 내 입을 손으로 막고 막 끌어 잡다가 앞에 앉히고 고개를 누르더군요. 보니까 ㉠어머니가 또 얼굴이 홍당무처럼 빨개졌군요.
<small>서술자인 '나'가 어머니의 모습과 행동을 관찰하는 입장에 있음을 보여 줌. 어머니가 아저씨를 의식하고 있음이 드러남. 문제 6-①, ②</small>
　　그날 예배는 아주 젬병이었어요. 웬일인지 예배 다 끝날 때까지 어머니는 성이 나서 강대만 향하여 앞으로 바라보고 앉았고, 이전 모양으로 가끔 나를 내려다보고 웃는 일이 없었어요. 그리고 아저씨를 보려고 남자석을 바라다보아도 아저씨도 한 번도 바라다보아 주지 않고 성이 나서 앉아 있고, 어머니는 나를 보지도 않고 공연히 꽉꽉 잡아당기지요. ㉡왜 모두들 그리 성이 났는지! 나는 그만 으아 하고 한 <small>서술자인 '나'가 상황 판단에 미숙한 어린아이임이 드러나며, 이를 통해 독자의 웃음을 유발함. 문제 6-①</small>
번 울고 싶었어요. 그러나 바로 멀지 않은 곳에 우리 유치원 선생님이 앉아 있는 고로 울고 싶은 것을 아주 억지로 참았답니다.

생략된 부분의 줄거리　'나'는 어머니에게 유치원에서 가져온 꽃을 주며 아저씨가 주었다고 말한다. 어머니는 매우 놀라지만 꽃을 소중히 간직하고, 꽃이 시들자 꽃을 찬송가 책 갈피에다 곱게 끼워 둔다. 어머니는 그동안 닫아 두었던, '나'의 아버지가 어머니에게 선물한 풍금을 치며 눈물을 흘린다. 그리고 아저씨가 '나'를 통해 전한 편지를 읽고 크게 당황한다.
▶위기: 어머니가 아저씨를 향한 자신의 마음에 혼란스러워하며 내적 갈등을 겪음.

　　어떤 일요일날, 그렇지요, 그것은 유치원 방학하고 난 그 이튿날이었어요. 그날 어머니는 갑자기 머리가 아프시다고 예배당에를 그만두었습니다. 사랑에서는 아저씨도 어디 나가고 외삼촌도 나가고 집에는 어머니와 나와 단둘이 있었는데, 머리가 아프다고 누워 계시던 어머니가 갑자기 나를 부르시더니,
　　"옥희야, 너 아빠가 보고 싶니?" / 하고 물으십니다. / "응, 우리두 아빠 하나 ⓐ<u>있으문.</u>" / 하고 나는 혀를 까불고 어리광을 좀 부려 가면서 대답을 했습니다.
　　한참 동안을 어머니는 아무 말씀도 아니 하시고 천장만 바라다보시더니,

[A]
　　"옥희야, 옥희 아버지는 옥희가 세상에 나오기도 전에 돌아가셨단다. 옥희두 아빠가 없는 건 아니지. 그저 일찍 돌아가셨지, 옥희가 이제 아버지를 새로 또 가지<small>작품이 창작된 당시에는 과부의 재혼이 사회적으로 비난을 받았으며, 이는 어머니가 갈등하는 원인이 됨. 문제 7-①, ③</small>면 세상이 욕을 한단다. 옥희는 아직 철이 없어서 모르지만 세상이 욕을 한단다. 사람들이 욕을 해. 옥희 어머니는 화냥년이다 이러구 세상이 욕을 해. 옥희 아버지는 죽었는데 옥희는 아버지가 또 하나 생겼대, 참 망측두 하지. 이러구 세상이 욕을 한단다. 그리되문 옥희는 언제나 손가락질 받구. 옥희는 커두 시집두 훌륭한 데 못 가구. 옥희가 공부를 해서 훌륭하게 돼두 에 그까짓 화냥년의 딸, 이러<small>재혼한 과부의 자녀가 사회적으로 불이익을 받는 경우가 있었고, 어머니는 이것을 걱정하여 갈등을 겪고 있음. 문제 5, 7-③, ④</small>구 남들이 욕을 한단다."
　　이렇게 어머니는 혼잣말하시듯 드문드문 말씀하셨습니다.
▶절정: 아저씨의 편지를 본 어머니는 심각하게 갈등하다가 아저씨의 마음을 거절하기로 결심함.

---

5 이 글에서 나타난 주된 갈등 양상은 어머니의 내적 갈등이다. 어머니는 아저씨에 대한 사랑과 자신의 윤리 의식 사이에서 극심한 갈등을 겪고 있다.

6 ㉡은 어머니와 아저씨가 서로를 의식하고 부끄러워하는 상황이지만, '나'는 상황 판단에 미숙한 어린아이인 탓에 그러한 상황을 이해하지 못하여 어머니와 아저씨가 성을 내고 있다고 말하고 있다. '나'가 어머니와 아저씨의 심리를 의도적으로 잘못 추측하여 서술하고 있지는 않다.
오답 풀이 ①, ② ㉠에서 '나'는 어머니와 아저씨 사이의 미묘한 감정을 모른 채 눈에 비친 대로 서술하고 있다. 이를 통해 독자는 어머니가 아저씨를 의식하고 있다는 사실을 추측할 수 있다.

7 [A]에서 당시에 성별과 신분에 따라 직업이 결정되었는지는 알 수 없다. '나'는 공부를 해서 훌륭하게 될 수 있지만 과부인 어머니의 재혼이 그러한 장래에 걸림돌이 될 수 있다는 점이 드러날 뿐이다.

8 ⓐ와 ③의 '있다'는 '사람, 동물, 물체 따위가 실제로 존재하는 상태이다.'의 의미로 쓰였다.
오답 풀이 ① '사람이나 동물이 어떤 상태를 계속 유지하다.'의 의미로 쓰였다. ② 앞말이 뜻하는 행동이 계속 진행되고 있거나 그 행동의 결과가 지속됨을 나타내는 말이다. ④ '사람이나 동물이 어느 곳에서 떠나거나 벗어나지 않고 머물다.'의 의미로 쓰였다. ⑤ '개인이나 물체의 일부분이 일정한 범위나 전체에 포함된 상태'를 의미한다.

06 사랑손님과 어머니

본문 112~115쪽

9 ④	**10** ②	**11** 아저씨를 떠나보내게 되어 슬퍼하고 있다.	**12** ④

어휘 다지기   **1** (1) 번히 (2) 공연히 (3) 멀거니   **2** (1) 반지 (2) 강대 (3) 하숙   **3** ④   **4** ④

생략된 부분의 줄거리   어머니는 갈등 끝에 아저씨와의 사랑을 포기하고, 아저씨에게 자신의 결심을 전한다.

㉮ "엄마, 이것 봐. 아저씨가 이것 나 줬다우. 아저씨가 오늘 기차 타구 먼 데루 간대." / 하고 내가 말했으나, ㉠어머니는 대답이 없으십니다.

"엄마, 아저씨 왜 가우?" / "학교 방학했으니깐 가지."

"어디루 가우?" / "아저씨 집으루 가지, 어디루 가."

"갔다가 또 오우?"

㉡어머니는 대답이 없으십니다.

"난 아저씨 가는 거 나쁘다."

하고 입을 쫑긋했으나, 어머니는 그 말은 대답 않고,

"옥희야, 벽장에 가서 달걀 몇 알 남았나 보아라." / 하고 말씀하셨습니다.

나는 깡총깡총 방 안으로 들어갔습니다. 달걀은 여섯 알이 있었습니다.

"여스 알." / 하고 나는 소리쳤습니다. / "응, 다 가지구 이리 나오너라."

어머니는 그 달걀 여섯 알을 다 삶았습니다. ㉢그 삶은 달걀 여섯 알을 손수건에 싸 놓고 또 반지에 소금을 조금 싸서 한 귀퉁이에 넣었습니다.
<u>떠나는 아저씨에 대한 어머니의 정성이 담긴 행동 문제 9-③</u>
"옥희야, 너 이것 갖다 아저씨 드리구, 가시다가 찻간에서 잡수시랜다구, 응."

㉯ "기차 떠난다." / 하면서 ㉣나는 손뼉을 쳤습니다. 기차가 저편 산모퉁이 뒤로
<u>어머니와 아저씨 사이의 일을 알지 못하는 '나'의 천진난만한 모습 문제 9-④</u>
사라질 때까지, 그리고 그 굴뚝에서 나는 연기가 하늘 위로 모두 흩어져 없어질 때까지, ㉤어머니는 가만히 서서 그것을 바라다보았습니다.
<u>아저씨를 떠나보내는 안타까움과 슬픔이 드러나는 모습 문제 9-⑤, 10-②</u>

뒷동산에서 내려오자 어머니는 방으로 들어가시더니 이때까지 뚜껑을 늘 열어 두었던 풍금 뚜껑을 닫으십니다. 그러고는 거기 쇠를 채우고 그 위에다가 이전 모양으로 반짇그릇을 얹어 놓으십니다. 그러고는 그 옆에 있는 찬송가를 맥없이 들
<u>어머니가 아저씨에 대한 마음을 정리하는 행동 문제 10-①, ⑤</u>
고 뒤적뒤적하시더니 빼빼 마른 꽃송이를 그 갈피에서 집어내시더니,

"옥희야, 이것 내다 버려라."
<u>어머니가 아저씨에 대한 마음을 정리하는 행동 문제 10-③</u>
하고 그 마른 꽃을 내게 주었습니다. 그 꽃은 내가 유치원에서 갖다가 어머니께 드렸던 그 꽃입니다. 그러자 옆 대문이 삐걱하더니,

"달걀 사소." / 하고 매일 오는 달걀 장수 노친네가 달걀 광주리를 이고 들어왔습니다. / "인젠 우리 달걀 안 사요. 달걀 먹는 이가 없어요."
<u>어머니가 아저씨에 대한 마음을 정리하는 행동 문제 10-④</u>
하시는 어머니 목소리는 맥이 한 푼어치도 없었습니다.

나는 어머니의 이 말씀에 놀라서 떼를 좀 써 보려 했으나 석양에 빤히 비치는 어머니 얼굴을 볼 때 그 용기가 없어지고 말았습니다. 그래서 아저씨가 주신 인형 귀에다가 내 입을 갖다 대고 가만히 속삭이었습니다.

"얘, 우리 엄마가 거짓부리 썩 잘하누나. 내가 달걀 좋아하는 줄 잘 알문성 생 먹을 사람이 없대누나. 떼를 좀 쓰구 싶다만 저 우리 엄마 얼굴을 좀 봐라. ⓐ어쩌
<u>아저씨를 떠나보내고 마음 아파하는 어머니의 모습을 어린아이의 시선에서 바라보며 걱정함. 문제 11</u>
문 저리두 새파래졌을까? 아마 어디가 아픈가 보다." / 라고요.

▶ **결말:** 아저씨는 하숙을 그만두고 '나'의 집 사랑방을 떠남.

---

9 ㉣은 아저씨와 어머니의 감정을 알지 못하는 '나'의 철없는 행동이다.

10 떠나는 기차를 가만히 서서 바라보는 것은 아저씨를 떠나보내는 슬픔과 안타까움을 드러내는 행위이다.

오답 풀이 ▶ ①, ⑤ 풍금은 '나'의 아버지가 어머니에게 선물한 것으로, 그동안 닫아 두었다가 어머니가 아저씨에 대한 사랑으로 갈등하며 열고 연주하기 시작한 물건이다. 어머니가 풍금 뚜껑을 닫고 이전처럼 그 위에 반짇그릇을 올려놓는 것은 아저씨에 대한 마음을 정리하려는 행동이다. ③ 찬송가에 끼워 둔 꽃송이는 '나'가 어머니에게 주며 아저씨가 주었다고 거짓말을 했던 것으로, 꽃을 찬송가에 곱게 끼워 정성스레 간직한 것으로 보아 아저씨에 대한 어머니의 사랑이 드러나는 소재이다. 어머니가 꽃송이를 버린 것은 아저씨에 대한 마음을 정리하려는 행동이다. ④ 달걀은 아저씨에 대한 어머니의 관심과 정성을 의미하는 소재이다. 어머니가 달걀을 사지 않는 것은 아저씨에 대한 마음을 정리하려는 행동이다.

11 ⓐ는 '나'가 아저씨가 떠난 후 아파 보이는 어머니의 얼굴을 보고 걱정하며 한 말로, 이러한 '나'의 서술과 앞뒤 상황으로 보아 어머니는 아저씨와의 이별로 마음 아파하고 있음을 알 수 있다.

12 어머니가 죽은 남편을 이미 잊은 상태였는지는 이 글에서 알 수 없다.

어휘 다지기

본문 115쪽

4 ④의 '버리다'는 '가지거나 지니고 있을 필요가 없는 물건을 내던지거나 쏟거나 하다.'라는 뜻으로 쓰였으므로, '내다 버리고'와 같이 반드시 앞말과 띄어 써야 한다. 나머지는 '버리다'가 앞말이 나타내는 행동이 이미 끝났음을 나타내므로, 앞말과 붙여서 쓰는 것도 허용된다.

07 이상한 선생님

본문 116~117쪽

1 ④　　　**2** ⑤　　　**3** ③　　　**4** ㄴ, ㄷ, ㄹ

우리 ㉠박 선생님은 참 이상한 선생님이었다.

박 선생님은 생긴 것부터가 무척 이상하게 생긴 선생님이었다. 키가 한 뼘밖에 안 되어서 뼘생 또는 뼘박이라는 별명이 있는 것처럼, 박 선생님의 키는 키 작은 사람 가운데에서도 유난히 작은 키였다. 일본 정치 때에, 혈서로 지원병을 지원했다 체격 검사에 키가 제 척수에 차지 못해 낙방이 되었다면, 그래서 땅을 치고 울었다 <u>박 선생님은 일제 강점기 때에 일본의 지원병 모집에 지원했다가 키가 작아 낙방하였음. 문제 2-④</u> 면, 얼마나 작은 키인지 알 일이다.

그런 작은 키에 몸집은 그저 한 줌만 하고. 이 한 줌만 한 몸집, 한 뼘만 한 키 위에 깜짝 놀랄 만큼 큰 머리통이 위태위태하게 올라앉아 있다. 그래서 박 선생님 또 하나의 별명은 대갈장군이라고도 했다.

머리통이 그렇게 큰 박 선생님의 얼굴은 어떻게 생겼느냐 하면, 또한 여느 사람과는 많이 달랐다.

<u>뒤통수와 앞이마가 툭 내솟고, 내솟은 좁은 이마 밑으로 눈썹이 시꺼멓고, 왕방울 같은 두 눈은 부리부리하니 정기가 있고도 사납고, 코는 매부리코요, 입은 메기 <u>박 선생님의 외양을 우스꽝스럽게 묘사하여 웃음을 유발함. - 인물에 대한 서술자의 부정적 시선이 드러남. 문제 1-④, 4</u> 입으로 귀밑까지 넓죽 째지고, 목소리는 쇠꼬챙이로 찌르는 것처럼 쨍쨍하고.

이런 대갈장군인 뼘생 박 선생님과 아주 정반대로 생긴 이가 ㉡강 선생님이었다.

강 선생님은 키가 크고, 몸집도 크고, 얼굴이 너부릇하고, 얼굴이 검기는 해도 순하 <u>강 선생님은 키가 크고 얼굴과 눈매가 순하며, 별로 성을 내는 일이 없음. 문제 4</u> 여 사나움이 든 데가 없고, 눈은 더 순하고, 허허 웃기를 잘하고, 별로 성을 내는 일이 없고, 아무하고나 장난을 잘하고……. 강 선생님은 이런 선생님이었다. 〈중략〉

▶발단: 박 선생님과 강 선생님의 외양 묘사

<u>학교에서고 학교 밖에서고 조선말로 말을 하다 선생님한테 들키는 날이면 경치 <u>당시에는 학교에서 일본 말을 사용해야 했음. 문제 2-①</u> 는 판이었다. 선생님들 중에서도 제일 심하게 밝히는 선생님이 뼘박 박 선생님이 었다. 교장 선생님이나 다른 일본 선생님은 나무라기만 하고 마는 수가 있어도, 뼘 <u>당시에는 학교에 일본인 교사가 근무하는 경우도 있었음. 문제 2-③</u> 박 박 선생님만은 절대로 용서가 없었다. / 나도 여러 번 혼이 나 보았다.

한번은 상준이 녀석과 어떡하다 쌈이 붙었는데 둘이 서로 부둥켜안고 구르면서 이 자식아, 저 자식아, 죽어 봐, 때려 봐, 하면서 한참 때리고 제기고 하는 참이었다.

그런데, 느닷없이

"고랏! 조셍고데 겡까 스루야쓰가 이루까(이놈아! 조선말로 쌈하는 녀석이 어딨 <u>'나'는 친구와 싸우며 조선말을 사용했다는 이유로 박 선생님에게 넓적다리를 걷어차임. 문제 2-⑤</u> 어)." / 하면서 구둣발길로 넓적다리를 걷어차는 건, 정신없는 중에도 뼘박 박 선 생님이었다.

우리 둘이는 그 자리에서 뼘이 붓도록 따귀를 맞았고, 공부 시간에 들어가지도 못하고 그 시간 동안 변소 청소를 했고, 그리고 조행 점수를 듬뿍 깎였다.

이렇게 뼘박 박 선생님한테 제일 중한 벌을 받는 때가 언제냐 하면, 조선말로 지 <u>박 선생님은 조선말을 쓰는 학생을 엄하게 벌했지만, 강 선생님은 조선말을 쓰는 것을 문제 삼지 않음. 문제 4</u> 껄이다 들키는 때였다.

강 선생님은 그와 반대로 아무 시비가 없었다.

<u>교실에서 공부를 할 때 빼고는 다른 선생님, 그중에서도 교장 이하 일본 선생님 <u>강 선생님은 수업 시간 이외에는 일본 말을 사용하지 않음. 문제 2-②</u> 들과 뼘박 박 선생님이 보지 않는 데서는, 강 선생님은 우리한테, 일본 말로 말을 하지 않았다. ▶전개: 조선말을 쓰는 학생들을 중하게 벌하고 일본 말을 쓰는 박 선생님과 달리 강 선생님은 조선말을 사용함.

1 이 글의 서술자는 박 선생님의 모습을 우스꽝스럽게 묘사하여 읽는 이의 웃음을 유발하고 있다.

오답 풀이 ▶ ① 시대의 변화에 따라 기회주의적인 태도를 보이는 박 선생님은 사회와 갈등 관계에 있다고 볼 수 없다. ② 작품 속 인물들은 모두 허구의 인물이다. ③ 이 작품에서 공간적 배경의 특성을 드러내는 향토적 소재는 사용되지 않았다. ⑤ 이 작품은 액자식 구성이 활용되지 않았다. 시간의 흐름에 따라 사건이 전개되는 순행적 구성을 취하고 있다.

2 박 선생님이 '나'의 넓적다리를 걷어차기 전에 한 말인 "고랏! 조셍고데 겡까 스루야쓰가 이루까(이놈아! 조선말로 쌈하는 녀석이 어딨어)."를 볼 때, '나'는 친구와 싸웠다는 이유보다는 친구와 싸우며 조선말을 사용했다는 이유로 박 선생님에게 넓적다리를 걷어차였음을 알 수 있다.

3 이 글은 어린아이인 '나'가 박 선생님과 강 선생님의 말과 행동을 관찰하여 전달하는 1인칭 관찰자 시점을 택하고 있다. 1인칭 관찰자 시점은 서술자의 연령이나 성격, 지적 수준에 따라 이야기의 분위기와 주제가 변화한다는 특징이 있다.

4 ㄱ: ㉠(박 선생님)은 우스꽝스러운 외양을 지녔으며 조선말을 하는 학생들을 보면 화를 내며 크게 혼내는 것으로 보아 대범한 성격과는 거리가 멀다. '대범하다'는 '성격이나 태도가 사소한 것에 얽매이지 않으며 너그럽다.'라는 뜻이다.

07 이상한 선생님

본문 118~121쪽

5 ④   **6** ④   **7** ②   **8** ①

어휘 다지기   **1** (1) 정기 (2) 척수 (3) 제기다   **2** ⑤   **3** (1) 낙방 (2) 소견 (3) 경치다 (4) 불측하다
           4 (1) 쫓아 (2) 좇아 (3) 좋아

그 뒤로 강 선생님과 **뺌박 박 선생님**은 사이가 매우 좋아졌다.

뺌박 박 선생님은 학과 시간마다 우리에게 여러 가지 좋은 이야기를 많이 해 주었다. 일본이 우리 조선을 뺏어 저의 나라에 속국으로 삼던 이야기도 해 주었다. 왜놈들은 천하의 불측한 인종이어서 남의 나라와 전쟁하기를 좋아하는 백성이
<u>라고 했다.</u> 그래서 임진왜란 때에도 우리 조선에 쳐들어왔고, 그랬다가 이순신 장
해방 전 일본을 찬양하던 모습과 대비되는 박 선생님의 태도
군이랑 권율 도원수한테 아주 혼이 나서 쫓겨간 이야기도 해 주었다.

우리 조선은 역사가 사천 년이나 오래되고 그리고 세계의 어떤 나라 못지않게 훌륭한 문화가 발달한 나라라는 이야기도 해 주었다.

뺌박 박 선생님은 한편으로 열심히 미국 말을 공부했다. 그러면서 우리더러 졸업을 하고 중학교에 가거들랑 미국 말을 무엇보다도 많이 공부하라고, 시방은 미국 말을 모르고는 훌륭한 사람이 되지 못한다고 했다. 〈중략〉
▶ 절정: 해방 이후 박 선생님은 일본을 비난하며 미국에 협력함.

뺌박 박 선생님은 미국을 침이 마르도록 칭찬했다. 이 세상에 미국같이 훌륭한 나라가 없고, 미국 사람같이 훌륭한 백성이 없다고 했다. <u>우리 조선은 미국 덕분에</u>
<u>해방이 되었으니까 미국을 누구보다도 고맙게 여기고, 미국이 시키는 대로 순종해</u>
박 선생님은 일본이 패망하자 미국에 붙으려는 기회주의적인 면모를 보임. 문제 5, 8-③
<u>야 하느니라고 했다.</u> 우리가 혹시 말끝에 "미국 놈……."이라고 하면, **뺌박 박 선생**
님은 단박 붙잡아다 벌을 세우곤 하였다. 전에 "덴노헤이까 바가(천황 폐하 망할
자식)!"라고 한 것만큼이나 엄한 벌을 주었다.

"이놈아 아무리 미련한 소견이기로, 자아 보아라. 우리 조선을 독립을 시켜 주느라구 자기 나라 백성을 많이 죽여 가면서 전쟁을 했지. 그래서 그 덕에 우리 조선이 왜놈의 압제에서 벗어나서 독립이 되질 아니했어? 그뿐인감? 독립을 시켜 주구 나서두 우리 조선 사람들 배 아니 고프구 편안히 잘 살라고 양식이야, 옷감이야, 기계야, 자동차야, 석유야, 설탕이야, 구두야, 무어 죄다 골고루 가져다주지 않어? 그런데 그런 고마운 사람들더러, 미국 놈이 무어야?"

벌을 세우면서 **뺌박 박 선생님**은 이렇게 꾸짖곤 하였다.

[A] ┌ 「우리는 **뺌박 박 선생님**더러 미국에도 덴노헤이까가 있느냐고 물었다. 미국에 덴
│ 순진무구한 어린 서술자를 통해 독자의 웃음을 유발함. 문제 8-②
│ 노헤이까가 있지 않고서야 그렇게 일본의 덴노헤이까처럼 우리 조선 사람을 친아들
│ 과 같이 사랑하고, 우리 조선 사람들이 잘 살도록 근심을 하며, 온갖 물건을 가져다
│ 주고 할 이치가 없기 때문이었다(해방 전에 **뺌박 박 선생님**은, 덴노헤이까는 우리 조
│ 선 사람들을 일본 사람들과 같이 사랑하고, 우리 조선 사람들이 잘 살기를 근심하신
│ 다고 늘 가르쳐 주곤 했다.). / **뺌박 박 선생님**은 미국에는 덴노헤이까는 없고, 덴
│ 박 선생님의 말을 희화화하여 박 선생님을 풍자함. 문제 8-①
│ 노헤이까보다 훌륭한 '돌멩이'라는 양반이 있다고 대답했다. / 우리는 그럼 이번에는
└ 그 '돌멩이'라는 훌륭한 어른을 위하여 '미국 신민노 세이시(미국 신민 서사)'를 부르
고, 기미가요(일본의 국가) 대신 돌멩이 가요를 부르고 해야 하나 보다고 생각했다.」
「 」: 어린아이의 시선으로 서술해 박 선생님의 부정적 면모를 부각함. 문제 6-④
○아무튼 **뺌박 박 선생님**은 참 이상한 선생님이었다.
박 선생님의 앞뒤가 맞지 않는 행동 때문에 '나'는 박 선생님을 '이상한 선생님'이라고 말함. 문제 7
▶ 결말: '나'는 얼마 전까지 일본을 찬양하다가 태도를 바꿔 미국을 찬양하는 박 선생님을 이해하지 못함.

---

5 이 작품은 해방 전후 혼란한 사회 상황에서 기회주의적으로 행동해 개인적 이익을 챙기는 박 선생님을 풍자하고 있다. 즉 강자의 편에 서서 개인적 이익을 추구했던 기회주의적 인물상에 대해 비판하고 있는 것이다.

6 [A]에서는 해방 전 덴노헤이까를 칭송했던 박 선생님을 떠올리며 미국에도 덴노헤이까가 있느냐고 묻는 순진한 서술자의 모습이 드러나 있다. 이러한 시각을 통해 기회주의자인 박 선생님의 부정적인 측면을 부각하여 풍자의 효과를 높이고 있다.

7 어린아이인 서술자 '나'는 박 선생님이 어떤 의도로 해방 전에는 일본을 찬양하고 해방 후에는 미국을 찬양하는지 이해하지 못한다. 즉 시대적 상황에 따라 변하는 박 선생님의 태도를 이해할 수 없기 때문에 '나'는 박 선생님을 이상한 선생님이라고 표현한 것이다.

8 이 글은 박 선생님의 외모, 말, 행동 등을 과장하고 왜곡하거나 비꼬아 표현하여 당대에 강자의 편에 서서 기회주의적인 태도를 보이는 인물상을 우스꽝스럽게 나타냈다. 〈보기〉에 제시된 시조에서도 백성들에게는 수탈을 일삼으면서도 고위 관료를 보자마자 깜짝 놀라 도망치다가 넘어지는 탐관오리의 모습을 두꺼비로 비유하여 표현함으로써 탐관오리의 모습을 우스꽝스럽게 나타냈다.

어휘 다지기

본문 121쪽

2 '조행'은 '태도와 행실을 아울러 이르는 말.'이라는 뜻으로, '품성과 행실을 아울러 이르는 말.'이라는 뜻을 지닌 '품행'과 의미가 가장 유사하다.

오답 풀이 ▶ ① '같이 길을 감.'이라는 뜻이다. ② '전염병이 널리 퍼져 돌아다님.'이라는 뜻이다. ③ '함께 길을 가는 사람들의 무리.'라는 뜻이다. ⑤ '앞으로 향하여 나아감.'이라는 뜻이다.

1 ③　　　**2** ①　　　**3** 어찌 아니 통분하랴.　　　**4** ⑤

앞부분의 줄거리　남원 부사의 아들 이몽룡은 단옷날 광한루에 나갔다가 기생 월매의 딸인 성춘향이 그네를 타는 모습을 보고 그녀에게 반한다. 몽룡은 춘향의 집으로 찾아가 춘향과 부부의 연을 맺고 행복한 나날을 보낸다. 그러던 어느 날, 몽룡은 남원 부사 임기가 끝난 아버지를 따라 한양으로 가게 되어 춘향에게 이별을 고한다. 그 후 남원 부사로 새로 부임한 변학도가 춘향에게 수청을 강요하는데, 춘향이 이를 거절하자 춘향을 옥에 가둔다. 한편 한양에서 장원급제한 몽룡은 암행어사의 신분으로 남원에 와서 변학도의 횡포를 모두 듣게 된다. 변학도는 자신의 생일을 맞아 잔치를 벌이고, 이몽룡은 암행어사 신분을 숨기기 위해 초라한 행색으로 잔칫집에 도착한다.

"지화자, 두둥실, 좋다."
　　　　　　암행어사가 된 이몽룡
하는 소리에 ㉠어사또 마음이 심란하다. 화를 누르고 한번 놀려 줄 심산으로 어슬
　　　　　　백성에게 횡포를 일삼으면서 화려한 잔치를 벌인 변학도에 대한 반감 문제2-①　　　속셈
렁어슬렁 잔치판으로 걸어 들어갔다.

"여봐라, 사령들아. 너희 사또께 여쭈어라. 먼 데 있는 걸인이 마침 잔치를 만났

으니 고기하고 술이나 좀 얻어먹자고 여쭈어라."

사령 하나가 뛰어나와 등을 밀쳐 낸다.

"어느 양반인데 이리 시끄럽소. ㉡사또께서 거지는 들이지도 말라고 했으니 말
　　　　　　　　　　　　　　　　변학도의 탐욕적이고 인색한 성격이 드러남. 문제2-②
도 내지 말고 나가시오."

운봉 수령이 그 거동을 지켜보다가 무슨 짐작이 있었는지 변 사또에게 청했다.

"저 걸인이 옷차림은 남루하나 양반의 후예인 듯하니 저 끝자리에 앉히고 술이

나 한잔 먹여 보내는 것이 어떻겠소?"

㉢"운봉 생각대로 하지요마는……."
　　　운봉 수령의 의견을 받아들였으나 못마땅해하는 변학도 문제2-③
마지못해 입맛을 다시며 허락을 한다. 어사또 속으로,

㉣'오냐, 도적질은 내가 하마. 오랏줄은 네가 져라.'
　　　'나쁜 짓을 해서 이익은 자기가 챙기고, 책임은 남에게 미룬다.'라는 뜻이며, 여기서는 생일잔치를 엉망으로만들고 변학도를 혼내
되뇌이며 주먹을 꽉 쥐고 있는데 운봉 수령이 사령을 부른다. 주겠다는 의미임. 문제2-④

"저 양반 드시라고 해라."

어사또 들어가 단정히 앉아 좌우를 살펴보니 마루 위의 모든 수령이 다과상을
앞에 놓고 진양조 느린 가락을 즐기는데, 어사또 상을 보니 어찌 아니 통분하랴.
　　　　　　　　　　　　　　　　　　　　　　　　　편집자적 논평 문제3
㉤귀퉁이가 떨어진 개다리소반에 닥나무 젓가락, 콩나물에 깍두기, 막걸리 한 사
　　　형편없는 상차림으로 이몽룡을 푸대접하고 있음. 문제2-⑤
발이 놓였구나. 상을 발로 탁 차 던지며 운봉의 갈비를 슬쩍 집어 들고,

"갈비 한 대 먹읍시다."

"다라도 잡수시오." / 하고 운봉이 하는 말이,

"이런 잔치에 풍류로만 놀아서는 맛이 적으니 운자를 따라 시 한 수씩 지어 보면

어떻겠소?"

"그 말이 옳다."

다들 찬성을 했다. 운봉이 먼저 운을 낼 때 '높을 고(高)' 자, '기름 고(膏)' 자 두

자를 내놓고 차례로 운을 달아 시를 지었다. 앞사람이 끝나면 뒷사람이 받아 시를

지을 때 어사또 끼어들어 하는 말이,

"이 걸인도 어려서 글을 좀 읽었는데, ⓐ좋은 잔치를 맞아 술과 안주를 포식하고
　　　　　　　　　　　　　　　　　　　반어적 표현이 사용됨. 문제4
그냥 가기가 염치가 아니니 한 수 하겠소이다."

---

1 이 글은 모든 사건이 시간의 흐름을 따라 전개되고 있다.

2 ㉠에서 이몽룡이 심란함을 느끼는 이유는 백성에게 횡포를 일삼는 변학도가 화려한 잔치를 벌이고 있기 때문이다. 암행어사인 이몽룡은 신분을 들키지 않기 위해 일부러 초라한 모습으로 다니고 있으므로, 자신의 행색이 잔칫집에 어울리지 않아 아쉬워하고 있다는 설명은 적절하지 않다.

오답 풀이 ▶ ④ ㉣은 '나쁜 짓을 해서 이익은 자기가 챙기고, 책임은 남에게 미룬다.'라는 뜻을 지닌 관용 표현이다. 여기서는 변학도의 생일잔치를 엉망으로 만들고 변학도를 혼내 주겠다는 이몽룡의 의지를 드러낸 말로 해석할 수 있다.

3 이몽룡이 받은 형편없는 상차림을 보고 '어찌 아니 통분하랴.'라고 표현한 부분은 작품 밖의 서술자가 이몽룡이 처한 상황에 대해 자신의 생각을 직접 드러낸 것으로 편집자적 논평이 사용된 부분이다.

4 이몽룡은 변 사또의 생일잔치에서 초라한 상을 받았는데 ⓐ에서 술과 안주를 포식했다며 현실과 반대로 이야기하고 있다. 이는 속마음과 반대로 말하는 '반어'가 사용된 표현으로, 이와 같이 반어적 표현이 사용된 것은 ⑤이다.

오답 풀이 ▶ ① 역설이 사용되었다. ② 의인법(옛이야기 지줄대는 실개천)이 사용되었다. ③ 도치법(기다리고 있을 테요 찬란한 슬픔의 봄을)과 역설(찬란한 슬픔의 봄)이 사용되었다. ④ 직유법(공주처럼)이 사용되었다.

08 춘향전

5 ④　　6 ⑤　　7 ③　　8 ②

어휘 다지기　1 (1) 마패 (2) 수령 (3) 운자　2 (1) ② (2) ④ (3) ①　3 봉고파직
4 (1) 슬쩍 (2) 문짝 (3) 아뿔싸

[A]
┌ 금준미주(金樽美酒)는 천인혈(千人血)이요 / 옥반가효(玉盤佳肴)는 만성고(萬姓膏)라
└ 촉루낙시(燭淚落時) 민루락(民淚落)이요 / 가성고처(歌聲高處) 원성고(怨聲高)라
<small>탐관오리의 횡포를 비판하는 내용 → 극적 긴장감을 고조시키며 새로운 사건 전개를 암시함.</small> 문제 5

이 글의 뜻은

금 술잔의 좋은 술은 수많은 사람의 피요 / 옥쟁반의 좋은 안주는 만백성의 기름이라

촛농이 떨어질 때 백성들 눈물도 떨어지고 / 노랫소리 높은 곳에 원망의 소리도 높구나

이렇게 시를 지어 보이니 술에 취한 변 사또는 무슨 뜻인지도 모르지만, 글을 받아 본 운봉은 속으로, / '아뿔싸! 일 났다.' / 가슴이 철렁 내려앉았다. <small>변학도는 어리석고 눈치가 없는 성격임.</small> 문제 6
<small>운봉은 눈치가 빠름.</small> 문제 6

이때 어사또 하직하고 간 연후에 운봉이 공형 불러 분부한다. / "야야, 일 났다!" <small>사건을 현재형으로 제시함.</small> 문제 8-③

공방 불러 자리 단속, 병방 불러 역마 단속, 관청색 불러 다과상 단속, 옥사정 불러 죄인 단속, 집사 불러 형벌 기구 단속, 형방 불러 서류 단속, 사령 불러 숙직 단속, <small>4·4조, 대구법과 반복법을 통해 운율을 형성함. → 운문체</small> 문제 8-① 한참 이렇게 요란할 때 ⊙눈치 없는 본관 사또, 운봉을 향해 말을 던진다.

"여보 운봉, 어딜 그리 바삐 다니시오."

"소피 보고 들어오오."

그때 술이 거나하게 취한 변 사또가 술주정을 하느라고 느닷없이 명을 내렸다.

ⓛ"춘향이 빨리 불러올려라." <small>극적 긴장감이 최고조에 달함.</small> 문제 7-2

이때 어사또가 서리에게 눈길을 주어 신호를 하니, 서리·중방이 역졸 불러 단속 <small>조선 시대 중앙 관리에 속하여 문서의 기록과 관리를 맡아보던 하급의 구실아치</small> 할 때, 이리 가며 수군수군, 저리 가며 수군수군 신호를 전한다. 서리·역졸의 거동을 보자. 한 가닥 올로 지은 망건에 두터운 비단 갓싸개, 새 패랭이 눌러쓰고, 석 자 <small>서리와 역졸이 출두 준비하는 모습을 확장하여 표현해 생동감을 주고 긴장감을 높임.</small> 문제 8-④ 길이 발감개에 새 짚신 신고, 속적삼, 속바지 산뜻이 입고, 여섯 모 방망이에 사슴 가죽끈을 매달아 손목에 걸어 쥐고, 여기서 번뜻 저기서 번뜻, 남원읍이 웅성거렸다.

이때 청파역 역졸들이 ⓒ달 같은 마패를 햇빛같이 번쩍 들고 우렁차게 소리를 <small>암행어사인 이몽룡이 출두하는 상황을 '달', '햇빛'에 빗대어 표현함.</small> 문제 7-③ 질렀다.

"암행어사 출두야!" <small>'출또'의 원말. 암행어사가 지방 관아에 중요한 사건을 처리하기 위하여 일을 벌이는 것</small>

역졸들이 일시에 외치는 소리에 ②강산이 무너지고 천지가 뒤집히는 듯하니 산 <small>'암행어사 출두' 소리의 위세를 과장하여 표현함.</small> 문제 7-④ 천초목인들 금수인들 아니 떨겠는가. 〈중략〉 <small>산과 내와 풀과 나무라는 뜻으로, 자연을 이르는 말.</small>

본관 사또 똥을 싸고, 멍석 구멍에 생쥐 눈 뜨듯 하면서 관아 깊숙한 안채로 들어 <small>평민들이 자주 쓰는 언어인 비속어가 사용됨.</small> 문제 8-⑤ 가며 급히 내뱉는 말이,

ⓜ"어, 추워라. 문 들어온다 바람 닫아라. 물 마르다 목 들여라." 〈후략〉 <small>낱말의 위치를 바꾸는 언어유희. 변학도가 크게 당황했음을 나타냄.</small> 문제 7-⑤

▶절정: 장원급제한 몽룡이 암행어사의 신분으로 남원에 돌아와 변학도를 비롯한 탐관오리를 숙청함.

---

8 '산천초목인들 금수인들 아니 떨겠는가.'와 같이 설의적 표현이 사용되었지만, 설의적 표현이 자주 사용되는 것이 판소리의 특징이라고 보기는 어렵다.

오답 풀이 ① '공방 불러 자리 단속 ~ 사령 불러 숙직 단속'에서 4·4조의 글자 수 반복, 대구법과 반복법을 통해 운율을 형성하고 있다.
④ '한 가닥 올로 지은 ~ 남원읍이 웅성거렸다.'는 서리와 역졸이 출두를 준비하는 대목으로서, 사건이 극적 반전을 이루기 직전의 모습으로 독자의 긴장감이 극대화되는 부분이다. 이 부분을 길게 확장하여 표현함으로써 생동감을 높이고 있다.

---

5 이몽룡이 지은 시를 본 후 운봉은 이몽룡의 정체를 짐작하고 가슴이 철렁 내려앉았지만, 술에 취한 변학도는 시의 의미를 이해하지 못했고 이몽룡의 정체를 알아보지도 못했다. 따라서 [A]가 변학도를 두려움에 떨게 했다는 설명은 적절하지 않다.

오답 풀이 ⑤ 백성들의 고통과 탐관오리의 사치를 주변의 사물에 비유하고 대조함으로써 당대 정치 현실에 대한 비판적 시각을 드러내고 있다.

6 운봉은 어사또의 시를 보고 이몽룡이 암행어사라는 점을 눈치채고 암행어사 출두에 대비해 여러 방면으로 단속을 하는 것으로 보아 눈치가 빠르다. 반면 변 사또는 술에 취해 어사또의 시를 이해하지 못하고 있으며 상황 판단을 하지 못하고 춘향을 빨리 불러올리라 한 것으로 보아 아둔하고 어리석다.

7 ⓒ에서는 마패의 둥근 모양을 '달'에 빗대고 마패를 든 모습을 '햇빛'에 빗대어 암행어사의 존재를 비유적으로 나타내고 있다. '달'과 '햇빛'은 고전 문학 작품에서 '임금'을 상징하는 소재임을 고려할 때, 이는 암행어사인 이몽룡이 임금을 대신하여 변학도를 벌하고 고통받는 백성들을 구제할 것임을 의미한다고 볼 수 있다.

오답 풀이 ① 본관 사또는 그 고을의 수령을 일컫는 말로, 여기서는 변학도를 가리킨다. ② ⓛ은 암행어사 출두 직전 상황을 파악하지 못한 변학도가 이몽룡 앞에서 춘향을 부르는 부분으로, 극적 긴장감이 절정에 이르는 대목이다. ④ 역졸들이 "암행어사 출두야!"를 외치는 소리에 강산이 무너지고 천지가 뒤집히는 듯하다고 과장하여 비유함으로써 암행어사의 위엄과 맹렬한 기세를 드러내고 있다.

09 홍길동전

본문 128~129쪽

1 ③ **2** 곡산댁 초란에게 모함을 당해 정자에 갇혀 홍 판서에게 감시를 당하는 것을 의미한다.
3 ④ **4** ⑤

앞부분의 줄거리 홍 판서의 서자로 태어난 홍길동은 어린 시절부터 다른 사람들보다 훨씬 총명하였다. 홍 판서는 길동을 아끼면서도 출생이 천하다는 이유로 아버지니 형이니 하고 부르면 꾸짖어 그렇게 부르지 못하게 하였다. 부형을 부르지 못하고 종들에게 천대를 받는 길동은 자신의 처지를 한탄한다. 한편 홍 판서의 첩인 곡산댁 초란은 관상녀, 무녀와 계략을 짜고 길동과 길동의 어머니인 춘섬을 끊질기게 모함한다. 결국 홍 판서는 길동을 산에 있는 정자에 가두어 놓고 길동의 행동 하나하나를 감시한다. 그리고 초란은 특재라는 자객을 보내 길동을 죽이려고 한다.
_{길동에게 고난과 시련이 주어짐.} _{문제 4-①}

  한편, 길동은 ⓐ그 원통한 일을 생각하니 잠시를 머물지 못할 바이지만, 상공의
_{'원통한 일'은 홍 판서가 모함에 넘어가 길동을 산에 있는 정자에 가두고 길동을 감시한 일을 의미함. 문제 2}
엄령이 지중하므로 어쩔 수가 없어 밤마다 잠을 설치고 있었다. 그런데 그날 밤, 촛
_{더할 수 없이 무거우므로 길동은 아버지의 명령 때문에 정자에서 잠을 설치고 있음. 문제 1-④}
불을 밝혀 놓고 『주역』을 골똘히 읽고 있는데 ⓐ까마귀가 세 번 울고 갔다. 길동은
_{'까마귀'는 불길함을 상징하는 존재로, 길동에게 불행이 닥칠 것을 암시함. 문제 3-①}
이상한 예감이 들어 혼잣말로,

  "저 짐승은 본래 밤을 꺼리거늘, 이제 울고 가니 심히 불길하도다."

하면서 잠시 『주역』의 팔괘로 점을 쳐 보고는, 크게 놀라 책상을 밀치고 둔갑법으
_{길동은 앞날을 예지하고 도술을 사용할 수 있을 정도로 뛰어나고 비범한 능력을 갖춤. 문제 1-⑤, 4-③}
로 몸을 숨긴 채 동정을 살피고 있었다. 사경쯤 되자 한 사람이 비수를 들고 천천히
_{새벽 1시에서 3시 사이.}
방문으로 들어오는지라, ⓑ길동이 급히 몸을 감추고 주문을 외니, 홀연 한 줄기의
_{도술을 사용하는 길동의 모습 → 전기적 성격이 드러남. 문제 3-②}
음산한 바람이 일어나면서 집은 간데없고 첩첩산중에 풍경이 굉장하였다. 크게 놀
란 특재는 길동의 조화가 무궁한 줄 알고 비수를 감추며 피하고자 했으나, 갑자기
_{일을 꾸미는 재간. 특재가 길동의 뛰어난 능력을 직감함. 문제 1-③}
길이 끊어지면서 층암절벽이 가로막자, 오도 가도 못하는 처지가 되었다. 사방으
로 방황하다가 피리 소리를 듣고서야 정신을 차리고 살펴보니, 한 소년이 나귀를
타고 오며 피리 불기를 그치고 꾸짖었다.

  "너는 무엇 때문에 나를 죽이려 하는가? ⓒ무죄한 사람을 해치면 어찌 천벌이
_{길동은 설의적 표현을 통해 특재에게 경고함. 문제 3-③}
없으랴?"

하고 주문을 외니, 홀연히 검은 구름이 일어나며 큰비가 물을 퍼붓듯이 쏟아지고
모래와 자갈이 날리었다. 특재가 정신을 가다듬고 살펴보니 길동이었다. ⓓ재주가
대단하다고는 여기면서도 '어찌 나를 대적하리오.' 하고 달려들면서 소리쳤다.
_{특재가 길동의 능력을 인정하고 있음이 드러남. 문제 3-④}

  "너는 죽어도 나를 원망하지 말라. 초란이 무녀와 관상녀로 하여금 상공과 의논
하게 하고 너를 죽이려 한 것이니, 어찌 나를 원망하랴."

  칼을 들고 달려드는 특재를 보자, 길동은 분함을 참지 못해 요술로 특재의 칼을
빼앗아 들고 호통을 쳤다.

  "네가 재물을 탐내어 사람 죽이기를 좋아하니, 너같이 무도한 놈은 죽여서 후환
_{특재는 재물 욕심으로 길동을 암살하려 함. 문제 1-②}
을 없애겠다."

하고 칼을 드니, 특재의 머리가 방 가운데 떨어졌다. 길동은 분노를 이기지 못해 그
날 밤에 바로 관상녀를 잡아 와 특재가 죽어 있는 방에 들이쳐 박고 꾸짖기를,

  "네가 나와 무슨 원수졌다고 초란과 짜고 나를 죽이려 했느냐?"
_{관상녀는 초란과 짜고 길동을 죽이려 함. 문제 1-①}
하고 칼로 치니, ⓔ처참하기 그지없었다.
_{작품 밖의 서술자가 자신의 의견을 드러냄.: 편집자적 논평 문제 3-⑤}

  ▶ 발단: 서자로 태어난 길동은 집안에서 차별을 받고, 홍 판서의 첩인 곡산댁 초란이 길동을 모함하여 암살하려 함.

---

1 특재는 길동의 도술에 당황했을 뿐 도술을 사용해 길동에게 맞서지 않았다.

오답 풀이 ② 길동의 말인 "네가 재물을 탐내어 사람 죽이기를 좋아하니"에서 해당 내용을 확인할 수 있다. ④ '상공의 엄령이 지중하므로 ~ 잠을 설치고 있었다.'에서 해당 내용을 확인할 수 있다. ⑤ '잠시 『주역』의 팔괘로 점을 쳐 보고는 ~ 동정을 살피고 있었다.'에서 해당 내용을 확인할 수 있다.

2 앞부분의 줄거리를 참고하면, 길동이 ⓐ(그 원통한 일)을 생각하기 이전에 곡산댁 초란에게 모함을 당하여 길동의 아버지인 홍 판서가 길동을 산에 있는 정자에 가두어 놓고 길동의 행동 하나하나를 감시하고 있었다. 따라서 ⓐ은 곡산댁 초란에게 모함을 당하여 정자에 갇혀 감시를 당하는 일을 의미한다.

3 '재주가 대단하다고는 여기면서도'에서 서술자가 특재의 말과 행동뿐만 아니라 심리까지도 서술하고 있음을 알 수 있다.

오답 풀이 ③ 길동의 말인 ⓒ는 설의법이 사용된 부분으로, '무죄한 사람을 해치면 천벌이 있을 것이다.'라는 말을 의문형으로 표현하고 있다. ⑤ 이야기 밖의 서술자는 길동이 관상녀를 칼로 치는 장면을 '처참하기 그지없다'라고 표현하고 있다. 이는 서술자가 장면을 주관적으로 평가하고 있는 것이므로 ⓔ는 편집자적 논평에 해당한다.

4 주몽은 짐승들과 하늘의 도움으로 자신이 처한 고난을 극복하지만, 이 글에서 길동은 자신의 비범한 능력을 바탕으로 고난을 극복한다.

오답 풀이 ① 길동은 곡산댁 초란에게 모함을 당하는 고난을 겪었으며, 주몽은 형제들의 핍박으로 죽을 위기를 겪는다. ② 주몽은 알 상태로 태어나 버림받았으나 길동은 버림을 받지 않았다. ③ 길동은 도술을 사용하고, 주몽은 태어난 지 한 달 만에 말을 했으며 활을 쏘면 빗나가지 않는 등 비범한 능력을 지녔다. ④ 주몽은 천제의 아들인 해모수의 혈통을 타고나 하늘의 자손으로 태어났으나 길동은 하늘의 자손으로 태어나지 않았다.

09 홍길동전

본문 130~131쪽

5 ③　　**6** ⑤　　**7** ③　　**8** ②

생략된 부분의 줄거리　더는 집에 머무를 수 없다는 것을 깨달은 길동은 홍 판서에게 하직을 고한다. 호부 호형하지 못하며 출셋길이 막힌 것을 하소연하는 길동의 말을 듣고 홍 판서는 안타까워하며 길동에게 호부 호형을 허락하지만, 길동은 집을 나온다. 길동의 비범한 능력을 알아보고 스스로 부하가 되고자 하는 도둑들의 청을 받아들여 길동은 도둑 무리의 우두머리가 된다.

　그 후, 길동은 스스로 호를 활빈당이라고 하면서 조선 팔도로 다니며 각 읍 수령이 불의로 모은 재물이 있으면 탈취하고, 혹시 가난하고 의지할 데 없는 사람이 있으면 구제하되, ㉠백성은 침범하지 않고 나라의 재산에는 추호도 손을 대지 않았다. 그래서 부하들은 그 뜻에 감복하였다.
<small>길동은 탐관오리의 재물을 빼앗아 백성들을 도움. 문제5</small>
<small>▶전개: 집을 나온 길동은 도적 무리의 우두머리가 되어 그 이름을 '활빈당'이라고 지음.</small>

　"이제 함경 감사가 탐관오리로 백성을 착취해 견딜 수 없게 되었는지라, 우리가 그대로 둘 수 없으니, 그대들은 나의 지휘대로 하라."
<small>감복하여 충심으로 탄복함.</small>
<small>탐관오리가 백성들을 착취하는 경우가 있었음. 문제5</small>

하고는, ㉡아무 날 밤으로 약속을 하고, 하나씩 흘러 들어가 남문밖에 불을 질렀다. 감사가 크게 놀라 불을 끄라 하니, 관리며 백성들이 한꺼번에 달려나와 불을 끄는데, 길동의 부대 수백 명이 함께 성중에 달려들어 창고를 열고 곡식과 무기를 찾아 내어 북문으로 달아나니, ㉢성중이 물 끓듯이 요란해졌다. 감사가 뜻밖의 변을 당하여 어쩔 줄을 모르다가 날이 밝은 후 살펴보고서야 창고의 무기와 곡식이 없어졌음을 알고 크게 놀라 도적 잡기에 전력을 기울였다. 그런데 홀연 북문에 ⓐ방이 붙기를 '아무 날 돈과 곡식을 도적한 자는 활빈당 당수 홍길동이라' 하였기에, 감사가 군사를 징발하여 도적을 잡으려 하였다.
<small>방의 내용 문제7-④</small>
<small>감사가 방을 보고 길동의 존재를 알게 됨. 문제7-⑤</small>

　한편, ㉣길동이 여러 부하와 함께 곡식을 많이 훔쳤으나, 행여 길에서 잡힐까 염려하여 둔갑법과 축지법을 써서 처소에 돌아오니, 날이 새려 하였다. / 하루는 길동이 여러 부하를 모으고 말했다. / "이제 우리가 합천 해인사에 가 재물을 탈취하고 또 함경 감영에 가 돈과 곡식을 훔쳐서 소문이 파다하려니와, 나의 이름을 써서 감영에 붙였으니 오래지 않아 잡히기 쉬울 것이다. 그러나 그대들은 나의 재주를 보라." / 하고 ㉤즉시 초인 일곱을 만들어 주문을 외며 혼백을 붙였다. 일곱
<small>길동이 직접 감영 북문에 방을 붙였음을 알 수 있음. 문제7-①</small>
<small>전기적 요소: 길동이 도술을 통해 자신의 분신 일곱 개를 만듦. 문제6</small>
길동이 한꺼번에 팔을 뽐내며 크게 소리치고 한 곳에 모여 야단스럽게 지껄이니, 어느 것이 진짜 길동인지 알 수가 없었다. 팔도에 하나씩 흩어지되, 각각 사람 수백 명씩 거느리고 다니니, 그중에서도 어느 것이 진짜인지 알 수가 없었다. 여덟 길동이 팔도에 다니며 바람과 비를 마음대로 불러오는 술법을 부려 각 읍 창고에 있던 곡식을 하룻밤 사이에 종적 없이 가져가며, 지방에서 서울로 올려보내는 선물 보퉁이들을 하나도 놓치지 않고 탈취하니, 〈중략〉

<small>[A]</small>
　"이놈이 각도에 다니며 이런 난리를 치는데도 아무도 잡지 못하니, 이를 장차 어찌하리오?" / 하면서 삼정승과 육관서를 모아 놓고 의논을 하고 있었다. 그때 연
<small>신출귀몰(神出鬼沒): 귀신같이 나타났다가 사라진다. 문제8</small>
이어 공문이 올라왔는데, 다 팔도에 홍길동이 작란한다는 내용의 공문이었다.
<small>난리를 일으킴.</small>
임금이 차례대로 보고는 크게 근심하여 주위를 돌아보면서 물었다. / "이놈이 아마 사람은 아니고 귀신인 것 같소. 조신 중에서 누가 그 근본을 짐작할 수 있겠소?" / 한 사람이 나와서 아뢰었다.
<small>조정에서 벼슬살이를 하고 있는 신하.</small>

　"홍길동은 전임 이조 판서 홍아무개의 서자요, 병조 좌랑 홍인형의 서제이오니, 이제 그 부자를 잡아 와서 친히 문초하시면 자연히 아실까 하옵니다."
<small>아버지의 첩에게서 태어난 아우.</small>
<small>▶위기: 길동은 팔도를 휘젓고 다니며 탐관오리를 징벌하고, 조정은 그런 길동을 잡지 못함.</small>

---

5 지민: 길동과 홍 판서는 호부 호형하는 문제로 외적 갈등을 겪는다. 여기서 첩이 천민일 경우 그 자손인 서자는 많은 사회적 차별을 받아야 했던 당대의 사회·문화적 배경을 확인할 수 있다.

　태연: 탐관오리의 착취가 없었다면 길동이 의적 활동을 할 이유가 없으므로, 길동과 임금(조정)의 외적 갈등은 탐관오리의 착취를 배경으로 한다고 볼 수 있다.

오답 풀이 ▶ 혜준: 길동이 의적 활동을 하는 과정에서 탐관오리의 착취를 확인할 수 있다. 하지만 길동이 양심과 의적 활동 사이에서 내적 갈등을 겪었다는 사실은 찾아볼 수 없다.

6 초인을 일곱 개 만들어 주문을 외며 혼백을 붙이는 행동은 일상적·현실적인 것과는 거리가 먼 신비로운 내용으로, 전기성이 드러난다.

7 "나의 이름을 써서 감영에 붙였으니"라는 길동의 말로 보아 감영 북문에 붙은 방은 길동이 자신의 존재를 세상에 드러내기 위해 직접 붙인 것이다. 방을 붙인 이후 길동은 도술로 자신의 분신을 만들어 팔도를 휘젓고 다닌다. 따라서 길동이 방으로 인해 자신의 안위를 걱정하게 된다는 설명은 적절하지 않다.

8 [A]에서는 길동이 팔도에 다니며 난리를 치고 재빠르게 사라지는 일을 반복하고 있음을 알 수 있다. 이와 관련된 한자 성어는 신출귀몰(神出鬼沒)이다. 신출귀몰은 '귀신같이 나타났다가 사라진다.'라는 뜻을 지니고 있다.

오답 풀이 ▶ ① 시종일관(始終一貫)은 '일 따위를 처음부터 끝까지 한결같이 함.'이라는 뜻이다. ③ 주경야독(晝耕夜讀)은 '어려운 여건 속에서도 꿋꿋이 공부함.'이라는 뜻이다. ④ 이실직고(以實直告)는 '사실 그대로 고함.'이라는 뜻이다. ⑤ 포복절도(抱腹絕倒)는 '배를 그러안고 넘어질 정도로 몹시 웃음.'이라는 뜻이다.

09 홍길동전

본문 132~135쪽

9 ④ **10** ③ **11** ⑤

어휘 다지기 **1** (1) 서제 (2) 사모관대 (3) 수령 (4) 제수 **2** 둔갑법 **3** ②
4 (1) 입신양명 (2) 대기만성 (3) 금의환향

생략된 부분의 줄거리 길동을 잡기 위해 경상 감사로 임명된 홍 판서의 적자 인형은 길동의 자수를 권유하는 글을 곳곳에 붙여 놓고 길동이 오기를 기다린다. 마침내 인형이 자수하러 온 길동을 잡아 조정으로 보냈으나 조정에는 여덟 명의 길동이 모여 있었다. 길동이 임금에게 자신을 잡으라는 공문을 거두어 달라는 말을 마치자마자 여덟 명이 한꺼번에 넘어지니, 모두 풀로 만든 허수아비였다.

> 길동의 형인 인형이 길동을 잡기 위해 경상 감사에 임명됨. **문제 9-②**

　"길동의 소원이 병조 판서를 한번 지내면 조선을 떠나겠다는 것이라 하오니, 한 번 제 소원을 풀면 저 스스로 은혜에 감사하오리니, 그때를 타 잡는 것이 좋을까 하옵니다."

고 했다. 임금이 옳다 여겨 즉시 길동에게 병조 판서를 제수하고 사대문에 글을 써
　　　　　　　　　　임금은 길동을 잡기 위해 길동을 병조 판서에 제수함. **문제 11-⑤**
붙였다. / 그때 길동이 이 말을 듣고 즉시 고관의 복장인 사모관대에 서띠를 띠고
　　　　　　　　　　　　　조선 시대에 일품의 벼슬아치가 허리에 두르던 띠.
덩그런 수레에 의젓하게 높이 앉아 큰길로 버젓이 들어오면서 말하기를,

　"이제 홍 판서 사은하러 온다."고 했다. 병조의 하급 관리들이 맞이해 궐내에 들
　　　　　　　받은 은혜를 감사히 여겨 사례하러
어간 뒤, 여러 관원들이 의논하기를, "길동이 오늘 사은하고 나올 것이니 도끼와 칼을 쓰는 군사를 매복시켰다가 나오거든 일시에 쳐 죽이도록 하자."

하고 약속을 하였다. 길동이 궐내에 들어가 엄숙히 절하고 아뢰기를,

　"소신의 죄악이 지중하온데, 도리어 은혜를 입사와 ⓐ평생의 한을 풀고 돌아가 면서 전하와 영원히 작별하오니, 부디 만수무강하소서." / 하고, 말을 마치며 몸
　길동이 임금(조정)의 갈등은 길동이 병조 판서를 지내고 조선을 떠남으로써 해결됨. **문제 9-⑤**
을 공중에 솟구쳐 구름에 싸여 가니, 그 가는 곳을 알 수가 없었다. 〈중략〉
　도술을 사용해 사라짐: 길동의 초월적 능력 **문제 11-②** ▶절정: 소원대로 병조 판서에 임명된 길동은 조선을 떠남.
　"내가 이제 율도국을 치고자 하니 그대들은 최선을 다하라." / 하고는 그날 진군 을 하였다. 길동은 스스로 선봉장이 되고, 마숙으로 후군장을 삼아, 잘 훈련된 병사 오만을 거느리고 율도국 철봉산을 다다라 싸움을 걸었다. 율도국 태수 김현충이 난데없는 군사가 이름을 보고 크게 놀라, 왕에게 보고하는 한편 한 부대의 군사를 거느리고 내달아 싸웠다. 길동이 이를 맞아 싸워 한 번의 접전에 김현충을 베고 철
　율도국의 군사가 길동의 군사에게 대항함. **문제 9-③**
봉을 얻어 백성을 달래어 위로하였다. 정철로 철봉을 지키게 하고, 대군을 지휘해 움직여 바로 도성을 치는데, 격서를 율도국에 보냈으니, 그 내용은 이러하였다.

　"의병장 홍길동은 글을 율도왕에게 부치나니, 대저 임금은 한 사람의 임금이 아 니요, 천하 사람의 임금이라. 내 하늘의 명을 받아 병사를 일으켜 먼저 철봉을 파 하고 물밀 듯 들어오고 있으니, 왕은 싸우고자 하거든 싸우고, 그렇지 않으면 일 찍 항복하여 살기를 도모하라." / 왕이 다 보고 나서 소리쳐 말하기를,

　"우리 나라가 철봉을 굳게 믿거늘, 이제 잃었으니 어찌 대항하랴."

하고는, 모든 신하를 거느리고 항복했다.
　　율도국 왕이 길동에게 항복함. **문제 9-③**
　길동이 성중에 들어가 백성을 달래어 안심시키고 왕위에 오른 후, 전의 율도왕
　　서자 출신인 길동이 율도국을 정복하여 왕위에 올라 새로운 나라를 건설하고자 함. **문제 11-①,③**
으로 의령군을 봉했다. 마숙과 최철로 각각 좌의정과 우의정을 삼고, 나머지 여러 장수에게도 각각 벼슬을 내리니, 조정에 가득 찬 신하들이 만세를 불러 하례하였 다. 왕이 나라를 다스린 지 삼 년에 산에는 도적이 없고, 길에서는 떨어진 물건을
　　　　　　　　　길동은 율도국을 정복하고 이상 세계를 건설함. **문제 9-①**
주워 가지지 않으니, 태평세계라고 할 만하였다.
　　　　　　　　▶결말: 길동은 율도국을 정벌하여 왕이 되고 태평성대를 이룸.

9 길동이 조선을 떠난 것은 조선의 사회적 문제가 근본적으로 해결되었기 때문이 아니다. 비록 길동은 입신양명하였지만, 사회의 부조리가 전부 사라지지는 않았기 에 길동은 자신의 손으로 이상적인 나라 를 건설하기 위하여 조선을 떠난 것이다.

10 〈보기〉에 따르면 길동은 서자 출신으 로 높은 관직까지 올라갈 수 없었다. 이 로 보아 문맥상 길동이 '평생의 한'을 풀 었다는 것은 높은 벼슬인 병조 판서에 임 명되어 입신양명한 것을 의미한다.

11 임금이 길동에게 병조 판서를 제수한 이유는 길동을 잡기 위한 것이었다. 백성 이 살기 좋은 세상을 구현하려는 길동의 노력을 인정한 것이 아니다.

〈홍길동전〉에서 율도국 건설이 지닌 의미

　율도국은 〈홍길동전〉의 작가인 허균이 설정한 이상 사회로, 조선에서 자신의 이상 을 실현하지 못하자 새로운 국가의 건설로 이상의 방향을 바꾼다. 비록 봉건 지배 체 제를 탈피한 근대적 국가는 아니지만, 홍길 동이 세운 율도국은 〈허생전〉의 이상향에 앞서는, 고전 소설사에 처음으로 등장하는 이상향이라는 점에서 주목할 만하다. 더구 나 이 이상향은 사회적 모순에 대한 적극적 비판과 저항의 결과물이기에 그만큼 의미 가 있다. 율도국 건설이라는 결말로 〈홍길 동전〉은 해외 진출과 이상국 건설을 그린 최초의 작품으로 평가된다.

어휘 다지기

본문 135쪽

3 빈칸에는 '죄나 잘못을 따져 묻거나 심문하다'라는 뜻의 '문초하다'가 적절 하다.

오답 풀이 ① 감복하다: 감동하여 충심으 로 탄복하다.

③ 사은하다: 받은 은혜에 대하여 감사히 여겨 사례하다.

④ 작란하다: 난리를 일으키다.

⑤ 지중하다: 몸가짐을 점잖고 무게 있게 하다.

01 수필

바로 확인 ❶ 　　　　　　　　　　　본문 141쪽

1 ④

성석제, 〈어느 날 자전거가 내 삶 속으로 들어왔다〉

• **해제** 이 수필은 글쓴이가 자전거 타기를 배웠던 경험에서 얻은 깨달음을 담고 있다. 중학교에 진학하며 어쩔 수 없이 자전거를 배워야 했던 글쓴이는 수많은 실패를 겪으며 결국 자전거 타기에 성공하고 삶의 진리를 깨닫는다. 자전거 타기를 성공하는 과정에서 느낀 글쓴이의 심리가 생생하게 드러나며, 경험에서 얻은 깨달음이 진솔하게 표현되고 있다.

• **주제** 처음으로 자전거 타기에 성공한 경험을 통해 깨달은 삶의 진리

1 서술자는 작가가 이야기를 전개하기 위해 내세운 가상의 화자로, 글쓴이가 화자가 되어 경험과 생각을 자유롭게 표현하는 수필에서는 서술자가 작품 바깥에 존재할 수 없다.

02 희곡

바로 확인 ❶ 　　　　　　　　　　　본문 143쪽

1 방백, 행동 지시문

이강백, 〈결혼〉

• **해제** 이 희곡은 한 남자가 결혼을 하게 되기까지의 과정을 담고 있다. 특별한 무대 장치와 소품 없이 관객들의 소지품을 소품으로 활용하고 관객에게 직접 말을 걸어 극에 참여시키는 등 다양한 실험적 기법을 사용하였다. 극에서 남자는 여자와 결혼하기 위해 관객에게 수많은 물품을 빌린다. 이를 통해 현대의 물질 만능주의를 비판하고, 모든 것은 '빌린 것'이라는 작가의 비판적인 통찰을 드러내어 진정한 소유와 순수한 사랑의 의미를 생각해 보게 한다.

• **주제** 소유의 본질과 순수한 사랑의 의미

1 남자는 관객을 대상으로 말하고 있으므로 남자의 대사는 '방백'이다. ㉠은 남자의 행동을 설명하고 있으므로 '행동 지시문'이다.

03 시나리오

바로 확인 ❶ 　　　　　　　　　　　본문 145쪽

1 ③

오승욱·허진호·신동환, 〈8월의 크리스마스〉

• **해제** 이 시나리오는 불치병을 얻어 시한부 인생을 사는 사진사 정원과 주차 단속 요원인 다림의 사랑 이야기를 담고 있다. 다림을 사랑하는 마음을 키워 가면서도 다가오는 죽음의 시간을 준비할 수밖에 없는 정원의 안타까운 심정은 대사보다는 행동과 상징적 소재를 통해 간접적으로 드러난다. 이러한 표현 방식은 인물들의 심리와 태도를 담담하게 드러내어 정원과 다림의 애틋한 사랑을 더욱 아름답게 묘사한다. 한여름에서 크리스마스까지의 이야기를 시간적 순서로 배열하여 삶과 죽음, 사랑의 의미를 생각해 보게 한다.

• **주제** 삶과 죽음, 사랑의 의미에 대한 고찰

1 정원의 대사는 내레이션이므로, 정원은 화면에 나타나지 않고 목소리로만 대사를 전달한다.

01 막내의 야구 방망이

본문 146~149쪽

1 ④ **2** ④ **3** ⑤ **4** ③

어휘 다지기 **1** (1) 미덥다 (2) 망국민 (3) 팽배하다 **2** (1) ③ (2) ① (3) ② (4) ③ **3** ③

앞부분의 줄거리 막내가 간절히 원한 야구 방망이를 막내에게 사다 준 다음 날부터 막내의 귀가가 늦어지기 시작한다. 집에 늦게 오는 이유를 막내에게 물으니, 내일모레가 5학년 각 반 대항 야구 시합인데 자신의 반이 꼭 우승해야 한다고 말한다. 시합 날, 막내는 우승하지 못한 모양인지 밥도 먹는 둥 마는 둥 그냥 잠자리에 들어가 이불을 뒤집어쓴다. 나는 지나치게 승부에 민감한 것은 좋지 않을 듯하여 막내에게 서두르지 말라고 충고한다. 그런데 다음 날, 막내는 또 늦게 귀가한다.

나는 아무래도 이 아이가 자기 생활의 질서를 잃은 듯해서 / "왜 이렇게 늦었니?
막내에 대한 걱정으로 귀가가 늦는 막내를 나무람. 문제 3-①
시합 끝나면 일찍 오겠다고 하지 않았니? 어떻게 된 거야 이게?"
하고 좀 심하게 나무랐다. / 그제야 막내는 자초지종을 털어놓았다. 다음에 적는 것은 그 이야기의 대강이다. / 막내의 담임 선생님은 마흔 남짓한 남자분이신데, 무슨 깊은 병환으로 입원을 하셔서 한 두어 달 쉬시게 되었다. 그렇게 되자 학교에서는 막내의 반 아이들을 이 반 저 반으로 나누어 붙였다. 〈중략〉

운동회에서 다른 반 아이들과 당당하게 겨루던 일, 이런저런 자기 반의 아름다운 역사가 안타깝게 명멸하는 것이다. 때로는 편찮으신 선생님이 무척 보고 싶어서 길도 잘 모르는 병원에도 찾아갔다. / 그러는 동안에 아이들은 선생님이 다 나으셔서 오실 때까지 우리 기죽지 말자 하며 서로서로 격려하게 되었고, 이러한 기운이 팽배해지자 이른바 간부였던 아이들은 ㉠자기네의 사명을 깨닫게 되었다. 그래서
괄시를 받은 반 아이들이 기죽지 않도록 단합을 이끌어 내는 것을 의미함. 문제 2-①
몇 아이들이 우리 집에 모였던 것이고, 그 기죽지 않을 방법으로 채택된 것이 야구 대회를 주최하여 우승을 차지하는 것이었다.

연습은 참으로 피나는 것이었다. ㉡뱃속에서 꼬르륵거리는 소리가 나도 누구 하
진지하게 야구 연습에 몰두하는 막내네 반 아이들 문제 2-②
나 배고프다는 말을 하지 않았다. 연습이 끝나면 또 작전 계획을 세우고 검토했다. ㉢그러노라면 어느새 하늘에 푸른 별이 떴다.
늦은 밤이 될 때까지 아이들이 야구 연습에 열중하였음을 보여 줌. 문제 2-③
그리하여 마침내 결승전에 진출했다. ㉣이 반 저 반으로 헤어진 반 아이들은 예
막내네 반 아이들이 다른 반 아이들에게 받은 괄시가 심했음을 암시함. 문제 2-④
선부터 한 사람 빠짐없이 응원에 나섰다. 그 응원의 외침은 차라리 처절한 것이었다. 그러나 열광의 도가니처럼 들끓던 결승에서 그만 패하고 만 것이다.

㉤"아빠, 우린 해야 돼. 다음번엔 우승해야 돼. 선생님이 다 나으실 때까지 우린
괄시를 받은 설움을 극복하고 반 아이들의 기를 살리기 위해 우승하려는 막내의 의지가 드러남. 문제 2-⑤
누구 하나도 기죽을 수 없어." / 막내는 이야기를 마치면서 이렇게 말했다. 나는 아무 말도 하지 못했다. 무슨 망국민의 독립 운동사라도 읽은 것처럼 감동 비슷한 것
막내의 이야기를 듣고 감동한 마음을 비유적 표현으로 드러냄. 문제 1-④, 3-②
이 가슴에 꽉 차 오는 것 같았다. 학교라는 데는 단순히 국어, 수학이나 가르치는 데가 아니구나 하는 생각도 들었다.
▶늦게 귀가한 막내를 나무랐지만, 막내가 늦은 이유를 듣고 감동함.
이튿날 밤 나는 늦게 돌아오는 ⓐ막내의 방망이를 미더운 마음으로 소중하게 받
막내의 야구 연습을 대유적으로 표현한 소재: 막내네 반 아이들의 단결심, 자존심, 노력을 상징함. 문제 1-④, 4
아 주었다. 그때도 막내와 그 애의 친구 애들의 초롱초롱한 눈 같은 ⓑ맑고 푸른 별
막내네 반 아이들의 초롱초롱한 눈에 비유한 소재: 막내네 반 아이들의 순수한 마음을 상징함. 문제 1-④, 4
이 두어 개 하늘에 떠 있었다. 나는 그때처럼 맑고 푸른 별을 일찍이 본 적이 없다.
▶막내의 야구 방망이를 미더운 마음으로 받아 줌.

오답 풀이 ▶ ① '덥다'는 '더운', '더우니', '더워서' 등으로 형태가 바뀌므로 'ㅂ' 불규칙 활용이 나타난다. ② '돕다'는 '도운', '도우니', '도와서' 등으로 형태가 바뀌므로 'ㅂ' 불규칙 활용이 나타난다. ④ '줍다'는 '주운', '주우니', '주워서' 등으로 형태가 바뀌므로 'ㅂ' 불규칙 활용이 나타난다. ⑤ '춥다'는 '추운', '추우니', '추워서' 등으로 형태가 바뀌므로 'ㅂ' 불규칙 활용이 나타난다.

1 이 글의 갈래는 '수필'로 글쓴이의 체험과 생각을 진솔하게 전달하는 것을 특징으로 한다. 이 글의 글쓴이는 자신의 경험과 생각을 '무슨 망국민의 독립 운동사라도 읽은 것처럼', '맑고 푸른 별'과 같이 비유와 상징 표현을 통해 효과적으로 드러내고 있다.

오답 풀이 ▶ ① 수필의 서술자는 글쓴이이며 이야기 속에 존재한다. ③ 막내가 늦은 밤까지 야구 연습에 몰두하는 이유를 요약적으로 제시했지만, 이를 통해 구체적인 시대적 배경을 파악할 수는 없다. ⑤ 이 글에서 현재에서 과거 회상의 매개체 역할을 하는 소재는 찾을 수 없다.

2 이 반 저 반으로 헤어진 반 아이들이 예선부터 모두 응원에 나선 것은 야구 대회가 학교에서 많은 인기를 끌었음을 보여 주는 것이 아니라, 막내네 반 아이들이 다른 반 아이들에게 받은 괄시가 심했음을 의미한다.

3 [C]에서 글쓴이는 막내네 반 아이들의 순수한 모습을 따뜻하고 애정 어린 시선으로 바라보고 있지만, 이를 통해 자신을 성찰하고 있다고 보기는 어렵다.

4 ⓐ는 막내네 반 아이들이 몰두하여 연습하고 있는 야구를 나타내는 소재인데, 아이들이 야구 연습에 몰두하는 이유는 다른 반 아이들에게 괄시를 받는 반 아이들을 하나로 모으고 아이들의 기를 살리기 위해서이다. 따라서 ⓐ는 막내네 반 아이들의 단결심을 상징한다. ⓑ는 막내네 반 아이들의 초롱초롱한 눈으로 비유되는 소재로서, 막내네 반 아이들의 순수한 동심을 상징한다.

 어휘 다지기

본문 149쪽

3 '좁다'는 '좁은', '좁으니', '좁아서' 등으로 형태가 바뀌는 것으로 보아, 'ㅂ'이 '오/우'로 교체되지 않고 '-다'만 '-은', '-으니', '-어서'로 교체되는 것을 알 수 있다. 따라서 '좁다'는 'ㅂ' 불규칙 활용이 나타나는 말이 아니다.

02 괜찮아

본문 150~153쪽

1 ② **2** ② **3** 소외감을 느낄 친구를 배려하기 위해서 **4** ④

어휘 **다지기** **1** (1) 선의 (2) 배려 **2** (1) ① (2) ③ (3) ④ (4) ② **3** (1) 소외감 (2) 박탈감 (3) 찡하다

앞부분의 줄거리 어머니는 방과 후 골목길에 아이들이 모일 때쯤이면 아이들이 노는 것을 구경하라고 대문 앞 계단에 작은 방석을 깔고 나를 거기에 앉히셨다. 나는 공기놀이 외에는 참여할 수 없었는데 친구들은 나를 위해 꼭 무언가 역할을 만들어 주었다.

놀이에 참여하지 못해도 난 전혀 소외감이나 박탈감을 느끼지 않았다. 아니, 지
_{친구들의 배려 덕분에 글쓴이는 놀이에 참여하지 못해도 소외감이나 박탈감을 느끼지 않음. 문제 1-②}
금 생각하면 내가 소외감을 느낄까 봐 친구들이 배려해 준 것이었다.

그 골목길에서의 일이다. 초등학교 1학년 때였던 것 같다. 하루는 우리 반이 좀
일찍 끝나서 나 혼자 집 앞에 앉아 있었다. 그런데 그때 마침 깨엿 장수가 골목을
지나고 있었다. 그 아저씨는 가위만 쩔렁이며 내 앞을 지나더니 다시 돌아와 내게
_{깨엿 장수 아저씨는 글쓴이에게 호의를 베풂. 문제 1-③}
깨엿 두 개를 내밀었다. 순간 그 아저씨와 내 눈이 마주쳤다. 아저씨는 아무 말도
하지 않고 아주 잠깐 미소를 지어 보이며 말했다. / ⊙"괜찮아."
_{글쓴이가 세상을 긍정적으로 바라보게 된 계기가 된 말 문제 2}
무엇이 괜찮다는 것인지는 몰랐다. 돈 없이 깨엿을 공짜로 받아도 괜찮다는 것
_{글쓴이는 깨엿 장수 아저씨가 한 말의 의미를 정확히 이해하지 못함. 문제 1-⑤}
인지, 아니면 목발을 짚고 살아도 괜찮다는 것인지…… . 하지만 그건 중요하지 않
_{몸이 불편한 글쓴이의 처지가 드러남. 문제 1-①}
다. 중요한 건 내가 그날 마음을 정했다는 것이다. 이 세상은 그런대로 살 만한 곳
이라고, 좋은 친구들이 있고, 선의와 사랑이 있고, '괜찮아'라는 말처럼 용서와 너 _{깨엿 장수 아저씨가 글쓴이에게 미친 영향 문제 2}
그러움이 있는 곳이라고 믿기 시작했다는 것이다.

어느 방송 채널에 오래전의 학교 친구를 찾는 프로그램이 있다. 한번은 어느 가
수가 나와서 초등학교 때 친구들을 찾았는데, 함께 축구 시합을 하던 이야기가 나
왔다. 당시 허리가 36인치일 정도로 뚱뚱한 친구가 있었는데, 뚱뚱해서 잘 뛰지 못
한다고 다른 친구들이 축구팀에 끼워 주려고 하지 않았다. 그때 그 가수가 나서서
말했다. / ⓐ"괜찮아. 걘 골키퍼를 하면 함께 놀 수 있잖아!"
_{'함께'라는 단어로 볼 때 뚱뚱한 친구도 함께 축구 경기를 할 수 있도록 배려한 말임. 문제 4}
그래서 그 친구는 골키퍼로 친구들과 함께 축구를 했고, 몇십 년이 지난 후에도
그 따뜻한 말과 마음을 그대로 기억하고 있었다.
_{자신도 함께 놀 수 있도록 배려해 준 마음}
'괜찮아.' 난 지금도 이 말을 들으면 괜히 가슴이 찡해진다.

지난 2002년 월드컵 4강에서 독일에 졌을 때 관중들은 선수들을 향해 외쳤다.

"괜찮아! 괜찮아!"

혼자 남아 문제를 풀다가 결국 골든벨을 울리지 못하면 친구들이 얼싸안고 말해
준다. / "괜찮아! 괜찮아!" ▶ '괜찮아.'라는 말과 관련된 글쓴이의 경험과 다양한 일화

「'그만하면 참 잘했다'고 용기를 북돋워 주는 말, '너라면 뭐든지 다 눈감아 주겠
_{「 」: 글쓴이가 생각하는 '괜찮아'라는 말의 다양한 의미}
다'는 용서의 말, '무슨 일이 있어도 나는 네 편이니 넌 절대 외롭지 않다'는 격려의
말, '지금은 아파도 슬퍼하지 말라'는 나눔의 말, 그리고 마음으로 일으켜 주는 부
축의 말, 괜찮아.

참으로 신기하게도 힘들어서 주저앉고 싶을 때마다 난 내 마음속에서 작은 속삭
_{'괜찮아'라는 말을 글쓴이가 어려움을 견디게 하는 격려의 말임. 문제 4-④, ⑤}
임을 듣는다. 오래전 따뜻한 추억 속 골목길 안에서 들은 말,

"괜찮아! 조금만 참아. 이제 다 괜찮아질 거야."

아, 그래서 ⓑ'괜찮아'는 이제 다시 시작할 수 있다는 희망의 말이다.」
▶ '괜찮아.'라는 말에 담긴 다양한 의미

---

1 글쓴이는 친구들과의 놀이에 참여하지 못했어도 글쓴이를 배려해 준 친구들 덕에 소외감이나 박탈감을 느끼지 않았다고 하였다.

오답 풀이 ▶ ① '목발을 짚고 살아도 괜찮다는 것인지'에서 글쓴이가 몸이 불편하다는 것을 알 수 있다. ④ 글쓴이는 '괜찮아'라는 말은 용기를 북돋워주는 말, 용서의 말, 격려의 말, 나눔의 말, 부축의 말, 희망의 말이라고 밝히고 있다. ⑤ '무엇이 괜찮다는 것인지는 몰랐다.'에서 글쓴이는 깨엿 장수 아저씨가 한 '괜찮아'라는 말의 의미를 정확히 알지 못했음을 확인할 수 있다.

2 ⊙을 들은 날 글쓴이는 이 세상이 그런대로 살 만한 곳이고, 좋은 친구들과 선의와 사랑이 있고 용서와 너그러움이 있는 곳이라고 믿기 시작했다고 하였다. 이는 글쓴이가 ⊙을 들은 후 세상을 긍정적으로 바라보게 되었음을 의미하는 것이다.

3 문맥상 프로그램에 출연한 가수는 뚱뚱하여 잘 뛰지 못하는 친구가 축구 경기를 하지 못해서 느낄 수 있는 소외감을 생각해 ⓒ과 같이 말했을 것이라고 추측할 수 있다.

4 ⓐ는 글쓴이가 힘들어서 주저앉고 싶을 때마다 어려움을 견딜 수 있는 희망이 되는 말이지만, ⓑ는 글쓴이가 자신에게 주어진 어려움과 슬픔을 힘들게 견디지 않아도 된다고 격려하는 말이다. 따라서 ⓑ가 어려움을 견디도록 하는 말이라는 설명은 적절하지 않다.

오답 풀이 ▶ ①, ② 이 글의 글쓴이는 어린 시절 경험에서 배운 타인을 배려하고 격려하는 삶의 태도를 '괜찮아'라는 말을 통해 드러내고 있다. ③ 〈보기〉의 글쓴이는 아픔을 견뎌 내려 노력하다가 상실감과 자책감에 빠져 버리고 말았던 과거에서 벗어나 자신을 사랑하고 격려하고자 하며, 그러한 인식의 변화는 자신에게 하는 '괜찮아'라는 말을 통해 드러내고 있다.

03 흙을 밟고 싶다

1 ②　　　2 ③　　　3 ①　　　4 마음이 시멘트 벽처럼 삭막하게 메말라 가고 있다.
5 ②

어휘 다지기　　1 (1) ② (2) ③ (3) ① (4) ④　　2 (1) 목례 (2) 이기 (3) 은덕　　3 ④

(가) 동네 꼬마들이 흙장난을 하고 있다. 그것도 흙냄새가 향기로운 아파트 정원에
　　글쓴이는 동네 꼬마들의 모습을 관찰하고 있음. 문제1-①
앉아서. / '출입 금지'라는 팻말에도 아랑곳없이 흙 위에 풀썩 주저앉아 노는 모습
　　　　　　　　　　　　아이들은 출입 금지 구역에서 흙장난을 하고 있음. 문제2-④
이 ㉠좋은 놀이터라도 발견한 듯 신이 나 있는 표정이다.

(나) 한데 그것도 잠시였다. 아이를 찾던 곱슬머리 소년의 엄마가 헐레벌떡 달려오
더니 다짜고짜 아이를 야단치기 시작했다. ㉡놀이터를 놔두고 왜 하필 더러운 흙
　　　　　　　　　　　　　　　　　　　　흙이 많은 아파트 정원과 대조적으로, 몸이 더러워지지 않는 깔끔한 공간 문제4-②
을 만지며 노느냐는 것이다. 트럭을 만들려고 흙을 담아 놓은 운동화를 보자 아이
아이 엄마는 흙을 더러운 것으로 여김. 문제5
엄마의 얼굴은 더 일그러졌다. 새 신발에 흙을 묻혀 놓아 짜증스럽다는 표정이다.
　　　　　　　　　　　　아파트 정원에서 흙 놀이를 하던 아이가 엄마에게 야단맞는 모습을 봄.

(다) 나도 어렸을 적 흙 놀이를 즐겼었다. 학교 이동이 잦던 아버지께서 외지로 발
　　글쓴이는 흙을 통해 과거를 회상하고 있음. 문제1-③　　글쓴이의 아버지는 학교에서 직장 생활을 하였음. 문제2-②
령이 나자 어머니는 나를 사랑채에 사시는 증조할머니와 기거토록 하였다. 비행기
나 차를 타는 일에 정도 이상으로 공포증을 갖고 있었던 나는 아버지 부임지로 함께
　　　　　　　　　　　　　　　　　　　　　　　　　　　　임무를 받아 근무하는 곳
떠난다는 것은 생각할 수도 없었다. 지나가는 오토바이만 보아도 무슨 괴물을 보듯
무서워서 도망치곤 했을 만큼, ㉢문명의 이기에 적응을 못 했기에 할머니와 지내는
　　　　　　　　　　　　　　　　　글쓴이가 친근하게 여긴 흙과는 대조되는 대상 문제4-③
것을 편케 생각했는지도 모른다. 교육열이 대단하셨던 증조할머니도 어머니 못지
　　　　　　　　　　　　　　　　　　　글쓴이의 어머니는 자상한 성품을 지녔음. 문제2-①
않게 자상한 성품이어서 부모님께서도 안심이 되셨던 것 같다. / 신기한 놀이 시설
도, 특별한 장난감도 없었지만 나는 할머니와 지내는 게 신이 났다. 촉촉한 흙냄새
증조할머니와 함께 지낸 공간에는 특별한 장난감도 없었음. 문제2-⑤
가 나는 마당에 앉아 손으로 흙을 주물며 놀아도 야단치는 일이 없었기 때문이다.

(라) 아무런 조건도 없이 오랜 세월을 베풀어 주기만 한 땅, 조상이 물려준 토지에
집을 짓고 편안히 사는 게 모두 땅의 은덕이라 생각하신 듯싶었다. 발을 딛고 다니
　　　은혜와 덕. 또는 은혜로운 덕
는 땅이야말로 살 속에 깃든 영혼이고 모든 생명의 고향이라 생각한 것이다. 하지
만 요즈음 땅을 밟고 산다는 게 하나의 사치처럼 되어 가는 느낌이다. / 하늘과 가
까운 고층 아파트에 살다 보니 흙을 가까이할 기회가 적어진 것이다. 가끔 이러다
　　　'하늘'과 '땅'을 대조시켜 도시적 가치와 자연적 가치를 대비하고 있음. 문제1-④
가는 ㉣하늘의 공간에서 영영 땅으로 내려오지 못하는건 아닐까 하는 생각이 들기
　　　아파트를 비유하는 말로 흙(자연)과 대조되는 대상 문제3-④
도 한다. 손바닥만 한 마당이라도 있는 주택으로 주거지를 옮기겠다고 입버릇처럼
　　　　　　　　　　글쓴이는 손바닥만 한 마당이라도 있는 주택을 꿈꾸지만 아파트의 편리함 때문에 주거지를 옮기지 않음. 문제2-③
말하면서도 결국 ㉤아파트의 편리함에 젖어 다시 주저앉게 되니 말이다.

(마) 그래서인지 근래 들어선 @마음까지도 시멘트 벽을 닮아 가고 있는 것 같다.
　　　　　　　　　　증조할머니와 지내며 흙 놀이를 즐겼던 어린 시절을 회상함.
　　　　　　　　　　　　　　　　　마음이 시멘트 벽처럼 삭막하게 메말라 가고 있는 오늘날의 상황을 표현함. 문제3
오 년 동안 한 아파트 통로에 사는 아주머니와는 엘리베이터에서 만났어도 가벼운
목례를 하는 것 정도가 고작이고 서로 왕래해 본 일이 없다. 가까운 이웃이 없다면
눈짓으로 가볍게 하는 인사.
훈훈한 정도 느끼지 못할 텐데 철저하게 혼자 사는 생활에 익숙해져 가고 있다.
　　지구(地球)의 절반 이상이 흐르는 물로 덮여 있음에도 수구(水球)라 하지 않고
지구라 칭한 것도 흙이 생명의 모태이기 때문이 아닐까. 땅과 멀어질수록 병원을
　　　　　　　　　　　　　　글쓴이는 흙을 생명의 모태로 여김. 문제5
가까이한다는 말이 있듯이 무디어진 심성을 깨우치는 건 자연과 가까이하는 일이
다른 사람의 말을 인용하여 글쓴이가 자신의 생각을 효과적으로 표현함. 문제1-⑤
지 않나 싶다.　　　　　▶ 자연과 멀어지고 이웃과 왕래하지 않는 오늘날의 생활을 안타까워함.

---

1 (나)에서 글쓴이는 아이 엄마의 행동을 관찰하여 서술하고 있다. 이러한 서술 방식은 서술자가 인물의 심리와 성격을 직접 설명하는 직접 제시와는 거리가 멀다.

오답 풀이 ③ 동네 아이들과 엄마의 모습을 바라보던 글쓴이는 (다)에서 '나도 어렸을 적 흙 놀이를 즐겼다'고 말하며 과거를 회상하고 있다. ④ (라)에서 '하늘과 가까운 고층 아파트'(하늘)와 '흙'(땅)을 대비시켜 표현하고 있다. ⑤ '땅과 멀어질수록 병원을 가까이한다'라는 말을 인용하여 자신의 생각을 효과적으로 표현하고 있다.

2 글쓴이는 손바닥만 한 마당이 있는 주택으로 옮기겠다고 입버릇처럼 말했을 뿐, 아파트의 편리함에 젖어 다시 아파트에 주저앉게 되었다고 말하고 있다. 따라서 글쓴이는 현재 주택이 아니라 아파트에서 살고 있음을 알 수 있다.

오답 풀이 ① (다)의 '증조할머니도 어머니 못지않게 자상한 성품이어서'에서, ② (다)의 '학교 이동이 잦던 아버지께서 외지로 발령이 나자'에서, ④ (가)에서 동네 꼬마들이 흙장난을 하고 있는 곳이 '출입 금지' 구역이라고 한 데서 ⑤ (다)의 '신기한 놀이 시설도, 특별한 장난감도 없었지만'에서 해당 내용을 확인할 수 있다.

3 이 글에서 '흙'은 현대 사회 혹은 문명과 대비되는 '자연'을 의미한다. @(좋은 놀이터)는 '흙냄새가 향기로운 아파트 정원'을 지칭한 것이므로 의미상 '흙'과 대조된다고 보기 어렵다.

4 '시멘트 벽'은 딱딱하고 메마른 느낌을 준다. 글쓴이는 (마)에서 가까운 이웃과 훈훈한 정을 나누지 못하는 오늘날의 도시 환경을 안타까워하고 있으므로, @는 마음이 시멘트 벽처럼 삭막하고 메말라 가고 있다는 의미로 이해하는 것이 알맞다.

5 (마)에서 글쓴이는 흙을 생명의 모태로 여기고 있다. (나)에서 아이 엄마는 흙을 더러운 것으로 여기고 있다.

어휘 다지기
본문 157쪽
3 〈보기〉에 따르면 어근이 'ㄴ, ㄹ, ㅁ, ㅇ' 이외의 받침으로 끝나는 경우 '-하지'는 '-지'로 준다. '섭섭하지'의 어근인 '섭섭'은 'ㅂ' 받침으로 끝나는 말이므로 '-지'로 줄여야 한다. 따라서 '섭섭지'로 주는 것이 알맞다.

04 토끼와 자라

본문 158~159쪽

1 ④   **2** ⑤   **3** 늙고 병든 용왕의 모습   **4** ④

앞부분의 줄거리 용왕이 병에 걸려 물속에 사는 온갖 약초를 먹었지만 낫지 않던 중, 자라가 토끼의 간을 먹으려고 청하자 용왕은 자라에게 토끼를 데려오도록 명한다. 뭍으로 나와 토끼를 찾은 자라는 용궁 구경을 가자며 토끼를 유혹한다.

– 제 3장 –

(다시 용궁)
공간적 배경: 용궁 [문제 1-③]

용왕이 신이 나서 걸어 나온다.

그러나 금방 몸이 아파서 쓰러지며 의자에 앉아 거친 숨을 쉰다.
늙고 병든 용왕의 모습 [문제 1-①, ⑤]

용왕 그래, 토끼를 잡아 왔다고? 어서 들라 해라.

문어 자라 대신! 토끼를 데리고 들어오세요.

토끼, 용궁으로 들어온다. 토끼, 온갖 대신들이 모두 물고기들이라 깜짝 놀란다.
신하들은 모두 물고기의 모습임. [문제 1-②]

토끼 (뒤따라오는 자라에게 화를 낸다.) 아니, ㉠용궁으로 데리고 온다더니 수산물과는 횟집에 온 거 아냐?
예상과는 다른 용궁의 모습에 실망하고 화가 난 토끼 [문제 2-①, ②]

자라 토끼님 눈에는 이 용궁이 수족관으로 보인단 말이오?

용왕 허, 발칙하도다. 짐의 궁전을 모독하다니?
말이나 행동으로 더럽혀 욕되게 하다.
하는 짓이나 말이 매우 버릇없고 막되어 괘씸하다.

토끼 (용왕을 본다.) 어어…… 저 생선은 처음 보는데…… ㉮근데 싱싱하지가 않아서 회로는 못 먹고 매운탕으로 먹겠다.
늙고 병든 용왕의 모습을 비꼬아 표현 [문제 3]

용왕 (부르르 떨며 화를 낸다.) 어서 저 고얀 놈 배를 갈라라. 냉큼 간을 가져오지 못할까!

신하들이 토끼를 향해 달려든다.

토끼, 피한다.

토끼 잠깐! 잠깐! 내가 잘못 들었나? (정중하게) ㉡방금 간이라고 하셨습니까?
토끼는 까불던 이전의 태도와는 다르게 긴장한 태도로 정중하게 말함. [문제 2-③, ④]

자라 토끼님, 미안하오. 용왕께 명약으로 바치려고 당신을 데려온 것이오.

토끼 내 간을 약으로 바치려고요?

신하들 그렇다.

[A]
⎡ 문어, 잽싸게 달려들어 다리로 토끼를 감싸 쥔다.
⎣ 전기뱀장어는 토끼 옆을 스친다. / 토끼는 전기가 올라 소스라친다.

토끼 (침착함을 잃지 않고, 과장해서) 아하하, 안타깝다. 오호통재라. 토끼 간이 산속 짐승한테만 명약인 줄 알았더니, 이런 생선들한테도 쓸모가 있더란 말이냐? 그래서 우리 조상들은 간을 대여섯 개씩 물려받았구나. 좋다. 주지, 줘. ㉢간을 줘서 생명을 살린다면 아까울 것이 없지.
토끼는 위기를 넘어가고자 침착하게 꾸며 말하고 있음. [문제 2-⑤]

고등어 과연 듣던 대로 판단력이 빠른 총명한 토끼로고……

토끼 얘, 너 배를 좍 갈라서 소금 쫙쫙 뿌려서 고등어자반 만들기 전에 입 다물어. 까불고 있어. 용왕마마! 다만 한 가지 안타까운 말씀을 드려야겠나이다.

---

1 이 글은 인물들의 대사와 이야기의 전개로 보아 익살맞고 경쾌한 느낌을 준다. 따라서 배경 음악은 가볍고 경쾌한 느낌을 살릴 수 있는 것으로 준비해야 한다.

오답 풀이 ▶ ② 토끼가 용궁에 들어왔을 때 온갖 대신이 모두 물고기들이라 깜짝 놀란다는 지시문으로 보아 용왕의 신하들은 모두 물고기 모습임을 알 수 있다. ⑤ 용왕은 무대 입구에서 걸어 나온 뒤 금방 쓰러지며 의자에 앉게 되므로 용왕의 의자는 무대 입구 가까이에 배치하는 것이 좋다.

2 ㉡에서 토끼는 침착함을 잃지 않고 과장된 말투로 용왕을 속이고 있기 때문에 침착한 말투로 말해야 한다. 또한 토끼가 ㉡에서 용왕을 속이기 위해 꾸며 말하고 있음을 감안해도, 안타까워하는 말투로 말해야 한다.

3 ㉮가 지칭하는 대상은 용왕이다. 싱싱하지가 않다는 것은 용왕이 늙고 병들었음을 비꼬아 표현한 것이다.

4 〈보기〉에서는 헛된 욕심을 갖고 자라를 쫓아왔다가 꼼짝없이 죽게 생긴 토끼의 처지에 대해 서술자가 '누구를 원망하며 누구를 한하리오.'와 같이 자신의 의견을 드러내고 있다. [A]는 희곡이기 때문에 서술자가 존재하지 않는다.

오답 풀이 ▶ ① 〈보기〉에서는 서술자가 상황을 정리하여 해설하는 역할을 하지만, [A]에는 서술자가 존재하지 않는다. ② 〈보기〉에서 '이는 모두 토끼가 자초한 화, 누구를 원망하며 누구를 한하리오.'라는 구절을 볼 때 서술자가 토끼의 헛된 욕심을 비판하고 있음을 알 수 있지만, [A]는 토끼의 헛된 욕심을 비판하고 있지 않다. ③ [A]와 〈보기〉 모두 토끼의 심리를 직접 제시하고 있지 않다. ⑤ 〈보기〉에서 '누구를 원망하며 누구를 한하리오.'라는 구절에서 설의법이 사용되었음을 확인할 수 있지만, 이는 용왕의 횡포를 비판하는 것이 아니라 토끼의 헛된 욕심을 비판하는 표현이다.

04 토끼와 자라

본문 160~163쪽

5 ④　　**6** ③　　**7** ④　　**8** ⑤

어휘 다지기　**1** (1) 심심산골 (2) 명약 (3) 대신　**2** (1) 모독 (2) 발칙　**3** ④
4 (1) ② (2) ③ (3) ① (4) ④

용왕 ⑤뭐냐? 얼른 칼을 가져다 배를 쭉 갈라 보자.
　　　용왕의 성급하고 욕심 많은 성격이 드러남. 문제 7-①
토끼 예로부터 토끼들은 간이 배 밖으로 나왔습니다. 호랑이, 여우, 늑대, 표범, 살
　　　쾡이, 독수리한테 쫓기다 보니 간을 배 속에 넣고는 살아갈 수가 없거든요.
　　　산속 깊은 골짜기에다 차곡차곡 재어 놓고 다니다 밤에만 배 안에 집어넣고
　　　살고 있다고 합니다……가 아니라, 살고 있습니다.
용왕 그거 큰일이다. / **뱀장어** 저놈 말을 믿지 마세요, 폐하!
　　　용왕이 토끼의 거짓말에 솔깃함. 문제 8-② 　토끼를 믿지 않는 뱀장어와 도루묵 문제 8-①
도루묵 먼저 저놈 배를 갈라 보고, 간이 없으면 다시 토끼를 잡아 오면 어떨는지요.
토끼 ⑥(엄살을 떤다.) 아이고, 나 죽네. 그 아까운 간을, 그 용하다는 명약을 심심
　　　위기를 벗어나기 위해 능청스레 연기함: 토끼는 꾀가 많고 능청스러움. 문제 7-②
　　　산골에 숨겨 두고 아까운 목숨만 사라지네.
자라 ⑥폐하! 다시 육지로 나가 토끼 간을 받아오겠나이다. 산속 짐승이나 물속 짐
　　　승이나 모두 하나뿐인 생명입니다. 힘이 들더라도 한 번 더 다녀오겠습니다.
　　　자라는 용왕을 위해 번거로운 일도 마다하지 않는 충성심을 지님. 문제 7-③
용왕 ⑥그래라, 그래. 간도 없는 놈을 죽여 무엇하겠느냐. 털가죽도 뒤집어 쓰는 걸
　　　보니, 간 아니라 심장도 밖에다 내놓고 다닐 놈이로다. 얼른 서둘러 다녀오너라.
　　　용왕이 토끼의 거짓말에 속아 넘어감: 욕심에 눈이 멀, 어리석음. 문제 5-①, 7-④
자라 다녀오겠습니다, 폐하!
뱀장어 (칼을 휘두르며 쫓아온다.) 속지 마십시오, 폐하! 이놈 간 내놔! 간 내놔!
　　　▶절정: 용왕이 토끼의 간을 꺼내려 하자 토끼는 거짓말로 위기를 모면함.
　　토끼, 도망치며 얼른 자라의 등에 탄다. / 토끼, 자라의 등을 발로 차며 '이랴 낄낄' 한다.
　　둘은 헤엄쳐 간다. / 둘의 뒤로 다른 물고기들이 헤엄쳐 따라온다.
　　재미있는 빠른 음악이 울린다.
　　다른 물고기들이 토끼와 자라를 따라오고, 재미있는 음악이 울림. 문제 8-③, ④
토끼 아이고, 이놈아, 빨리 가자. 간 떨어지겠다. 간이 콩알만 해지겠다.
　　　　　　　　　　관용 표현을 사용하여 해학적 효과를 높임. 문제 5-⑤
자라 뭐라고? 간이 떨어져? / **토끼** 아냐, 어서 가. 똥 떨어진다는 소리다.
자라 ⑩앗! (걱정하며) 내 등에 싸지 마!
　　　자라는 토끼의 말을 곧이곧대로 듣는 우둔한 인물임. 문제 7-⑤
토끼 이놈아, 토끼 똥은 똥글똥글 콩자반처럼 예쁘기만 하다. 〈중략〉
　　비유적 표현과 음성 상징어를 사용해 해학적 효과를 높이고 대사의 어감을 살림. 문제 5-②, ⑤
　　　　　　　　　　　　　– 마무리 –
　　　　　　　　　　　　　　　　　　　　　　▶하강: 토끼는 자라와 함께 용궁을 빠져나옴.
　　자라는 땅에 엎드려 헉헉 숨을 쉰다. / 토끼는 깡충깡충 뛰어 언덕에 오른다.
　　　　　　　　　토끼와 자라는 서로 거리가 먼 곳에 있음. 문제 8-⑤
　　자라는 땅에서 걷느라 천천히 걷는다.

자라 (소리친다.) 같이 가! / **토끼** (소리 지른다.) 왜 같이 가?
자라 간 하나만 줘야지! / **토끼** 너 줄 간은 없다. / **자라** 뭐라고?
토끼 하하하! 이 토끼님을 속여서 용궁으로 데려가? 하마터면 가마솥에 들어가 통
　　　째로 토끼탕이 될 뻔했구나. 이번엔 네 차례야. 네가 속은 거야. 세상에 간을
　　　꺼내 놓고 사는 짐승이 어디 있냐? 이 어리석은 자라야!
자라 뭐야? 난 몰라. 깜빡 속았네.
토끼 이놈 자라야. 너나 이 땅을 어슬렁거리다 보약 좋아하는 사람들한테 잡혀 자
　　　라탕이나 되어라.
자라 아이고, 망했다. 어떻게 용궁으로 돌아가나…… 난 몰라. 모른다고……
　　　▶대단원: 토끼는 자라를 놀리며 도망치고 자라는 토끼에게 속은 것에 탄식함.

---

5 이 글의 시간적 배경은 '옛날 옛적'으로, 공간적 배경은 용궁, 바닷속, 육지로 설정되어 있다. 이처럼 시·공간적 배경이 매우 추상적으로 설정되어 있어 글의 사실성을 높이지 못한다.

오답 풀이 • ① 이 글은 욕심에 눈이 먼 포악한 우두머리인 '용왕'의 어리석음을 비판하고 있다. ② '차곡차곡', '똥글똥글'과 같이 음성 상징어를 사용하여 대사의 어감을 살리고 있다. ⑤ '간 떨어지다', '똥글똥글 콩자반처럼'과 같이 관용 표현과 비유적 표현을 사용해 해학적 효과를 높이고 있다.

6 용왕의 병을 고치기 위해 용왕과 신하는 토끼의 간을 빼앗으려 하고, 토끼는 간을 지키려 용왕과 신하들을 속이고 있다. 이처럼 이 글에는 용왕과 토끼 사이의 외적 갈등이 두드러지게 나타난다.

7 ⑩에서 용왕은 토끼의 거짓말에 넘어가 성급하게 토끼를 풀어 주려 하고 있다. 이는 용왕이 현명하다는 것을 의미하는 게 아니라 용왕이 어리석다는 것을 의미한다.

8 [C]에서 자라가 아직 사태를 파악하지 못하고 언덕을 뛰어 올라간 토끼에게 같이 가자고 소리친 것으로 보아, 토끼와 자라는 대사를 말하기 전에 거리를 두고 서 있도록 하는 것이 알맞다.

오답 풀이 • ① 뱀장어와 도루묵은 [A]에서 토끼의 말을 끝까지 의심하고 있다. 따라서 토끼를 의심하는 표정을 짓도록 해야 한다. ② 용왕은 [A]에서 토끼의 말을 주의 깊게 듣다가 토끼의 거짓말에 속아 넘어갔으므로 토끼의 말에 귀를 기울이는 모습을 보이도록 해야 한다. ④ [B]에서 다른 물고기들이 헤엄쳐 따라오고, 재미있는 빠른 음악이 울린다는 지시문이 있으므로 적절한 연출 방안이다.

 어휘 다지기

본문 163쪽

3 '오호통재'는 '아, 비통하다'라는 뜻으로, 슬플 때나 탄식할 때 하는 말이다.

05 들판에서

1 ②   **2** ③   **3** ④   **4** ㉠ 절정, ㉡ 측량 기사, ㉢ 총

측량 기사 이게 뭔지 알아요?

아우 총인데요.

측량 기사 ⓐ아주 성능이 좋은 총이죠. 당신은 이 총으로 벽을 지켜야 합니다.
　　　측량 기사는 형제를 이간질하고 있으므로 비열하고 욕심 많은 속내가 드러나도록 연기해야 함. 문제 3-①, 4

아우 벽을 지켜요?

측량 기사 (아우의 손에 총을 쥐어 주며) 지금은 외상으로 드릴 테니, 대금은 나중에
　　　인물의 행동을 설명하는 지시문 문제 1-③
　　　땅으로 주세요.

조수들 (가방에서 총탄을 꺼내 놓으며) 여기 총알이 있어요.

측량 기사 당신의 안전을 위해서 아낌없이 쏘세요!

　측량 기사와 조수들, 웃으며 퇴장한다. 벽의 오른쪽에서 형이 전망대 위로 올라간다. ㉠탐조등이 켜지면서 강렬한 불빛이 벽 너머를 비춘다.

형 아우야! 아우야!

아우 (강렬한 불빛을 받고, 눈이 안 보여서 당황한다.) 누구예요?
　　　아우는 탐조등 불빛 때문에 형을 볼 수 없음. 문제 2

형 나다, 나!

아우 형님?

형 그래! 내가 안 보여?

아우 왜 그런 불빛으로 나를 비추죠?

형 네가 뭘 하는지 잘 보려고……
　　　아우를 잘 보려 탐조등 불빛을 비춤. → 탐조등은 형제간의 불신을 상징함. 문제 2

아우 ⓑ나는 그 불빛 때문에 형님이 안 보여요!
　　　아우는 형을 볼 수 없어 불안해하고 있음. 문제 3-②

형 그럼 내가 그쪽으로 넘어갈까?

아우 아뇨! 넘어오지 말아요! 내 눈을 안 보이게 하고 넘어온다니 무슨 흉계죠?
　　　탐조등은 아우가 위기 의식을 느끼게 하는 소재임. 문제 2

형 ⓒ난 아무 흉계도 없어. 넘어간다.
　　　형은 아우와의 화해를 바라고 있음. 문제 3-③

아우 넘어오면 쏩니다! (허공을 향해 위협적으로 총을 발사한다.) 이건 진짜 총이에
　　　총으로 인해 형과 아우의 외적 갈등이 최고조에 달함. 문제 4
　　　요!

　형, 요란한 총 소리에 놀라 전망대에서 황급히 내려온다. 그는 두려움에 질린 모습이 되어 움츠리고 앉는다. ⓓ측량 기사, 가죽 가방을 든 두 명의 조수와 함께 등장한다.
　　　측량 기사는 아우가 형에게 총을 쏘기를 기다리고 있었음. 문제 3-④

측량 기사 저 쪽 동생이 미쳤군요. 형님에게 총질을 하다니!

조수들 ⓔ(웃으며) 완전히 미쳤어요.
　　　조수들은 자신들의 뜻대로 되는 것에 만족하며 형제를 비웃고 있음. 문제 3-⑤

형 무서워요……

측량 기사 이젠 동생이 아니라, 적이라고 생각하는 게 좋겠어요. 철저히 무장하고 자신을 지켜야지, 가만 있다간 죽게 됩니다. (조수들에게) 여봐, 이분에게 총을 드려.

조수들 네.

　조수들, 가죽 가방을 열고 장총의 분해품을 꺼낸다. 그리고 재빠르게 조립해서 형의 손에 쥐어 준다. ▶절정: 형과 아우 측량 기사의 흉계에 속아 서로 총을 쏘며 대립함.

---

1 이 글의 갈래인 희곡은 무대 공연을 목적으로 하기 때문에 모든 이야기가 눈앞에서 일어나는 것처럼 현재 시제로 표현된다.

2 ㄱ: 형은 ㉠을 통해 아우를 감시하려고 하고, 아우는 그런 형을 경계하고 있으므로 ㉠은 형제간의 불신을 상징하는 소재라고 할 수 있다.
ㄴ: 아우는 ㉠의 불빛 때문에 형이 보이지 않는다고 하였다.
ㄷ: ㉠의 강렬한 불빛은 아우가 형을 보지 못하게 만들어 아우는 형을 극도로 경계하고 있으므로 ㉠은 아우가 위기 의식을 느끼게 하는 소재이다.
（오답 풀이） ㄹ: 탐조등을 비춘 후 형의 말과 행동으로 보아 형은 아우를 위협하고 해칠 의도로 탐조등을 켠 것이 아니라 아우가 무엇을 하는지 감시하기 위해 탐조등을 켠 것임을 알 수 있다.

3 측량 기사는 ⓓ에서 아우가 형에게 총질할 것을 기다리고 있다가 등장하고 있다. 등장한 직후 측량 기사는 형에게 동생에 대한 적개심을 일으켜 형을 이용하려 하고 있으므로, 측량 기사가 형을 비웃는 듯한 표정을 짓는 것은 적절하다.
（오답 풀이） ① ⓐ에서 측량 기사는 형제 사이를 이간질하여 이익을 취하려 하고 있으므로 비열하고 욕심 많은 속내가 드러나는 표정을 지어야 한다. ② ⓑ에서 아우는 형을 볼 수 없어 불안해하는 말투로 말해야 한다. ③ ⓒ에서 형은 아우와의 화해를 바라며 벽을 넘어가려 하고 있으므로 아우를 안심시키고자 하는 말투로 말해야 한다. ⑤ ⓔ에서 조수들은 상황이 자신들의 뜻대로 흘러가는 것에 만족하고 있으므로 형제를 비웃는 표정을 지어야 한다.

4 이 글은 형과 아우의 외적 갈등이 최고조에 달하는 '절정' 부분이며 갈등을 유발하는 인물은 측량 기사이다. 또한 '총'은 극적 긴장감을 높이는 소재이다.

3. 수필/극

05 들판에서

본문 166~169쪽

5 ⑤   **6** ③   **7** ④   **8** ⑤

어휘 다지기   **1** (1) 대금 (2) 반색 (3) 무장 (4) 총 (5) 탐조등   **2** 옹졸하다
                3 (1) 분신 (2) 걸개그림 (3) 암전   **4** (1) 총인데요 (2) 너머 (3) 바랐지

형 어쩌다가 이런 꼴이 된 걸까! 아름답던 들판은 거의 다 빼앗기고, 나 혼자 벽 앞
    에 있어.
_{벽 너머로 서로 보이지 않을 정도로 높은 벽을 준비해야 함. 문제 7-①}

아우 내가 왜 이렇게 됐지? 비를 맞으며 벽을 지키고 있다니……
_{비를 맞으며 벽을 지키는 것이 의미 없는 일임을 깨달음. 문제 8-①}

형 저 요란한 천둥 소리! 부모님께서 날 꾸짖는 거야!
_{천둥 소리를 효과음으로 표현해야 함. 문제 7-②}

아우 빗물이 눈물처럼 느껴져!

    형과 아우, 탄식하면서 ㉠나누어진 들판을 바라본다.
    _{형제의 갈등을 상징함. 문제 5}

형 아아, 이 들판의 풍경은 내 마음 속의 풍경이야. 옹졸한 내 마음이 벽을 만들었고,
_{자신의 행동을 후회하고 성찰하고 있음. 문제 8-③}
    의심 많은 내 마음이 ㉡전망대를 만들었어. 측량 기사는 내 마음 속을 훤히 알고
    _{형제의 갈등을 상징함. 문제 5}
    있었지. 내가 들고 있는 이 ㉢총마저도 그렇잖아? 동생에 대한 내 마음의 불안함
    _{형제의 갈등을 상징함. 문제 5}
    을 알고, 그는 마치 나 자신의 분신처럼 내가 바라는 것만을 가져다 줬던 거야.

아우 난 이 들판을 나눠 가지면 행복할 줄 알았어. 형님과 공동 소유가 아닌, 반절
    이나마 내 땅을 가지기를 바랐지. 그래서 측량 기사가 하자는 대로 했던 거야.
    _{아우는 외세를 상징하는 측량 기사의 욕심에 자신이 이용당했음을 깨달음. 문제 8-②}
    하지만, 나에게 남은 건 벽과 총뿐, 그는 나를 철저히 이용만 했어. 〈중략〉
        ▶ 하강: 형과 아우는 지난날의 행동을 후회하며 서로를 그리워함.

    형과 아우, ㉣그들 사이를 가로막은 벽을 안타까운 표정으로 바라본다. ㉮비가 그치
    _{형제의 갈등을 상징함. 문제 5}
면서 구름 사이로 한 줄기 햇빛이 비친다.
_{형제의 갈등을 상징하던 비와 천둥이 멎고 햇빛이 비침. → 형제의 갈등 해소를 암시함. 문제 6}

형 하지만, 내 마음을 어떻게 저 벽 너머로 전하지?

아우 비가 그치고, ㉤산들바람이 부는군.
        _{형제의 갈등 해소를 암시하는 소재임. 문제 5}

형 저 벽을 자유롭게 넘어갈 수만 있다면……. 가만있어 봐. 민들레꽃은 씨를 맺으
    면 어떻게 되지? 바람을 타고 멀리멀리 날아가잖아?

아우 햇빛이 비치니까 샛노란 민들레꽃이 더 예쁘게 보여.

형 이 꽃을 꺾어서 벽 너머로 던져 주어야지. 동생이 이 민들레꽃을 보면, 진짜 내
_{꺾을 수 있는 노란 민들레꽃 모양의 소품을 준비해야 함. 문제 7-⑤}
    마음을 알아 줄 거야.

아우 형님에게 이 꽃을 드리겠어. 벽 너머의 형님이 이 꽃을 받으면, 동생인 나를
    생각하겠지.

    형과 아우, 민들레꽃을 여러 송이 꺾는다. 그리고 벽으로 다가가서 민들레꽃을 벽 너
머로 서로 던져 준다. 형은 아우가 던져 준 꽃들을 주워 들고 반색하고, 아우는 형이 던
_{형제가 서로에게 마음을 전하고 화해하며 갈등을 해소하고 있음. 문제 8-④}
진 꽃들을 주워 들고 기뻐한다. 서로 벽을 두드리며 외친다.

아우 형님, 내 말 들려요? / **형** 들린다, 들려! 너도 내 말 들리냐?

아우 들려요! / **형** 우리, 벽을 허물기로 하자!

아우 네, 그래요. 우리 함께 빨리 벽을 허물어요!

    무대 조명, 서서히 암전한다. 다만, 무대 뒤쪽의 들판 풍경을 그린 걸개그림만이 환하
게 밝다. 막이 내린다.   _{걸개그림에 조명이 비춰짐. 문제 7-③}
                    ▶ 대단원: 형과 아우는 우애를 회복하고 벽을 허물기로 함.

5 ㉠~㉣은 모두 형제의 갈등을 상징하는 소재이다. ㉤은 형제의 갈등 해소를 암시하는 소재이다.

6 이 작품에서 날씨는 형제의 갈등 양상을 상징적으로 드러낸다. 형제의 갈등이 최고조에 달했을 때는 비가 오고 천둥이 치는 날씨였으므로, 비가 그쳐 한 줄기 햇빛이 비치는 날씨는 형제의 갈등 해소를 암시한다고 볼 수 있다.

7 이 작품의 모든 장면은 들판을 배경으로 한다. 따라서 공간적 배경의 변화를 고려한다는 연출 방안은 적절하지 않다.

8 형제가 들판에 세워진 벽을 함께 허물자고 하는 것은 형제의 화해와 협력을 의미한다. 〈보기〉를 참고할 때, 형제가 화해하고 협력하여 벽을 허무는 것은 분단의 아픔을 극복하기 위해 양측이 화해하고 협력해야 한다는 작가의 의도를 드러낸다. 분단 문제를 유발한 존재들에 대한 보복을 민족의 과제로 여긴다는 것은 형제의 말과 행동에서 찾을 수 없다.

어휘 다지기

본문 169쪽

4 (1) 흐름상 괄호 안에는 "총이에요. 왜 그러시죠?"라는 의미로 사용되는 말이 들어가야 한다. 따라서 뒤에서 어떤 일을 설명하거나 묻기 위하여 그 대상과 상관되는 상황을 미리 말할 때 쓰는 연결 어미인 '-ㄴ데'가 사용된 '총인데요'가 빈칸에 적합하다.
(2) 괄호 뒷부분에, 체언에 붙는 조사인 '-를'이 있으므로 체언인 '너머'가 빈칸에 적합하다.
(3) 괄호에는 '생각이나 바람대로 어떤 일이나 상태가 이루어지거나 그렇게 되었으면 하고 생각하다.'라는 의미를 가진 '바라다'가 들어가야 한다. '바라다'의 활용형은 '바랐다'이며, '바랬다'는 '볕이나 습기를 받아 색이 변하다.'라는 의미를 지닌 '바래다'의 활용형이다.

문학 DNA
깨우기

1

기본 개념

정답과 해설

배움으로 행복한 내일을 꿈꾸는
천재교육 커뮤니티 안내 · · ·

교재 안내부터 구매까지 한 번에!
천재교육 홈페이지

자사가 발행하는 참고서, 교과서에 대한 소개는 물론
도서 구매도 할 수 있습니다. 회원에게 지급되는 별을 모아
다양한 상품 응모에도 도전해 보세요!

다양한 교육 꿀팁에 깜짝 이벤트는 덤!
천재교육 인스타그램

천재교육의 새롭고 중요한 소식을 가장 먼저 접하고 싶다면?
천재교육 인스타그램 팔로우가 필수!
깜짝 이벤트도 수시로 진행되니 놓치지 마세요!

수업이 편리해지는
천재교육 ACA 사이트

오직 선생님만을 위한, 천재교육 모든 교재에 대한 정보가 담긴
아카 사이트에서는 다양한 수업자료 및 부가 자료는 물론
시험 출제에 필요한 문제도 다운로드하실 수 있습니다.

https://aca.chunjae.co.kr

천재교육을 사랑하는 샘들의 모임
천사샘

학원 강사, 공부방 선생님이시라면 누구나 가입할 수 있는 천사샘!
교재 개발 및 평가를 통해 교재 검토진으로 참여할 수 있는 기회는 물론
다양한 교사용 교재 증정 이벤트가 선생님을 기다립니다.

아이와 함께 성장하는 학부모들의 모임공간
튜맘 학습연구소

튜맘 학습연구소는 초·중등 학부모를 대상으로 다양한 이벤트와 함께
교재 리뷰 및 학습 정보를 제공하는 네이버 카페입니다.
초등학생, 중학생 자녀를 둔 학부모님이라면 튜맘 학습연구소로 오세요!